T5-ASM-213

BEITRÄGE ZUR WISSENSCHAFT
VOM ALTEN UND NEUEN TESTAMENT
SECHSTE FOLGE

Herausgegeben von Siegfried Herrmann und Karl Heinrich Rengstorf

Heft 4 · (Der ganzen Sammlung Heft 104)

VERLAG W. KOHLHAMMER
STUTTGART · BERLIN · KÖLN · MAINZ

GERHARD DAUTZENBERG

Urchristliche Prophetie

Ihre Erforschung, ihre Voraussetzungen im Judentum und ihre Struktur im ersten Korintherbrief

VERLAG W. KOHLHAMMER
STUTTGART · BERLIN · KÖLN · MAINZ

Als Habilitationsschrift auf Empfehlung der Theologischen Fakultät der Bayerischen Julius-Maximilians-Universität Würzburg gedruckt mit Unterstützung der Deutschen Forschungsgemeinschaft

 Verlagsort: Stuttgart. Gesamtherstellung: W. Kohlhammer GmbH Grafischer Großbetrieb Stuttgart. Printed in Germany. ISBN 3-17-001772-1

Vorwort

Die hier vorgelegten Untersuchungen zur urchristlichen Prophetie wurden von der Theologischen Fakultät der Bayerischen Julius-Maximilians-Universität Würzburg als Habilitationsschrift angenommen. Sie entstanden in den Jahren 1968 bis 1972 auf Anregung von Herrn Prof. Dr. Rudolf Schnackenburg (Würzburg). Ihm habe ich außerdem für das Interesse und für die Geduld zu danken, mit welchen er meine Arbeit auch in schwierigen Phasen begleitete, sowie für manche kritische Rückfrage, welche mich zu neuem Überdenken und sorgfältigerem Formulieren einiger Thesen veranlaßte.

Nach ihm gebührt mein Dank vor allem jenen Institutionen, welche mir eine so lange Zeit der Muße für exegetische Forschung ermöglichten: der kölnischen Franziskanerprovinz und der Deutschen Forschungsgemeinschaft, welche mir vom Sommer 1969 ab ein Habilitationsstipendium gewährte.

Den Herren Herausgebern der "Beiträge zur Wissenschaft vom Alten und Neuen Testament", Prof. Dr. Dr. Siegfried Herrmann (Bochum) und Prof. D. Dr. Karl Heinrich Rengstorf (Münster) und dem Verlag W. Kohlhammer danke ich für die Aufnahme und Veröffentlichung meiner Arbeit in dieser Reihe, den Herren Herausgebern und ihren Mitarbeitern, besonders Herrn stud. theol. et phil. Reinhard Maewald, für das aufmerksame Mitlesen der Korrektur, der Deutschen Forschungsgemeinschaft für die Gewährung eines beträchtlichen Zuschusses zu den Druckkosten.

Gießen, im November 1974 — Gerhard Dautzenberg

Inhaltsverzeichnis

Seite

2. Teil: Die urchristliche Prophetie in 1 Kor 12-14

1. Abschnitt: Prophetie und Deutung

Seite

3. Abschnitt: Die Stellung und die Funktion der Prophetie im Gottesdienst nach 1 Kor 14

Einleitung: Offene Fragen der Prophetenforschung

Auf Grund der Quellenlage können in der Prophetenforschung Fortschritte nur durch sehr eingehende, manchmal scheinbar weit vom Thema wegführende Einzeluntersuchungen erzielt werden. Diese Einzeluntersuchungen selber sind aber nur zu rechtfertigen, wenn sie auf den gegenwärtigen Stand der Erforschung der urchristlichen Prophetie hin beziehbar und interpretierbar sind. Der folgende Überblick über die neuere Forschungsgeschichte soll darum in großen Zügen mit dem gegenwärtigen Stand der Prophetenforschung bekannt machen, die Notwendigkeit und Möglichkeit weiterer Untersuchungen begründen und schließlich den in dieser Arbeit vorgelegten Neuansatz mit vorbereiten. Von dieser Zielsetzung her ergab es sich, daß die "offenen Fragen" kräftiger herausgearbeitet wurden als der in mancher Beziehung bestehende Konsens der Forscher.

1. Kapitel: Literatur und Quellen zur urchristlichen Prophetie

§ 1 Überblick über die neuere Literatur zur urchristlichen Prophetie

Gattung und Zahl der Veröffentlichungen zur urchristlichen Prophetie machen den weitgehenden Stillstand der Prophetenforschung in unserem Jahrhundert erkennbar. Monographische Untersuchungen zur urchristlichen Prophetie oder zu Teilproblemen fehlen.[1] Nicht viel besser ist es um ihre Behand-

---

[1] Eine Würdigung der monographisch angelegten Arbeiten aus der Zeit um die Jahrhundertwende wäre nur im Rahmen einer großangelegten Forschungsgeschichte sinnvoll. Wenn wichtigere Thesen schon in der älteren Literatur vertreten wurden, wird bei Gelegenheit darauf hingewiesen werden. In diesem Zusammenhang sind folgende Arbeiten zu nennen: Bonwetsch, Die Prophetie im apostolischen und nachapostolischen Zeitalter; Selwyn, The Christian Prophets (das Werk war mir nicht zugänglich); Bénazech, Le prophétisme chrétien depuis les origines jusqu' au Pasteur d'Hermas; Alizon, Étude sur le prophétisme chrétien depuis les origines jusqu'à l' an 150.

lung in Zeitschriftenartikeln bestellt.[2] Wenn man von den gelegentlichen Erwähnungen der Prophetie in anders ausgerichteten neutestamentlichen und kirchengeschichtlichen Untersuchungen[3] und in den Kommentaren absieht, gibt es nur Übersichten, welche für größere Werke zum Thema "Prophetie",[4] für Wörterbücher,[5] Lexika[6] und Handbücher[7] geschrieben wurden. Ein tieferes Eingehen auf die Probleme der Prophetenforschung, eine intensive Arbeit an den Texten ist in diesem Bereich mehr oder weniger gattungsbedingt ausgeschlossen und darf nicht erwartet werden. Doch zeichnen sich bei einem weitgehenden durch die Bindung an das beschränkte Quellenmaterial bedingten Konsensus über die Art der urchristlichen Prophetie doch unterschiedliche Fragestellungen und methodische Ansätze ab.

§ 2 Die Quellen zur urchristlichen Prophetie und ihre Behandlung

Als primäre Quellen zur urchristlichen Prophetie kommen alle die neutestamentlichen Texte in Betracht, die ausdrücklich von dem Vorhandensein, dem Wirken und der Verkündigung urchristlicher Propheten sprechen: Mt; Apg; Röm 12, 6; 1 Kor; 1 Thess 5, 20; Eph; 1 Tim; Offb, ferner Belege aus den apostolischen Vätern: Did 10—13; Herm m 11 und Nachrichten über die montanistischen Propheten.[8] Dieses Quellenmaterial wird meistens nach den verschiedenen Traditionskreisen getrennt ausgewertet. Im

[2] Greeven, Propheten, Lehrer und Vorsteher bei Paulus. Zur Frage der Ämter im Urchristentum; Kraft, Die altkirchliche Prophetie und die Entstehung des Montanismus; Hahn, Die Sendschreiben der Johannesapokalypse. Ein Beitrag zur Bestimmung prophetischer Redeformen. — Hier wie im folgenden wird nur auf Veröffentlichungen hingewiesen, die einen wirklichen Fortschritt in der Forschung bringen oder auf Grund ihrer Beschäftigung mit den Problemen urchristlicher Prophetie Beachtung verdienen. Veröffentlichungen, in denen nur bestimmte Aspekte der Prophetie berührt werden, werden an den entsprechenden Stellen zitiert.

[3] Weinel, Die Wirkungen des Geistes und der Geister im nachapostolischen Zeitalter bis auf Irenäus 84—92.171—219; vCampenhausen, Kirchliches Amt und geistliche Vollmacht in den ersten drei Jahrhunderten 65—68.195—210; Schweizer, Gemeinde und Gemeindeordnung im Neuen Testament (Register); Satake, Die Gemeindeordnung in der Johannesapokalypse 47—86.155—161.162—193.

[4] Fascher, *PROPHETES*. Eine sprach- und religionsgeschichtliche Untersuchung 167 bis 171. 182—190; Guy, The New Testament Prophecy. Its Origins and Significance 90—118.

[5] Friedrich, *prophetes:* ThW VI 829—831.849—858.863.

[6] Vielhauer: RGG V 633f; Fascher: ebd. 634f; Schmid: LThK 8, 798—800; Füglister: Fries, Handbuch theologischer Grundbegriffe 3,367—389.

[7] Vielhauer, Hennecke—Schneemelcher II, 425—427.

[8] S. dazu Aland, Bemerkungen zum Montanismus und zur frühchristlichen Eschatologie 143—148; Schneemelcher, Hennecke—Schneemelcher II, 485—488.

allgemeinen sieht man es als zuverlässig an, gelegentlich begegnet eine gewisse Reserve gegenüber den Nachrichten der Apg.[9] Die Aussagen von 1 Kor 12—14 bilden gewöhnlich, auch dann, wenn das nicht so deutlich gesagt wird, die Grundlage für die Bestimmung dessen, was urchristliche Prophetie ist oder nicht ist.[10] Zur erschöpfenden Behandlung einer Quellenschicht konnte es in den zur Darstellung der urchristlichen Prophetie gewählten Veröffentlichungsformen nicht kommen.[11]

Außer den Texten, welche ausdrücklich urchristliche Prophetie erwähnen, kommen noch solche Texte in Betracht, welche zur Prophetie in Beziehung stehen oder auf Prophetie zurückgeführt werden können. Da deren Zuweisung zur Prophetie von der Bestimmung dessen abhängt, was urchristliche Prophetie ist, genügen an dieser Stelle einige Hinweise.

Aus den Paulusbriefen werden gewöhnlich besonders Röm 11, 25f und 1 Kor 15,51 zur Prophetie als Kundgabe eschatologischer Geheimnisse in Beziehung gesetzt. Dagegen ist es wegen des "apokalyptischen" Charakters von Offb umstritten, ob Offb nach Art und Inhalt für die urchristliche Prophetie repräsentativ ist[12] — obwohl das Buch selbst (1, 3; 22, 7. 10. 18f) den Anspruch darauf erhebt, als Prophetie anerkannt zu werden. Ähnliche Bedenken treffen den Hirten des Hermas.[13] Andere Gruppen von Texten sind in der neueren Diskussion auf Grund exegetischer Postulate in das Zentrum des Interesses an der urchristlichen Prophetie gerückt. Es handelt sich vor allem um die sogenannten "Sätze heiligen Rechts" in den Paulusbriefen (1 Kor 3, 17; 14, 38; 16,22), unter den Herrenworten der synoptischen Tradition (Lk 12, 8 par)[14] und um große Gruppen von erstmalig durch R. BULTMANN in seiner "Geschichte der synoptischen Tra-

---

[9] Vielhauer, RGG V 634: "Die Apg nennt zwar Namen und kennt die Propheten neben den Lehrern als Gemeindeleiter, aber sie trägt spätere Vorstellungen in die Frühzeit zurück (Hellsehen, Herumziehen)". Der Beitrag von Ellis, The Role of the Christian Prophet in Acts, kann die Frage infolge grundlegender methodischer Unklarheiten nicht weiterbringen.

[10] Greeven, Propheten 3, beschränkt sich bewußt auf die paulinischen Gemeinden: "Wer die Propheten sind, was sie tun, welche Bedeutung die Prophetie für die Gemeinde hat — all das beantwortet sich für Paulus am klarsten aus 1 Kor 12—14."

[11] Eine gewisse Ausnahme von dieser Feststellung bildet Satake, Gemeindeordnung in der Johannesapokalypse.

[12] Vgl. Vielhauer, Hennecke-Schneemelcher II 426 (s. dazu unten S. 32. 215); Friedrich, ThW VI 855.

[13] Harnack, Die Lehre der zwölf Apostel II 102.106, rechnet Herm zu den Propheten; ähnlich Kraft, Altkirchliche Prophetie 258—262. Vgl. dagegen das Verdikt Vielhauers, Hennecke—Schneemelcher II 453: "Der Verfasser ist kein Apokalyptiker, da er keine Enthüllungen über das Weltende oder das Jenseits bringt. Er ist auch kein Prophet, da ihn die angebliche Aufnahme des 'alten prophetischen Bußrufs' (Weinel) noch nicht als solchen qualifiziert und da die urchristlichen Propheten keine apokalyptische Literatur (sic) hervorbrachten".

[14] Käsemann, Sätze heiligen Rechts im Neuen Testament; ders., Die Anfänge urchristlicher Theologie; Vielhauer, Hennecke—Schneemelcher II 425f; Kraft, Altkirchliche Prophetie 254f; vgl. zum ganzen Problemkreis unten S. 24—29; zu 1 Kor 14, 38 unten S. 255f.

dition"[15] der Wirksamkeit urchristlicher Propheten zugewiesenen Herrenworte. In einer gewissen Analogie zu diesen Vermutungen stehen Versuche, einige katholische Briefe,[16] überhaupt das pseudonyme Schrifttum aus den ersten beiden christlichen Jahrhunderten[17] oder Hebr und Joh[18] auf das Wirken urchristlicher Propheten zurückzuführen.

2. Kapitel: Die Fragestellungen der neueren Prophetenforschung

§ 3 Das "Wesen" der urchristlichen Prophetie

G. Friedrich leitet seine Darstellung der urchristlichen Prophetie im Theologischen Wörterbuch zum Neuen Testament (VI, 849f) mit einem Abschnitt über deren "Wesen" ein. Dieser Abschnitt ist deskriptiv gehalten, ein Resümee der auswertbaren neutestamentlichen Stellen. Das Vorgehen ist sachgemäß. Denn es gibt keine anerkannte Definition der urchristlichen Prophetie, we-

[15] 133—135.175f.393; vgl. ders., Die Erforschung der synoptischen Evangelien 28 (Katalog von Worten urchristlicher Propheten): Mt 10, 16a; Lk 10, 19f; Mt 16, 18f; 18, 20; 28,28—30; Lk 24, 49; ein echtes Wort Jesu prophetisch ergänzt: Lk 6, 22f; ferner Vielhauer, Hennecke—Schneemelcher II, 426; RGG V 634; Greeven, Propheten 23 Anm. 52.

[16] Harnack, Lehre der zwölf Apostel II, 105—107: die gesamtkirchliche Adresse von Jak, Jud, Barn, 1 Petr entspricht dem gesamtkirchlichen Amt der Apostel, Lehrer und Propheten; die falschen Autorennamen sind im Verlauf der Kanonisierung hinzugefügt worden.

[17] Aland, Das Problem der Anonymität und Pseudonymität in der christlichen Literatur der ersten beiden Jahrhunderte 29: "Jeder kannte den Propheten und seine irdischen Umstände, wenn er aber in geisterfüllter Rede sprach, dann war es nicht mehr er, den man hörte, sondern der Herr bzw. die Apostel, der heilige Geist selbst ... Was sich im pseudonymen Schrifttum der Frühzeit vollzieht, ist nichts anderes als eine Verlagerung der Botschaft vom Mündlichen ins Schriftliche"; 30: "Er (sc. der Geist als Verfasser) spricht, wenn nicht durch die Apostel in ihrer Gesamtheit, so doch durch die Bedeutendsten von ihnen, bzw. den in der jeweils in Betracht kommenden Zeit als Bedeutendsten geltenden."

[18] Guy, NT Prophecy 112: die Verfasser von Hebr und Joh sind zu den urchristlichen Propheten zu rechnen, da sie sich als Empfänger von Offenbarung wußten und diese zum Zwecke der Paraklese und Oikodome weitergaben. — Hinter jeder der ab Anm. 13 zitierten Meinungen steht ein je verschiedenes Bild urchristlicher Prophetie.

der im Neuen Testament noch in der neutestamentlichen Forschung. Die Bezeichnung "Prophet" erweist sich als für die Bestimmung des Wesens der urchristlichen Prophetie unergiebig. Das läßt sich ohne weiteres aus dem mangelnden Zusammenhang zwischen der Beschreibung der urchristlichen Prophetie und den Darstellungen der Geschichte des Begriffs im Alten Testament, Judentum und Hellenismus im ThW wie in FASCHERS *PROPHETES* erkennen.

Die Anwendung der deskriptiven Methode setzt allerdings voraus, daß die neutestamentlichen Texte bei aller Zufälligkeit ein ausreichend deutliches und der Realität entsprechendes Bild der urchristlichen Prophetie enthalten.[19] Diese Voraussetzung wird bei der Darstellung des "Wesens" der urchristlichen Prophetie nicht weiter hinterfragt. Im Hinblick auf 1 Kor ist man sich der paulinischen antienthusiastischen Tendenz bewußt,[20] ohne daraus besondere Konsequenzen zu ziehen. Die Aussagen der Offb spielen bei der Beschreibung der Prophetie nur eine geringe Rolle wegen ihres apokalyptischen Einschlags, welcher auf der Darstellungsebene der Deskription in einem gewissen Gegensatz zu den häufig als normativ gewerteten paulinischen Aussagen steht. Dieser "Gegensatz" wird durch entsprechende theologische Wertungen oder Vorurteile verschärft und für wesentlich erklärt. Bei der herkömmlichen Bestimmung des "Wesens" der urchristlichen Prophetie muß man also zwischen der Beschreibung neutestamentlicher Gegebenheiten und der theologischen Wesensbestimmung oder Akzentuierung unterscheiden.

Folgende Merkmale machen nach der den Stand der Forschung repräsentierenden Beschreibung FRIEDRICHS im ThW das "Wesen" der urchristlichen Prophetie aus: Inspiration, Kenntnis und Verkündigung göttlicher Geheimnisse, Verkündigung von bevorstehenden eschatologischen Ereignissen und Zukünftigem, Verkündigung des aktuellen Willens Gottes, Mahnen, Trösten und Stärken der Gemeindeglieder, Offenbarung der heimlichen Bosheit der Menschen, autoritativer und zugleich (!) der Kritik ausgesetzter Charakter der prophetischen Verkündigung.

In diesem an der prophetischen Erkenntnis und Verkündigung orientierten Bild fehlt, wahrscheinlich mit Absicht, ein Zug, der häufig an erster Stelle erörtert wird, das Verhältnis der Propheten zur Organisation der Gemeinden. HARNACK[21] hatte, ausgehend von Did, zwischen den charismatischen "Kirchenämtern" der Apostel, Propheten und Lehrer und den durch Wahl übertragenen "Gemeindeämtern" der Episkopen und Diakone unterschieden. Diese Unterscheidung wird völlig oder wenigstens für die frühen Gemeinden zurückgewiesen.[22] Geblieben ist die Frage nach der Funktion der Propheten. Die Lösungs-

[19] Vgl. dazu die Überlegungen unten S. 32f. 213—215.
[20] Guy, NT Prophecy 91; Greeven, Propheten 10; Friedrich, ThW VI 853.
[21] Lehre der zwölf Apostel II 93—158; ders., Mission und Ausbreitung des Christentums in den ersten drei Jahrhunderten 346—357.
[22] Greeven, Propheten 42; Schweizer, Gemeinde 165—168.

versuche weisen ein breites Spektrum auf. GREEVEN[23] konstatiert eine "Nähe, in der Prophetie und Lehre bei Paulus zur Gemeindeleitung stehen". Die Leitungsgaben von 1 Kor 12, 28 konnten sich mit den Charismen des Propheten oder des Lehrers verbinden und hatten keine selbständigen Träger.[24] VIELHAUER[25] unterscheidet stärker zwischen den einzelnen Traditionskreisen. In den paulinischen Gemeinden besaßen die Propheten auf Grund ihrer Verkündigung ("Sätze heiligen Rechts") "eine den Aposteln ähnliche Autorität".[26] Unter Propheten im Bereich des palästinischen Christentums versteht er Männer, "die im Namen und im Auftrag und mit der Autorität des Erhöhten sprachen und deren Worte als Worte des Erhöhten gehört und respektiert und bei der Darstellung seines irdischen Lebens als Worte des Irdischen weitergegeben wurden". Sie müssen "in der Leitung der palästinischen Gemeinde eine erhebliche Bedeutung gehabt haben".[27] Für den Bereich der Offb schließlich heißt es dann eindeutig: "die Propheten waren nicht hauptberuflich Apokalyptiker, sondern charismatische Leiter der Gemeinden".[28] Ein solches Interesse an den Leitungsfunktionen der Propheten ist vielleicht doch nicht bloß historisch begründet, sondern sehr stark durch die moderne theologische Frage nach dem Amt motiviert. Die Texte sagen zu diesem Problem sehr wenig, wenn überhaupt etwas.

Die eigentlichen Sachfragen der urchristlichen Prophetie begegnen bei der genaueren Bestimmung der prophetischen Erkenntnis und Verkündigung, wenn man die Ebene der allgemeinen Beschreibung verläßt und sich konkreten Aussagen zuwendet, und zwar sowohl auf der historischen wie auf der theologisch wertenden Darstellungsebene. Auf der historischen Ebene ist das Verhältnis der Aussagen über die Prophetie in 1 Kor 12—14 zu den Aussagen in Offb weithin ungeklärt. FRIEDRICH[29] schreibt über den Verfasser der Offb: "Die vielen Visionen und Auditionen machen ihn mehr zu einem apokalyptischen Seher als zu einem urchristlichen Propheten." Das hier vorausgesetzte normative Prophetenbild entspringt einer bestimmten Sicht der paulinischen Aussagen: "Der Prophet in den paulinischen Gemeinden ist nicht Seher, sondern Wortempfänger und Wortverkünder." Nun sucht man die Kategorien des "Wortempfängers" bzw. "Wortverkünders" in den Paulusbriefen vergeblich. Der Ausschluß des

---

[23] Propheten 37.

[24] Daher ihre unpersönliche Formulierung: Greeven, Propheten 38 Anm. 89.

[25] Hennecke—Schneemelcher II 426.

[26] A. a. O.; ebenso in RGG V 633.

[27] Hennecke—Schneemelcher II 426; RGG V 634 unter Berufung auf Käsemann, Sätze heiligen Rechts 79f; Anfänge urchristlicher Theologie 90f; ähnlich Satake, Gemeindeordnung 187f. 191f; Schweizer, Gemeinde 43.

[28] Hennecke—Schneemelcher II 426; RGG V 634: "Für die Apk und ihren Bereich sind die Propheten dagegen eine gegenwärtige Größe und, als Nachfolger der verschwundenen Apostel, die höchste Autorität"; vgl. Satake, Gemeindeordnung 155—161. 191f. Zur Auseinandersetzung mit Vielhauer s. unten S. 31—33. 215.

[29] ThW VI 852.

visionären Elements beruht auf einer theologischen Vorentscheidung (Wort)[30] und auf einer entsprechenden Interpretation der paulinischen Texte.

In der Verkündigung soll ebenfalls ein wesentlicher Unterschied zwischen der Offb und der paulinischen Prophetie bestehen: "Während bei den Propheten der paul Briefe der Schwerpunkt der Verkündigung auf der Paraklese beruht und gelegentlich Weissagungen erwähnt werden, bilden bei der Apk die Zukunftsaussagen den Hauptteil, und die Ermahnungen stehen mehr oder weniger am Rande."[31] Hier ist eine theologische Vorentscheidung zugunsten der Paraklese gefallen, ohne Nötigung durch die Texte. Der Anspruch der Offb, Prophetie zu sein, muß vor solchem theologischem Urteil zurückstehen: "Die Offenbarung Johannes bildet den Übergang von der Prophetie zur Apokalyptik." Man weiß also auch unabhängig von den Texten, oder gar gegen diese, was urchristliche Prophetie ist.[32] Aber woher? Einen Ausweg aus diesem Dilemma kann einzig die religions-, traditions- und literaturgeschichtliche Fragestellung weisen. Doch zunächst wollen wir noch bei der bewußt deskriptiven und definierenden Forschung bleiben.

Bereits die bisherigen Zitate zeigten, daß bestimmte Vorentscheidungen zur Prophetie die Darstellung in einem starken Maße bestimmen. Dafür noch einige weitere Beispiele, welche zugleich die Stoßrichtung der theologisch-kerygmatischen Wesensbestimmung verdeutlichen sollen! Auffällig oft wird bei der Beschreibung der Prophetie der Nutzen der Ermahnung und Erbauung erwähnt, welchen sie nach 1 Kor 14 der Gemeinde bringt. Daß dieser Nutzen nicht spe-

[30] Benz, Paulus als Visionär 81, spricht von einem "allgemeinen antivisionären Komplex der modernen protestantischen Theologie". Dieser sei letzthin ein "Erbe Kants", welcher "Swedenborg als Typus des Visionärs mit seiner tödlichen Ironie abgefertigt hat und darin die völlige Belanglosigkeit visionärer Erfahrungen für die menschliche Erkenntnis nachgewiesen zu haben behauptet". Zur Sache vgl. unten S. 167f. 169f. 202.

[31] ThW VI 855.

[32] Noch schärfer — und gequälter — als Friedrich urteilt Vielhauer, Hennecke-Schneemelcher II 426f: "und der Seher Johannes hat die Apk nicht in seiner Eigenschaft als Prophet verfaßt — denn die anderen von ihm erwähnten Propheten schreiben keine derartigen Bücher —, sondern auf den direkten Befehl des Erhöhten, und d. h. nun doch: mit echt prophetischem Selbstbewußtsein". Vgl. dazu unten S. 215. Eine andere, ebenfalls gewaltsame Lösung des Problems deutet sich bei Goppelt, Die apostolische und nachapostolische Zeit 30, an: "Die Prophetie redete unabhängig von der Schrift und von der sich bildenden Tradition, aber sie war gleich der Lehre zentral bestimmt vom Osterzeugnis. 'Das Zeugnis von Jesus Christus ist der Geist der Prophetie' (Offb 19, 10). Dieser Grundsatz des hervorragendsten Dokuments urchristlicher Prophetie galt nach dem NT allgemein." Solche Definitionen haben eine lange Vorgeschichte, vgl. Alizon, Étude sur le prophétisme 44: "Les tableaux et les visions de l'Apocalypse sont, littéralement parlant des documents de prophétisme chrétien, en ce sens que c'est un chrétien qui en est l'auteur, mais ils forment un ensemble particulier, distinct du prophétisme chrétien proprement dit". Das normative Prophetenbild — "prédicateur, orateur" — stammt auch in diesem Falle aus einer sehr einseitigen Exegese von 1 Kor 14, a. a. O. 18—28.

zifisch für die prophetische Rede ist, wird verschwiegen oder nicht beachtet.[33] Wenn die Propheten charakterisiert werden sollen, werden sie mit den Aposteln und Lehrern zur Gruppe der "Prediger"[34] oder der "Lehrer"[35] geschlagen. Prophetie ist "Anrede in die praktische Situation hinein", "Predigt an die Gemeinde".[36] "Die Prophetie bewirkt die freie, verkündende und offenbarende Anrede, mit der Christus gepredigt wird."[37] Kein Wunder, daß bei solchen theologischen Verallgemeinerungen dann kaum noch eine sinnvolle Abgrenzung der Tätigkeit der Propheten zu der der Apostel und Lehrer gefunden werden kann.[38] Die Prophetie "richtet den Willen Gottes mit der Welt und mit dem einzelnen Glaubenden aus". Der Prophet ist "der geistbegabte Seelsorger der Gemeinde",[39] der die "heimliche Bosheit der Menschenherzen offenbar macht".[40] Der wahre Prophet unterscheide sich darin vom falschen Propheten, daß es "durch seine Verkündigung ... zur Erkenntnis der Sünde und zur Beugung vor Gott" komme.[41]

Hinter diesen beredten Umschreibungen der Prophetie steht der Versuch, sie zu verstehen, aber auch der Versuch, ihre fremden, pneumatischen oder ekstatischen Züge nach Möglichkeit als weniger wesentlich zu erklären.[42] Diese Ten-

---

[33] Vgl. z. B. Friedrich, ThW VI 853 (im Anschluß an 1 Kor 14, 2f): "Während die Glossolalie nur für den Zungenredner selbst von Gewinn ist, erbaut der Prophet die ganze Gemeinde"; man muß aber auch 1 Kor 14, 5 beachten; vgl. unten S. 229f. 234.

[34] Harnack, Lehre der zwölf Apostel II 93.

[35] Conzelmann, Geschichte des Urchristentums 89.

[36] Friedrich, ThW VI 856.

[37] vCampenhausen, Kirchliches Amt 66.

[38] A. a. O. 66f; Greeven, Propheten 28f; Friedrich, ThW VI 856; Goppelt, Apostolische Zeit 131: "Die Prophetie verlängert also gleichsam das apostolische Zeugnis vom Heilsereignis auf Grund unmittelbarer Offenbarung in Gegenwart und Zukunft ... Als Vertreter dieser Prophetie werden in den urchristlichen Schriften in erster Linie, wie sich bereits ergab, Apostel und Evangelisten genannt." Fitzer, Das Weib schweige in der Gemeinde 12f, läßt überhaupt kein Proprium der Prophetie gegenüber der allgemeinen christlichen Verkündigung mehr gelten: "*propheteuein,* d. i. verständliche Predigt, Verkündigen des Wortes Gottes als Wort Gottes, d. h. des Kreuzes Christi und seiner Auferstehung als des Wirkens Gottes am gegenwärtigen Menschen, dient der Gemeinde und auch dem Fremden, ja wird ihm zum Anlaß der Bekehrung, wie die Homiletik in nuce in den vv (14,) 24f wunderbar andeutet". Man fragt sich, was in einem solchen Falle historische Erforschung des Neuen Testaments überhaupt noch bedeuten kann.

[39] Friedrich, ThW VI 857.

[40] A. a. O. 852

[41] A. a. O. 858.

[42] Typisch das Vorgehen Friedrichs, ThW VI 852, der den Zusammenhang zwischen Ekstase und Prophetie anerkennt und das Wort "ekstatisch" zweimal im Hinblick auf den Verfasser der Offb verwendet, bei der Darstellung der paulinischen Sicht aber vermeidet ("anders wird der Prophet bei Paulus geschildert"), ohne weiter nach den Bedingtheiten der paulinischen Sätze zu fragen, die beileibe nicht als "Schilderung" der urchristlichen Prophetie in Anspruch genommen werden wollen

denz steht hinter dem Insistieren auf dem Recht der Gemeinde, die Prophetie zu beurteilen[43], und hinter der einseitigen Bevorzugung der paulinischen Aussagen, ungeachtet ihres gegenüber Offb doch viel "zufälligeren" Charakters. Sie verrät sich gerade auch in manchen "Nebensätzen". H. CONZELMANN widmet in seiner "Geschichte des Urchristentums"[44] dem Thema der Prophetie in den paulinischen Gemeinden nur zwei Zeilen, von welchen auch noch eine der Abwehr dient: "Die Gabe des Propheten sieht er (Paulus) nicht darin, die Zukunft zu enthüllen, sondern das Innere des Menschen aufzudecken und diesen dadurch zu überführen". In der älteren Exegese wurde sogar das "Überführen" von 1 Kor 14, 25 als Folge einer "erwecklichen" oder "elenchtischen" Predigt und nicht als aufdeckendes Handeln des Propheten verstanden.[45] Aber auch heute noch kann es, wie das Beispiel zeigt, als Muster einer prophetischen *apokalypsis* gelten.[46] Der gleiche Argwohn gegenüber der Prophetie steht wohl auch hinter dem Brauch, sofort auf ihre Unzulänglichkeit und Vergänglichkeit nach 1 Kor

---

oder können. Vgl. auch Schmauch, Das prophetische Amt in der Gemeinde 170: "Darum hat prophetische Rede weder mit Enthusiasmus, geschweige denn mit irgendeiner Form von Ekstase wesentlich etwas zu tun. Christliche Prophetie ist eine ganz und gar nüchterne Sache". In die gleiche Richtung läuft der Versuch von Bacht, Wahres und falsches Prophetentum 251—257, mit Hilfe von Texten aus der antimontanistischen Polemik den nichtekstatischen Charakter der urchristlichen Prophetie des ersten Jahrhunderts zu belegen.

[43] Soucek, La prophétie dans le Nouveau Testament 226f; s. dazu auch unten S. 147. — Zwiespältig, weil neben einer korrekten Exegese eigenartige Alternativen aufgebaut werden, Schweizer, Gemeinde 71: "Darum gibt es auch keine blinde Unterwerfung in der Gemeinde"; Friedrich, ThW VI 850f: "Auf der anderen Seite besitzt der Prophet nicht eine solche uneingeschränkte Autorität wie der jüdische ... er ist nicht der uneingeschränkte Herr über die anderen, sondern der Beurteilung unterworfen"; dagegen ebd. 857 eine korrekte Interpretation der *diakrisis* als eines Charismas; Vielhauer, RGG VI 634: "Doch stehen die Propheten unter Kontrolle: der Willkür Einzelner setzt die 'Prüfung der Geister' durch andere (Propheten?) Schranken." Deutlich abgesetzt von dieser Interpretationslinie vCampenhausen, Kirchliches Amt 67 (nicht im Sinne einer "demokratischen Gemeindeorganisation"; die "Unterscheidung der Geister" ist selber eine wenigen verliehene Gabe); Greeven, Propheten 11f.

[44] 89; vgl. Goppelt, Apostolische Zeit 131: "Weil sie (nämlich die Prophetie) vom Christusereignis her redet (Offb 5; 19, 10), enthüllen ihre eigentlichen Aussagen gleich den prophetischen Worten Jesu im Unterschied zur atl. Prophetie nicht einzelne schuldhafte Taten und bevorstehende geschichtliche Ereignisse, sondern das Wesen des Herzens (1 Kor 14, 23—25) und die Wesenszüge der endzeitlichen Heilsgeschichte". Die Negationen hier wie an anderen Stellen zeugen von einem tiefen Unbehagen gegenüber der urchristlichen Prophetie.

[45] S. unten S. 247f.

[46] Vgl. auch Greeven, Propheten 11; Fitzer (oben Anm. 38); für Guy, NT Prophecy 105, ist dagegen schon der Terminus *apokalypsis* in 1 Kor 14 ein Hinweis auf die enge Verbindung zwischen der urchristlichen Prophetie und der Apokalyptik, vgl. unten S. 34.

13 hinzuweisen, wenn man sie im Anschluß an 1 Kor 12 und 14 als das wichtigste Charisma gerühmt hat.[47]

Die gängige Frage nach dem "Wesen" der urchristlichen Prophetie findet also keine zufriedenstellende Antwort. Man kann im Umkreis dieser Frage eine Verlegenheit gegenüber der Prophetie konstatieren und unter den allgemeinen theologischen Formeln eine große Unsicherheit über ihren Inhalt und ihre tatsächliche Bedeutung.

§ 4 Prophetie, Gemeindeleitung und Logienüberlieferung

I. E. Käsemann

Die deskriptive und theologisch wertende Methode kann aus den neutestamentlichen Texten kein überzeugendes Bild der urchristlichen Prophetie gewinnen. E. Käsemann hat in seinen Aufsätzen: "Sätze heiligen Rechts im Neuen Testament" und "Die Anfänge christlicher Theologie" einen anderen Weg zur Bestimmung ihres Wesens eingeschlagen. Dabei geht er, wie schon die Titel der Aufsätze erkennen lassen, nicht primär von der Frage nach der Prophetie aus, sondern bei der Analyse bestimmter neutestamentlicher Sachverhalte drängt sich ihm der Hinweis auf die Prophetie zu deren Erklärung auf. Ausgangspunkt sind zunächst die von ihm so genannten "Sätze heiligen Rechts" in 1 Kor 3, 17; 14, 38; 16, 22 mit den Kennzeichen: kasuistischer Gesetzesstil und eschatologische *talio*. In ihnen bekunde sich ein Wissen um den Maßstab des Richters, wie es nur ein Charismatiker haben könne.[48] Über mehrere Seiten hin führt K. solche Sätze auf "Charismatiker" zurück, Paulus spreche in ihnen als Charismatiker.[49] Und von 1 Kor 5 her folgert K.: "Wichtig ist nur, daß die Stimme des Geistes durch den Propheten oder Apostel überhaupt zu Gehör kommt."[50] Erst am Ende des Aufsatzes wird die Kategorie des Charismatikers definitiv durch die des Propheten ersetzt. Der ursprüngliche "Sitz im Leben" für derartige eschatologische Rechtssätze sei die prophetische Verkündigung. "Paulus hat sie von dort aufgegriffen."[51]

K. fragt nun nicht weiter, ob Paulus in diesen Sätzen wirklich als Prophet spreche, sondern sucht weiteres Material, um sein Ergebnis zu stützen. Dabei stößt er auf analog gebaute Sätze in den synoptischen Evangelien. Die Sätze Mk 8, 38 / Mt 16, 27 / 10, 32; Mt 5, 19; 6, 14f; Mk 4, 24f erweisen sich als Zeugnisse eines frühen Stadiums der Evangelientradition. Sie entstammen der "in apokalyptischer Naherwartung stehenden nachösterlichen Gemeinde, die von Propheten geleitet wird".[52] Die Festigung der kirchlichen Organisation, das Nachlassen der Naherwartung haben dem eschatologischen Gottesrecht bald den Boden entzogen. Die in den Frühstadien gegebene Verbindung

---

[47] Friedrich, ThW VI 851; Schweizer, Gemeinde 71.

[48] Sätze 70.

[49] Sätze 71.

[50] Sätze 73.

[51] Sätze 78.

[52] Sätze 79.

von Prophetie und Gemeindeleitung bedingte die Verbindung von Prophetie und Recht und umgekehrt. Das wird abschließend an der Offb aufgezeigt.[53]

Für Offb dürfte KÄSEMANNs gesamte Rekonstruktion auch am ehesten zutreffen. Dort wird ja ein Träger des prophetischen Anspruchs historisch faßbar. Dagegen lassen sich sowohl die Beispiele aus der synoptischen Tradition wie die aus den Paulusbriefen anders erklären. Spricht hier der Apostel, so dort der Intention nach der irdische Jesus und nicht der Erhöhte durch urchristliche Propheten. Mit Ausnahme der Anspielung auf das doch späte Zeugnis der Offb entbehrt die Theorie KÄSEMANNs noch jeder Verknüpfung mit den im Neuen Testament sonst erwähnten Propheten, besonders mit 1 Kor 12—14. KÄSEMANNS eigenes Schwanken zwischen den Bezeichnungen "Charismatiker", "Apostel" und "Propheten" ist ein Anzeichen für die mangelnde historische Verankerung. Eine stilistische und traditionsgeschichtliche Überprüfung der "Sätze heiligen Rechts" läßt außer den urchristlichen Propheten noch eine Reihe weiterer möglicher Ursprungsbedingungen zu.[54] Im Grunde gilt KÄSEMANNs Interesse auch mehr den "Sätzen heiligen Rechts" als der Prophetie oder, um es in seinen eigenen Worten anzudeuten, mehr als einer möglicherweise "problematischen ... Analyse" der Einheit von "Geist und Recht" in der frühesten Christenheit.[55]

Im Aufsatz über die "Anfänge christlicher Theologie", der einige Jahre später zum ersten Mal erschienen ist, befolgt K. ein ähnliches Verfahren. Zunächst analysiert er verschiedene in das Evangelium nach Matthäus aufgenommene Traditionsstücke und versteht sie als Zeugnisse eines unterschiedlichen Bewußtseins und unterschiedlicher Theologie. Mt 7, 15 weist einen judenchristlichen Enthusiasmus zurück.[56] 5, 17—20; 10, 5f zeugen von strengstem Judenchristentum, welches sich ebenfalls vom Geist durch Propheten geleitet weiß.[57] Zugleich wird im Verbot der Mission eine apokalyptische Geschichtsdeutung greifbar. Das Ergebnis lautet nach weiteren Überlegungen: "Wie in der späteren Heidenchristenheit war Prophetie und die prophetisch geleitete Gemeinde Trägerin des nachösterlich-judenchristlichen Enthusiasmus. Ihr Merkmal ist, daß sie im Geistbesitz das Unterpfand der bevorstehenden Parusie und die Vollmacht ihrer Sen-

---

[53] Sätze 80.

[54] Berger, Zu den sogenannten Sätzen heiligen Rechts 32: "Sätze dieser Art sind daher weisheitliche apokalyptische Belehrung. Eine Nähe zu einem 'Prophetentum' oder gar zu enthusiastischen Äußerungen ist nicht festzustellen. Die Autorität dieser Sätze beruht nicht auf der Person ihres Verkünders oder des Sendenden, sondern besteht in ihrer inneren Logik, daß nämlich jedes Tun entsprechend vergolten wird." Ebd. 12: "man kann nicht vom parallelen Bau der Satzglieder aus auf eine Institution schließen"; ähnlich 33: "Von den Satzformen her kann nicht auf eine Urheberschaft Jesu bzw. nur der nachösterlichen Gemeindepropheten geschlossen werden."

[55] Sätze 80. Vgl. Berger a. a. O. 11 zu Käsemanns theologischer und forschungsgeschichtlicher Abhängigkeit von Thesen Bultmanns; ebd. 34: "Der Ausweg aus diesem Dilemma — offenkundige Rechtssätze und doch keine Gesetzlichkeit — lag also in der Konstruierung eines geistgewirkten heiligen Rechts, das zwar die Form des Rechts, aber doch einen anderen Sitz im Leben gehabt habe."

[56] Anfänge 84.

[57] Anfänge 85—88.

dung erblickte, Enthusiasmus und apokalyptische Theologie sich bei ihr darum mit innerer Notwendigkeit vereinen."[58]

Die weiteren Erwägungen KÄSEMANNS zeigen nun, daß es ihm wieder weniger um eine Beschreibung oder Erkenntnis der urchristlichen Prophetie geht als um die Bestimmung bestimmter theologischer Größen in der Urkirche, vor allem um den Einfluß der Apokalyptik auf das Urchristentum. Das Alte Testament wird in Mt 24, 37 apokalyptisch gedeutet. Erst die Apokalyptik ermöglichte im Bereich des Christentums historisches Denken. Weissagungsbeweis und Typologie sind "die ältesten Zeugnisse dieses in der Apokalyptik verwurzelten Erzählens".[59] Der Anstoß zur Bildung der Evangelien liegt in der Apokalyptik: "Die evangelische Geschichte ist wie die prophetische Verkündigung eine Frucht der nachösterlichen Apokalyptik."[60] Die Apokalyptik ist der "eigentliche Anfang urchristlicher Theologie".[61] Die Predigt Jesu war dagegen "nicht konstitutiv von der Apokalyptik geprägt", sondern Jesus verkündigte "die Unmittelbarkeit des nahen Gottes".[62]

Diese Aufwertung der Apokalyptik und der Aufweis apokalyptischer Strukturen in der urchristlichen Tradition waren notwendig.[63] Wenn diese so mächtig waren, wird gerade die Prophetie von ihnen betroffen und geprägt gewesen sein. In KÄSEMANNS Entwurf hat die Prophetie indes sogar die Funktion erhalten, die apokalyptischen Strukturen in das Urchristentum einzuschleusen und diese zu legitimieren. Er erkennt in ihr die einzige bestimmende Macht in der frühen Gemeinde. Und das ist doch sehr fragwürdig. Wie, wenn etwa schon die Verkündigung Jesu und damit auch die Jesustradition apokalyptisch geprägt gewesen wäre? Dann wäre die Rolle der Propheten ebenso anders zu bestimmen wie dann, wenn die sogenannten "Worte des Erhöhten" doch nicht auf prophetische Wirksamkeit zurückgingen, oder wie wenn die Propheten nicht in der von K. postulierten Weise Leiter der Gemeinde und als solche Verkündiger von "Sätzen heiligen Rechts" gewesen sind. Die Zuordnung der Evangelienbildung, der Gemeindeleitung und aller theologischen Aktivitäten zur Prophetie bedeutet nichts anderes als Prophetie von den übrigen uns bekannten urchristlichen Aktivitäten ununterscheidbar zu machen und sie so letztlich der Forschung zu entziehen. Prophetie wird dann die geistes- oder theologiegeschichtliche Charakte-

[58] Anfänge 91.

[59] Anfänge 95.

[60] Anfänge 96. K. knüpft damit bewußt oder unbewußt an eine von Bultmann, Synoptische Tradition 399, zurückgewiesene Betrachtungsweise der Evangelien an, zu welcher schon Hans vSoden, Die Entstehung der christlichen Kirche 66, anregte: "So entstand aus der Apokalypse, deren futurische Form abstreifend, im Christentum das geschichtliche Evangelium mit apokalyptischer Spitze, die einzige dem Christentum eigentümliche Gattung. Sich von der Apokalypse mehr und mehr lösend, wird sie katechetisch und apologetisch ausgebaut und zieht allerlei andere Gattungen in sich hinein, in denen die evangelische Überlieferung sich zuvor geformt hatte." Dieser Ansatz verdient als Alternative zum kerygmatischen Ansatz der bisherigen formgeschichtlichen Evangelienforschung neue Beachtung!

[61] Anfänge 100.

[62] Anfänge 99.

[63] Vgl. Koch, Ratlos vor der Apokalyptik 71—73.

risierung einer Epoche. Die Erwähnungen urchristlicher Propheten in Mt können diese Konstruktion nicht tragen, die form- und religionsgeschichtlichen Argumente ebenfalls nicht. K. stellt der genialen Einseitigkeit, mit welcher R. BULTMANN für das Urchristentum die Formel "Kerygma und Entscheidung" prägte,[64] ebenso einseitig die Formel "Prophetie und Apokalyptik" gegenüber. Indem K. gerade die in den Evangelien vereinigten Spruch- und Erzählungsgattungen unter die Kategorie des Prophetischen stellt, erfährt die Beschäftigung mit dem Problem des historischen Jesus eine neue, im Horizont der Diskussion der fünfziger Jahre vielleicht sogar notwendige Legitimation; aber für die Erkenntnis der urchristlichen Prophetie wird kaum etwas gewonnen. Sie muß wie schon oft seit HARNACK[65] dazu dienen, eine Lücke in der Rekonstruktion der Geschichte des Urchristentums zu schließen. Daß sie dazu besonders geeignet war, liegt daran, daß man außer ihrer historischen Bezeugung sehr wenig über sie weiß.

II. R. Bultmann

Bezeichnend für die Problematik der Forschung ist die Vorgeschichte der von K. vertretenen Verbindung zwischen den urchristlichen Propheten und den sogenannten "Sätzen heiligen Rechts" oder "Worten des Erhöhten". BULTMANN beruft sich für letztere in der "Geschichte der synoptischen Tradition" (135) auf HERMANN vSODEN und H. GUNKEL. vSODEN[66] hatte mehrere Möglichkeiten der Veränderung und Vermehrung des synoptischen Redestoffs erwogen: Erweiterungen und Umgestaltungen auf Grund des Interesses der Gemeinden, auf Grund der veränderten Situation, Übernahme von passenden Sentenzen in die Redetradition und schließlich: "In der Art der Sendschreiben der Apc entstanden, mochten Worte in Umlauf kommen, die mit Recht auf den Verklärten zurückgeführt werden konnten, aber allmälig Jesu während seines Erdenlebens in den Mund gelegt wurden." Das Stichwort "Prophetie" fällt bei vSODEN nicht, obwohl es vom Vergleich mit Offb 1—3 her nahegelegen hätte. Ebenso fehlt es noch in Gunkels[67] Feststellungen zu OdSal 42: "Hier redet Jesus Christus also in erster Person; er spricht durch den Mund seines inspirierten Sängers. Das aber muß zur Zeit in seiner Gemeinde häufig gewesen sein; heißt es doch in unserem Gedichte selber: 'Denn ich lebe und bin erstanden, bin bei ihnen und rede durch ihren Mund'. Wie der Prophet des israelitischen Jahwe 'Ich' = Jahwe sagt, wie der Dämonische befragt, wie der Dämon heiße, etwa 'ich heiße Legion' antworten kann, so wagt der Begeistete 'Ich' = Christus zu sagen; solche Offenbarungen der Gottheit in der ersten Person, wo der Gott durch den ihm geweihten Diener spricht, kommen auch sonst in den synkretistischen Religionen vor. Man darf annehmen, daß nicht wenige Worte, die uns als Äußerungen Jesu im Neuen Testament überliefert werden, ursprünglich von solchen Inspirierten im Namen Christi ausgesprochen worden sind."

---

[64] Vgl. dazu Ott, RGG III 1251f.

[65] Vgl. oben S. 19f.

[66] Das Interesse des apostolischen Zeitalters an der evangelischen Geschichte 153.

[67] Die Oden Salomos 173.

Auch BULTMANN geht das Stichwort "Prophetie" zunächst noch zögernd und tastend an. Bei der Besprechung von der Gemeinde zugeschriebenen prophetischen und apokalyptischen Worten gibt er zu bedenken: "Auch hier kann man wie oben fragen, ob es ursprünglich beabsichtigt war, solche Weissagungen Jesus in den Mund zu legen. Sie mögen ursprünglich einfach als Worte des Geistes in der Gemeinde gegolten haben. In ihnen sprach gewiß *manchmal* (Hervorhebung von mir) — wie Apk 16, 5 — der erhöhte Christus und erst allmählich wird man in solchen Worten Weissagungen des historischen Jesus gesehen haben."[68] Darauf folgt die nicht weiter begründete Verbindung mit der urchristlichen Prophetie: "Einen Unterschied zwischen solchen Worten christlicher Propheten und den überlieferten Jesusworten empfand die Gemeinde nicht, da für sie ja die überlieferten Jesusworte nicht Aussagen einer Autorität der Vergangenheit waren, sondern Worte des Auferstandenen, der für die Gemeinde ein Gegenwärtiger ist."[69] Während B. mit vielen Gemeindebildungen rechnet, in denen der Erhöhte oder der Auferstandene redet,[70] erwähnt er nur noch an zwei weiteren Stellen die urchristliche Prophetie. So weist er die "Ich-Worte" überwiegend der hellenistischen Gemeinde zu, vermutet aber einen Anfang in der palästinischen Gemeinde: "Auch hier werden urchristliche Propheten geisterfüllt im Namen des Erhöhten Worte wie Apk 16, 15 gesprochen haben."[71] Noch allgemeiner ist die abschließende Feststellung: "Aus den Bedürfnissen der Erbauung wie aus der Lebendigkeit prophetischen Geistes in der Gemeinde ergab es sich, daß man prophetische und apokalyptische Herrenworte überlieferte, produzierte und sammelte."[72]

Die Zitate sind so ausführlich gegeben worden, um zu zeigen, daß es sich bei der exegetischen Tradition von urchristlichen Propheten, die im Namen des Erhöhten Herrenworte synoptischen Typs gesprochen haben, nur um eine ungefähre und noch nicht ausreichend begründete Vermutung handelt. Auf die Oden Salomos wird man sich für diese Vermutung nicht berufen dürfen. Sie sind nicht nur zu weit entfernt von den Zentren und der Zeit der mündlichen Logientradition, sie sind vor allem auch das Dokument eines anders gearteten, gnostisch beeinflußten Christentums und sind Dichtungen.[73] In OdSal 28 wird der redende Fromme mit dem Herrn eins, der Erlöste mit dem Erlöser. In 42, 3ff spricht der Erlöser selber über seine Beziehung zu seinen Anhängern: er ist bei ihnen, redet durch ihren Mund — bei der Verkündigung des Evangeliums oder in der Situation der Verfolgung vor Gericht?[74] —, seine Liebe ist mit denen, die an ihn glauben (9). Das Thema "Prophetie" liegt den Texten fern. Die aus Offb herangezogenen Beispiele sind im Gegensatz zu OdSal 42 wirklich prophetisch. Bei ihnen ist aber im Gegensatz zu den Worten der synoptischen Tradition eine "Versetzung" in den synoptischen Kontext, in den Rahmen der Evangelientradition nicht möglich. Dafür sprechen sie die Gemeinde zu direkt an. Außerdem wäre auch wieder die zeitliche, räumliche und traditionsgeschichtliche Distanz der Offb zur synoptischen Tradition zu bedenken.

---

[68] Synoptische Tradition 134f. [69] A. a. O. 135.
[70] z. B. a. a. O. 116. 156. 170. 172. 175. [71] A. a. O. 176. [72] A. a. O. 393.
[73] Vgl. Schmid, LThK 7, 1094f; Bauer, Hennecke-Schneemelcher II 577f; Schulz, RGG V 1339—1342.
[74] Beachte die Fortsetzung: "Denn sie verachteten die, die sie verfolgen", vgl. Mk 13,

§ 5 Die religions- und traditionsgeschichtliche Stellung der urchristlichen Prophetie

Die Notwendigkeit der religions- und traditionsgeschichtlichen Fragestellung gegenüber der urchristlichen Prophetie erhellt schon aus den bisher herangezogenen, einander widersprechenden Urteilen über ihr Verhältnis zur zeitgenössischen jüdischen Apokalyptik. Entsprechende Einsichten der alttestamentlichen Prophetenforschung sowohl hinsichtlich der religionsgeschichtlichen Bedingungen für das Auftreten eines bestimmten Prophetentypus[75] wie hinsichtlich des traditionsgeschichtlichen Hintergrundes der einzelnen Propheten und ihrer Botschaft[76] haben wenigstens im alttestamentlichen Bereich die Fruchtbarkeit solcher Fragestellungen erwiesen. Es hängt wohl wieder mit der literarischen Eigenart der neutestamentlichen Prophetenforschung zusammen, daß sich auf neutestamentlicher Seite bislang nur Ansätze in dieser Richtung zeigen.

I. Das Verhältnis zur alttestamentlichen Prophetie

Man fragt nur selten ausdrücklich nach dem Verhältnis der urchristlichen Prophetie zur alttestamentlichen Prophetie. Gewöhnlich genügt der Hinweis darauf, daß die urchristliche Prophetie nach Apg 2, 17f das im Alten Testament (Joel 3) verheißene endzeitliche Wiederaufleben der Prophetie darstellt.[77] Der gleiche Name für die alttestamentlichen wie für die urchristlichen Prophe-

---

11parr; Apg 18, 9f; Bauer a. a. O. 624. — Zur Auseinandersetzung mit Bultmann vgl. auch Neugebauer, Geistsprüche und Jesuslogien 220f; seine gattungsgeschichtlichen Überlegungen, ebd. 222. 226 (Vergleich mit alttestamentlichen Prophetensprüchen, Herleitung der Anonymität der Evangelien von der Tatsache, daß sie berichten, "was jeder hätte hören und sehen können" [226]) sind aber kaum hilfreich, wohl sein Hinweis auf 1 Kor 7 (ebd. 226f), vgl. dazu auch unten S. 296.

[75] Vgl. dazu Meyer, RGG V 617f; Westermann, in: Reicke-Rost, Handwörterbuch III 1497—1500; ders., Grundformen prophetischer Rede 82—91; Lindblom, Prophecy in Ancient Israel 1—46. 95—104.

[76] Vgl. die traditionsgeschichtliche Interpretation der Schriftpropheten durch vRad, Theologie des Alten Testaments II 139—323 passim; Herrmann, Die prophetischen Heilserwartungen im Alten Testament. Ursprung und Gestaltwandel; ferner die traditionsgeschichtliche Darstellung der alttestamentlichen Prophetie durch Westermann, in: Reicke-Rost, Handwörterbuch III, 1500—1511.

[77] Greeven, Propheten 15: "Mit dem prophetischen Charisma schenkt der Herr seiner Gemeinde die Gewißheit, daß die Zeit der Erfüllung gekommen ist; denn in der Prophetie hat sie das Unterpfand dafür, daß sie in der Welt, in der sie vorerst noch lebt, nicht auf sich selbst angewiesen bleibt, sondern Hilfe von oben erfährt;" Friedrich, ThW VI 850; Kürzinger in: Haag, Bibellexikon 1416; Füglister in: Fries, Handbuch 3, 372.

ten weist auf die Bedeutung der Prophetie für die Gemeinde[78] oder auf bestehende Gemeinsamkeiten hin.[79]

Solche Gemeinsamkeiten werden gelegentlich Anlaß für einen Vergleich oder für eine vergleichende Wesensbestimmung der urchristlichen Prophetie.[80] Dieses Verfahren kann sich nur auf der Ebene der phänomenologischen Beschreibung bewegen und ist natürlich auch durch die sehr unterschiedliche Quellenlage behindert. Da Friedrich im ThW dem "Vergleich mit den alttestamentlichen Propheten" verhältnismäßig viel Raum gewidmet hat, soll seine Darstellung kurz nachgezeichnet werden.

An Gemeinsamkeiten oder Berührungen notiert er die symbolische Handlung des Agabus (vgl. 1 Kg 11, 29ff; 22, 11 usw.)[81] und den Gebrauch einer Botenformel vor dem Spruch (Apg 21, 11), ferner die Berufungsvision in Offb (vgl. Jes 6; Ez 1) und einzelne Visionen dort (vgl. Offb 10, 8—11 mit Ez 2, 8—3, 3; Offb 11, 1 mit Ez 40, 5. 19 usw.). Ein wichtiger, auch sonst betonter Unterschied zwischen den alttestamentlichen und den urchristlichen Propheten bestehe darin, daß im Alten Testament nur einige wenige als Propheten berufen, im Neuen Testament aber grundsätzlich alle mit prophetischem Geist begabt seien. Die urchristlichen Propheten verkünden größere Geheimnisse als die alttestamentlichen Propheten — "was allen vorhergehenden Geschlechtern verborgen war" Eph 3, 5 —, aber sie besitzen "nicht eine solche uneingeschränkte Autorität"[82] wie die alttestamentlichen Propheten, da sie nicht allein den Geist besitzen. Der christliche Prophet ist im Gegensatz zum alttestamentlichen Propheten "nicht der uneingeschränkte Herr über die anderen, sondern er ist der Beurteilung unterworfen ...

---

[78] Greeven, Propheten 14: "Zunächst ist auf das einfache Faktum hinzuweisen, daß Paulus den 'Propheten' der christlichen Gemeinde den gleichen Würdenamen beilegt, den die großen Propheten des alten Bundes tragen."

[79] Friedrich, ThW VI 850: "die nt.lichen Propheten haben vieles mit den at.lichen gemein, so daß sie mit Recht den gleichen Namen tragen".

[80] Friedrich, ThW VI 850f. Füglister a. a. O. vereinigt alttestamentliche und neutestamentliche Belege in einer synthetischen Darstellung der Prophetie, allerdings von einer bibeltheologischen Voraussetzung aus: "Die eigentliche Berechtigung jedoch, 'Prophet' als theologischen Grundbegriff anzusprechen, ergibt sich vom NT her; denn 'Prophet' ist vor allem auch ein ntl. Schlüsselwort" (367) — man könnte statt von einem "Schlüsselwort" angesichts der Lage der Forschung wohl ebenso von einem "Rätselwort" sprechen. K. Rahner zieht in dem von ihm herausgegebenen Werk, Sacramentum Mundi. Theologisches Lexikon für die Praxis. III, Freiburg-Basel-Wien 1969, aus der Einsicht, daß "Prophetie" ein theologischer Grundbegriff ist, und aus der Unergiebigkeit neutestamentlicher Untersuchungen zu diesem Begriff die entgegengesetzte Konsequenz. Auf einen langen Artikel über die alttestamentlichen Propheten von A. Deissler (1289—1314) folgt ohne Berücksichtigung des Neuen Testaments ein theologischer Grundsatzartikel: Rahner, Prophetismus (1. Begriffsumschreibung, 2. Dogmatische Prinzipien über Propheten und Prophetismus, 3. Kirche und Prophetismus 1315—1326).

[81] Fascher, *PROPHETES* 184: "Die symbolische Handlung, die an einen Achia oder Zedekia erinnert, weist darauf hin, daß er zum jüdischen, nicht zum hellenistischen Prophetentyp gehört."

[82] Friedrich, ThW VI 850; vgl. oben S. 22f und Anm. 43; ferner Kürzinger in: Haag, Bibellexikon 1416.

genauso wie die anderen ein Glied der Gemeinde".[83] Nur der Anspruch des Verfassers der Offb komme in dieser Hinsicht dem Anspruch alttestamentlicher Propheten nahe.

Die aufgedeckten "Unterschiede" halten einer Nachprüfung nicht stand.[84] In ihnen offenbart sich vielmehr eine bestimmte theologisch festgelegte Anschauung von Prophetie und Gemeinde. Natürlich reichen auch die notierten Gemeinsamkeiten, so wichtig sie sind, nicht für einen ernsthaften Vergleich. Dieser muß außer von den Erscheinungsformen auch vom Inhalt und von der Funktion der Propheten im Alten Testament und im Urchristentum unter Berücksichtigung der jeweiligen historischen Bedingungen geführt werden.[85] Vorher muß die neutestamentliche Prophetenforschung jedoch erst einigermaßen das Niveau der alttestamentlichen Prophetenforschung erreicht haben.

II. Prophetie im Judentum und im Urchristentum

Während die im vorigen Abschnitt zu Wort gekommenen Autoren davon ausgehen, daß zwischen der alttestamentlichen und der urchristlichen Prophetie kein Traditionskontinuum bestehe, sondern die alttestamentliche Prophetie irgendwann nach dem Exil erloschen sei und das neue Auftreten von Propheten in der Urkirche darum eschatologischen Erfüllungscharakter habe, vertritt Ph. Vielhauer[86] im Anschluß an die Arbeiten R. Meyers[87] die These von einer lebendigen und vielgestaltigen Prophetie im Judentum neutestamentlicher Zeit. Er bezieht sich auf die "pneumatische und aktualisierende Deutung prophetischer Schriften", wie sie in der Pescherexegse der Qumrangruppe geübt wurde, dann auf "die verschiedenen Typen aktiver Prophetie", auf die essenischen Wahrsager ("Typus professioneller Prophetie, die man erlernen kann"), auf die von Meyer so genannten "messianischen Propheten": auf den Samaritaner (Jos Ant 18, 85ff), Theudas (20, 97f), auf den Ägypter (20, 169ff), ferner auf den ekstatischen Unheilskünder Jesus ben Chananja (Jos Bell 6, 300ff). "Diese Propheten glaubten sich

---

[83] Friedrich, ThW VI 851 im Anschluß an Schlatter (Geschichte der ersten Christenheit 25; Matthäuskommentar zu 7, 16); ähnlich Manek in: Reicke-Rost, Handwörterbuch III 1512; Soucek, La prophétie dans le NT 227; Schmauch, Das prophetische Amt 169.

[84] Das gilt besonders hinsichtlich des angeblichen "Unterworfenseins" unter die Beurteilung der Gemeinde, s. unten S. 147.

[85] Vgl. dazu die auf das Alte Testament bezogene These Westermanns, in: Reicke-Rost, Handwörterbuch III 1500: "Es ist für das Verständnis der Prophetie in Israel von wesentlicher Bedeutung, daß sie ein *zeitlich* klar *begrenztes* Phänomen ist. Sie beginnt und endet mit dem Königtum. Denn die Prophetie während des Exils bleibt noch auf das Ende des Königtums und des Staates Israel bezogen, die Prophetie nach dem Exil aber ist Nachklang, nicht mehr selbständige Epoche. Dieser zeitlichen Begrenzung und mit ihr der Gleichzeitigkeit der Prophetie mit der staatlichen Epoche Israel-Judas entspricht die inhaltliche Besonderheit, die sie von allem unterscheidet, was es sonst in der Religionsgeschichte an prophetischen Phänomenen gegeben hat."

[86] In: Hennecke-Schneemelcher II 422—425.

[87] Prophetentum und Propheten im Judentum der hellenistisch-römischen Zeit: ThW VI 813—828; darin ist besonders wichtig: II. Die geschichtlichen Erscheinungsformen (820—827); ferner ders., Der Prophet aus Galiläa VIIIf, 41—103; vgl. auch Harnack, Mission 344f.

von Gott beauftragt (auch die essenischen Wahrsager). Sie wurden in ihrer messianischen Hoffnung religiös und politisch aktiv, aber im Unterschied zu den Apokalyptikern nicht literarisch produktiv. Ihre Prophetie ist ganz von der nationalen Eschatologie bestimmt und ist neben der Apokalyptik die heute schwer faßbare, damals aber mindestens ebenso wirkmächtige Ausprägung der eschatologischen Erwartung des Judentums."[88]

Auf die Darstellung der urchristlichen Prophetie hat diese These bei VIELHAUER nur einen geringen Einfluß ausgeübt. Religionsphänomenologisch gesehen, sind sowohl die jüdischen wie die urchristlichen Propheten "Charismatiker". Diese "bilden aber im Unterschied zu den sporadisch auftretenden jüdischen Propheten einen an die Lokalgemeinde gebundenen 'Stand'".[89] Die folgende Darstellung der Prophetie in den paulinischen Gemeinden enthält keine Anspielung auf das jüdische Prophetentum. Anders ist es für den palästinischen Bereich: "Die christliche Prophetie Palästinas steht in schroffem Gegensatz zu der gleichzeitigen jüdischen; sie lehnt die nationale Eschatologie und Messianologie ab und huldigt, wie die Urgemeinde überhaupt, apokalyptischen Anschauungen. Hier findet sich erstmalig die Verbindung von Prophetie und Apokalyptik." Etwas später heißt es dann trotzdem (?): "Aber die Propheten waren nicht hauptberuflich Apokalyptiker, sondern charismatische Leiter der Gemeinden."[90] — Waren sie wenigstens "hauptberufliche" Leiter der Gemeinden? Wahrscheinlich auch nicht. — In späterer Zeit, nach der Offb, "fallen Apokalyptik und Prophetie wieder auseinander; alle christlichen Apokalypsen sind pseudonym".[91]

Die Unterschiede zwischen der jüdischen und der urchristlichen Prophetie scheinen nach VIELHAUERS Darstellung doch wesentlich größer zu sein als etwa vorhandene Gemeinsamkeiten. Was soll dann der gemeinsame Name? Es würde sich schon etwas anders verhalten, wenn wenigstens zwischen einigen der jüdischen und urchristlichen Prophetentypen gewisse Analogien aufgedeckt werden könnten, die über die allgemeine Charakterisierung als "Charismatiker" hinausführen würden, etwa eine spezifisch jüdisch-urchristliche Prägung des Charismatikertums. Diese gemeinsame Prägung ließe sich vielleicht doch in der Beziehung beider Größen auf die von VIELHAUER so schroff abgetrennte "Apokalyptik" finden. MEYER, auf den sich VIELHAUER ja beruft, hatte die Apokalyptik nämlich ausdrücklich in seine religionsgeschichtliche Betrachtung einbezogen. Er sieht den Hauptunterschied zwischen dem jüdischen Prophetentum und der Apokalyptik nicht im Inhalt, sondern in der Weise der Veröffentlichung: "Dabei ist bemerkenswert, daß sie (nämlich die spätnachexilischen Propheten) im Gegensatz zu den *Schriftpropheten* der Spätzeit (Hervorhebung von mir), den sogenannten Apokalyptikern, auf die wir in diesem Zusammenhang nicht eingehen können, mit ihrer Person für das, was sie seherisch verkünden, voll einstehen."[92] Die apokalyptische Literatur läßt die geistesgeschichtliche

[88] Hennecke-Schneemelcher II 425.
[89] A. a. O.
[90] A. a. O. 426.
[91] A. a. O. 427.
[92] Meyer, Prophet 100; ThW VI 827: Die "apokalyptische Literatur, die sich gegen den Willen und abseits der pharisäisch-rabbinisch bestimmten Synagoge weiterhin erhalten hat, kann als Literatur der hellenistisch-römischen Periode zu dem gleichzeitigen Propheten- und Sehertum in Beziehung gesetzt werden".

Stellung der jüdischen "Propheten" erkennen.[93] Die Existenz eines nicht apokalyptisch beeinflußten jüdischen Prophetentums wird also gegen VIELHAUER durch die Arbeiten MEYERS in keiner Weise nahegelegt.

Eine andere, noch gar nicht diskutierte Frage ist es, in welchem Sinne bzw. auf welcher Ebene das jüdische Prophetentum und die urchristliche Prophetie vergleichbar sind, auf der Ebene des religionsgeschichtlichen Typus oder auf der Ebene wesentlicher Beziehungen oder unmittelbarer Abhängigkeit. Eine der nicht geklärten Schwierigkeiten dieser Frage liegt nämlich darin, daß die Bezeichnung "Propheten" im jüdischen Bereich für die von MEYER unter diesem Oberbegriff gesammelten Persönlichkeiten und Erscheinungen vermieden wird.[94a] Dagegen wird sie in den neutestamentlichen Schriften für die urchristlichen Propheten regelmäßig und selbstverständlich gebraucht. Der Sprachgebrauch des Josephus wird aber immerhin so gewertet werden dürfen, daß die Verwendung der Bezeichnung "Prophet" damals nicht vollkommen ausgeschlossen war, sondern wenigstens möglich war und manchmal auch nahelag. Der Vergleich wird auf jeden Fall zunächst bei auf beiden Seiten gemeinsamen Strukturen ansetzen müssen, bevor "Prophetentum" mit "Prophetentum" verglichen werden kann.

III. Prophetie und Apokalyptik — Ansätze zu einer traditionsgeschichtlichen Betrachtung der urchristlichen Prophetie

An mehreren Stellen dieses Überblicks über die bisherige Prophetenforschung stellte sich heraus, daß die ungelöste Frage des Verhältnisses der Prophetie zur Apokalyptik oder die mehr oder weniger kategorische Trennung der Prophetie von der Apokalyptik ein Kernproblem darstellt. Dies gilt auch noch für

[93] ThW VI 828: "Aufs Ganze gesehen deckt sich freilich diese Literatur ... nur insoweit mit dem gleichzeitigen Prophetentum, als man hier etwas erfährt von den weltanschaulichen Voraussetzungen insbesondere der Männer, die nach dem Glaubensschema der Entsprechung von Urzeit und Endzeit meinten, als messianische Propheten zur Heraufführung des neuen Äons berufen zu sein." Harnack, Mission 344, zieht ebenfalls die Apokalypsen ohne Bedenken in die zeitgenössische Prophetie ein: "die Fülle der jüdischen Apokalypsen, Orakelsprüche und dergleichen aus jener Zeit zeigt, daß die Prophetie, weit entfernt, ausgestorben zu sein, in üppigster Blüte stand."

[94a] Josephus nennt die essenischen Traumdeuter und Seher *mantis:* Bell 1, 80 = Ant 13, 313; Bell 2, 112 = Ant 17, 345. Die Bezeichnung "Prophet" für Gestalten der letzten Jahrhunderte begegnet dagegen nur Bell 1, 68 = Ant 13, 299 (Hyrkanus war von Gott der drei größten Gaben für würdig erachtet worden: der Herrschaft über das Volk, der hohepriesterlichen Würde, der Prophetie); Ant 20, 97 (Theudas, ein *goes,* gewinnt große Anhängerschaft; *prophetes gar elegen einai* — muß wohl übersetzt werden: er behauptete, der (eschatologische) Prophet zu sein)"; Bell 2, 261 = Ant 20, 169 (der Ägypter behauptet gleichfalls "der Prophet zu sein"; im Bell nennt Josephus ihn einen *goes* und *pseudoprophetes);* Bell 6, 285f (Propheten der zelotischen Partei hatten das Volk auch in der höchsten Not zum Harren auf die Hilfe des Herrn aufgerufen; ein *pseudoprophetes* hatte das Volk zum Tempel gerufen, wo es die *semeia soterias* sehen sollte, aber beim Tempelbrand umkam).

Vielhauers Ansatz, der nur für bestimmte Bereiche der urchristlichen Prophetie ein zeitweises Zusammengehen mit Apokalyptik zuläßt und sich dabei in eigenartige Definitionsnotstände und Widersprüche verfängt.[94b] Eine positive Bewertung fand das Verhältnis von Prophetie und Apokalyptik bisher — wenn man von dem die Prophetie im technischen Sinne nur eingeschränkt betreffenden Ansatz Käsemanns absieht — bei Autoren, deren Anregungen in der deutschen exegetischen Diskussion nicht zum Tragen gekommen sind.

H. A. Guy[95] findet den entscheidenden Zugang zum Verhältnis von Prophetie und Apokalyptik über die "apokalyptischen" Texte im Neuen Testament: Mk 13; 1 Thess 4, 13—5, 11; 2 Thess 1, 3—2, 12; Offb lassen ihn eine Verquickung von Prophetie und Apokalyptik im Neuen Testament erkennen. Hinter dieser Verquickung steht der traditionsgeschichtliche Zusammenhang der urchristlichen Prophetie mit der zeitgenössischen jüdischen Apokalyptik, welche die Nachfolge der alttestamentlichen Propheten angetreten hat.

H. Kraft untersucht in seinem Aufsatz "Die altkirchliche Prophetie und die Entstehung des Montanismus" den geistes-, traditions- und kirchengeschichtlichen Zusammenhang zwischen beiden Größen. Für den Montanismus erhebt er zunächst einmal die ursprüngliche Bezeichnung "neue Prophetie" (von seiten der Großkirche) oder "die Prophetie" (von seiten der Montanisten selbst) und vermutet, daß damit der Hauptunterschied zwischen Montanisten und Nichtmontanisten getroffen sei. Seine Frage lautet: "Wie war es möglich, daß sich an das hoch geschätzte prophetische Charisma der Makel des Häretischen anhängte?"[96] Zur Beantwortung dieser Frage gibt er einen Durchblick durch die Geschichte der urchristlichen Prophetie.

Dabei geht er von 1 Kor 14 aus. Offenbar kennt er die geläufigen Versuche, das Wesen der Prophetie von der Funktion der *oikodome* her zu bestimmen. Er setzt sich

---

[94b] Nach Vielhauer, Hennecke-Schneemelcher II 426, huldigt die christliche Prophetie Palästinas "apokalyptischen Anschauungen"; ebd. 427 ist aber die Pseudonymität der späteren Apokalypsen — also ein literarisches Merkmal — der Beweis dafür, daß Apokalyptik und Prophetie in der Zeit nach Offb wieder auseinanderfallen. Der Seher Johannes hat die Offb nicht als Prophet verfaßt, "denn die anderen Propheten schreiben keine derartigen Bücher" (ebd. 426); er hat sie aber auch nicht als Apokalyptiker verfaßt, weil er unter eigenem Namen schreibt (427). Vielhauers Lösung: er hat sie "auf den direkten Befehl des Erhöhten" verfaßt — "und d. h. nun doch: mit echt prophetischem Selbstbewußtsein". Ebd. 439 fällt das Urteil dann noch positiver aus: "Der Verf. schreibt nicht in der Maske und geborgten Autorität eines Heros der Vergangenheit, sondern unter eigenem Namen und in eigener Autorität. Denn er ist ein echter Prophet". Mit der gleichen scharfen Unlogik und theologischen Unerbittlichkeit werden dem Hermas wiederum alle Prädikate streitig gemacht: "Der Verfasser ist kein Apokalyptiker, da er keine Enthüllungen über das Jenseits oder das Weltende bringt. Er ist auch kein Prophet, da ihn die angebliche Aufnahme des 'alten prophetischen Bußrufs' noch nicht als solchen qualifiziert und da die urchristlichen Propheten keine apokalyptische Literatur hervorbrachten (auch wenn sich der Apokalyptiker Johannes zu den Propheten rechnete)" (ebd. 453)!

[95] NT Prophecy 109f.

[96] Altkirchliche Prophetie 250.

mit diesen aber nicht weiter auseinander, sondern vermutet, daß solche "pädagogischen" Tendenzen auf die paulinische Theologie zurückgehen. Wenn man sie abhebe, entdecke man, daß die urchristliche Prophetie eigentlich in einen anderen Zusammenhang, in den der jüdisch-christlichen Apokalyptik gehöre. Das werde durch die Joelweissagung, so wie sie in Apg 2 zitiert wird, bestätigt.[97] Weitere Stützen für diese Vermutung bieten ihm die thematischen Berührungen zwischen Apg 11, 28 und Offb 6, 5f (Ansage der großen eschatologischen Hungersnot), ferner zwischen der Nachricht, daß der Auszug der Urgemeinde nach Pella durch "apokalyptische Prophetensprüche"[98] veranlaßt worden sei, der Ansage des eschatologischen Gerichts über Judäa Mk 13, 14—20 und dem von Josephus Bell 6, 300ff überlieferten Unheilsspruch des Jesus ben Chananja über Jerusalem.[99]

Aufgrund dieser Berührungen folgert er: "Am wichtigsten unter den Formen, in denen die Prophetie sich äußerte, sind für uns die Apokalypsen",[100] auch wenn der apokalyptische Stoff eigentlich mündlich tradiert wurde. Das Verhältnis von Apokalyptik und Prophetie läßt sich nicht auf die exklusive Alternative Tradition oder Inspiration bringen: "Die apokalyptischen Propheten sind stärker als die alttestamentlichen auf den Stoff angewiesen, der ihnen überliefert wurde. Doch scheinen sie wenigstens prinzipiell durch ekstatische Erlebnisse zu ihrer Aufgabe ermächtigt gewesen zu sein." Damit hänge es auch zusammen, "daß diese Propheten ihrem Stoff wesentlich selbständiger gegenüberstehen als etwa die Evangelisten ihren Quellen".[101]

K. stellt darauf einige Beobachtungen zur Form- und Traditionsgeschichte der prophetischen Tradition zusammen[102] und fragt schließlich nach den behandelten Themen. Ihre Zahl sei gering. An erster Stelle stehen die Fragen nach der Zeit und nach dem Ort der Offenbarung des Gottesreiches. In den Umkreis dieser Erwartung gehören Aufforderungen zur Wachsamkeit und zum Gebet.[103] Zur Frage nach dem Ort legt K. einen interessanten Traditionsstrang frei: nach 4 Esr 9, 26 erfährt Esra die Offenbarung Zions auf dem Felde Ardaf. Herm s 9, 4, 1 habe diesen Ortsnamen zu "Arkadien" rationalisiert. Schließlich begegne der eigenartige Name wieder bei einem Eus HistEccl 5, 16, 7 zitierten Antimontanisten: "Im phrygischen Mysien soll ein Dorf namens Ardabau liegen." Dort soll Montanus gewirkt haben.[104] Eine andere Form desselben Themas sei die Erscheinung der verklärten Kirche in Gestalt eines Weibes: Offb 12; 21, 2. 9; 4 Esr 9, 38; 10, 27; Herm v 3, 3, 3; 3,10, 3—5; 4 Esr 10, 40—50. Bei den Montanisten fänden sich die wichtigsten prophetischen Traditionen miteinander kombiniert.[105] Im Grunde

---

[97] Altkirchliche Prophetie 251. Zum apokalyptischen Charakter von Joel 3, 1f vgl. Weiser, Joel 119f. Zur Bedeutung des Textes in der endzeitlichen, apokalyptischen Erwartung des Judentums vgl. Sjöberg, ThW VI, 383; Billerbeck II 615f; Sib 3, 582f: "Sie werden selbst Propheten sein, von dem Unsterblichen erweckt, große Freude allen Menschen bringend."

[98] Vgl. Eus Hist Eccl 3, 5, 3: *kata tina chresmon tois autothi dokimois di' apokalypseos ekdothenta.*

[99] Altkirchliche Prophetie 252; vgl. auch die Omina vor dem Untergang Jerusalems bei Josephus, unten S. 101f.

[100] Altkirchliche Prophetie 253.

[101] A. a. O.

[102] Altkirchliche Prophetie 254f.

[103] Altkirchliche Prophetie 257f.

[104] Altkirchliche Prophetie 260; vgl. Gunkel in: Kautzsch AP II 385 zu 4 Esr 9, 26: "Ein Feld in der Nähe Babylons, oder vielleicht ein eschatologischer Geheimname: Name der Stätte, da das himmlische Jerusalem offenbar werden soll."

[105] Altkirchliche Prophetie 262.

habe sich im Montanismus, besonders auch in seiner Verfassung, ein früherer kirchlicher und kirchenrechtlicher Zustand, der vorignatianische, erhalten.[106]

Für GUY und KRAFT stellt das Verhältnis von Prophetie und Apokalyptik kein Problem dar. Vorbehaltlos erkennen sie die apokalyptische Komponente in der urchristlichen Überlieferung an. Die Verbindung zwischen Prophetie und Apokalyptik wird über Offb und einige Einzelbeobachtungen verhältnismäßig leicht hergestellt. Der Anspruch der Offb, "Prophetie" zu sein, gerät nicht mehr in Konflikt zu einem aus 1 Kor 14 abgeleiteten normativen Bild der urchristlichen Prophetie. Allerdings fehlt entsprechend der Art der beiden Veröffentlichungen noch weithin die exegetische Begründung. KRAFTS Versuch weist der Prophetie darüber hinaus eine eigene Stofftradition zu, so daß Fragen nach ihrem Inhalt nicht mehr unbeantwortet bleiben oder, das ist genausowenig, mit allgemeinen Begriffen beantwortet werden müßten. Die unbefangene Heranziehung der zeitgenössischen jüdischen Apokalyptik (4 Esr) stellt aufs neue vor die Frage, ob die urchristliche Prophetie eine eigene Gestaltung gegenüber der jüdischen Apokalyptik darstelle und wie diese Eigenart gegebenenfalls zu bestimmen oder zu erkennen sei. Ein besonderer Vorzug des Entwurfs von KRAFT gegenüber den übrigen Darstellungen der urchristlichen Prophetie ist seine geschichtliche Sicht, welche die Prophetie sowohl nach rückwärts in ihrer Verknüpfung mit der Tradition wie nach vorwärts in die Geschichte der Kirche während der ersten zwei Jahrhunderte stellt.

§ 6 Die Geschichte der urchristlichen Prophetie

Die Auffassung der urchristlichen Prophetie als einer geschichtlichen Größe oder Bewegung ist allen hier besprochenen Arbeiten gemeinsam. Die Prophetie hat nach nur noch undeutlich erkennbaren Anfängen eine nach Kirchengebieten unterschiedliche Geschichte durchlaufen[107] bis zu ihrem wiederum je nach Kirchengebieten unterschiedlich zu datierendem Untergang oder Erlöschen.[108] Die geschichtliche Fragestellung konzentriert sich für gewöhnlich auf zwei Komplexe, auf die Stellung der Prophetie in der Verfassung der urchristlichen Gemeinden, darüber ist oben S. 19 f schon berichtet worden, und auf die Gründe, welche den Rückgang und das schließliche Erlöschen der Prophetie bedingten.

Bereits um die Wende des ersten Jahrhunderts ist ein einschneidender Rückgang der urchristlichen Prophetie konstatierbar. "Die Prophetie hat am Ende des 1. Jh.s ihre ursprüngliche Bedeutung verloren; nur in Kleinasien scheint sie noch eine Rolle zu spielen, falls die Aussagen der Johannes-Apokalypse der historischen Realität entsprechen und nicht Postulate des Sehers sind."[109] Der in

---

[106] Altkirchliche Prophetie 267.
[107] Vgl. Vielhauer, Hennecke-Schneemelcher II 425.
[108] A. a. O. 427.
[109] A. a. O.

Kleinasien beheimatete Montanismus war das "letzte große Aufflackern der Prophetie in der Kirche".[110] Das Ende der montanistischen Prophetie fällt zusammen mit dem auch an positiven kirchlichen und theologischen Äußerungen ablesbaren "Ende einer Epoche urchristlicher Gemeinde-Propheten".[111]

Unter den Gründen, welche zum Rückgang der Prophetie führten, wird an erster Stelle die steigende Unsicherheit der Gemeinden gegenüber der prophetischen Verkündigung genannt. "Die Prophetie geriet immer mehr in das Zwielicht der Diskussion über wahre und falsche Propheten."[112] Prophetisches Wirken konnte ein "Einfallstor für die Irrlehre"[113] werden (1 Joh 4, 2f; Offb 2, 20) und war als solches verdächtig — im Gegensatz zur in 1 Kor 12—14 bezeugten Frühzeit der Prophetie.[114] Sogar die Gnostiker beriefen sich auf Propheten und prophetische Offenbarungen.[115]

In der gleichen Zeit gewinnt das kirchliche Amt, besonders in der Form des Episkopats, sein eigenes Gewicht. Die Ignatiusbriefe kennen schon keine Gemeindeprophetie mehr.[116] Mag Ignatius selbst sich auch noch als Pneumatiker gewußt haben[117] — den Titel "Prophet" meidet er. Die Didache (15, 1f) weist den Bischöfen und Diakonen ersatzweise den Dienst der Propheten und Lehrer zu. Darin zeigt sich eine Verlagerung des Schwerpunktes im kirchlichen Leben weg von der Prophetie. Spätestens in der montanistischen Krise kommt es dann aber zu einer Konfrontation zwischen der von den Montanisten vertretenen ekstatischen und auf das Ende ausgerichteten Prophetie und dem von Bischöfen und Klerikern geleiteten kirchlichen Leben.[118] Weder in der Großkirche noch im Montanismus selber kann die Prophetie sich auf die Dauer gegenüber Amt und Tradition behaupten.[119] Das kirchliche Leben hat in ihnen zu starke Kraft-

---

[110] Friedrich, ThW VI 863; zum Zusammenhang zwischen Montanismus und urchristlicher Prophetie vgl. auch Aland, Bemerkungen zum Montanismus 137—143.

[111] Fascher, RGG V 635; vCampenhausen, Kirchliches Amt 210, unter Hinweis auf Canon Muratori 77—80; Hipp Antichr 31; Orig Comm in Mt 28(Klostermann 52).

[112] Vielhauer, Hennecke-Schneemelcher II 427, unter Hinweis auf Did 11, 7ff (vgl. dazu unten S. 133f); Herm m 11; Just Dial 35, 3; 51, 2; 69, 1; 82, 1f; vgl. Kraft, Altkirchliche Prophetie 264f; Friedrich, ThW VI 858; Fascher, RGG V 634f.

[113] Vielhauer a. a. O.

[114] Kraft, Altkirchliche Prophetie 265; Friedrich, ThW VI 857f.

[115] Vgl. die Übersicht bei Bauer, Rechtgläubigkeit und Ketzerei im ältesten Christentum 182.

[116] Kraft, Altkirchliche Prophetie 267, bezieht Ign Sm 7, 2: "es geziemt sich auf die Propheten zu merken, vornehmlich aber auf das Evangelium" auf christliche Propheten. An den übrigen Stellen der Ignatiusbriefe sind mit *prophetai* aber eindeutig die Verkündigung und die Schriften der alttestamentlichen Propheten gemeint. Deshalb ist es besser, auch diese Stelle von alttestamentlichen Propheten zu verstehen; vgl. Ign Phld 9, 2.

[117] Darf man Ign Eph 20, 2 so verstehen? — Kraft, Altkirchliche Prophetie 266, verweist hierfür auf den "Pneumatikernamen" *Theophoros* in der Inscriptio der Ignatiusbriefe; Friedrich, ThW VI 862 auf Ign Eph 20, 2; Phld 7;vgl. vCampenhausen, Kirchliches Amt 112—116.

[118] Vgl. vCampenhausen, Kirchliches Amt 195—208.

[119] Vgl. Bauer, Rechtgläubigkeit 183; Vielhauer, Hennecke-Schneemelcher II 427; Friedrich, ThW VI 863; Fascher, RGG V 635; Aland, Bemerkungen 143: "Im Zeitalter des sich festigenden Kanons und der an Bedeutung gewinnenden Tradition war eine neue Offenbarungsquelle noch weniger tragbar als vielleicht am Ausgang des ersten Jahrhunderts."

zentren ausgebildet, denen gegenüber auch der Anspruch des dogmatisch "rechtgläubigen" Montanismus[120] als Ketzerei erscheint. Die Prophetie als solche wird verdächtig. In der Auseinandersetzung mit dem Montanismus zeigt und verstärkt sich eine großkirchliche Reserve gegenüber der Prophetie: gegenüber ihren Ekstasen,[121] ihrer Berufung auf den Geist,[122] ihren dunklen Ankündigungen und ihrer Enderwartung.[123] Diese Reserve bedingt das Ende der Prophetie in der Kirche.[124]

Man kann es aber auch so sehen, daß diese Reserve das Ende der Prophetie in der Kirche nur anzeigt, daß das Verständnis für Prophetie und damit das ihr entsprechende Milieu in der Kirche schon lange im Schwinden begriffen waren. Sogar im kleinasiatischen Raum hat sich im 2. Jahrhundert die Erinnerung an nur zwei nicht im Neuen Testament erwähnte namhafte Propheten gehalten: Quadratus und Ammia.[125] Im Mon-

---

[120] vCampenhausen, Kirchliches Amt 206; Friedrich, ThW VI 863.

[121] Bis zur quasi-dogmatischen, in der antimontanistischen Polemik geformten Behauptung des Miltiades Eus Hist Eccl 5, 17, 1: *me dein propheten en ekstasei lalein.* Vgl. vCampenhausen, Kirchliches Amt 207f; Kraft, Altkirchliche Prophetie 271; Bauer, Rechtgläubigkeit 140; Friedrich, ThW VI 863.

[122] Montanus hat seinen ersten Anhängern wahrscheinlich nicht als Prophet gegolten. Kraft, Altkirchliche Prophetie 263, weist darauf hin, daß sein Name in der prophetischen Sukzessionsreihe Eus Hist Eccl 5, 17, 4 noch fehlt. Die Behauptung, Montanus habe sich als den Parakleten bezeichnet, geht auf die antimontanistische Polemik zurück; vgl. Schepelern, Der Montanismus und die phrygischen Kulte 16f; Bauer, Rechtgläubigkeit 199 Anm. 3. Sämtliche dem Montanus zugeschriebenen Orakel, die so verstanden werden könnten, sind zweifelhaft, s. Aland, Bemerkungen (die Nummern 1a—4a); Schneemelcher, Hennecke—Schneemelcher II 486 (Nr. 1. 3. 4). Die Behauptung wird sich auf die montanistische Lehre beziehen, in den montanistischen Propheten spreche der Paraklet, bzw. ein (böswilliges?) Mißverständnis der prophetischen Botenformel sein. Tertullians Sprachgebrauch kann nur so verstanden werden. Von einer Gleichung Montanus = Paraklet weiß er nichts.

[123] S. dazu die Sprüche 11 und 12 bei Hennecke-Schneemelcher II 486; ferner Kraft, Altkirchliche Prophetie 260f. Die Polemik verweist auf das Ausbleiben der angesagten Kriege, Eus Hist Eccl 5, 16, 18f. Die gleiche Tendenz wird hinter der Anspielung auf die "vierzig Jahre" stehen, vor denen Montanus schon mit seiner angeblichen Prophetie begonnen habe. Die Verzögerungsproblematik wird nun zu einem überzeugenden Gegenbeweis gegen die Glaubwürdigkeit prophetischer Verkündigung; vgl. Friedrich, ThW VI 863; Bauer, Rechtgläubigkeit 144; Aland, RGG IV 1118; ders., Bemerkungen 143: "Und eine Kirche, welche auf ihrem Wege in die Welt die alte Eschatologie gerade erfolgreich relativiert hatte, konnte sich nicht mehr zurückrufen lassen zur Erwartung eines unmittelbar vor der Tür stehenden Weltendes."

[124] vCampenhausen, Kirchliches Amt 209: "Enthusiastische Eingebungen, Entrückungen und Visionen werden im allgemeinen an den Rand der Kirche und in die Ketzerei abgedrängt, bis ihnen das Mönchtum eine neue Heimstatt und geordnete Entwicklungsmöglichkeiten verschafft." Vgl. die Warnung des Irenäus Haer 3, 11, 9, man solle aus Angst vor der falschen Prophetie nicht auch die echte Prophetie aus der Kirche drängen; Bauer, Rechtgläubigkeit 145; vCampenhausen, Kirchliches Amt 210; Friedrich, ThW VI 862.

[125] Eus Hist Eccl 5, 17, 2—4. Zur Rolle dieser beiden Propheten in der prophetischen Sukzession der Montanisten vgl. vCampenhausen, Kirchliches Amt 208; Kraft, Altkirchliche Prophetie 262f; Bauer, Rechtgläubigkeit 140.

tanismus erlischt die Prophetie nach den Anfängen wieder schnell.[126] Der bei Eus HistEccl 5, 17, 4 zitierte Antimontanist kennt vierzehn Jahre nach dem Tod der Maximilla keinen noch wirkenden montanistischen Propheten mehr.[127] Der Prophetie fehlte im zweiten Jahrhundert zunehmend das ihr entsprechende Milieu, und dieses Fehlen wirkte auf die Prophetie zurück. "Auch die fortschreitende Hellenisierung der Kirche, die Betonung der Geistigkeit und Vernünftigkeit des christlichen Glaubens, schränkt das Verständnis für das anders geartete Wesen der älteren 'Prophetie' ein."[128]

So ist das Ende der urchristlichen Prophetie in der äußeren und in der inneren Entwicklung der frühen Kirche begründet. Die kirchengeschichtliche Forschung hat die Quellen zum Montanismus nahezu optimal ausgewertet. Demgegenüber bleibt das Bild von der Stellung der Prophetie in der Kirchengeschichte des ersten Jahrhunderts merkwürdig blaß. Nur selten wird die Prophetie als geschichtliche Kraft im Urchristentum erkennbar, so wenn die Entscheidung für die Mission unter den Völkern im Zusammenhang mit der Prophetie gesehen wird[129] oder die Flucht der Jerusalemer Gemeinde nach Pella.[130] Die Gründe für den Rückgang der Prophetie bis zum Ende des ersten Jahrhunderts sind noch nicht geschichtlich aufgehellt,[131] ebensowenig wie die Gründe für die mit Recht angenommene Differenzierung der urchristlichen Prophetie in den einzelnen Kirchengebieten und das Ausmaß und die Bedeutung dieser Differenzierung selber. Die Frage nach der Bedeutung der Prophetie für die urchristliche Theologie ist zwar von Käsemann[132] gestellt, aber von der neutestamentlichen Forschung bisher nicht aufgegriffen worden. In der Darstellung der Geschichte des Urchristentums hängt, nach den vorhandenen Beispielen zu urteilen, nicht viel davon ab, ob man die Prophetie überhaupt erwähnt.[133] Schließlich müßten auch die aus der Zeit zwischen dem ersten Jahrhundert und dem Montanismus stam-

---

[126] vCampenhausen, Kirchliches Amt 209: "Der Montanismus ist, einmal verurteilt, zu einer rigoristischen Winkelsekte geworden."

[127] Vgl. Bauer, Rechtgläubigkeit 140; Aland, Bemerkungen 114—116: in der späteren Zeit gibt es noch vereinzelt montanistische Ekstatiker und Visionäre, jedoch ohne prophetischen Anspruch. Damit dürfte auch dem Hinweis vCampenhausens, Kirchliches Amt 209 Anm 4, auf Tertullian, De Anima 9 und auf Pass Perp et Fel Genüge getan sein.

[128] vCampenhausen, Kirchliches Amt 209f.

[129] Käsemann, Anfänge christlicher Theologie 88.

[130] Schweizer, Gemeinde und Gemeindeordnung 43.

[131] Ansätze zu dieser Fragestellung bei Alizon, Étude sur le prophétisme 54—56; A. macht den Rückgang des Enthusiasmus, den steigenden Gegensatz zwischen Gemeindeämtern und dem Wirken des Geistes und die steigende Zahl falscher Propheten für den Rückgang und für das Ende der Prophetie verantwortlich.

[132] Anfänge christlicher Theologie 100—104.

[133] Vgl. Goppelt, Apostolische Zeit 30. 131 (s. den Text der Zitate oben Anm. 32. 38. 44); Conzelmann, Geschichte des Urchristentums 37 (über die Prophetie in der Urgemeinde): "Wenn ein Prophet vom Geist getrieben wird, reißt er das Wort an sich ... Auch die Prophetie selbst muß sich nicht in ekstatischen Formen äußern. Sie ist u. a. nüchterne Anweisung, gültige Setzung von bindenden Anordnungen aus der Autorität des Geistes;" 89 (s. oben S. 23).

menden Nachrichten über Propheten in Did und Herm ihren Ort in einer Geschichte der urchristlichen Prophetie erhalten und mit dieser sinnvoll in die Kirchengeschichte eingeordnet werden.

§ 7 Ausblick: Das Ziel der Prophetenforschung und das Ziel dieser Arbeit

Das Ziel der Prophetenforschung muß darin bestehen, ein umfassendes Bild von der urchristlichen Prophetie und von ihrer Geschichte zu gewinnen, dem alle neutestamentlichen Nachrichten über urchristliche Propheten zugeordnet werden können, oder anders gesagt darin, die urchristliche Prophetie als geschichtliche Größe zu erfassen und zu beschreiben. Dieses Ziel kann nur in einzelnen Schritten erreicht werden. Der gegenwärtige Stand der Prophetenforschung ist gerade deshalb so unbefriedigend, weil meistens auf gedrängtem Raum ein Gesamtbild der urchristlichen Prophetie entworfen werden muß und dabei die einzelnen an sich notwendigen Forschungsschritte zurückstehen. Eine Konsequenz dieses Verfahrens sind die im "Überblick über die Fragestellungen der neueren Prophetenforschung" zutage getretenen Aporien in den einzelnen Entwürfen zur urchristlichen Prophetie und die nicht diskutierten Widersprüche zwischen den verschiedenen Positionen.

Ein großer Teil der aufgedeckten Aporien und Widersprüche hängt mit dem ungeklärten, umstrittenen oder negierten Verhältnis der urchristlichen Prophetie zur zeitgenössischen jüdischen und urchristlichen Apokalyptik zusammen. So sehen sich die meisten Autoren genötigt, schon innerhalb des Neuen Testaments eine Trennungslinie zwischen der urchristlichen Prophetie nach 1 Kor 14 und dem prophetischen Anspruch der Offb zu ziehen bzw. dieser den prophetischen Charakter abzusprechen. Diese Spannung setzt sich fort ins zeitgenössische Judentum zurück, wenn dort ebenfalls zwischen "Propheten" und Apokalyptikern unterschieden werden soll. Dies ist aber, abgesehen von der inneren Problematik einer solchen Rekonstruktion, kein Gewinn für die Erforschung der urchristlichen Prophetie. Denn diese hätte dann weder mit der jüdischen nationalen "Prophetie" noch mit der Apokalyptik etwas gemeinsam. So läßt sich ihr weder ein besonderer Inhalt noch eine besondere Funktion zuweisen, welche sie deutlich von Apostolat und Lehre unterscheiden würden. Nur an ihrem Ende, im Montanismus, wird sie als geschichtliche Kraft verständlich und beschreibbar.

Ein Fortschritt in der Prophetenforschung kann überhaupt nur erreicht werden, wenn es gelingt, diese Problemlage, welche sich im "Gegensatz" der Prophetie nach 1 Kor 14 und nach Offb konkretisiert, zu klären. Grundsätzlich müssen dazu alle neutestamentlichen Texte, welche von Prophetien handeln, intensiver auf Prophetie hin befragt und interpretiert werden, als dies in der Literatur bisher geschehen konnte. Den paulinischen Aussagen in 1 Kor 12—14 kommt dabei besondere Bedeutung zu. Denn hier handelt es sich einmal um den ältesten größeren Textzusammenhang, in welchem auf verschiedene Weise von Prophetie die Rede ist, zum andern haben ja für einen Teil der Forschung gerade die Aussagen von 1 Kor 14 normative Geltung gegenüber den Aussagen der Offb, so daß ein Einsatz bei den Aussagen der Offb kaum aus dem bestehenden Dilemma herausführen würde.

Bei der exegetischen Analyse von 1 Kor 12—14 muß der religions- und traditionsgeschichtlichen Fragestellung und Entschlüsselung breiter Raum gewährt werden. Dabei kann es nicht darum gehen, die urchristliche Prophetie aus einer bereits bestehenden jüdischen Tradition abzuleiten — wenn das möglich wäre, wäre es wohl schon längst gesehen und durchgeführt worden. Aber man muß, wenn man bei der Eigenart des Textes überhaupt Aufschluß über die Prophetie als solche — deren Kenntnis wird ja von Paulus vorausgesetzt — gewinnen will, jedem Begriff und jedem Brauch, der in einer typischen Weise der Prophetie zugeordnet wird, nachgehen, um auf diese Weise zunächst die mit der urchristlichen Prophetie verbundenen Traditionen aufzudecken. Je mehr es gelingt, das religions- und traditionsgeschichtliche Geflecht, welches zur urchristlichen Prophetie gehört, ihr "Milieu", freizulegen, desto eher wird es möglich sein, auch ihre eigene geistesgeschichtliche Stellung und ihre religionsphänomenologische Gestalt zu bestimmen.

Dann müßte man versuchen, von dem erreichten Ergebnis aus, unter Auswertung der übrigen in Betracht kommenden Texte des Corpus Paulinum eine Gesamtanschauung von der Prophetie in den paulinischen Gemeinden zu erarbeiten. Eine entsprechende Untersuchung wäre auch für die Prophetie im Traditionsbereich der Offb notwendig. Von diesen beiden Eckpunkten aus wären die übrigen neutestamentlichen Texte auf Prophetie zu befragen. Auf diese Weise würden zugleich die Grundfragen einer Geschichte der urchristlichen Prophetie geklärt werden können.

In dieser Arbeit kann nicht so vorgegangen werden, weil sich gezeigt hat, daß allein die Untersuchungen zu 1 Kor 12—14 Jahre beanspruchen. Das zu 1 Kor 12—14 erzielte Ergebnis ist aber bereits derart, daß sich der in der bisherigen Prophetenforschung meistens angenommene "Gegensatz" zwischen der Prophetie nach 1 Kor 14 und Offb auf den "Gegensatz" geschichtlicher Varianten eines einheitlichen Grundphänomens zurückführen läßt. Unter Zurückstellung der weiteren analytischen Schritte kann deshalb doch der Versuch gemacht werden, vom Ertrag der Einzeluntersuchungen zu 1 Kor 12—14 aus ein Bild der Prophetie in den paulinischen Gemeinden und eine Geschichte der urchristlichen Prophetie zu entwerfen. Auf diese Weise werden die zu 1 Kor 12—14 angestellten Untersuchungen zugleich auf die Diskussionsebene der gegenwärtigen Prophetenforschung gebracht und für diese aktuell.

Hinsichtlich der Gestalt der Arbeit ist noch hinzuzufügen, daß die oben zu 1 Kor 12—14 geforderten religions- und traditionsgeschichtlichen Untersuchungen sich auf zwei Stufen vollzogen haben. Nach einer ersten Textanalyse von 1 Kor 12—14 waren die Deuteterminologie und das Offenbarungsverständnis als zentrale Ausgangspunkte für die Erhellung der Prophetie erkannt worden. Darum wurden zunächst einmal die jüdischen Quellen auf diese Probleme hin befragt. Einige der aus diesen Befragungen hervorgegangenen Studien, die für das Verständnis der Arbeit wichtig sind, wurden im ersten Teil zusammengestellt. Im zweiten Teil sind die exegetischen und religionsgeschichtlichen Untersuchungen zu 1 Kor 12—14 zusammengefaßt. Dabei mußte von den Texten her eine große Zahl von Einzelproblemen religions- und traditionsgeschichtlich geklärt werden. Außerdem war an mehreren Stellen, besonders zu 1 Kor 12, 10 und 13, 8—12 eine längere Auseinandersetzung mit der älteren Forschung unumgänglich. Den Abschluß bildet, wie bereits angedeutet, ein Versuch, einige der in der bisherigen Forschungsgeschichte aufgetretenen Fragen von den Ergebnissen dieser Arbeit aus zu beantworten.

1. Teil: Studien zur Vorgeschichte, zum Hintergrund und zum Milieu der urchristlichen Prophetie

1. Kapitel: Deuteterminologie und Offenbarungsverständnis im Danielbuch, in der Weisheitsliteratur und in der griechischen Bibel

§ 8 Die alttestamentliche Deuteterminologie

Die Deuteterminologie ist im hebräischen und aramäischen Alten Testament auf den Umkreis des Traumes,[1] ja einiger weniger besonderer Traumgeschichten beschränkt: Gen 40; 41 *ptr* und *ptrwn*, Ri 7, 15 *šbr* und Dan 2; 4; 5; 7 *pšr*.[2] Die Spärlichkeit des Materials wird einmal mit den besonderen Überlieferungsbedingungen der atl Tradition zusammenhängen, die sich weniger am Zustandekommen der Traumdeutung interessiert zeigte als an der im Traum enthaltenen Weisung oder Botschaft. Im übrigen alten Orient wurden gewöhnlich nur für den Staat relevante Offenbarungen an den König in der Form eines Traumes aufgezeichnet.[3] Im Falle der Josefsgeschichte und des Daniel wurde dieses Überlieferungsgesetz durch das spezielle Interesse am von Jahwe inspirierten Traumdeuter durchbrochen.[4] Zum anderen wird das Zurücktreten der typischen Deuteterminologie auch darauf zurückführen sein, daß in atl Zeit der Traum nur eine der Formen war, unter denen sich Israel das Sprechen Jahwes vorstellte und erfuhr.[5] Diese Vermutung wird durch die erneute Ausbreitung der Deuteterminologie vom Ende der atl Zeit an und durch ihre Anwendung auf Bereiche außerhalb des Traums, vor allem auf die Worte der Schrift, bestätigt. Denn eben in dieser Zeit gehörten die im AT bedeutendsten Formen des Sprechens Jahwes zu den Menschen wie die Prophetie[6] und das priesterliche Losorakel nur mehr der Geschichte an, so daß der Wille und die Weisung Jahwes durch Deutung von Traumoffenbarungen und von Traditionen gesucht werden mußten.

---

[1] Zusammenstellung und Interpretation der auf den Traum bezogenen alttestamentlichen Texte: Ehrlich, Der Traum im Alten Testament; vgl. ferner: Richter, Traum und Traumdeutung im AT; Belege für den griechischen Sprachgebrauch: Dautzenberg, Zum religionsgeschichtlichen Hintergrund der *diakrisis pneumaton* 94—98.

[2] Zu Sir 38, 14 und Koh 8, 1 s. unten S. 54f.

[3] Vgl. Oppenheim, The Interpretation of Dreams in the Ancient Near East 186—192.

[4] Vgl. Oppenheim, Interpretation 210.

[5] S. dazu die Übersicht über die verschiedenen alttestamentlichen Offenbarungsformen bei Lindblom, Die Vorstellung vom Sprechen Jahwes zu den Menschen im Alten Testament.

[6] Vgl. dazu oben S. 29—32.

Die atl Deuteterminologie ist etymologisch mit den entsprechenden Ausdrücken in den alten semitischen Sprachen verwandt (a). Ihre Anwendung deckt sich, von israelitischen Besonderheiten abgesehen, mit dem altorientalischen "pattern" der Traumdeutung (b).

(a) Dem hebr. *ptr* und dem aram. *pšr* entspricht akk. pašāru (= sumerisch búr), das nach OPPENHEIM[7] folgende Vorgänge wiedergibt:

1. Seinen Traum jemand anderem berichten.
2. Das Deuten dieses rätselhaften Traumes durch den anderen.
3. Das Vertreiben oder Entfernen der bösen Folgen eines solchen Traumes durch magische Mittel.[8]

Nach OPPENHEIM[9] ist die Grundbedeutung des Stammes p. š. r. "lösen, auflösen, lossprechen". Damit steht atl. *ptr/pšr* ganz nahe bei den entsprechenden griechischen Ausdrücken mit *krino* und *lyo*.[10]

Zu *šbr* vergleicht RICHTER[11]: "Akkadisch šabru = Seher, vgl. BEZOLD-GÖTZE, Babylonisch-assyrisches Glossar, 1926, 264b. Er bezeichnet es als sumerisches Lehnwort. Im Akk. ist es aber Nomen agentis, es fehlt als Nomen actionis".

(b) Der Deutevorgang wird von OPPENHEIM wie folgt bestimmt[12]: Zunächst gehe es um die "Übersetzung" der Symbole, daraus und darauf folge, daß der Traum "gelöst" wird. Vorgenommen wird die Interpretation

1. auf Grund eines intuitiven Verstehens,
2. auf Grund einer Sammlung von Traum-Omina,
3. auf Grund eines Kontakts mit der den Traum gewährenden Gottheit.[13]

Diese letzte Art der Traumdeutung wird in den atl Texten betont für die von ihnen berichteten Deutungen in Anspruch genommen (vgl. bes. Gen 40, 8; 41, 16. 38; Dan 2, 23. 28; 4, 5. 15), während die heidnische Traumdeutung wegen ihres mangelnden Kontakts zu Jahwe versagt und ihr weder Scharfsinn noch Erfahrung (also die ersten beiden Arten der Interpretation) zur Deutung verheifen können (vgl. bes. Gen 41, 8; Dan 2, 10f. 27; 4, 14; 5, 15).[14]

§ 9 Die Deuteterminologie im Danielbuch

Die Deuteterminologie ist im aramäischen Teil des Danielbuches sehr reich vertreten, aber durchaus konventionell. Aram. *pšr* "Deutung, Auslegung" entsprechen in den griechischen Übersetzungen verschiedene Ableitungen von *krino*

---

[7] Interpretation 219.

[8] Vgl. Da 4, 16 unten S. 48; ähnliche Praktiken in der rabbinischen Literatur: Kristianpoller, Traum und Traumdeutung 15—19.

[9] Interpretation 220 und öfters.

[10] Vgl. Dautzenberg, Hintergrund 95f. 98.

[11] Traum 214 Anm. 38.

[12] Interpretation 219.

[13] Oppenheim, Interpretation 221; ebd. 221—224 zu den Traumdeutern in den altorientalischen Texten.

[14] Eigenes Gewicht erhält die Kenntnis der Tradition erst im Judentum; vgl. unten S. 98—102. 106f. 113. 119.

und *lyo*. Die griechischen Übersetzungen und Josephus gebrauchen die Deuteterminologie schematisch, auch über M hinaus. Einzelne bedeutendere Abweichungen werden im Zusammenhang der jeweiligen Stücke besprochen. Ein Überblick über die Terminologie und über die Stellen soll zunächst die folgende Untersuchung von Wiederholungen entlasten. Die heidnischen Traumdeuter werden mit einer stereotypen Anhäufung von Ausdrücken allgemein als heidnische Zauberer oder Gelehrte bezeichnet. Dan 2, 2 "Gelehrte, Beschwörer, Zauberer und Chaldäer" (vgl. 1, 20; 2, 10. 27; 4, 4; 5, 7. 11. 15). Die griechischen Übersetzungen vermeiden bei der Charakterisierung der heidnischen Traumdeuter die Anwendung der Deuteterminologie.[15]

pšr: 2, 4. 5. 6(bis). 7. 9. 16. 24. 25. 26. 30. 36. 45; 4, 3. 4. 5. 6. 15. 16. 21; 5, 7. 8. 12. 15. 16(bis). 17. 26; 7, 16.
pšr (verbum) 5, 12. 16.
krima Th 5, 16.
krisis: LXX: 2. 9. 36. 45; 4, 28; 7, 16; Jos Ant 10, 194. 200. 203. 208.
synkrisis Th: 2, 4. 5. 6. 7. 9. 16. 24. 26. 30. 36. 45; 4, 6 (3). 7 (4). 9 (6). 19 (16). 24 (21); 5, 7. 8. 12. 15. 16. 17; 7, 16. LXX: 2, 4. 5. 6. 9. 26; 4, 18. 19 (16).
synkrima Th: 2, 25; 4, 18 (15 bis); 5, 26; LXX: 5, 7 (3mal). 8. 9. 12. 16. 26. 30.
epilysis: S: 2, 25; vgl. *katalysis* LXX: 2, 22; *lysis* LXX: 12, 8.
ermeneia LXX 5 tit.
krino LXX: 2, 6. 7; 4, 18; Jos Ant 10, 217. 234. 246. 272.
synkrino Th: 5, 12. 16; LXX: 5, 7.

§ 10 Nebukadnezars Traum von den vier Weltreichen (Dan 2)

In Dan 2 werden die bekannten Motive vom Königstraum, den niemand deuten kann (vgl. Gen 41), und vom fähigen Traumdeuter, der diesen Traum darüber hinaus auch noch erraten kann,[16] samt der dazugehörigen Deuteterminologie in einer jüdischen Form geboten, die den Nachweis führt, daß der jüdische Gott und die von ihm geschenkte Weisheit über heidnische Religion und Magie schlechterdings überlegen sind[17] — ein auch schon die Josefsgeschichte bestimmendes Motiv. Die besondere Eigenart der Erzählung ergibt sich darüber hinaus aus dem apokalyptischen Inhalt des Traums und seiner Deutung. In unserem Zusammenhang braucht nicht ausgemacht zu werden, wann und unter welchen Bedingungen die Apokalyptisierung der in Dan 2 verarbeiteten Motive und Stoffe eingesetzt hat. Dieser Prozeß, der sicher längere Zeit vor der endgültigen Redaktion begann,[18] hat auf jeden Fall dazu geführt, daß die

[15] *ḥrṭm* Gen 41, 8. 24 wird in LXX mit *exegetes* wiedergegeben; hier z. B. in 2, 27 von *Th* und LXX mit *epaoidos*.
[16] Vgl. Ehrlich, Traum 93—101; Bentzen, Daniel 23.
[17] Bentzen, Daniel 29.
[18] Bentzen, Daniel 31.

Erzählung eine Reihe von für die Auffassung von Traum bzw. Offenbarung und Deutung in der Apokalyptik aufschlußreichen Einzelzügen enthält.

Zunächst ist das Schema von Traum und Deutung grundlegend für diese Geschichte und, wie sich noch zeigen wird, auch für die übrigen Offenbarungen des Danielbuches. Nebukadnezar empfängt die Offenbarung in einem noch ungedeuteten symbolischen Traum *ḥlm*.[19] Daniel erfährt die Offenbarung in einem "Nachtgesicht" *ḥzw*. Zwischen Traum und Vision ist hier kaum zu unterscheiden, vgl. 2, 29: "Dein Traum und die Gesichte deines Hauptes." Für den Verfasser des Danielbuches sind beide auf jeden Fall Offenbarungsformen Gottes. Dadurch daß auch die Deutung in der Vision empfangen wird, wird ihre Herkunft von Gott und ihre qualitative Verschiedenheit von der heidnischen Traumdeutung eindrucksvoll dargestellt, obwohl Daniel und seine Gefährten andererseits durchaus zur Gruppe der Weisen Babylons bzw. zu den jüdischen Weisen gehören.

Der Inhalt des Traums und seiner Deutung wird "Geheimnis" *(rz)* genannt (2, 18. 19. 27. 30. 47). Damit soll nicht nur die Verborgenheit des Trauminhalts charakterisiert werden, sondern ebensosehr seine Zugehörigkeit zum göttlichen Geschichtsplan und seine inhaltliche Bestimmtheit durch diesen Plan.[20] "Der die *Geheimnisse* enthüllt" ist schon eine feste Gottesprädikation in unserem Kapitel (2, 28. 29. 47). Verstärkt wird diese apokalyptische Offenbarungstheologie durch das in die Erzählung eingelegte Danklied Daniels (2, 20—23),[21] das nach der geschehenen Offenbarung durchaus seinen richtigen Platz hat[22] ebenso wie die Huldigung des Königs vor Daniel, nachdem dieser ihm die offenbarte Deutung mitgeteilt hatte (2, 46).[23]

Das Danklied 2, 20—23: "(20) Es ist der Name Gottes zu preisen von Ewigkeit zu Ewigkeit (vgl. Ps 41, 14; Neh 9, 15), denn die Weisheit und die Kraft — sein ist sie (vgl. Hi 12, 13. 16)!

(21) Er läßt wechseln Zeiten und Stunden, setzt Könige ab und setzt Könige ein (vgl. Hi 12, 18; 1 Sm 2, 7), gibt Weisheit den Weisen und Kenntnis den Einsichtsvollen.

(22) Er enthüllt das Tiefe und das Verborgene, weiß, was im Dunkeln ist, und das Licht wohnt bei ihm (Hi 12, 22; Ps 104, 2; LXX bezieht den Vers direkt auf die Deutung und fügt hinzu: *kai par' auto katalysis*; zu *katalysis* vgl. Dan 5, 12. 16 und Dan LXX 12, 8).

---

[19] Nach Jos Ant 10, 195 hat Nebukadnezar Traum und Deutung empfangen, aber beides wieder vergessen. So auch schon im Referat über die Träume Pharaos Ant 2, 75.

[20] S. Brown, The Pre-Christian Semitic Concept of "Mystery" 423; Bornkamm, ThW IV 821; Elliger, Habakuk 156.

[21] Vgl. dazu die Danielkommentare: Plöger, Bentzen, Marti, Montgomery.

[22] Erzählerisch wird die Spannung dadurch aufrechterhalten, daß der Inhalt der Offenbarung noch nicht mitgeteilt wird; vgl. Bentzen, Dan 25.

[23] Vgl. Ri 7, 15; 1 Kor 14, 25 (unten S. 251f); ferner Apg 14, 11—13 (Verehrung des Paulus und des Barnabas nach einer Heilung); Jos Ant 11, 333 (Alexander fällt vor dem jüdischen Hohenpriester nieder); Luc Pergr Mort 11; Strabo 7, 3, 11; auch das Niederfallen vor dem Offenbarungsengel Offb 19, 10; 22, 8f gehört hierhin.

(23) Dich o Gott meiner Väter, lobe und preise ich, denn Weisheit und Kraft hast du mir gegeben, und jetzt hast du mir kundgetan, was wir erfleht von dir, denn die Sache des Königs hast du uns kundgetan."[24]

Wie die angeführten atl Parallelen zeigen, lehnt sich das Lied an die hymnische Sprache der Tradition an. Seine Perspektive und sein Skopus sind jedoch von der Tradition verschieden. Gottes Weisheit und Stärke äußert sich gerade in seinem Geschichtsplan (21a). Mit den Ausdrücken "Tiefe", "Verborgenes", "was im Dunkel ist" (22) sind die für den Menschen geheimnisvollen Dimensionen dieses Geschichtsplanes in "räumlichen" Kategorien angedeutet. Jedoch bleibt dieser Plan nicht verschlossen; denn Gott enthüllt ihn — und erst damit ist der Höhepunkt des Dankliedes erreicht — den Apokalyptikern, den Weisen und Einsichtvollen, in apokalyptischen Erfahrungen.[25] Gott schenkt ihnen "Weisheit", "Kenntnis", "Kraft" (2, 21 b. 22 a. 23).

Wenn Gott nach Amos 3, 7 "keine Dinge tut, er habe denn seinen Ratschluß seinen Knechten, den Propheten, enthüllt", so ist diese Prärogative der Propheten nun an die Weisen übergegangen. Daniel ist der Typ eines solchen Weisen. Ihn charakterisieren Bildung, Gesetzestreue (Dan 1) und Schriftstudium, besonders Studium der Propheten (Dan 9, 2). Die Gefährten Daniels gehören ebenfalls zum Milieu der Weisen; vielleicht bildet sich in ihnen sogar etwas wie eine Schule ab. Sie stehen Daniel bei der Vorbereitung auf die Offenbarung bei (2, 18), sie werden auch im Danklied erwähnt (2, 23), möglicherweise stehen sie auch hinter dem "wir" in 2, 36: "Dies ist der Traum, und seine Deutung werden wir vor dem König sagen." Bei aller epischen Breite der Erzählung werden doch die uns interessierenden mehr technischen Details übergangen, während die erbaulichen und doxologischen Züge, der literarischen Absicht entsprechend überhöht dargestellt werden.

Über den tatsächlichen Werdegang der in Traum und Deutung entfalteten Apokalypse (2, 29—45) werden wir ebenfalls nicht unterrichtet, sie soll ja gerade als "Offenbarung" präsentiert werden. Jedenfalls ist sie auch nach ihrer ersten Fassung noch weiter überarbeitet und auf neue geschichtliche Konstellationen hin "gedeutet" worden. Das geht aus der Differenz zwischen Traum (2, 33: seine Füße teils von Eisen, teils von Ton) und Deutung (2, 41 b—42: Zehen der Füße; 2,43: Eisen vermischt mit lehmigem Ton) hervor.[26] Der die Deutung abschließende Satz: "Wahr ist der Traum und zuverlässig seine Deutung" (2, 45) hat den Charakter einer Bestätigungsformel und steht stilgerecht am Ende.[27]

---

[24] Übersetzung nach Bentzen, Dan.

[25] Philo verwendet die gleiche Begrifflichkeit für die inspirierte Traumdeutung Josefs, Jos 106: (Der Pharao beim Anblick Josefs) "Mein Gefühl sagt mir, daß meine Träume nicht mehr lange im *Dunkel* verhüllt bleiben. Denn dieser Jüngling zeigt das Kennzeichen der Weisheit, er wird die Wahrheit *enthüllen;* wie das *Licht* das *Dunkel* vertreibt, wird er mit seiner Einsicht die Unwissenheit unserer Weisen zerstören." Ähnlich auch Jos 90: Gott will *ta syneskiasmena ton pragmaton anakalyptein tois aletheian pothousin.* Die Übereinstimmung in der Terminologie weist auf gemeinsame (Schul?-)Tradition.

[26] Vgl. Bentzen, Dan 27.

[27] Vgl. unten S. 51 zu 7, 16; ferner Offb 19, 4; 21, 5; 22, 6; die Schlußformeln in 4 Esr und syrBar; ferner die Danielkommentare: Montgomery, Marti, Plöger.

§ 11 Die Geschichte vom Wahnsinn Nebukadnezars (3, 31—4, 34)

Die Schilderung eines Traumes Nebukadnezars (1—15) nebst den näheren Umständen und vergeblichen Deutungsversuchen, seiner Deutung und seiner schließlichen Erfüllung (25—30) bildet das erzählerische Gerüst von Dan 3, 31—4, 34. Darum ist noch ein brieflicher Rahmen gelegt (3, 31—33; 4, 33—34).[28] Allein Daniel, der Oberste der Gelehrten (4, 6), kann die Deutung geben, weil er im Gegensatz zu den heidnischen Traumdeutern mit dem Geist Gottes begabt ist, vgl. 4, 5: "in dem der Geist heiliger Götter ist". Für ihn ist "kein Geheimnis zu schwer" (4, 6). Weisheit und Inspiration gehören eng zusammen mit der Kenntnis von Geheimnissen bzw. mit deren Durchdringung.[29] Der Bereich, aus welchem die Traumoffenbarung und das in ihr angekündigte Unheil stammen, ist die himmlische Ratsversammlung (4, 14: "Ratschluß der Wächter", "Spruch der Heiligen") oder, wie die Deutung Daniels präzisiert, der "Beschluß des Höchsten". Damit ist durch den Kontext die Bedeutung von "Geheimnis" in ähnlicher, wenn auch nicht gleich apokalyptischer Weise festgelegt wie in Dan 2. Der inspirierte Traumdeuter besitzt Kenntnis von diesem Bereich der Geheimnisse und hat Zugang zu ihm.

Die Einzelheiten der Geschichte interessieren in unserem Zusammenhang weniger. Doch dürften noch einige mehr oder weniger typische Anschauungen oder Wendungen im Hinblick auf die urchristliche Prophetie bedeutsam sein. Die Inhaltsangabe des rahmenden Briefes nennt als seine Absicht "die Zeichen und Wunder des höchsten Gottes kundzutun" (3, 32). Unter "Zeichen und Wunder"[30] ist wohl das ganze Traum, Deutung, Erfüllung und Restitution Nebukadnezars in sein Amt umfassende Geschehen zu verstehen. Es führt den König zur Anerkennung des höchsten Gottes (3, 32; 4, 34 vgl. 1 Kor 14, 22—25. 22: *eis semeion).*[31]

Am Ende der Traumdeutung, die wieder Zug um Zug die Traumsymbole auf das Schicksal des Königs überträgt, steht eine Mahnung Daniels: "Darum, o König, laß dir meinen Rat gut gefallen: mache deine Sünden wieder gut durch Wohltun und deine Missetaten durch Barmherzigkeit gegen die Elenden, ob dann vielleicht dein Glück von Dauer ist" (4, 24). Es braucht hier nicht entschieden zu werden, ob diese Mahnung in der Tradition des prophetischen Umkehrrufs nach einer Gerichtsankündigung oder in der Tradition der weisheitlichen Mahnung steht;[32] wichtig ist ihr Ort am Ende einer die Zukunft betreffenden Auslegung.[33]

Einen mehr magischen Versuch, das im Traum angekündigte Unheil abzuwenden, stellt die Daniels Deutung einleitende Formel dar: "O Herr, der Traum komme über deine Feinde! Über deine Widersacher komme, was er bedeutet!" Hier schlägt die schon im akk. pašaru angelegte Bedeutung von *pšr* durch: "die bösen Folgen eines

[28] Vgl. Ehrlich, Traum 113—122.

[29] S. unten S. 153—156.

[30] Dan *Th* 4, 2: *semeia kai terata;* Dan LXX 4, 37a: *semeia kai thaumasia polla;* zum Ausdruck vgl. Dt 4, 34; Jes 8, 18.

[31] Vgl. oben Anm. 23.

[32] Plöger, Dan 76.

[33] Vgl. die Stellung der Paränese am Ende, nach den apokalyptischen Ausführungen in 1 Kor 15, 58; 1 Thess 5, 4—11.

Traums durch magische Mittel vertreiben oder entfernen".[34] Beispiele aus der talmudischen Zeit zeigen, daß der Brauch, einen bösen Traum unschädlich zu machen, auch damals noch bekannt war und geübt wurde.[35]

§ 12 Belsazars Gastmahl (Dan 5)

Die Legende von Belsazars Gastmahl ist nach dem gleichen Schema aufgebaut wie die beiden vorher besprochenen Erzählungen, nur steht an Stelle des zu deutenden Traums die erst zu lesende[36] (5, 7. 8. 15. 16. 17. 25) und dann zu deutende (5, 7. 8. 12. 15. 16. 17. 29) Schrift, eine gewisse Parallele zu dem ja auch zuerst zu erratenden und dann zu deutenden Traum in Dan 2. Die Anwendung der Deuteterminologie auf Bereiche außerhalb der Traumerfahrung ist im außerbiblischen Griechisch gang und gäbe, im biblischen Sprachbereich begegnet sie erst in der Spätzeit, und zwar hier wie auch in Qumran und im talmudischen Schrifttum in Beziehung auf einen Text.[37] Die Voraussetzung für ihre Anwendung ist die gleiche wie beim Traum, daß nämlich der eigentliche Sinn der Worte[38] ebenso wie der Sinn der Traumsymbole durch Deutung erschlossen werden muß. Diese Voraussetzung ergibt sich in Dan 5 ohne weiteres aus den näheren Umständen, welche zeigen, daß es sich um eine auf außernatürliche Weise zustandegekommene Inschrift, um ein schriftliches Orakel handelt.

Die Einzigartigkeit des inspirierten Traumdeuters wird von der Erzählung ebenfalls wieder hervorgehoben. Die babylonischen Weisen erweisen sich als unfähig, die Schrift auch nur zu lesen (5, 8. 15). Daniels Weisheit beruht darauf, daß in ihm "der Geist heiliger Götter" ist (5, 11. 12. 14), daß "Erleuchtung",[39]

---

[34] Oppenheim, Dream 219.

[35] Vgl. Ber 55b: R. Huna, Sohn des Ammi, im Namen des R. Padat und dieser im Namen R. Johanans sagt: Sieht jemand einen Traum, worüber seine Seele betrübt ist, so gehe er und lasse denselben von drei Leuten deuten *(ptr)*. Er soll ihn deuten lassen? Es sagte ja R. Hisda: Ein Traum, der nicht gedeutet wird, gleicht einem Briefe, der nicht gelesen wird. Sag also vielmehr: Er soll ihn von drei Leuten gut auslegen lassen. Er soll drei (Leute) kommen lassen und zu ihnen sagen: Einen guten Traum sah ich, worauf jene antworten sollen: Er ist gut, und gut soll er bleiben. Der Barmherzige möge ihn zum Guten wenden. Man bestimme über dich im Himmel, daß er gut sei, und er wird gut sein. Dann sagen sie drei Umwandlungen, drei Erlösungen und drei Frieden. — Vgl. Ehrlich, Der Traum im Talmud 140f und oben Anm. 8.

[36] Die LXX unterscheidet in der Inhaltsangabe zu Dan 5 (tit) ebenfalls zwischen dem gelesenen Text und seiner Deutung *(ermeneia)*.

[37] Vgl. Eißfeldt, Die Mentekel-Inschrift und ihre Deutung; Vermès, A propos des commentaires bibliques découverts à Qumran 98; ferner unten S. 60f. 120; Belege aus der talmudischen Zeit: Bacher, Die exegetische Terminologie der jüdischen Traditionsliteratur 2, 178—180.

[38] An sich ist der Wortsinn der Inschrift verständlich: "Gezählt: Mine, Schekel und Teilschekel"; so Eißfeldt, Menetekel-Inschrift; Bentzen, Dan 51.

[39] *nhjrw* nur Dan 5, 11. 14; *Th: gregoresis.*

"Einsicht und Weisheit wie die Götterweisheit in ihm gefunden wurden" (5, 11. 14).

5, 12 und 5, 16 umschreiben die Fähigkeiten Daniels in einem mehr technischen Sinn mit Ausdrücken, die für das Verständnis des Komplexes "Auslegen und Deuten" sehr aufschlußreich sind.

Dan 5, 12: *mpšr ḥlmjn w'ḥwjt 'ḥjdn wmšr' qṭrjn.*
5, 16: *pšrjn lmpšr wqṭrjn lmšr'.*

Dan *Th* 5, 12: *synkrinon enypnia kai anangellon kratoumena kai lyon syndesmous.*
5, 16: *krimata synkrinai.*

Das erste Glied der Dreierreihe (5, 12) bzw. Zweierreihe (5, 16) "Träume auslegen" bzw. "Deutungen deuten" ist schon hinlänglich bekannt. Das letzte Glied (in *Th* 5, 16 ausgefallen) "Knoten lösen" erinnert an magische Vorstellungen.[40] Dabei darf man aber nicht übersehen, daß auch *pšr* die Grundbedeutung "lösen" hat wie seine griechischen Äquivalente *krino* und *epilyo*. Oppenheim[41] hat auf eine ägyptische Parallele zu p. š. r., nämlich nh', aufmerksam gemacht. Das Wort bedeutet "ein Tau aufflechten, eine schwierige Passage erklären". Damit dürfte es genau dem griechischen *epilyo* entsprechen, wo ja auch das rationale Moment angesichts verwickelter Texte besonders stark ist.[42] Für Dan 5 braucht man also sicher keine magischen Praktiken mehr zu vermuten, das Wort "lösen" wird ebenso wie "Knoten" ein term. techn. der Auslegung sein. Leider ist nicht mehr auszumachen, ob es hier gerade wegen der Aufgabe einer Texterklärung herangezogen wird.[43] Das mittlere Glied in 5, 12 lautet "Kundmachen von Rätseln". Unter "Rätsel" sind zunächst sicher wieder komplizierte Sachverhalte zu verstehen, die der Weise durchschaut und erklärt.[44] Wenn aber die beiden das mittlere Glied umschließenden Ausdrücke term. techn. für "Auslegen und Deuten" sind, muß man wohl annehmen, daß "Rätsel" ebenfalls zum Vokabular der Auslegung gehört, und zwar wie "Knoten" zur Charakterisierung der in Orakeln verschlüsselten Botschaft dient.[45]

Die lange Rede Daniels an Belsazar (5, 17—28) geht erst am Ende auf die Aufgabe des Lesens und Deutens der Inschrift ein (5, 25—28).

Davor steht ein Rückblick auf die Bestrafung Nebukadnezars und auf die Verfehlungen Belsazars. Dieser Rückblick hat die Funktion einer Begründung des im Orakel angesagten Gottesgerichts vor dessen Verkündigung, ähnlich der "Begründung"[46] bei den prophetischen Unheilsworten. Das Wort des inspirierten Deuters tritt somit an die Stelle des prophetischen Wortes.

§ 13 Das Traumgesicht von den vier Tieren und dem Menschensohn (Dan 7)

Dan 7 ist wie die bisher besprochenen Stücke nach dem Schema Traum und Deutung aufgebaut. Im Unterschied zu diesen erfolgt aber auch die Deutung

---

40 Bentzen, Dan 40: "Exorzistischer Terminus".
41 Interpretation 220.
42 S. Dautzenberg, Hintergrund 96.
43 Plöger, Dan 87, bezieht das zweite und dritte Glied der Reihe 5, 12 auf das Lesen und Deuten der rätselhaften Schrift.
44 Vgl. Sir 39, 3; ferner die im Register zu *ainigma*/Rätsel angegebenen Stellen in dieser Arbeit.
45 Vgl. Num 12, 6—8; Weish 8, 8; unten S. 82f. 194—197.
46 S. dazu Westermann, Grundformen 69. 102—106.

noch während des Traumes (7, 2—27), und zwar so, daß die Nacherzählung des symbolischen Traumes (7, 2—14) und die Nacherzählung der im Traum erhaltenen Deutung (7, 16—27) deutlich voneinander abgehoben werden. Ein Zwischenstück (7, 15f) beschreibt die Reaktion des Träumers, sein Verlangen nach Deutung und den, der ihm die Deutung gibt, "einen von den Dastehenden" (7, 16). Innerhalb der Deutung entwickelt sich noch ein kleiner Dialog zwischen dem Träumer, der eine besondere Einzelheit gedeutet haben möchte (7, 19f), und dem Deuter (7, 23ff). In diesen Dialog ist eine weitere Beschreibung des Traumes eingesprengt (7, 21f).[47]

Der Deutevorgang wird in der gleichen Weise beschrieben wie in Dan 2; 4; 5: der Empfänger des Traumes ist in große Verwirrung geraten (7, 15 vgl. 2, 1; 4, 2; 5, 6), verlangt nach sicherer Auskunft *jṣb'* vgl. 2, 8. 45) und erhält die Deutung (7, 16 *pšr*). Der Deutende, "einer von den Dastehenden" (7, 16), gehört selber zu dem im Traum geschauten Hofstaat des Hochbetagten (7, 10a), die von ihm gegebene Deutung ist infolgedessen authentisch. Er tritt damit an die Stelle des inspirierten Traumdeuters der früheren Kapitel, ja er überbietet durch seine Stellung dessen Deutungen noch an Zuverlässigkeit. Dieses Motiv dürfte übrigens auch die Darstellung des Traums gerade in dieser Form beeinflußt haben.[48] Das im Traum Offenbarte und authentisch Gedeutete wird gewiß eintreffen; alle Reiche, auch das vierte, werden vernichtet, und das Reich wird den Heiligen des Höchsten gegeben werden. In Dan 2 sollte die vom Traumdeuter ausgesprochene abschließende Bestätigungsformel (2, 45) für die Zuverlässigkeit (*jṣjb; Th: alethinon*; LXX: *akribes*) des Traumes und der Deutung bürgen, hier wird das Gleiche vom himmlischen Deuter erwartet (7, 16 *jṣjb; Th* LXX: *akribeia;* 7, 19: *jṣjb; Th*: *ezetoun akribos*; LXX: *exakribasasthai*).[49]

Obwohl der Traum eine ausführliche und verständliche Deutung erfahren hatte, wird abschließend festgestellt, daß der Seher den Sinn der Offenbarung noch nicht erfaßt hatte:[50] "Ich Daniel — meine Gedanken erschreckten mich sehr, und meine Farbe wechselte an mir, und die Sache bewahrte ich in meinem Herzen (*kai to rhema en te kardia mou syneteresa*[51] 7, 28)." Diese Bemerkung dürfte nicht nur die literarische Funktion haben, auf die kommenden Offenbarungen vorzubereiten,[52] sondern vor allem die zeitgenössische Auffassung von Offenbarungsempfang und Prophetie spiegeln: auch offenbarte Geheimnisse bleiben groß und geheimnisvoll[53] und außerdem konnten die alten Propheten — zu ihnen gehört der literarischen Fiktion nach ja auch Daniel — den eigentlichen Sinn der ihnen zuteilgewordenen Offenbarungen noch gar nicht erfassen.[54]

---

[47] Zu den literarischen Problemen vgl. Bentzen, Dan 57f.

[48] Vgl. Ber 55b: R. Johanan sagt: Drei Träume gehen in Erüllung: Ein Morgentraum, ein Traum, den ein anderer über jemand träumte, ein Traum, der in einem anderen Traum gedeutet *(ptr)* wurde (Kristianpoller, Traum 22). — Hier begegnet ein Vorläufer des *angelus interpres*. Dessen Funktionen werden geradezu schulmäßig in griech Bar 11, 7 (Picard) beschrieben: "derjenige, welcher die Offenbarungen übersetzt *(tas apokalypseis diermeneuon)* für jene, welche rechtschaffen durch dieses Leben gehen".

[49] Zu *akriboo* = die genaue Bedeutung eines Traumes erforschen vgl. Philo Jos 125; Som II, 7. 206.

[50] Vgl. Bentzen, Dan 58.

[51] Vgl. Lk 2, 19. 51; aethHen 94, 5; 4 Esr 12, 38.

[52] Plöger, Dan 118.

[53] Vgl. unten S. 84.

[54] Vgl. S. 52 (Dan 8, 27); 54 (Dan 12, 8—13).

§ 14 Das Gesicht vom Kampf zwischen dem Widder und dem Ziegenbock (Dan 8)

Dan 8 ist wie Dan 7 nach dem Schema von Offenbarung und Deutung aufgebaut. Im Unterschied zu Dan 7 geschieht beides aber nicht in einem Traum, sondern in einer Vision (8, 1. 2. 15. 26b: *ḥzwn;* 8, 16. 26a: *mrh*), in der sich der Seher an den Fluß Ulai versetzt sieht. Die Unterschiede zwischen den beiden Offenbarungsformen dürfen nach dem zeitgenössischen Verständnis nicht zu stark betont werden; nach 8, 26 ist die Vision dem Daniel "gesagt" worden,[55] die LXX versteht sie als eine Traumerfahrung (8, 2: *eidon en to oramati tou enypniou mou*). An die Stelle der speziellen Deuteterminologie treten in Daniel von diesem Kapitel ab Worte von den Stämmen *bjn* (8, 16. 27) und *śkl* (ab Dan 9; beides ist in 9,22 kombiniert), ohne daß sich am Deuteverfahren etwas ändert. Jos Ant 10, 272 benutzt in seiner Wiedergabe die Deuteterminologie und führt die Deutung auf Gott selbst zurück: *krinai d' auton ten opsin tou phantasmatos edelou ton theon outos.*

Das Gesicht wie seine Deutung kommen aus dem himmlischen Bereich.[56] Der Seher hört ein Gespräch zwischen zwei Heiligen (8, 13f), der Mann Gabriel gibt die Erklärung auf himmlisches Geheiß (8, 16). Am Ende der Deutung steht wieder ihre Bestätigung: "Und das Gesicht von den Abenden und Morgen, was gesagt ward, *Wahrheit* ist es" (8, 26a). Es soll verborgen werden, da es entsprechend der sich an Hab 2, 2—3 anlehnenden Prophetentheorie der apokalyptischen Kreise erst fernen Tagen gilt.[57] Das Unverständnis des Sehers (8, 27) ist eine logische Folge aus dieser Theorie.[58] Möglicherweise will der Satz *w'jn mbjn* aber noch mehr sagen: es war damals niemand da, der die Offenbarung verstand, d. h. der eine Deutung geben konnte.[59] So hat ihn wenigstens *Th* verstanden, wenn er übersetzt: *kai ouk en o synion.* Dann wäre der Satz wohl auch eine Anspielung darauf, daß es zur wirklichen Abfassungszeit des Danielbuches solche Verständigen und zur Deutung Fähigen gab.[60]

§ 15 Die Deutung der siebzig Jahre in der Weissagung Jeremias (Dan 9)

Der Aufbau von Dan 9 ist ebenfalls, wenn auch in verdeckter Weise, durch das Schema von Offenbarung und Deutung bestimmt. Die zu deutende Offenbarung besteht in der Weissagung des Jeremia von den 70 Jahren, die über den Trümmern Jerusalems dahingehen sollten (9, 2 vgl. Jer 25, 11f; 29, 10). Die auf diesen Prophetentext bezogene Deuteoffenbarung (9, 21—27) wird daher ohne symbolischen Vorbau direkt durch den Engel Gabriel überbracht. Das Prophetenwort wird also wie auch anderswo im Spätjudentum[61] als dunkel und der Deutung bedürftig angesehen, ähnlich wie Träume, Visionen, Orakel, und entsprechend behandelt. Diese Struktur wird in Dan 9 nur durch das lange vor der

---

[55] Auch 9, 23; vgl. Marti, Dan 63. 67.
[56] Vgl. Dan 4, 14. 20 (oben S. 48); 7, 16 (S. 51); ferner 9, 22f; 10, 12; 12, 5—7.
[57] Zur Beziehung auf Hab 2, 2f s. Bentzen, Dan 71.
[58] Vgl. Dan 7, 28; 9, 2; 10, 2; 12, 5—8.
[59] Plöger, Dan 123.
[60] Vgl. 1QpH 7, 4 unten S. 63.
[61] Vermès, Commentaires 100.

Deuteoffenbarung eingelegte Bußgebet (9, 4—19) verdeckt.[62] Wenn es eine spätere Einlage darstellt,[63] ist der Befund noch eindrucksvoller. Auch dann bliebe die Erwähnung des "Gebets und Flehens in Fasten und Sack und Asche" (9, 3 vgl. 21) als Vorbereitung auf die Offenbarung stehen.[64] Diese Bemerkung eröffnet den Blick in ein Milieu, in dem um den Sinn der prophetischen Verheißungen gerungen, Ekstase erlebt und Offenbarung empfangen wurde.

Die von Gabriel überbrachte Offenbarung muß selber wiederum "verstanden" werden: "Jetzt bin ich ausgegangen, um dich mit Einsicht klug zu machen ... So gib acht auf das Wort und achte auf das Gesicht!" (9, 22f) In 9, 25 fällt in diesem Zusammenhang auch das Stichwort *jdʿ*: "Und du *erkenne* und verstehe *(śkl)*." Sein Vorkommen in dem durchaus analogen Zusammenhang 1QpHab VII, 2 zeigt, daß es sich um einen apokalyptischen Terminus technicus handelt.[65] Das Gewinnen von Offenbarungsverständnis wird nun als ein durchaus vom Empfangen der Offenbarung unterschiedenes und getrenntes Moment begriffen.

§ 16 Das Gesicht von den Schicksalen des jüdischen Volkes bis zum Anfang der Heilszeit (Dan 10—12)

Mitte der großen Komposition Dan 10—12 ist die Enthüllung der Zukunft durch den Engel Gabriel (10, 21a; 11, 2—12, 13). Ihr voraus gehen im Zusammenhang der gleichen Vision die Beschreibung der Erscheinung Gabriels (10, 4—10) und ein einleitender Dialog zwischen Gabriel und dem Seher (10, 10—11, 1). Daniel hielt vor dem Empfang der Offenbarung ein dreiwöchiges strenges Fasten (10, 2—3. 12—13).[66] Dieses Fasten wiederum wird durch ein vorausgehendes Gesicht Daniels motiviert, um dessen Verständnis bzw. Deutung er sich mühte: "Im dritten Jahr des Kyros, des Königs von Persien, wurde dem Daniel, dem man den Namen Belsazzar gegeben hatte, ein Wort offenbart, und Wahrheit ist das Wort und große Mühe; und er achtete auf das Wort und gab acht auf das Gesicht." (10, 1)[67] Damit gilt das Schema von Offenbarung und

---

[62] Abwegig Plöger, Dan 135: "Verglichen mit den anderen Kapiteln steht jedoch hier anstelle des Traums oder der Vision ein Gebet."

[63] Bentzen, Dan 75; Eißfeldt 705.

[64] Fasten als Vorbereitung auf Offenbarung: Dan 2, 18; 10, 2f; unten S. 90f. 111 (4 Esr, syrBar, Therapeuten); vgl. Apg 4, 24. 30. 31; 13, 2; Herm v 2, 2, 1; 3, 1, 1; 3, 10, 6f; s 5, 1, 1; Belege zum Traumerbitten durch Fasten in der jüdischen Tradition bei Löwinger, Der Traum in der jüdischen Literatur 63—67; Kristianpoller, Traum 8.

[65] Zu den Beziehungen zwischen Dan 9 und 1QpH 7 vgl. Elliger, Studien zum Habakuk-Kommentar vom Toten Meer 156f.

[66] Vgl. oben Anm. 64.

[67] Zur Übersetzung vgl. Bentzen, Dan 70; zum literarischen Zusammenhang zwischen 10, 1 und 10, 2ff ebd. 77; zur Parallelisierung von "Wort" und "Gesicht" vgl. 8, 16 oben S. 52 (mit Anm. 55).

Deutung auch für die letzte Vision des Danielbuches, wenngleich die Tatsache einer zu deutenden Offenbarung nur erwähnt wird — eine symbolische Darstellung des in Kapitel 11 gebotenen Geschichtsabrisses wäre sicher auch monströs ausgefallen, wenn sie dem Verfasser überhaupt möglich gewesen wäre.

Der Engel Gabriel soll dem Seher "Verständnis geben (*bjn*) für das, was deinem Volke begegnen wird am Ende der Tage" (10, 14 vgl. 10, 11. 12). Seine Offenbarung stammt aus dem "Buch der Wahrheit" (10, 21), in dem der Weltplan und die zukünftige Geschichte der Menschen aufgezeichnet sind.[68] Der Engel als Offenbarungsmittler führt den Seher also in den göttlichen Rat ein.[69] Daniel hört am Ende sogar ein Gespräch zwischen dem Engel Gabriel und anderen "Männern" d. h. Engeln über die Frist des Endes (12, 5—7), und doch versteht er gerade die Spitze der Offenbarung nicht (12, 8). Erst die Weisen der Endzeit werden die jetzt verborgenen und versiegelten Worte (12, 9 vgl. 12, 4) verstehen (12, 10). Ein Wachsen der "Erkenntnis" (*dʿt; Th: gnosis*)[70] ist überhaupt Kennzeichen der Endzeit (12, 4). Das Unverständnis Daniels entspricht der literarischen Fiktion des Buches und der zeitgenössischen Auffassung von der älteren Prophetie,[71] zeigt aber zugleich, welche Bedeutung man auch bei solchen verhältnismäßig leicht durchschaubaren Texten dem verstehenden und deutenden Wort der Weisen zumaß.

Die Übersetzung der LXX versteht die Offenbarung der Frist des Endes (12, 5—7) als rätselhafte Offenbarung und wendet auf sie wiederum das Schema von Offenbarung (*parabole*)[72] und Deutung (*lysis*) an: *kai ego ekousa kai ou dienoëthen par auton ton kairon kai eipa Kyrie tis e lysis tou logou toutou kai tinos ai parabolai autai;* (12, 8).

§ 17 *pšr* in der Weisheitsliteratur

Koh 8, 1 und Sir 38, 14 sind die einzigen Stellen, an denen die bisher behandelte biblische Deuteterminologie außerhalb der Josefsgeschichte und außerhalb des Danielbuches im hebräischen Text begegnet. Koh 8, 1 versteht unter *pšr* die tiefere Bedeutung eines Weisheitswortes:[73] "Wo ist ein Weiser und wo einer, der verstünde die *Bedeutung* (LXX: *lysis* Al: *epilysis*) des Wortes: Die Freude eines Menschen erleuchtet sein Antlitz, aber Härte entstellt sein Antlitz?" Wahrscheinlich versteht der Text unter dieser tieferen Bedeutung die praktischen Folgerungen, welche ein Weiser aus dem Worte zieht: er entfernt sich rechtzeitig aus der Nähe des Königs, wenn dessen Antlitz sich verfinstert (Koh 8, 2—3).[74] Das Auffinden dieser Bedeutung ist Sache des Weisen.[75]

---

[68] Vgl. aethHen 93, 1—3; 103, 2f; 106, 19—107, 1; 108, 7; Jub 5, 13; 23, 32; TLev 5; TAss 7; Volz 290.
[69] Vgl. oben S. 48 zu Dan 4.
[70] Vgl. oben S. 53 zu 9, 25; zum Erkenntnisbesitz der Apokalyptiker vgl. Kuhn, Enderwartung und gegenwärtiges Heil 149; Hengel, Judentum und Hellenismus 369—381.
[71] Vgl. oben Anm. 54; unten S. 63f (1QpH 7); 93f (4 Esr 12, 11f).
[72] Zu *parabole*/*mšl* als Bezeichnung von apokalyptischen bzw. prophetischen Offenbarungen s. unten S. 82f. 194—197.
[73] So wie *pšr* in Dan 5, 15. 26 die tiefere oder eigentliche Bedeutung der Schrift an der Wand meint; vgl. Elliger, Studien 123. 126.
[74] So Eißfeldt, Menetekel-Inschrift 109.
[75] Elliger, Studien 126: "Vielleicht gibt Koh 8, 1 einen Fingerzeig, daß es die Schulen der Weisheitslehrer waren, in denen dieser Auslegungsstil ausgebildet wurde.

Sir 38, 14 führt aus den bisher besprochenen Anwendungsbereichen von *pšr* heraus. Die Stelle handelt von einem Arzt, der zuweilen helfen könne, "weil auch er zu Gott betet, daß er ihm die Deutung (*pšrh*/*anapausin*) der Krankheit gelingen lasse und die Behandlung zur Wiederherstellung".[76] Die griechische Übersetzung geht an der Möglichkeit vorbei, *diakrisis* im gleichen Sinne wie *pšr* zu brauchen.[77] SMEND vermutet allerdings, daß der heutige Text verdorben ist und ursprünglich vielleicht *analysin* dagestanden habe. Auf jeden Fall zeigt Sir 38, 14, wie sehr sich hebräisches *pšr* einerseits und griechisches *diakrino* entsprechen.

§ 18 Die Deuteterminologie in der griechischen Bibel

Die weiteren Beobachtungen gehen von der griechischen Bibel aus. Im Zusammenhang unserer Frage nach "Deuten und Auslegen als Zugang zum Milieu der urchristlichen Prophetie" ist die Möglichkeit solcher Beobachtungen am griechischen Text, der der ntl Zeit ja näher steht, besonders wichtig.

I. lyo usw.

Weish 8, 8 nennt die *lysis ainigmaton* als eine der Fähigkeiten der Weisheit: "Wenn jemand nach umfassendem Wissen verlangt (a), sie kennt das längst Vergangene und erschließt das Zukünftige (b), sie versteht sich auf die Wendungen von Sprüchen (vgl. Spr 1, 3 LXX) und auf die *Lösung von Rätseln* (c), Zeichen und Wunder (*semeia kai terata*) erkennt sie voraus (d) und den Ausgang der Perioden und Zeiten *(kairon kai chronon* (e)."

Die Stelle folgt, wie ein Vergleich mit Sir 39, 1—3 (vgl. auch noch Weish 8, 9—13 mit Sir 39, 4—11) zeigt, einer festen Tradition über den Weisen. Sie ist im Gegensatz zu Sirach aber stärker apokalyptisch ausgerichtet. Vgl. Weish 8, 8b mit Sir 39, 1cd: "der die Weisheit aller Altvorderen ergründet und an die Prophetien sich wendet."[78] Vgl. Weish 8, 8c mit Sir 39, 2b—3b: "und in die Wendungen der Sprüche eindringt, den verborgenen Sinn der Sprichworte ergründet und die Rätsel der Sprüche erforscht". Die nächsten Parallelen zu den in Sir fehlenden Gliedern Weish 8, 8de stehen in Daniel: zu Weish 8, 8d vgl. Dan LXX 4, 37 (vgl. Dan *Th* 4, 2; 6, 28); zu Weish 8, 8e vgl. Dan LXX 4, 37 (= Dan LXX, *Th* 2 ,21).[79]

Nach Weish kennt der Weise den Ausgang von Perioden und Zeiten, so Daniel in Dan 2 und Dan 4. Zur Wendung *lyseis ainigmaton* Weish 8, 8c vgl. Dan 5, 12.[80]

Aber es gab neben diesen Schulen (Prv 5, 13) ja auch Priesterschulen (2Chr 15, 2), die möglicherweise noch in Frage kommen." Das Targum zu Koh 8, 1 versteht *pšr* als term. techn. der Prophetenauslegung; vgl. Vermès, Commentaires 98.

[76] Übersetzung nach Smend, Die Weisheit des Jesus Sirach hebräisch und deutsch; vgl. zur Stelle auch Eißfeldt, Menetekel-Inschrift 109.

[77] Vgl. Soranus Medicus 2, 23: *diakrisis semeioseos* = medizinische Diagnose; Dautzenberg, Hintergrund 96.

[78] Vgl. damit Jos Bell 2, 159 über die Essener, unten S. 106.

[79] S. oben S. 46f die Ausführungen zum Dankgebet Dan 2, 20—22.

[80] S. dazu oben S. 50.

Die traditionsgeschichtlichen Parallelen zu Weish 8, 8 zeigen, daß der Text die gängige spätjüdische Auffassung vom inspirierten (vgl. Sir 39, 6; Dan 5, 12; Weish 7, 14. 27: *prophetas kataskeuazei;* 10, 16), die Tradition erforschenden und auslegenden Weisen vertritt. *lysis ainigmaton* dürfte daher nicht einfach "Lösen von Rätseln"[81] bedeuten, sondern das Erschließen der tieferen Bedeutung (*pšr* vgl. Koh 8, 1 LXX *lysis*) von rätselhaften Überlieferungen (vgl. Sir 39, 3) und Vorkommnissen (vgl. Dan 5, 12). Der Weise hat durch die Weisheit Zugang zum Ratschluß Gottes; denn die Weisheit ist *mystis tes tou theou episte-mes* (Weish 8, 4 vgl. 9, 11—17; 7, 17—21). In weniger hellenisierter Form sind wir dieser Auffassung auch im Danielbuch begegnet.[82] Die nächsten außerbiblischen Parallelen bieten die Qumrantexte, vor allem 1QpHab.[83]

Hos 3, 4 ist das Deutevokabular in einen Teil der hexaplarischen Überlieferung eingedrungen: "Denn lange Zeit werden die Kinder Israels sitzen ohne König und ohne Fürst, ohne Opfer und ohne Malstein, ohne Ephod und Teraphim" — S': *oude epilyseos;* Th' (86): *oude epilyomenou.*

Da Ephod und Teraphim der Orakelgebung dienten, ist mit *epilyomenos* der Orakeldeuter, mit *epilysis* die Orakeldeutung gemeint. Labuschagnes[84] Ableitung des Wortes Terafim von *petarim* (Metathesis) — *ptr* dürfte wenigstens das Verständnis dieser Übersetzungen treffen.

II. ermeneia usw. in der griechischen Bibel

Während *ermeneia* in der LXX mit Ausnahme von Dan 5tit (über den aram. Text hinaus) nicht als Deuteterminus und auch sonst kaum vorkommt, begegnet *ermeneia* vom griechischen Sirach ab als Übersetzung für *mljṣh* "Rätsel, rätselhafter Lehrspruch" und einmal *ermeneus* für hebr. *mljṣ* nach Gesenius-Buhl "Unterhändler, Mittelsperson".

Sir 47, 17 (nach Smend): "Durch Lieder, Sprüche, Rätsel und Scherzreden *mljṣh* G: *ermeneiais*) setztest du (nämlich Salomo) die Völker in Erstaunen."

Spr 1, 6: "daß man Gleichnis und Sinnspruch (*mljṣh* LXX: *skoteinon logon; A'*: *ermeneian; S'*: *problema*) verstehe, die Worte der Weisen und ihre Rätsel".

Jes 43, 27: Schon dein Urahn hat gesündigt, und deine Vertreter (*mljṣjk*LXX: *archontes;* A' S': *ermeneis* Eus) sind von mir abgefallen".

Sir 47, 17 folgt *ermeneia* auf griechisches *parabole* (hebr. *ḥjdh*), Spr. 1, 6 ebenfalls auf *parabole* (M: *mšl*). *ermeneia* meint also entweder die Deutung oder Auslegung einer dunklen Gleichnisrede oder, noch allgemeiner, Deutung oder Auslegung als Rede- oder Lehrform des Weisen. Für das Letztere spricht die Tatsache, daß *mljṣ* in Qumran eine ähnliche vom atl Sprachgebrauch verschiedene Bedeutung gewonnen hat.[85] Dann wäre

---

[81] Vgl. dazu im Register die Angaben zu Rätsel/*ainigma*/*ḥjdh*.

[82] S. dazu oben S. 46f (Dan 2, 21). 48 (Dan 4, 14. 20).

[83] S. dazu unten S. 63f. Vgl. ferner auch die Bedeutung, welche nach Josephus der Kenntnis der Tradition sowohl für ein richtiges Schriftverständnis wie auch für die rechte Erkenntnis und Einschätzung von Träumen und Omina zukommt, unten S. 98—107 passim.

[84] Teraphim — a New Proposal for its Etymology; vgl. auch *epilyomai, epilysis* als α'-Übersetzungen für *ptr, ptrwn* Gen 40, 8; 41, 8. 12.

[85] S. unten S. 64—75.

wohl an die mehr oder weniger charismatische Auslegung und Aktualisierung der Schrift, des Gesetzes und der Propheten zu denken. Zu dieser Vermutung paßt die syrische Übersetzung von Sir 47, 17, die *wmlįṣh* mit *wbnbjwt'*, also mit "Prophetie" wiedergibt.[86]

Die *mljṣjk*, die nach Jes 43, 27 von Jahwe abgefallen waren, konnten wie die Widersacher des Lehrers der Gerechtigkeit als Verführer, als "Deuter der Lüge", als falsche Ausleger des offenbarten Gotteswillens aufgefaßt werden. Es wäre sogar zu bedenken, ob damit der ursprüngliche Sinn der Jesajastelle nicht besser erfaßt ist als mit der auch nur erschlossenen Übersetzung "Vertreter, Mittelsperson".[87]

III. exegetes Spr 29, 18

Bisher sind *exegetai* nur in der Josefsgeschichte begegnet, und zwar als heidnische Traumdeuter (Gen 41, 8. 24 LXX).[88] Das einzige andere Vorkommen des Wortes in der griechischen Bibel ist Spr 29, 18: "Ohne prophetische Schau (*ḥzwn*) verwildert das Volk — wohl dem, der das Gesetz hält" — LXX: *ou me yparxe exegetes ethnei paranomo*. Damit hat die LXX dem Spruch einen ganz neuen Sinn gegeben: sie hat nicht nur *ḥzwn* durch *exegetes* ersetzt, sondern vor allem Ursache und Folge vertauscht. Das Volk wird nicht dadurch gesetzlos, daß ihm der "Ausleger" fehlt; im Gegenteil, weil es gesetzlos ist, wird es auch keinen "Ausleger" haben. Der "Ausleger" kann nach allem nur ein "Ausleger" des Gesetzes oder der Schrift sein.[89] Dann würde das Wort in seiner Septuagintafassung einen ähnlichen Zustand widerspiegeln, wie er sich im Gebrauch von *ermeneia* in Sir 47, 17; Spr 1, 6 und von *ermeneus* in Jes 43, 27 zeigte. Wenn die Umformung bewußt geschah, wäre sie zugleich ein Hinweis darauf, daß prophetische Schau nicht mehr als konstitutives Moment des Volkslebens erfahren und begriffen wurde und daß an ihre Stelle die Bewahrung und Auslegung der Tradition gerückt war.

§ 19 Ergebnis

Im Zusammenhang mit *ptr/pšr* begegnen im Alten Testament Anschauungen und Praktiken der Deutung, die den parallelen griechischen und altorientalischen Anschauungen und Praktiken sehr nahe kommen. *ptr/pšr* berühren sich darüber hinaus auch durch die ursprüngliche Wortbedeutung "lösen, trennen" mit den griechischen termini technici *krino* und *lyo*. Traum-, Orakel- und Zei-

---

[86] Smend, Die Weisheit des Jesus Sirach erklärt, zur Stelle.

[87] Zu Jes 43, 27 vgl. Betz, Offenbarung und Schriftforschung in der Qumransekte 97; Mowinckel, Die Vorstellung des Spätjudentums vom heiligen Geist und der johanneische Paraklet 106: "Dolmetscher Israels." Vgl. auch Jos Ant 2, 72 (Nacherzählung von Gen 40): Joseph wollte für den Bäcker lieber ein *agathon ermeneutes* sein. Philo Jos 90 (zu Gen 40): die Traumdeuter müssen als *theia logia diermeneuontes kai propheteuontes* die Wahrheit sagen. Artapanus bei Eus Praep Ev 9, 27, 6: Mose wird von den ägyptischen Priestern gottgleich geehrt und Hermes genannt *dia ten ton ieron grammaton ermeneian* (Denis, Fragmenta pseudepigraphorum Graeca 188); vgl. Hengel, Judentum 167 Anm. 254.

[88] S. oben Anm. 15.

[89] Vgl. unten S. 103f.

chendeutung sind für das Alte Testament bekannte Phänomene; ihnen wird aber vom Standpunkt des jüdischen Glaubens an Jahwe kein besonderer religiöser Rang zugemessen, ja ihre Fähigkeit, die in Träumen und Orakeln verschlossene Weisung Jahwes zu erkennen, wird ausdrücklich bestritten. Die Deutung kann diese Weisung nur erreichen, wenn sie gleichfalls von Jahwe kommt, wenn der Deuter von Jahwe dazu bevollmächtigt bzw. inspiriert ist. So erhält der positive Gebrauch des Deutevokabulars in Gen 40f und Dan ein ihn von den griechischen und altorientalischen Parallelen unterscheidendes Moment: echte Deutung kommt unabhängig von der Erudition des Deuters von Jahwe her; der Deuter rückt besonders im Buche Daniel in den Rang eines Propheten, der in die Geheimnisse des göttlichen Geschichtsplanes eingeweiht ist.

Die LXX hat *ptr/pšr* konsequent mit Ableitungen vom Stamm *krino* wiedergegeben. Die einzige Ausnahme Koh 8, 1 *(lysis)* braucht *pšr* in einem weiteren, nicht auf auszulegende Offenbarung bezogenen Sinn.[90] In den späteren Bibelübersetzungen dringen, soweit die wenigen erhaltenen Stellen ein Urteil erlauben, Ableitungen vom Stamme *lyo* vor. Josephus und Philo halten sich bei der Wiedergabe der biblischen Stellen an den Sprachgebrauch der LXX, nur am Rande begegnen im Zusammenhang mit der LXX-Terminologie die im Griechischen geläufigen Deuteausdrücke: *exegesis* (Jos Ant II, 69. 75. 77), *ermeneutes* (Jos Ant II, 72), *diermeneuo* (Philo Jos 95). Am auffälligsten ist das Fehlen aller mit *ypokrinomai* zusammenhängenden Wörter (daneben auch von *enypniokrites, oneirokrites* usw.) im Sprachbereich der griechischen Bibel, sofern es um "Deuten, Auslegen" geht, obwohl *ypokrinomai* im Griechischen der eindeutigste und profilierteste Deuteausdruck ist. Der Hauptgrund für das Vermeiden von *ypokrinomai* usw. dürfte in der negativen Bedeutungsentwicklung ("Trug") liegen, die die Wortgruppe *ypokrinomai* im griechischsprechenden Judentum angenommen hat.[91] So blieben neben dem Grundwort *krino* (Josephus, Dan LXX), die Komposita *diakrino* (Gen 40 *S;* Philo) und *synkrino* (LXX, Dan *Th,* LXX; Philo) für die Übersetzung von *ptr/pšr*. Der Gebrauch der Komposita überwiegt bei weitem den des Grundwortes.

An einigen wenigen Stellen in der griechischen Bibel ist die Deuteterminologie entgegen dem ursprünglichen Sinn des Textes eingedrungen, und zwar handelt es sich um die Begriffe *exegetes* (Spr 29, 18 LXX), *ermeneia* (Spr 1, 6; Sir 47, 17), *ermeneus* (Jes 43, 27), die auch im Griechischen nicht so eng mit der Traum-, Orakel- und Zeichendeutung verbunden sind wie *krino* usw., sondern ebenso die Auslegung von Traditionen und von vorgegebenen Texten bezeichnen. In diesem Sinne sind sie übernommen worden und bilden innerhalb der griechischen Bibel einen Hinweis auf das veränderte geistesgeschichtliche Klima im Judentum der neutestamentlichen Zeit und auf die Bedeutung, die die Aktualisierung und Auslegung der Tradition nun gewonnen hat.

---

[90] Diese Ausnahme wird im Targum aber wieder korrigiert.

[91] Vgl. Wilckens, ThW VIII 562—565.

In die Spätzeit fällt auch die Abfassung des Buches Daniel, in dem die Deuteterminologie nicht nur einen herausragenden Platz hat, sondern gegenüber der Josefsgeschichte auch auf neue Bereiche angewandt wird: auf die Bedeutung eines schriftlichen Orakels (Dan 5) und auf die Deutung einer Vision durch ein himmlisches Wesen (innerhalb der Vision Dan 7). Die Untersuchung der weiteren Zusammenhänge des Danielbuches (Dan 8; 9; 10—12) zeigte, daß sie ebenfalls nach dem Deuteschema aufgebaut und durchgestaltet sind, allerdings ohne die Benutzung der typischen Deuteterminologie. Deren Stelle nehmen Wörter von den Stämmen *bjn, śkl* und *jdʿ* (griechisch: *dianoëomai, syniemi, ginosko* ein. Sie bezeichnen die Vermittlung und die Gewinnung von Offenbarungserkenntnis. In Dan 9 erfährt so ein Prophetentext seine Deutung, in Dan 8 und 10—12 je eine Vision. Die letztere wird aber nicht einmal mehr beschrieben, sondern nur noch vermerkt, während alles Interesse der Deutung gilt.

Wenn es sich auch im Buche Daniel bei Offenbarung und Deutung um ein geschickt abgewandeltes literarisches Schema handelt, muß man dennoch annehmen, daß dieses Schema seinen Ursprung in einem bestimmten zeitgenössischen Milieu hat, im Milieu der Apokalyptiker, die ihre neuen Einsichten als Deutung von Offenbarungen bzw. von Traditionen erfuhren und gewannen. Im Buche Daniel ist das charismatische Moment der Deutung besonders betont, zugleich wird aber auch immer wieder der weisheitliche, gelehrte Hintergrund sichtbar. Umgekehrt steht bei den vorher besprochenen Stellen Spr 29, 18 LXX; 1, 6 *A*'; Sir 47, 17 die Auslegung und Deutung in weisheitlichem Zusammenhang. Weisheit wird aber, wenigstens in der Spätzeit, auch als charismatisches Phänomen erfahren und begriffen (vgl. Weish 7, 14. 27; 10, 16; Sir 39, 6). Als Sitz im Leben läßt sich neben dem individuellen Bemühen der Apokalyptiker wie der Weisen um Erkenntnis und Deutung für beide wohl auch der Zusammenhang mit einer Schule bzw. Schultradition vermuten, wie er uns in Qumran, bei Philo (Vit Cont) und den Rabbinen begegnen wird.

2. Kapitel: Auslegen und Deuten in den Qumranschriften

§ 20 Die Deuteterminologie in den Qumranschriften. Überblick.

Die Qumranschriften bestätigen das aus der Analyse des Verhältnisses von Offenbarung bzw. Traum und Deutung im Danielbuch und aus der Verwendung der Deuteterminologie in der griechischen Bibel gewonnene Ergebnis, daß in der Spätzeit das Deuten von Offenbarungen und Traditionen und mit ihm die Deuteterminologie ein neues theologisches Gewicht erhält und einen festen Platz im jüdischen Leben einnimmt. Die in den Qumranschriften verwendete

Terminologie schließt sich einerseits an die alttestamentliche Deuteterminologie an, indem *pšr* als term. techn. für eine besondere Art der Schriftauslegung verwendet wird; andererseits wird diese atl Terminologie durch *ljṣ* (immer nur als partizip hiph.) in einer auch von der gleichzeitigen Entwicklung im Bereich der griechischen Bibel *(ermeneus, — ein)* zu erwartenden Weise erweitert. Die Verteilung der Belege auf die einzelnen Qumranschriften[1] ist aufschlußreich. *pešaer* begegnet fast ausschließlich in der Kommentarliteratur:[2] 1QpH; 1Q14 (Kommentar zu Micha); 1Q15 (Kommentar zu Zephanja); 1Q16 (Kommentar zu Psalmen); 4QpJes; 4QpHos; 4QpNah; 4QpPs 37; 4QFl; *pšr* nur je einmal in 1QpH (2, 8) und 1Q22 (Worte des Mose: 1, 3); *ljṣ* nur in 1 QH. Die literarische Verwendung der Deuteterminologie ist also gattungsgebunden. Sie hat ihren Schwerpunkt und ihren hauptsächlichen "Sitz im Leben" in der Schriftauslegung.

§ 21 Der formelhafte Gebrauch von *pešaer*

ELLIGER[3] hat bereits 1953 auf den formelhaften Gebrauch von *pešær* in 1 QpH hingewiesen. *pešær* begegnet dort nur in der Einleitung einer sich an einen Textabschnitt anschließenden Auslegung oder ausnahmsweise (2, 5) als gliederndes Element in einem größeren Auslegungsabschnitt, und zwar entweder in der Form *pšr hdbr* oder noch häufiger in der Form *pšrw*. Dieses Ergebnis wird durch die zahlreichen Belege in den inzwischen weiter bekannt gewordenen Qumranschriften voll bestätigt; auch hier kommen nur diese beiden Formen vor, wobei die Form *pšrw* überwiegt. Praktisch sind beide Ausdrucksweisen gleichbedeutend. Atl Parallelen zu *pšr hdbr* sind Koh 8, 1 *pšr dbr*[4] und Dan 5, 26 *pšr mlth*.[5] Das Überwiegen der Form mit Suffix "zeigt nur, daß es sich um eine geprägte Formel handelt, bei der der Sinn durch lange Gewohnheit feststeht".[6] Der stereotype Gebrauch der Einleitungsformel (a) wie der übrigen Auslegungsformeln (b) in der Kommentarliteratur zeigt, daß es sich "um längst vorhandene Möglichkeiten des allgemeinen Auslegungsstils" handelt, "zwischen denen der Ausleger nur noch wählen konnte".[7] Die Formeln stehen im Kontrast zur "sonstigen stilistischen Beweglichkeit" der Verfasser.[8] Da die Kommentare nach einer langen mündlichen Phase der qumranischen Schriftinterpretation erst verhältnismäß spät abgefaßt und niederge-

---

[1] Vgl. Kuhn, Konkordanz zu den Qumrantexten; ders., Nachträge zur Konkordanz zu den Qumrantexten.

[2] Ausnahmen: CD 4, 14 in einem exegetischen Zusammenhang; 1Q*30* 1, 6 in einem liturgischen Text.

[3] Studien zum Habakuk-Kommentar 125.

[4] S. oben S. 54.

[5] Vgl. oben S. 49 (zu Dan 5).

[6] Elliger, Studien 125.

[7] Elliger, Studien 127.

[8] Vgl. Elliger, Studien 116. 125.

schrieben wurden,[9] ist es am wahrscheinlichsten, daß sich dieser Auslegungsstil samt den Formeln in der Gemeinschaft der Qumran-Essener selbst herausgebildet hat.[10]

(a) Einleitungsformeln. *pšr hdbr 'šr*: 1QpH 5, 3; 10, 15; 4QpIs^{b}1, 2. *pšr hdbr 'l*: 1QpH 2, 5; 10, 9; 12, 2. 12; 1Q*15* 4f (?); 4QpJs^{c}10; 4QFl 1, 14.

pšr 'šr: 1QpH 4, 1; 5, 7; 6, 3, 6; 7, 7. 15; 10, 3; 4QpJs^{a}D 6; 4QpHos^{b} **2, 12. 15**; 4QpPs 37 3, 3: CD 4, 14.

pšrw 'l: 1QpH 2, 12; 3, 4. 9; 4, 5. 10; 5, 9; 6, 10; 7, 4. 10; 8, 1. 8; 9, 4. 9; 11, 4. 12; 13, 1; 1Q*14* 10, 2; 1Q*16* 9, 1; 4QpJs^{d} 1, 4. 7; 4QpNah 2, 4. 8; 3, 3. 6; 4, 3. 5. 7.; 4QpPs 37 2, 2. 7. 9. 14. 18; 3, 4a. 7. 10. 15; 4. 8. 16.

pšrw . . . hw' und Ähnliches: 1QpH (1, 13?) 10, 3; 12, 7; 1Q*16* 4, 2; 9, 3; 4QpNah 2, 2; 3, 9. 11; 4, 1; 4QpPs 37 2, 4.

Eine Deuteformel ohne *pšr,* die Beziehungsformel *hw'h 'šr*: 4Qfl 1, 2. 3. 11. 12 vgl. auch 1, 16. 17; 2, 1.

(b) Weitere Auslegungsformeln:[11] Die Wiederaufnahmeformel *w'šr 'mr*: 1QpH 6, 2; 7, 3; 9, 2f; 10, 1f 12, 6.

Die Rückverweisungsformel *kj' hw' 'šr 'mr*: 1QpH 3, 2. 12f; 5, 6; vgl. 12, 3.

Unter der Bezeichnung *pšr* geben die Kommentare eine aktualisierende Deutung der betreffenden vorausgehenden Schriftstelle. Dabei befolgen sie, wie bereits Elliger[12] am Verfahren des 1QpH festgestellt hat, ein "ganz bestimmtes Prinzip": "1. Prophetische Verkündigung hat zum Inhalt das Ende, und 2. die Gegenwart ist die Endzeit." Der Begriff der "prophetischen Verkündigung" darf nicht zu eng gefaßt werden, auch Psalmen wie Ps 37 (4QpPs 37) oder Ps 1, 1; 2, 1f (4Qfl 1, 14, 19), Ps 68, 12f. 30f (1Q*16* 4, 2; 9, 1. 3) werden als prophetische Texte verstanden und in dieser Weise erklärt. Die *pšr*-Exegese beansprucht, den eigentlichen Sinn der prophetischen Worte zu erschließen; sie diskutiert nicht verschiedene Verständnismöglichkeiten des Schrifttextes, sondern gibt sich autoritativ. Ohne sie kann der Text gar nicht verstanden werden; er ist an sich so rätselhaft wie im Danielbuch die Träume, die Schrift an der Wand, die Visionen oder das Jeremia-Wort von den siebzig Jahren, die ebenfalls erst durch Deutung erschlossen werden müssen. Diese Grundvoraussetzung der qumranischen Schriftauslegung würde sich aus den Texten erschließen lassen, auch wenn sie überhaupt keine Reflexion über ihr Vorgehen enthielten, wie es ja in der

---

[9] Cross, Die antike Bibliothek von Qumran 113: "alle Kommentare und Testimonien (sind) nur in relativ späten Handschriften aus der zweiten Hälfte des 1. Jahrhunderts v. Chr. und der ersten Hälfte des 1. Jahrhunderts n. Chr. überliefert. Wir haben an anderer Stelle gezeigt, daß es gute Gründe für die Annahme gibt, daß es sich bei den meisten Kommentaren um die Originale handelt". Ähnlich Milik, Ten Years of Discovery in the Wilderness of Judaea 41.

[10] Elliger, Studien 126, möchte den Auslegungsstil mit den Schulen der Weisen oder mit Priesterschulen in Beziehung bringen. Er setzt aber die innerqumranische Entwicklung der Auslegungstradition wesentlich kürzer an, da er mit einer Gleichzeitigkeit des Lehrers der Gerechtigkeit und der Abfassung von 1QpH rechnet; vgl. noch ebd. 171. 268.

[11] Nach Elliger, Studien 124f.

[12] Studien 150; vgl. Cross, Bibliothek 111; Betz, Offenbarung 79; Milik, Ten Years 40; Vermès, Commentaires 97; Roth, The Subject Matter of Qumran Exegesis 51—58.

Masse der Texte der Fall ist. Nur 1QpH kommt auf Grund der Beziehung von Hab 1, 5 und 2, 1f auf die Schriftauslegung und auf die Verkündigung des Lehrers der Gerechtigkeit ausdrücklich auf diese allen Pescharim gemeinsame Anschauung zu sprechen.

§ 22 Der Lehrer der Gerechtigkeit als Deuter der Propheten (zu 1QpH 2, 1—10; 7, 1—14)

Das Verbum *pšr* begegnet nur in 1QpH2, 8 innerhalb der Kommentarliteratur in Qumran. Sein Subjekt ist "der Priester", und das heißt, der Lehrer der Gerechtigkeit (1QpH2, 2 vgl. 4QpPs37 3, 15).[13] Objekt der deutenden Tätigkeit des Lehrers sind "alle Worte seiner Knechte der Propheten" (1QpH2, 9). Inhalt der prophetischen Verkündigung, welche vom Lehrer gedeutet wird, ist "alles, was kommen wird über sein Volk und über [sein Land]". Dementsprechend ist ebenfalls Inhalt der Deutung des Lehrers das "was kom[men wird über] das letzte Geschlecht" (1QpH2, 7). Das Verbum *pšr* bezeichnet die gleiche eschatologische aktualisierende Schriftauslegung wie *pešaer* in den Einleitungsformeln. Die Aussage von 1QpH 2, 8 wird außerdem verdeutlicht durch die vorhergehende, parallel stehende Charakterisierung der Verkündigung des Lehrers als: "Worte] des Lehrers der Gerechtigkeit aus dem Munde Gottes" (1QpH 2, 2). Damit wird die Verkündigung des Lehrers der prophetischen Verkündigung gleichgestellt. "Was aus seinem Munde kommt, ist Gottes Wort."[14]

1QpH 1, 16—2, 3: "Schaut auf die Völker und sehet und starrt einander an, erstarret. Denn er wirkt ein Werk in euren Tagen. Ihr glaubt es nicht, wenn] es verkündet wird (Hab 1, 5). [Die Deutung des Wortes bezieht sich auf] die Abtrünnigen zusammen mit dem Mann der Lüge; denn nicht haben sie gehört auf die Worte des Lehrers der Gerechtigkeit aus dem Munde Gottes ... (2, 3f nennen eine weitere Gruppe von Abtrünnigen, ohne den Lehrer zu erwähnen)."

2, 5—10: "Und ebenso bezieht sich die Deutung des Wortes [auf alle Abtrünnigen am Ende der Tage. Sie sind die Gewalt[tätigen am B]unde, die nicht glauben, wenn sie alles hören, das kom[men wird über] das letzte Geschlecht, aus dem Munde des Priesters, den Gott gegeben hat in [die Mitte der Gemeinde], um zu deuten *(pšr)* alle Worte seiner Knechte, der Propheten, [durch] die Gott verkündigt hat alles, was kommen wird über sein Volk und [sein Land][15]".

Der Horizont dieses Textes wird weiter verdeutlicht durch die "parallelen Sätze"[16] 1QpH 7, 1—5:

---

[13] Zur Identifikation des Lehrers s. Jeremias, Der Lehrer der Gerechtigkeit 80 Anm. 1.

[14] Jeremias, Lehrer 81; J. verweist für den Ausdruck "aus dem Munde Gottes" auf 2 Chr 35, 22; 36, 12; Jes 59, 21; Jer 23, 16; Ez 3, 17; 1 Esr 1, 1.

[15] Übersetzung nach Lohse, Die Texte aus Qumran 235.

[16] Jeremias, Lehrer 140; vgl. zur Stelle außerdem Elliger, Studien 154f; Betz, Offenbarung 76.

"Und Gott sprach zu Habakuk, er solle aufschreiben, was kommen wird über das letzte Geschlecht. Aber die Vollendung der Zeit hat er ihm nicht kundgetan. Und wenn es heißt: Damit eilen kann, wer es liest (Hab 2, 2), so bezieht sich seine Deutung auf den Lehrer der Gerechtigkeit, dem Gott kundgetan (*jd'*) hat alle Geheimnisse *(rzj)* der Worte seiner Knechte der Propheten."

Hier ist nicht direkt von der Verkündigung des Lehrers die Rede, aber wohl von seiner besonderen von Gott geschenkten Erkenntnis. Gott hat ihm alle Geheimnisse der prophetischen Worte kundgetan (7, 4), während der Prophet Habakuk zwar die Worte von Gott erhielt, aber nicht ihre Deutung (7, 2). Der Lehrer der Gerechtigkeit ist also Offenbarungsträger, seine Deutung der prophetischen Worte fußt letztlich auf Offenbarung, sie kommt "aus dem Munde Gottes" (2, 2). Daher sein Anspruch und der autoritative Charakter der qumranischen Schriftauslegung.

Das Verbum *jd'* (hiph) begegnet in der Pescher-Literatur nur 1QpH 7, 2. 4. Gott hat dem Lehrer "alle Geheimnisse" der prophetischen Worte kundgetan. Wenn es sich bei dieser Mitteilung von Erkenntnis auch um eine Überbietung der den Propheten gewährten Erkenntnis handelt und wenn sie zum Verständnis der prophetischen Worte und der Endzeit ausreicht, so stellt sie doch noch nicht die vollendete "Erkenntnis" dar. Von dieser erst für das Ende erwarteten Erkenntnis wird in dem leider sehr zerstörten Zusammenhang 1QpH 10, 14—11, 2 gesprochen:

"Denn die Erde wird sich füllen mit der Erkenntnis der Herrlichkeit Jahwes, wie Wasser das Me[er] bedecken (Hab 2, 14). Die Deutung des Wortes ist, [daß] wenn sie umkehren [...][17] der Lüge. Und danach wird ihnen offenbart (*glh*) werden die Erkenntnis (*d't*) wie Wasser des Meeres in Fülle."

Der Text erläutert nicht, was er sich unter *Erkenntnis* vorstellt. Nach dem Hab-Zitat ist aber doch zu vermuten, daß es sich um die Erkenntnis am Ende der Tage handelt (vgl. die Anknüpfung *w'ḥr)*. Der ausgefallene Text dürfte sich dagegen auf Ereignisse vor dem Ende beziehen. Die Knappheit des Textes könnte damit zusammenhängen, daß der Ausleger nur durch die Hab-Vorlage auf dieses Thema zu sprechen kommt, das als solches unumstritten ist und keiner weiteren Deutung mehr bedarf (vgl. 1QS 4, 22)[18] im Gegensatz zu den verborgenen zeitgeschichtlichen Anspielungen. Das Vokabular ist dementsprechend singulär in 1QpH: *'ḥr* als temporales Adverb nur hier, vgl. 1QS 6, 15; 7, 21; 8, 19; 9, 2; 1QSa 2, 14. 20; CD 12, 5; 4QpPs 37. 2, 11. 20; *glh* h. l. in 1QpH; *d't* h. l. in 1QpH.

Der nähere Vorgang des Offenbarungsempfangs bzw. des Zustandekommens der als Offenbarung qualifizierten Deutungen wird in den Pescharim nicht beschrieben. Schriftgelehrte Tätigkeit und Studien können sicher nicht ausgeschlossen werden.[19] 1QpH bietet ein sozusagen kanonisches Bild des Lehrers und eine theologische Typisierung seiner Bedeutung und seiner Schriftauslegung. Die Verbindung zwischen der in der Gegenwart der Gemeinde erfolgenden Pescheraus-

[17] Elliger, Studien 211: vermutlich fehlen zweieinhalb Zeilen (10, 16b—18).

[18] Vgl. die Überlegungen zu 1QH 6, 13 unten S. 70.

[19] Osswald, Zur Hermeneutik des Habakuk-Kommentars 253f: "Gleichwohl werden wir nicht fehlgehen, wenn wir vermuten, daß das kontemplative Schriftstudium auch für den L. d. G. den Ausgangspunkt für die Erlangung höherer Einsicht darstellte."

legung und dem die Gemeinde begründenden Wirken des Lehrers wird zunächst in der Terminologie und in den Anschauungen der Generation des Verfassers, nicht in denen des Lehrers beschrieben.

Hinsichtlich der Offenbarungsqualität der Deutung bzw. des Deuters steht 1QpH in einer Reihe mit der Josefsgeschichte und mit dem Buche Daniel.[20] Die Worte der Propheten enthalten Geheimnisse oder stellen Geheimnisse dar, wie die Träume in Dan 2 und 4. So müssen sie auch gedeutet werden. *pšr* bedeutet in Qumran wie in Dan "den eigentlichen Sinn eines prophetischen Geheimnisses vermöge neuer Offenbarungen aufhellen".[21]

Anhang: *pšr* in 1Q22 1, 3 und *pešaer* in 1Q30 1, 6

Die Wortbedeutung von *pšr* bzw. *pešær* in 1Q22 1, 3 bzw. 1Q30 1, 6 ist ebenfalls "deuten" oder "Deutung". Beide Stellen unterscheiden sich aber durch ihren Kontext von den bisher besprochenen Vorkommen und zeigen den weiteren Anwendungsbereich der Deuteterminologie: über die Propheten hinaus auf die Tora und auf ihre Geheimnisse (1Q22), über Einzeldeutung hinaus auf den in der Qumrangemeinde traditionell gewordenen Bestand an Deuteüberlieferungen oder sogar an Kommentarliteratur (1Q30).

Nach 1Q22 1, 3 sollte Mose den Führern Israels die Worte des Gesetzes erklären (*pšr*), die Jahwe am Berge Sinai befohlen hatte. Also bedürfen auch die Tora und ihre Geheimnisse der Deutung (vgl. CD 3, 3—16). Dazu stimmt die Angabe der Ps Clem Hom 2, 38, 1, Mose habe das Gesetz mitsamt den Auslegungen *(epilyseis)* den Ältesten übergeben.[22]

§ 23 *mljṣ* als Bezeichnung des Lehrers und seiner Gegner in den Lehrerliedern

Die nähere Veranlassung, das Wort *mljṣ* in den Qumranschriften in die Untersuchung einzubeziehen, liegt in der oben festgestellten Tendenz der griechischen Bibel, die atl Vokabeln *mljṣh* und *mljṣ* als Deuteausdrücke aufzufassen und dementsprechend mit *ermeneia* und *ermeneus* zu übersetzen. In den Qumranschriften begegnet nur das Partizip Hiphil von *ljṣ*, nämlich *mljṣ*, und zwar

---

[20] Das ist auch gegen Elligers harte Sachkritik (Studien 156: "Daß hier eine Autorität nur erschlichen wurde") an den Aussagen von 1QpH über den Lehrer einzuwenden. Außerdem darf man den Lehrer weder an den "klassischen" Propheten noch an den heutigen Exegeten messen, sondern nur an seinen Zeitgenossen, wie an dem Verfasser des Danielbuches und an dessen Offenbarungsverständnis. Vgl. Jeremias, Lehrer 141 Anm. 9; Osswald, Zur Hermeneutik 256: der Verfasser des Habakukkommentars befinde sich "mitten in einer Traditionskette", die sich in der apokalyptischen und urchristlichen, aber auch in der rabbinischen Literatur nachweisen lasse.

[21] Vermès in: Cahiers Sioniens 5 (Heft 4, Dezember 1951) 338—341 (zitiert nach Elliger, Studien 123 Anm. 9 — der Artikel von Vermès war nicht erreichbar).

[22] Vgl. Weiß, ThW IX 50; Vermès, Commentaires 100: nach NumR zu 19, 4 hat Gott die Tora dem Mose erklärt *(pšr)*.

nur in den Hodajot.[23] Offensichtlich handelt es sich um einen terminus technicus. Die meisten Vorkommen begegnen außerdem (Ausnahmen 1QH 18, 10; f2, 6) in den dem Lehrer der Gerechtigkeit zugewiesenen Liedern,[24] und zwar gewöhnlich (Ausnahme 1QH 6, 13) zur Bezeichnung des Lehrers selbst (1QH 2, 13) oder seiner Gegner (1QH 2, 14. 31; 4, 7. 9; 6, 19?). Es empfiehlt sich, von diesen Stellen auszugehen.

Die Bezeichnung *mljṣ* steht nicht für sich, sondern sie wird immer durch den näheren Kontext und häufig auch noch durch andere parallel gebrauchte Bezeichnungen interpretiert. Von diesen sind die Titel *ḥwzj* (Seher) und *nbj'j* (Propheten) im Zusammenhang der Fragestellung dieser Arbeit von besonderer Bedeutung. Die Stellen 1QH 2, 13f. 31; 4, 7—9 sind außerdem eng miteinander verwandt. Eine isolierte Exegese einer Stelle ist daher wenig sinnvoll.

I. Die Texte[25]

1QH 2, 13—16a: Und du hast mich gesetzt als Panier für die Auserwählten der Gerechtigkeit
und als Verkünder des Wissens um wunderbare Geheimnisse,
zu prüfen die Männer der Wahrheit
und auf die Probe zu stellen, die Züchtigung lieben.
Und ich bin ein Streiter gegen die, die Irriges verkünden,
und [ein Herr des Fried]ens für alle, die Wahres *schauen*.
Und ich bin ein Geist des Eifers für alle, die nach Schmeicheleien trachten.
[Und sie] Männer des Trugs toben gegen mich . . .

1QH 2, 31f. 34: und du hast mich gerettet vor dem Eifer der Lügendolmetscher (*mljṣj kzb*),
und vor der Gemeinschaft der Schmeicheleisucher hast du den Armen bewahrt . . .
Und sie machten mich zu Schmähung und Schmach
im Mund aller, die nach Täuschung suchen.

1QH 4, 7. 9—10: (dein Volk) . . . sie umschmeicheln es,
und Trugprediger (*mljṣj*) führen sie irre,
so daß sie zu Fall kommen ohne Erkenntnis. . .
Aber sie sind *Lügendolmetscher*,
und Trug*schauer* sinnen gegen mich Bosheit,
damit ich vertausche deine Weisung,
die du meinem Herzen eingeprägt hast
gegen Schmeichelei für dein Volk.

1QH 4, 15f. 18—20: und mit der Verstocktheit ihres Herzens forschen sie (nach dir)
und suchen dich unter den Götzen,

[23] Und 1QpH 8, 6 für *mljṣh* in Hab 2, 6 M. Offensichtlich handelt es sich um einen Schreibfehler, syntaktisch müßte dort wenigstens *mljṣt* stehen. Die anschließende Deutung geht gar nicht auf die Wendung ein. Vgl. Betz, Offenbarung 97; ferner die Übersetzungen von Maier und Lohse.

[24] Zur Ausgrenzung der Lehrerlieder aus 1QH s. Jeremias, Lehrer 168—180; ebd. 173: *mljṣ* gehört zum charakteristischen Wortgebrauch der Lehrerlieder. Vgl. ferner Kuhn, Enderwartung 21—33.

[25] Die Übersetzung der Lehrerlieder folgt Jeremias, Lehrer.

und den Anstoß zu ihrer Sünde stellen sie vor sich hin,
und sie kommen, um dich zu suchen aus dem Mund von *Lügenpropheten*,
die zum Taumel überreden ...
Denn sie sagen über die *Schau* des Wissens:
die wird nicht bestehen,
und über den Weg deines Herzens: das ist er nicht,
so daß du, Gott, ihnen antworten wirst,
indem du sie richtest nach deiner Kraft
[entsprechend] ihren Götzen
und entsprechend der Menge ihrer Sünden
damit sie ertappt werden in ihren bösen Gedanken,
weil sie sich weggewandt haben von deinem Bund.
Und du wirst vertilgen im Ur[teil] alle Männer der Täuschung,
und *Seher* von Irrungen werden nicht mehr gefunden werden.

Die verwirrende Vielfalt in den Bezeichnungen der Gegner beruht darauf, daß die Attribute zum großen Teil austauschbar sind und zum Teil aus stilistischen Gründen wechseln.

mrmh	*kzb*	*rmjh*	*ḥlqwt*	*tʿwt*	
	4, 9; 2, 31	4, 7		2, 14	*mljsj*
		2, 34	2, 32; 2, 15		*dwršj*
4 ,20		(14, 14) 2, 16			*'nšj*
		4, 10		4, 20	*ḥwzj*
	4, 16				*nbj'j*

Gegenüber der Kennzeichnung der Gegner ist die Kennzeichnung der Gruppe des Lehrers viel weniger reich und auf 1QH 2, 13—15 beschränkt.

Der Plural *mljṣj* wird nur auf die Gegner bezogen, während *mljṣ* im Singular einmal (1QH 2, 13) den Lehrer bezeichnet. In den Reihen, die von den Gegnern handeln, steht *mljṣj* immer an der Spitze, die anderen Prädikationen der Gegner begegnen in den Lehrerliedern nur im Zusammenhang mit und nach *mljṣj*. Wir dürfen also vermuten, daß mit *mljṣ* der konkreteste "Titel" genannt ist. Dem entspricht, daß er am häufigsten, nämlich fünfmal, vorkommt und sich im Gegensatz zu den übrigen Titeln überhaupt nicht an den Sprachgebrauch der Schrift anschließt.

Die nächst häufige Bezeichnung *dwršj* (dreimal) interpretiert jedes Mal den Titel *mljṣ* (1QH 2, 14—15. 31—34). Sie ist fest verbunden mit *ḥlqwt*. *dwršj ḥlqwt* begegnen auch in anderen Qumranschriften (4QpNah 2, 2. 4; 3, 3. 7; 4QpJs^c 10; vgl. CD 1, 18). Das Attribut *rmjh* (1QH 2, 34) folgt nur aus Gründen der stilistischen Abwechslung. *drš* ist terminus technicus der Schriftauslegung.[26] *ḥlqwt* "Schmeicheleien" ist aus Jes 30, 10 entnommen.[27] Der Gegen-

---

[26] Betz, Offenbarung 16—23; Jeremias, Lehrer 94 Anm. 1.
[27] Vgl. unten S. 67.

satz zu den "Schmeicheleien" ist die Tora, so wie der Lehrer sie versteht (1QH 4,10). Aller Wahrscheinlichkeit nach steht also hinter der Bezeichnung der Gegner als *dwršj ḥlqwt* ihre Charakterisierung als einer Gruppe, welche die Tora anders als der Lehrer der Gerechtigkeit und seine Gemeinde, nämlich nicht so ernst, versteht und auslegt.[28] Der Parallelismus zwischen *dwršj* und *mljṣj* läßt auch in *mljṣ* das Moment der Schriftauslegung vermuten.

Die Kennzeichnung *ḥwzj* "Schauende" oder "Seher" begegnet ebenfalls dreimal. In 1QH 4, 7—10. 16—20 (zweimal), einmal unmittelbar nach *mljṣj* (4, 10) zur Kennzeichnung der Gegner, in 1QH 2, 13—16 zur Kennzeichnung der Gruppe um den Lehrer; diese letzte Stelle geht unmittelbar auf Jes 30, 10 zurück.[29] Die "Schauenden" auf der Gegenseite werden durch *rmjh* und durch *tʿwt* charakterisiert, wie auch die *mljṣj* (1QH 2, 14; 4, 7). Im Kontext dieser Stellen begegnet *ḥzwn dʿt* für die Schau des Lehrers (1QH 4, 18 vgl. *mljṣ dʿt* 2, 13!) und als weitere Charakterisierung der Gegner *nbjʾj kzb* (1QH 4, 16 vgl. *mljṣ kzb* 1QH 2, 31; 4, 10!). Die Begriffe *dʿt* auf der einen, *kzb* und *tʿwt* und *rmjh* auf der anderen Seite dürften neben dem anders gelagerten *ḥlqwt* die Fronten in der Sicht des Lehrers bezeichnen.

Die Zusammenstellungen mit *ʾnšj* sind in unserem Zusammenhang weniger wichtig (in 1QH 2, 13—16 erst an dritter Stelle zur Bezeichnung der Gegner, in 1QH 4, 7—10. 16—20 an fünfter Stelle). Dagegen hat das Wort die Führung in der Beschreibung der Gruppe des Lehrers (1QH 2, 14 Konjektur), aus Gründen des Aufbaus,[30] vielleicht aber auch deshalb, weil auf dieser Seite der charismatische Anspruch des einzigen Lehrers eine analoge Charakterisierung der eigenen Anhänger als *mljṣj* gar nicht zuließ.

II. Der biblische Hintergrund der mljṣ-Stellen

Eine Überprüfung des biblischen Hintergrundes der *mljṣ*-Stellen[31] ergab: alle Passagen, in welchen der Begriff *mljṣ* vorkommt (zu 1QH 2, 15 vgl. Jes 30, 8—11; zu 1QH 4, 10.18 vgl. Jes 30, 9—11; zu 1QH 4, 15—20 vgl. Ez 14, 3—11) sind in enger Anlehnung an einen atl Text formuliert, der Begriff ist selbst aber weder dort noch anderswo vorgegeben. Anders ist es mit den Begriffen *ḥwzh* und *nbj* in 1QH 2, 15; 4, 10, 16. 20. Hier sind die Beziehungen zum atl Text stärker, obwohl die Anwendung der Begriffe in den Hodajot neu ist und auf aktualisierender Interpretation ganzer Textzusammenhänge beruht. Ebenso verhält es sich mit der Bezeichnung *dwršj ḥlqwt*. Die anderen Bezeichnungen der Gegner und der Anhänger des Lehrers sind zum größten Teil[32] im atl Text angelegt, haben aber für unsere Fragestellung keine besondere Bedeutung. Aus diesem Überblick erheben sich zwei Fragen, die nach der Bedeutung von *mljṣ* einerseits und die nach dem konkreten Sinn von *ḥwzh* und *nbj* andererseits.

---

[28] Vgl. Jeremias, Lehrer 93f; 130f.

[29] Vgl. unten.

[30] Jeremias, Lehrer 194 Anm. 10: chiastischer Aufbau.

[31] Einzelnes schon bei Jeremias, Lehrer 206.

[32] Vgl. Jeremias, Lehrer 193 Anm. 23; 194 Anm. 1; 206 Anm. 19. Nicht durch alttestamentlichen Sprachgebrauch vorbereitet sind die Verbindungen mit *rmjh*.

III. Der sachliche Gehalt der Titel

1. *mljṣ*

Der Parallelismus zwischen *mljṣj* und *dwršj ḥlqwt* (1QH 2, 14f. 31f; auch 4, 9f) zeigt, daß in *mljṣ* das Moment der Auslegung enthalten ist.[33] Dem entsprechen die Beobachtungen, die oben zur Übersetzung von *mljṣh* mit *ermeneia* und von *mljṣ* mit *ermeneus* gemacht wurden. Zugleich ist in *mljṣ* aber auch das Moment der Verkündigung enthalten. Jede Auslegung mündet in Verkündigung; dazu tritt der Parallelismus zwischen *mljṣj* und *ḥwzj* 1QH 4, 9f. *ḥwzh* aber enthält das Moment des Verkündigens wie außer dem allgemeinen atl Sprachgebrauch auch die Verwendung von *ḥwzh* in 1QH 4, 20 an der Stelle von *nbj* (1QH 4, 16) beweist. Da der Titel *mljṣ* nicht durch die atl Stellen, welche sonst die Texte bestimmen, vorgegeben ist, wird er im eigentlichen Sinn gebraucht und verstanden worden sein. Wie sich im AT wahre und falsche Propheten gegenüberstehen, so stehen sich in den Lehrerliedern wahre und falsche Ausleger und Verkündiger gegenüber.

Der Gebrauch von *mljṣ* an den einzelnen Stellen zeigt darüber hinaus, daß es sich um einen echten Titel handelt und nicht nur um eine Funktionsbezeichnung. Weder in 1QH 2, 13. 14 noch in 2,31 und 4, 9f beschreiben die umgebenden Sätze eine für den *mljṣ* charakteristische Tätigkeit (Auslegung oder Verkündigung), das ist nur in 4, 7 der Fall: "Trugprediger führen sie irre". Wohl bezeichnen die beigefügten Genitive den Inhalt und den Charakter der jeweiligen Auslegung und Verkündigung. Die Auslegung der Gegner ist vom Standpunkt des Lehrers aus "Lüge" (1QH 2, 31; 4, 7), "Trug" (4, 9), "Verirrung", das heißt auch, daß sie in die Irre führt (2, 14 vgl. 4,7). Ihr steht der Lehrer als "Verkünder des Wissens in wunderbaren Geheimnissen" gegenüber (1QH 2, 14). Der Inhalt seiner Botschaft ist heilsnotwendiges[34] "Wissen" (vgl. 1QH 2, 18; 4, 11. 18) um die wunderbaren Geheimnisse Gottes (vgl. in den Lehrerliedern 1QH 5, 25; 4, 27; außerhalb 1, 21; 7, 27; 11, 10; 12, 13; 13, 2). Dieses Wissen um die Geheimnisse Gottes ist identisch mit der dem Lehrer zuteil gewordenen Offenbarung, die in der richtigen Auslegung der göttlichen Gebote, also der Tora (vgl. CD 3, 12ff; 1QH 4, 10f; 5, 11) und der Propheten (vgl. 1QpH 2, 2. 7—9; 7, 3—8), besteht.[35] Die wunderbaren Geheimnisse "haben das geschichtliche, kosmologische und soteriologische Heilsgut zum Inhalt".[36]

Um den Lehrer als "Verkünder des Wissens in wunderbaren Geheimnissen" sammelt sich die Gemeinde. Seine Offenbarungserkenntnis ist die Norm und der Prüfstein für seine Anhänger und für seine Gegner.[37] Die Gesetzesauslegung der Gegner erweist sich als falsch: "ich bin ein Streiter gegen die, die Irriges verkünden" (1QH 2, 14),

---

[33] Vgl. Betz, Offenbarung 97.

[34] Jeremias, Lehrer 198. 200.

[35] Jeremias, Lehrer 165f.

[36] Jeremias, Lehrer 200.

[37] Vgl. die anderen Prädikationen des Lehrers in 2, 8—18; zur Auslegung s. Jeremias, Lehrer 195—201.

"ich bin ein Geist des Eifers für alle, die nach Schmeicheleien trachten" (1QH 2, 15). Wenn der Lehrer sich parallel dazu als "Herr des Friedens für alle, die Wahres schauen" (1QH 2, 15) bezeichnet, scheint diese Aussage trotz der Anlehnung an Jes 30, 10 darauf hinzuweisen, daß er auch schon vorhandene oder neu gewonnene Offenbarungserkenntnis anerkennt und aufnimmt, sofern sie mit seiner Erkenntnis übereinstimmt. Dann lassen auch die Lehrerlieder trotz ihrer Konzentration auf den Lehrer als *mljṣ d't* einen Blick in einen weiteren Bereich der qumranischen Schriftauslegung tun, in welchem neben dem Lehrer auch seine Gesinnungsgenossen die Schrift erforschen und neue Erkenntnisse gewinnen.

2. Seher und Propheten

Die Bezeichnung der Gegner als "Lügenpropheten" ist wahrscheinlich durch die Anlehnung an Ez 14 hervorgerufen; von Ez 14 her ergab sich auch schon die Gleichsetzung der "Lügenpropheten" mit den "Sehern von Irrungen" (1QH 4, 16 und 20). Bei den "Lügenpropheten" dominiert das Moment der Verkündigung. Der Lehrer enthält sich im Gegensatz zum AT (vgl. nur Ez 13, 9; Jer 23, 32) auffälligerweise jeder Polemik gegen einen von den Gegnern vorgetäuschten falschen Offenbarungsempfang, gegen erdichtete Visionen oder Träume. Die Auseinandersetzung mit den "Lügenpropheten" richtet sich allein gegen ihre falsche Verkündigung (1QH 4, 16), gegen ihre Ablehnung der Verkündigung des Lehrers (1QH 4, 18 vgl. 4, 11). Es ist also ziemlich sicher, daß der Titel "Prophet" eine biblische Reminiszenz darstellt und nicht im strengen, sondern im übertragenen Sinne auf die Gegner angewendet wird.[38]

Bei der Bezeichnung "Seher" ist es ähnlich. Die Gegner werden außer in 1QH 4, 20 noch in 4, 10 so genannt. Allerdings wird diese Bezeichnung auch auf bestimmte Parteigänger des Lehrers angewandt (1QH 2, 15), und die Verkündigung des Lehrers heißt einmal "Schau des Wissens" (1QH 4, 18, vgl. auch 14, 6: "Männer deiner Schau"). Es läßt sich, wie ebenfalls gewöhnlich im AT[39], kaum entscheiden, ob wir hier titularen oder nur partizipialen Gebrauch vor uns haben, zumal *ḥzh* außer an den angegebenen Stellen nicht mehr in 1QH begegnet. In 1QM 11, 18 "Seher der Bezeugungen" und in CD 2, 12 "Seher der Wahrheit" wird die Bezeichnung "Seher" jeweils wie in 1QH durch einen Objektsgenitiv präzisiert; es geht dort um den zuverlässigen, weil auf Offenbarungsempfang ("Seher") beruhenden Inhalt der prophetischen Botschaft.[40] Auf den jeweiligen Inhalt kommt es auch in 1QH an.

So wird *ḥwzh* sicher den Anspruch auf Offenbarungserkenntnis bezeichnen,[41] während nicht unbedingt an visionäres, ekstatisch-prophetisches Sehen[42] gedacht werden muß.[43] Die "Schau des Wissens" (1QH 4, 18) deckt sich inhaltlich mit der Verkündigung des Lehrers, der ein "Verkünder des Wissens" ist (1QH 2, 15); nur liegt der Hauptton einmal auf der Erfahrung, dann auf der Weitergabe dieses "Wissens".

---

[38] Vgl. Betz, Offenbarung 92f.

[39] Rendtorff, ThW VI 810, 6ff.

[40] Zur typisch palästinischen Verbindung zwischen "Sehen" und "Verkündigen" vgl. unten S. 202—204.

[41] Vielleicht sind die Übergänge fließend; vgl. Kuhn, Enderwartung 170: die Beter in den Gemeindeliedern bezeichnen "ihr in der Offenbarung begründetes Wissen als schauen (*nbṭ*)".

[42] S. dazu Michaelis, ThW V 329; ferner unten S. 202—207.

[43] Es läßt sich allerdings auch nicht ausschließen. Vgl. die Rolle der Engel als Unterweiser in Qumran und in der gleichzeitigen Apokalyptik unten S. 72f; ferner 1QM 10, 10: "die die Stimme des Geehrten hören und die heiligen Engel schauen (*r'j*)", s. dazu unten S. 207—211.

§ 24 *mljṣ* als Bezeichnung für Engel

I. 1QH 6, 13

1QH 6, 13f: (13) und (sie stehen) im Los gemeinsam mit den Angesichtsengeln,
und es ist nicht da ein Dolmetscher zwischen ihnen (*w'jn mljṣ bnjm*)
sich zu n[ahen . . .]
(14) . . . und sie werden deine Fürsten sein im Los der Heiligen.

1QH 6, 13 gehört nach Jeremias[44] zum Lehrerlied 1QH 5, 20—7, 5, und zwar zu dem Passus 6, 4—18, in welchem der Beter seine Errettung durch Gott und die eschatologischen Heilsgüter schildert, die Gott seiner Gemeinde schenken wird. Mit 1QH 6, 19: "Und sie, die sich meinem Zeugnis angeschlossen hatten, die ließen sich irreführen durch Lügendolmetscher" setzt dann ein neuer Zusammenhang ein (bis 6, 24), der noch einmal die Not des Beters beschreibt. In diesen Zusammenhang paßt die rekonstruierte Bezeichnung der Gegner als *mljsj kzb* in 6, 19.[45] Sie entspricht 1QH 2, 31; 4, 9: "die ließen sich irreführen" (entspricht 1QH 4, 16: "Lügenpropheten, die zum Taumel überreden").

In 1QH 6,13 ist dagegen in einer für die Lehrerlieder einmaligen Weise von einem *mljṣ* die Rede, vielmehr wird ein solcher ausgeschlossen. Wenn die Gemeinde zusammen mit den Engeln vor Gott lebt, ist kein *mljṣ* mehr zwischen ihnen, also doch wohl zwischen der Gemeinde und den Engeln. Die Formulierung *w'jn mljṣ bnjm*[46] lehnt sich an Gn 42, 23 an: "Sie wußten aber nicht, daß Josef sie verstand, denn es war ein Dolmetscher *(mljṣ)* zwischen ihnen."[47] Die Vorstellung von einem Engel, der sich als *mljṣ* betätigt, indem er mit den Menschen spricht, begegnet Hi 33, 23: "Ist dann ein Engel (*ml'k*) für ihn da, ein Mittler *(mljṣ)*, einer aus den Tausend, und der erklärt dem Menschen seine Züchtigung".[48] Auch an dieser Hiob-Stelle sind die Momente des Sprechens und Deutens für den Begriff *mljṣ* konstitutiv: das scheinbar sinnlose Geschehen der Züchtigung erhält eine Sinngebung durch die Worte des Engels. Vorausgesetzt ist, daß Engel den Sinn kennen, der Zugang zu ihrem dem Menschen entzogenen Wissen aber nur durch besonderes deutendes Sprechen eröffnet wird. Einer ähnlichen Vorstellung, wenn auch unter anderen Begriffen, sind wir im Danielbuch[49] begegnet. Der Seher erbittet sichere Auskunft über das Gesicht von einem der Dastehenden (aus dem Hofstaat des Hochbetagten) und erhält darauf die Deutung *(pšr* Dan 7, 16 vgl. auch 4 ,14f. 20; 8, 13—16; 9, 22f; 10,

---

[44] Lehrer 126.

[45] So Jeremias, Lehrer 234.

[46] Zur Lesung *bnjm* s. Jeremias, Lehrer 233 Anm. 14: Verschreibung für *bnjhm;* Kuhn, Enderwartung 147 Anm. 1: Dual; K. übersetzt *mljṣ bnjm* mit "Mittlerdolmetscher".

[47] Die rabbinische Auslegung versteht *mljṣ* in Gen 42, 23 als "mediator of the mysteries of God" (Licht zu 1 QH 6, 13).

[48] Übersetzung nach der Zürcher Bibel.

[49] Oben S. 52 und öfter.

12; 12, 5—7). In den Apokalypsen hat der *angelus interpres* dann seinen festen Platz.[50] Eine solche Vermittlung durch einen *mljṣ* wird nach unserem Text im Endzustand nicht mehr nötig sein. Die Gemeinde wird "stehen im Los gemeinsam mit den Angesichtsengeln".

Die "Angesichtsengel" bilden die höchste Stufe der Engel. Ihr Name[51] wird so verstanden worden sein, daß sie allein das Angesicht Gottes sehen (vgl. aethHen 40, 2f; TLevi 3; Pirque REl 4 [Billerbeck I, 784]), auf jeden Fall haben sie die größte Nähe zu Gott (vgl. TJuda 25, 2); Israel bzw. seine Priester sollen Gott wie sie oder mit ihnen dienen (1QSb 4, 25f; Jub 15, 27; 31, 14). Wenn es zu gemeinsamem Handeln mit den Angesichtsengeln (1QSb 4, 26) oder zum Stehen im Lose der Engel (1QH 6, 13) kommt, dann ist die eschatologische Vollendung angebrochen.[52] An sich wäre nun zu erwarten, daß der Text weiter ausführte, welche Bedeutung das Fehlen eines *mljs* haben werde, daß also zum Beispiel das Wissen der Himmlischen unmittelbar zugänglich sein werde und alle Geheimnisse erkannt werden können. Offensichtlich genügte aber schon die Andeutung vom Fehlen eines *mljs*, um die Andersartigkeit des Endzustandes zu beschreiben. Dann wäre gerade das Angewiesensein auf einen *mljṣ* kennzeichnend für den gegenwärtigen Zustand der Gemeinde, bzw. für ihre gegenwärtige Gemeinschaft mit den Engeln und für ihren Offenbarungsempfang, wie im folgenden Abschnitt gezeigt werden soll.

II. 1QH f2, 6

1QH f2, 5f:(5) Nach der Fülle deiner Huld bestelle die Wacht deiner Gerechtigkeit (6) über deinen Knecht andauernd bis zur Errettung und Deuter der Erkenntnis (*mljṣj dʿt*) mit jedem seiner Schritte und Zurechtweiser (*jkḥ*) der Wahrheit (7) für seinen [ganzen Weg].

Diese Anrufung steht zwischen zwei Niedrigkeitsaussagen in 1QH f2, 5. 7 ("Staub"). Auf die Bitte um Schutz (2,5—6a) folgt die Bitte um englischen Beistand (2, 6b/c). Die Bezeichnung der Engel als *mljṣj dʿt* ist einmalig; sie entspricht der in den Qumrantexten geläufigen Assoziation von "Engeln" und Wissen:

1QH 3, 22f: Und du warfst dem Manne ein ewiges Los mit den Geistern des Wissens (*rwḥwt dʿt*), daß er deinen Namen preise in gemeinsamem Jubel ...

1QH 11, 13f: daß er hintrete an den Standort vor dir mit dem ewigen Heer und den Geistern des [Wissens], um sich zu erneuern mit allem, was ist, und mit den Wissenden (*jdʿjm*) in gemeinsamem Jubel.

1QH f10, 6:] Und wir finden uns in der Einung zusammen und mit den Kundigen (*jdʿjm*) [... ---] mit deinen Helden, und in wunderbarer Weise verkünden wir allzumal in der Erkenntnis.

Vom Inhalt der Erkenntnis der Engel ist nicht weiter die Rede; aber aus der Satzfolge in 1QH 18, 23 läßt sich erschließen, daß die Engel um die Geheimnisse Gottes in der Schöpfung und in der Geschichte und um die Geheimnisse

---

[50] S. unten S. 77—80. 92. Die oben gegebene Interpretation wird sprachlich und sachlich bestätigt durch griech Bar 11, 7 oben S. 51 Anm. 48.

[51] Ansatz zu dieser Bezeichnung im Alten Testament ist Jes 63, 9 (Kere): "Er war in der Drangsal, und der Engel seines Antlitzes rettete sie".

[52] Vgl. Lohse, Die Texte von Qumran 283 Anm. 5.

des Gesetzes wissen und diese den Menschen, d. h. den Anhängern der Qumrangemeinde, mitteilen.[53]

1QH 18, 23: . . .] Heer der Erkenntnis (*d't*), zu erzählen dem Fleische die Machttaten und gültige Gesetze dem [Weib-] geborenen.

In 1QH f2, 6 wird wohl vor allem an ihre Kenntnis der "gültigen Gesetze" gedacht sein, nach denen der Beter seine Schritte lenken möchte (vgl. 1QH 15, 13. 21; 1QS 11; 10; CD 20, 18). Die Bezeichnung *mljsj d't* blickt nicht nur auf das Wissen der Engel, sondern gerade auch auf seine Übermittlung an den Menschen. Die Engel sollen sich als Ausleger und Verkündiger betätigen, weil der Mensch aus sich zu diesem Bereich der Erkenntnis keinen Zugang hat.

Parallel zu "Deuter der Erkenntnis" werden die Engel "Zurechtweiser der Wahrheit" genannt. Ihre Zurechtweisung[54] ist notwendig, damit der Beter seinen Schritt auf dem Weg Gottes halte. Engel als "Zurechtweiser" begegnen auch in dem Lehrerlied 1QH 5, 20—7, 5, und zwar zu Beginn des Zusammenhanges, nach dem es unter anderem in der Zeit der Vollendung keinen *mljṣ* mehr geben wird (1QH 6, 13 s. oben):

1QH 6,4: [Aber du] hast geöffnet mein Ohr
[für die Bele]hr[ung] derer, die gerecht zurechtweisen (*jkḥ*).

Der Beter schildert seine Errettung durch Gott. Die Formulierung entspricht Hi 36, 10: "Er öffnet ihr Ohr der Zurechtweisung." Die Vorstellungen in 1QH f2, 6 und 1QH 6, 4 sind gleich.[55] Die Engel wirken als "Deuter von Erkenntnis" und als "Zurechtweiser". Wenn danach in 1QH 6, 13 von einem Zustand die Rede ist, in dem ein solcher *mljṣ* nicht mehr nötig ist, kann es sich nur um die Endzeit handeln, in der die Gemeinde die vollendete Gemeinschaft mit den Engeln erlangt hat,[56] und das heißt auch: einen unmittelbaren Anteil an ihrem Wissen oder an ihrer Erkenntnis,[57] wie es 1QS 4, 21f erwartet:

"Und er wird über sie sprengen den Geist der Wahrheit wie Reinigungswasser . . ., um die Rechtschaffenen zu unterweisen (*bjn*) in der Erkenntnis (*d't*) des Höchsten und in der Weisheit (*ḥkmt*) der Söhne des Himmels, und klug zu machen (*śkl*), die vollkommen im Wandel sind."

Über den Vorgang der gegenwärtigen Unterweisung durch Engel erfahren wir in Qumran nichts.[58] Um so eindeutiger ist die Rolle der Engel als Offenbarungsmittler in der apokalyptischen Literatur seit Daniel.[59] Dort gehören sie immer zum pseudepigraphischen Rahmen der eigentlichen Aussage, so daß wir

---

[53] Vgl. oben S. 68 zur Bezeichnung des Lehrers als *mljṣ d't*. Das Wissen der Engel ist die Voraussetzung für ihre Funktion als *angeli interpretes* vgl. unten S. 120.

[54] *jkḥ* hi "zurechtweisen" (griechisch: *elencho* s. unten S. 248) wird in der Qumrangemeinde vielfach geübt: von den Gemeindegliedern untereinander (CD 20, 17f vgl. 7, 2; 9, 3. 7f.18; 1QS 5, 24—26; 6, 1); vom Unterweiser (1QS 9, 16f); von einem *mljṣ* (1QH 18, 12 s. S. 73). Von der gerechten Zurechtweisung Gottes am Beter ist in 1QH 12, 31 (vgl. 9, 23. 24. 33; 12, 21. 28) die Rede.

[55] Vgl. Jeremias, Lehrer 243 Anm. 1.

[56] Kuhn, Enderwartung 146f, scheint 1QH 6, 13 als Gegenwartsaussage zu behandeln. Er wertet den Kontext (1QH 6, 12) aber ausdrücklich als futurisch-eschatologisch, ebd. 141 Anm. 3!

[57] Vgl. auch 1QpH 11, 2 oben S. 63 von der Fülle der eschatologischen Erkenntnis.

[58] Vgl. aber 1QM 10, 10! S. dazu unten S. 210—213.

[59] S. unten S. 120.

aus den Apokalypsen nur entnehmen können, wie man sich eine Belehrung durch Engel vorstellte, nicht wie man sie erfuhr, oder was man als Belehrung durch Engel ansah und deutete. Allerdings darf man Erlebnis und Deutung auch nicht zu weit auseinanderreißen, völlig ungedeutete Erlebnisse dieser Art sind sehr selten, wenn nicht unmöglich.

Die Erwartung der eschatologischen, nicht mehr durch einen *mljṣ* vermittelten Teilhabe an der Erkenntnis der Angesichtsengel steht ihrer Struktur nach den paulinischen Aussagen von 1 Kor 13, 8—12 sehr nahe, sowohl was die Erwartung einer unvermittelten Erkenntnis, vielleicht sogar der Gottesschau (1 Kor 13, 12), wie auch das Aufhören bzw. die Negation der gegenwärtigen Erkenntnisformen (1 Kor 13, 8: *propheteia/gnosis:* 1QH 6, 13: *mljṣ*) angeht.

§ 25 Die Aufgaben des *mljṣ* in der Qumrangemeinde

I. 1QH 18, 10—13

1QH 18, 10—13: (10) ... Eine [Qu]elle hast du aufgetan durch den Mund deines Knechtes und durch seine Zunge (11) hast du eingegraben nach Maß [... damit] er verkünde dem Gebilde aus seiner Einsicht heraus
und Dolmetsch (*lmljs*) sei in diesen Dingen für Staub (12) wie ich es bin.
Und du öffnetest eine Quelle, um dem Lehmgebilde seinen Weg zurechtzuweisen (*jkḥ*) und die Verschuldungen des (13) Weibgeborenen gemäß seinen Taten und um zu öffnen [...] deiner Wahrheit für das Gebilde, das du stütztest mit deiner Kraft.

Der Abschnitt gehört zum ersten der beiden in Kolumne 18 zusammengestellten Fragmente.[60] Die Zeilen 1—8 sind stark zerstört. Von Zeile 10 ab beginnt ein erkennbarer Zusammenhang, der von der zweiten Hälfte in Zeile 13 ab wieder gestört ist. Daher beschränken wir uns auf die Zeilen 10—13.

Zunächst ist von einem Handeln Gottes an seinem Knecht die Rede. Er öffnete in dessen Mund eine Quelle und grub in dessen Zunge etwas ein. Mit dem "Öffnen einer Quelle" wäre am ehesten der Inhalt "Erkenntnis" zu assoziieren,[61] bei dem "Eingraben" wäre an göttliche Satzungen und Pläne zu denken (vgl. 1QH 18, 27: "und Geschehnisse der Ewigkeit grubst du ein in das Herz"). Der Zweck dieser Vorbereitung ist die Verkündigung. Dieser Zweck wird in zwei parallel gebauten Wendungen ausgedrückt: dem "Verkündigen" entspricht das "Dolmetsch sein".[62] Die adverbiale Bestimmung zu "verkünden" "aus seiner Einsicht heraus" bezeichnet die dem Knecht von Gott geschenkte Ausrüstung für seinen Dienst, während die Beifügung "in diesen Dingen" bei *lmljs* sehr vage ist. Sie kann sich nur auf die eingangs beschriebene Offenbarung zurückbeziehen, also auf die Einweisung in ein volles Verständnis des göttlichen Willens — in die göttlichen, wunderbaren Geheimnisse.[63] Der Adressat dieser Ver-

---

[60] So Kuhn, Enderwartung 16, mit Verweis auf die noch unveröffentlichte Arbeit von Stegemann, Rekonstruktion der Hodajot.

[61] Quelle der Erkenntnis: 1QH 2, 18 vgl. 1QS 11, 3. 5. 6; Öffnen des Mundes: 1QH 12, 33; 10. 7; 1QM 14, 6. Negativer Gebrauch der Quelle — Metapher 1QH 11, 19. Quelle in einem großen Bildzusammenhang: 1QH 8, 4. 8. 14. 20. 21.

[62] *lmljṣ:* Partizip hiphil wie an den übrigen Stellen, so Maier, Lohse, Mansoor, Nielsen, Delcor; Licht rekonstruiert dagegen: *lhmljṣ* = Infinitiv hiphil von *mlṣ*.

[63] Vgl. *wlmljṣ b'lh* 1QH 18, 11 mit *mljṣ d't brzj pl'* 1QH 2, 13.

kündigung und Auslegung des göttlichen Willens wird mit Niedrigkeitsaussagen beschrieben: "Gebilde", "Staub wie ich es bin". Der *mljṣ* steht also, wie schon früher festgestellt wurde, einer größeren, nicht mit solcher Erkenntnis begabten Gemeinde gegenüber.

Der nächste Satz führt die angesprochenen Gedanken in einer bestimmten Richtung weiter. Auf das Handeln Gottes an seinem Knecht wird nun verkürzt mit "du öffnetest eine Quelle" hingewiesen; die weiteren Wendungen sollten wohl alle die Bedeutung der Erwähnung des Knechts für die Gemeinde beschreiben, nur die erste ist ganz erhalten: "um dem Lehmgebilde seinen Weg zurechtzuweisen und die Verschuldungen des Weibgeborenen gemäß seinen Taten". Der Knecht bzw. der *mljs* übt hier die gleiche Funktion aus (*jkḥ*) wie die Engel in 1QH 6, 13; f2, 6 (Parallelismus membrorum zu *mljṣ*!).[64] Der nächsten Wendung fehlt leider das Objekt, es scheint aber wieder um Mitteilung von Offenbarung zu gehen ("öffnen ... deiner Wahrheit").

II. 1QH 2, 13—15

Nach der Behandlung aller *mljṣ*-Stellen in den Qumranschriften kehren wir noch einmal zur Selbstbezeichnung des Lehrers der Gerechtigkeit als *mljṣ dʿt brzj plʾ* zurück. Der titulare Gebrauch von *mljṣ* wurde schon festgestellt (oben § 23, III. 1.), ebenfalls der sich auf Auslegung und Verkündigung beziehende Gehalt des Titels. Die darauf besprochenen Texte lassen einige weitere Feststellungen zu.

Die Tatsache, daß die Bezeichnung *mljṣ* auch für Engel gebraucht wird, ist an sich weniger wichtig, da ja auch die Gegner *mljṣ* genannt werden. Wenn aber sowohl Engel wie der Lehrer der Gerechtigkeit *mljṣ(j) dʿt* genannt werden (vgl. 1QH 2, 13 mit f2, 6), und andererseits der *mljṣ* in der Gemeinde und auch die Engel die notwendige "Zurechtweisung" *(jkḥ* LXX: *elencho)* üben (vgl. 1QH 18, 12 mit 6, 4; f2, 6), dann gewinnt der Titel *mljṣ* im *positiven Sinne* doch für Qumran ein besonderes Gewicht. Das Wissen des *mljṣ* ist übernatürlich, von Gott gegeben, es entstammt dem Bereich der himmlischen Geheimnisse. Auf Grund seines Wissens, welches er in seiner Verkündigung mitteilt, ist er der Führer der sich um ihn scharenden Gemeinde und verantwortlich für ihr rechtes Leben. Über die Art der Verbindung zwischen der Vermittlungs- bzw. Verkündigungsfunktion und der Leitungs- bzw. Zurechtweisungsfunktion wird nicht reflektiert. Die Verbindung ist aber vorhanden. In 1QH 2, 13 wird sie sogar in Richtung auf die göttlichen Prärogativen des "Prüfens" *(bḥn* LXX: *dokimazo)* und "auf die Probe Stellens" (*nsh* LXX: *peirazo)* präzisiert: "zu prüfen (*lbhwn*) die Männer der Wahrheit und auf die Probe zu stellen (*wlnswt*), die Züchtigung lieben". Der Lehrer steht und handelt als *mljṣ dʿt* an der Stelle Gottes, wie früher einmal die Propheten.[65] Damit ist der Horizont

---

[64] S. oben S. 70f.

[65] Vgl. Jeremias, Lehrer 200: "Weil der Lehrer durch sein Wissen um die göttlichen Geheimnisse der allein wahre Prophet ist, darum ist er zugleich Wertmesser für alle anderen, die Gottes Willen lehren."

des Deutens und Auslegens verlassen. Die Gegner des Lehrers werden kaum solche Ansprüche gestellt haben. Am Titel *mljṣ* entfaltet sich also ein reiches Spektrum von Bedeutungen von Auslegung und Verkündigung bis zum Anspruch des einzigartigen Offenbarungsbesitzes und des Handelns im Namen Gottes.

§ 26 Zusammenfassung: Das Milieu der qumranischen Schriftauslegung

Der Gebrauch von *pšr* und *mljṣ* in den Qumranschriften unterstreicht das Gewicht, welches das Deuten und Auslegen im Spätjudentum gewonnen hat. Es ist allerdings mehr als auffällig, daß beide Begriffe nie nebeneinander und fast nur in je einer Gattung vorkommen, *mljṣ* in den Hodajot (vor allem in den Lehrerliedern), *pšr* in der Kommentarliteratur. Der Grund dafür dürfte nicht bloß literarischer Art sein, d. h. nicht bloß mit den verschiedenen Gattungen und ihren Stilgesetzen zusammenhängen, sondern ebenso in der Geschichte der Qumrangruppe selbst liegen.

mljṣ, der umfassendere Begriff, wird nicht als term. techn. der Schriftauslegung, sondern in einem weiteren Sinne zur Charakterisierung eines besonderen Verkündigungsanspruchs verwendet, welcher sich auf eine besondere Kenntnis der Schrift und des Willens Gottes stützt und den Sinn der Schrift zur Geltung bringen will. Wenn Engel als *mljṣjm* bezeichnet werden können, dann deshalb, weil sie Erkenntnis aus dem himmlischen Bereich vermitteln.

Der Begriff *pšr* ist dagegen immer term. techn. der Schriftauslegung, im besonderen der Prophetenauslegung. Die Kommentarliteratur in Qumran steht am Ende einer längeren Deutungs- und Überlieferungsgeschichte. So wird der Begriff auch schon auf früheren Stufen (nichtliterarisch) verwendet worden sein.

Sowohl *pšr* als *mljṣ*, wenn dieser Begriff im positiven Sinne gebraucht wird, bezeichnen von Gott autorisierte, offenbarte Auslegung und Verkündigung. Der Raum, in welchem beide Funktionen ausgeübt wurden, ist die Qumransekte, näherhin ihr Schriftstudium und ihr Mühen um Erkenntnis. Das Wirken des Lehrers, seine Verkündigung des Wissens um wunderbare Geheimnisse, die Prüfung und Zurechtweisung seiner Anhänger und die Anerkennung ihrer “wahren Schau”, d. h. ihrer echten Schrifterkenntnis (1QH 2,13—15), all das wird wenigstens zum Teil seinen festen Platz in den Gemeindeversammlungen gehabt haben.

In 1QS erhalten wir Einblick in Regelungen für die Gemeindeversammlung, welche aus einem späteren Stadium der Sekte stammen. Da mag manches schon stärker institutionalisiert sein; eine Grundstruktur dürfte sich aber von den Anfängen her erhalten haben. Für unsere Fragestellung ist die Beobachtung besonders wichtig, daß dort nebeneinander vom Forschen (*drš*) der einzelnen im Gesetz und vom gemeinsamen Forschen die Rede ist:

1QS 6, 6—8: “Und nicht soll an dem Ort, wo zehn Männer sind, einer fehlen, der im Gesetz forscht Tag und Nacht, beständig einer nach dem anderen. Und die vielen sollen gemeinsam wachen den dritten Teil aller Nächte des Jahres, um im Buch zu lesen und nach Recht zu forschen und gemeinsam Lobsprüche zu sagen".[66]

Der Verlauf der Versammlungen wird durch genaue Rang- und Redeordnungen geregelt (1QS 6, 8—13).[67] Zu diesem Milieu wird auch die Anweisung gehören, daß von einem Forscher Gefundenes allen mitgeteilt werden soll:

1QS 8, 11f: "Und keine Angelegenheit, die verborgen war vor Israel, aber *gefunden* worden ist von einem Mann, der forscht, soll er vor diesen verbergen aus Furcht vor einem abtrünnigen Geist."[68]

Das "Gefundene"wird in der Gemeinde sorgfältig bewahrt und weitergegeben. Es wird zugleich als das der Gemeinde "Offenbarte" verstanden[69] und stellt ihre Tradition dar, die sie "lernt" und nach der sie lebt (vgl. CD 15, 10). In diesem Milieu wird auch die Pescher-Auslegung der Propheten geformt und tradiert worden sein, bis sie schließlich in ihrem Endstadium für die Bedürfnisse der Gemeinde schriftlich fixiert wurde.

3. Kapitel: Das Offenbarungsverständnis im aethiopischen Henoch

Im Unterschied zum Buch Daniel fehlt im aethHen[1] die Deuteterminologie. Außerdem war im Buch Daniel das Schema von Offenbarung und Deutung in allen Stücken nachweisbar, die in irgendeiner Form von Offenbarungen berichteten. Das ist bei dem auf literarischer Ebene wesentlich weniger einheitlichen aethHen nicht der Fall, obwohl das Deuteschema für einen Teil seiner Traditionen[2] und wohl auch für die Redaktion selbstverständlich und bestimmend ist.

---

[66] Übersetzung nach Lohse, Texte. Betz, Offenbarung 20f sieht in dem, der Tag und Nacht forscht, ein besonders herausgehobenes priesterliches Mitglied der Gruppe, während die anderen Mitglieder (Laien) nur "im Buche lesen".

[67] Vgl. unten S. 281.

[68] Vgl. dazu Betz, Offenbarung 21. 36f; zum ursprünglichen Zusammenhang des Passus Maier, Texte II 31.

[69] Vgl. Maier, Texte II 31 zu 1QS 8, 11f; ebd. 23 zu 1QS 5, 11f; Betz, Offenbarung 37.

[1] Zitiert nach der Übersetzung von G. Beer in: Kautzsch AP II 236—310. Der Text wurde ständig mit den Übersetzungen von R. H. Charles in: Charles AP II 188—281, und J. Flemming in: Flemming-Radermacher, Das Buch Henoch, verglichen. Für den griechischen Text wurde außerdem Bonner, The Last Chapters of Enoch in Greek herangezogen. Zum gegenwärtigen Stand der Bemühungen um den Text des Henochbuches vgl. die Bemerkungen, welche M. Black seiner Ausgabe der griechischen Henochtexte vorausschickte: Black, Apocalypsis Henochi Graece 8f.

[2] Zu den literarischen Problemen des aethHen vgl. Eißfeldt 836—843; Rost, Einleitung in die alttestamentlichen Apokryphen und Pseudepigraphen 101—106.

Die einzelnen im aethHen vereinten Traditionsstücke unterscheiden sich zum Teil auch durch die verschiedene Art des Offenbarungsempfangs und durch die Formen der Offenbarungsverkündigung voneinander. In dieser Hinsicht genügt für unsere Fragestellung ein Überblick über die Hauptformen von Offenbarung und Deutung in der jetzigen Gestalt des Buches. Die zum Teil miteinander konkurrierenden Termini "Bilderrede" und "Weisheit", welche die Erfahrung Henochs und seine Verkündigung charakterisieren, bedürfen dagegen einer näheren Untersuchung. Denn sie enthalten über die gewissermaßen technische Beschreibung des visionären Geschehens hinaus eine theologische Wertung der apokalyptischen Erfahrung und Verkündigung, welche auch Konsequenzen für das Verständnis der urchristlichen Prophetie bzw. der entsprechenden neutestamentlichen Texte hat.

§ 27 Traum und Deutung

Das schon vom Alten Testament (Gen 37; 40; 41; Ri 7, 15; Dan 2; 4) her bekannte und auch sonst in der Traumliteratur gängige Schema: Traum, Traumerzählung, Deutung durch einen anderen, abschließendes Dankgebet, begegnet in dem ursprünglich selbständigen Stück 83—84, dem "Traumgesicht Henochs vom kommenden Sintflutgericht". Henoch sah vor seiner Verheiratung[3] im Schlafe (83, 3. 6) eine kosmische Katastrophe, er schrie, ebenfalls noch im Schlafe (83, 5: "Darauf drang Rede in meinen Mund: Untergegangen ist die Erde").[4] Nachdem sein Großvater Mahalel ihn geweckt hatte, erzählte Henoch ihm seinen Traum, der Großvater deutet ihn auf das kommende Sintflutgericht (83, 7—9). Henoch preist die Macht Gottes und bittet um die Bewahrung eines gerechten Restes (83, 10; 84, 1—6).

Diese Form der Traumerzählung und Traumdeutung ist im Henochbuch singulär. Die Tierapokalypse (85—90) ist zwar auch als Traum geschildert und redaktionell mit 83f verklammert (83, 2; 85, 1—3); jedoch bedarf sie wegen ihrer durchsichtigen allegorischen Gestaltung offenbar nicht mehr einer besonderen Deutung. Gemeinsam ist ihr mit dem Vorausgehenden das Fehlen von Deuteengeln,[5] die im übrigen Buch regelmäßig zur Stelle sind.

§ 28 Traumvisionen, die durch Engel gedeutet werden, und die Vermittlung von Offenbarung durch Engel

In einem großen Teil der Henochtradition begleiten Engel den Seher auf seinen Wanderungen durch die irdische und himmlische Welt und geben ihm Auskunft über das Gesehene.

---

[3] aethHen 83, 2 vgl. 85, 3. Möglicherweise soll diese Angabe auf die besondere Befähigung des Unverheirateten für den Empfang von Offenbarungen hinweisen. Vgl. Beer zur Stelle; ferner unten S. 112 (Therapeuten).

[4] Wehklagen während einer Traumvision auch 90, 3; vgl. dazu das Reden der Therapeuten während ihrer ekstatischen Träume Vit Cont 26 unten S. 109.

[5] Die drei "Weißgekleideten" von 87, 2f; 90, 31 haben nur die Aufgabe, den Seher in das Paradies bzw. in das neue Jerusalem zu versetzen.

I. Das angelologische Buch (12—36)

12—16: nur 14, 25. "Einer von den Heiligen" weckt Henoch und bringt ihn an das Tor des "großen Hauses" (Thronsaal Gottes).

17—19: 17, 1—4: Engel versetzten Henoch an verschiedene Orte; 18, 14; 19, 1: Engel geben Auskunft über Straforte.

20—36: Henoch ist auf seiner Wanderung in ständiger Begleitung durch Engel (21; 22; 27; 33: Uriel; 22; 23; 24; 32: Raphael; 24; 25: Michael). Sie "zeigen" ihm die Unterwelt und die Erde (22, 1; 24, 1; 33, 3. 4). Er erhält von ihnen auf seine Fragen Antwort. Die gewöhnliche Formel, mit der die Engel eingeführt werden, lautet: "Da sagte zu mir Uriel, einer von den heiligen Engeln, der bei mir war (und ihr Führer ist)" (21, 5 vgl. 9; 22, 3. 6; 23, 4; 24, 6; 27, 2; 32, 6; 33, 3). Den Deutegesprächen im Buch Daniel kommt 21, 5 (vgl. auch 25, 1) am nächsten: "Henoch, weshalb fragst Du und bekümmerst dich eifrig, die Wahrheit[6] zu erfahren? Dies sind ..."

II. Die Bilderreden (37—71)

Die Bilderreden setzen ebenfalls voraus, daß der in den Himmel entrückte (39, 3; 52, 1) Henoch bei seiner visionären Wanderung (39, 4) in ständiger Begleitung eines Engels ist, der ihm "das Verborgene" (43, 3; 52, 1; 60, 12), "alles Verborgene" (40, 8; 52, 5), "alle Geheimnisse" (46, 2; 59, 3; 68, 1; 71, 3. 4) "zeigt". Ähnlich ist es dann auch am Ende der Bilderreden bei der endgültigen Entrückung und Erhöhung Henochs (70, 1f: in die Himmelsgegenden; 71, 1: weiterer Aufstieg; 71, 5: Entrückung in den Himmel der Himmel), dort führt ihn der Engel Michael zu "allen Geheimnissen der Barmherzigkeit und Gerechtigkeit" (71, 3 vgl. 4). Erwähnt wird der Engel immer dann, wenn Henoch etwas zu erfahren oder zu verstehen wünscht. Die Formel lautet gewöhnlich so: "Darauf fragte ich den Engel (des Friedens), der mit mir ging und mir alles Verborgene zeigte." (40, 8 vgl. 2; 43, 3; 46, 2; 52, 3. 5; 53, 4; 54, 4; 56, 2; 60, 12. 24; 61, 2f) Auch wenn Henoch die verschiedenartigsten Erscheinungen und Geheimnisse sieht, müssen diese ihm doch noch gedeutet werden. So fragt er 43, 3 hinsichtlich der Blitze und der Sterne des Himmels: "Was sind diese?" und erhält vom Engel die Antwort: "Ihre sinnbildliche Bedeutung[7] hat dir der Herr der Geister gezeigt. Dies sind die Namen der Heiligen." (43, 4). Die Deuteoffenbarung erfolgt in einem zweiten Schritt. Vgl. auch den Dialog mit dem Engel 52, 3—9 und den Dialog des Sehers mit Michael und einem anderen Engel in dem eingeschobenen Noahstück (60, 5—12).

III. Das astronomische Buch 72—82

In diesen Teil ist noch ein zu 12—36 gehöriges Schlußstück eingesprengt (81, 1—82, 4a),[8] in welchem Henoch von einem Engel aufgefordert wird, die himmlischen Tafeln zu lesen und sich ihren Inhalt einzuprägen (81, 1f). Henoch dankt für die empfangene Offenbarung und wird dann von "sieben Heiligen" auf die Erde zurückgebracht, damit er während des ihm noch verbleibenden letzten Lebensjahres seinem Sohn Methusalah die Offenbarungen mitteilen könne (81, 5f). Dann konstatiert der Text aus-

[6] Charles 201: das aramäische Original entsprach Dan 7, 16: *jsjbh* (s. dazu oben S. 51; Register); die griechische Vorlage für aeth hatte *akribeia* (vgl. Dan 7, 16 LXX, *Th*), nicht *aletheia*.

[7] mesla = *mšl*, s. dazu unten S. 80—84. Flemming übersetzt: "Ein Gleichnis hat dir der Herr der Geister gezeigt; das sind die Namen der Heiligen."

[8] Eißfeldt 839.

drücklich das vorläufige Ende der Gemeinschaft Henochs mit den Engeln: "In jenen Tagen hörten sie auf, mit mir zu sprechen, und ich kam zu meinen Leuten, indem ich den Herrn der Welt pries." (81, 10)

Im astronomischen Buch ist der Engel Uriel Henochs Führer durch die Himmelsgegenden. "Denn die Zeichen und Zeiten, die Jahre und Tage zeigte mir der Engel Uriel, den der ewige Herr der Herrlichkeit über alle Lichter des Himmels, am Himmel und in der Welt gesetzt hat." (75, 3 vgl. 72, 1; 74, 2; 75, 4; 78, 10; 79, 2; 80, 1; 82, 7)

IV. Die letzte Mahnrede Henochs (108)

In den auf Kapitel 82 folgenden Teilen des Henochbuches wird die Offenbarung durch Engel nicht mehr erwähnt;[9] nur im letzten Kapitel berichtet Henoch noch einmal von einer visionären Erfahrung mit Engeln. Er sah eine riesige Feuerwolke, die ihm "einer der heiligen Engel, die bei mir waren" (vgl. die Formel im angelologischen Buch) als den Ort der Strafe für alle Sünder und Übeltäter deutete (108, 4—6). Die weitere Deutung des Engels geht weit über die Vision hinaus und mündet in eine paränetische Schilderung des Lohns der Gerechten (108, 7—10).

V. Die Gemeinschaft mit den Engeln in den Rahmenstücken (1, 2; 12, 1f; 81, 10 93, 2)

Der in den bisher besprochenen Überlieferungskomplexen des aethHen zutage getretenen Gemeinschaft des Sehers mit Engeln, welche ihm die Geheimnisse zeigten und sie ihm deuteten, entspricht die generelle Charakterisierung Henochs als eines Visionärs, der seine besondere Kenntnis durch das deutende Wort der Engel hat, in Rahmentücken des Henochbuches. Diese stehen vor der nichtvisionären, "prophetischen" Einleitungsrede über das künftige Weltgericht (1—5) und vor dem ebenfalls nichtvisionären apokalyptischen Geschichtsabriß der Zehnwochenapokalypse (93; 91, 12—17).

1, 2 (nach Flemming): "Und Henoch hob nun an seinen Spruch (Beer: 'Bilderrede'; Charles: 'parable') und sprach, ein gerechter Mann, dem die Augen von Gott geöffnet waren,[10] daß er den Heiligen in den Himmeln sah, welches mir die Engel zeigten; und von ihnen hörte ich alles und verstand, was ich sah, doch nicht nur für dieses Geschlecht, sondern für das künftige, ferne." Dieser Text ist nach Num 21, 3f (parable, geöffnete Augen)[11] geformt. Aber gerade die Erwähnung der Engel und ihrer Offenbarungs- und Deutefunktion, wie übrigens auch der apokalyptische Topos von der Bestimmung der Offenbarung für die letzten Generationen,[12] geht über die Selbstcharakterisierung Bileams hinaus. Sie ist durch das Folgende auch nicht gefordert, es sei denn, man versteht die Absicht des Verfassers dahin, daß er die Rede als Endergebnis der visionären Erfahrungen Henochs und der ihm zuteil gewordenen Deutungen ansieht. Dann

[9] Zu 93, 2 s. den folgenden Abschnitt.

[10] So auch Charles nach dem aeth. Text, vgl. Num 21, 3f. Beer folgt dem Griechischen: *orasis ek theou auto aneogmene en.*

[11] S. dazu unten S. 81. 83.

[12] Vgl. S. 51f. 54 (Daniel). 63 (Qumran).

steht hinter der Verbindung von 1, 2 mit der folgenden Gerichtsrede ein klares Wissen um den Weg von der visionären Erfahrung über deren Deutung bis zur ausformulierten prophetischen Botschaft. Das dürfte auch beim folgenden Text der Fall sein.

93, 1f: "Dann fing Henoch an, aus den Büchern zu erzählen. Henoch sprach: 'Betreffs der Kinder der Gerechtigkeit, betreffs der Auserwählten der Welt und betreffs der Pflanze der Gerechtigkeit und Rechtschaffenheit — davon will ich zu euch reden und tue es euch kund, meine Söhne, ich Henoch, gemäß dem, was mir in dem heiligen Gesichte gezeigt worden ist und was ich durch das Wort der heiligen Engel weiß und aus den himmlischen Tafeln gelernt habe." Das Bemühen um Vollständigkeit führte dazu, daß an dieser Stelle neben den Visionen und den Worten der Engel noch die "himmlischen Tafeln"[13] als dritte Offenbarungsquelle genannt werden. Die eingangs genannten "Bücher" sind die von Henoch auf Grund seiner Erfahrungen verfaßten Schriften (33, 3; 40, 8; 74, 2; 92, 1; vgl. Jub 4, 17—21).

Die Betonung der Gemeinschaft Henochs mit den Engeln (vgl. auch 12, 1f red?; 81, 10; Jub 4, 21; 1QGenAp 2, 20f) ist über das Problem der Deutung von Offenbarungen hinaus bedeutsam für die zeitgenössischen Vorstellungen über Vermittlung von Offenbarung überhaupt. Sie hat keinen Anhaltspunkt in der alttestamentlichen Henochüberlieferung, entspricht aber der schon besprochenen qumranischen Gemeinschaft mit den Engeln als "Deutern der Erkenntnis" (1QH f2, 6).[14] Die Anweisung von 1 Kor 11, 10, daß die vorbetende oder prophezeiende Frau einen Schleier auf dem Haupte tragen solle *dia tous angelous,* läßt vermuten, daß die Gemeinschaft mit den Engeln auch zum Hintergrund der urchristlichen Prophetie gehörte.[15]

§ 29 Die Funktion des Begriffs "Bilderrede/*mšl*" im aethHen

An verschiedenen Stellen im Henochbuch wird die aus der Offenbarung und Deutung der göttlichen Geheimnisse erwachsene Verkündigung Henochs als "Bilderrede" charakterisiert. Diese Charakterisierung ist nicht willkürlich gewählt, sie schließt sich vielmehr an den traditionellen jüdischen Sprachgebrauch an und enthält zugleich eine bestimmte Wertung der visionären Erfahrung Henochs und ihrer Ausformung in Verkündigung, die eng mit dem Problem von Offenbarung und Deutung zusammenhängt.

I. Die Problematik des Begriffs "Bilderrede"

"Bilderrede" ist die für aethHen eingebürgerte Übersetzung des äth. *mesal,* das griech. *parabole,* hebr. *mšl* und aram. *mtl* entspricht. *mšl* hat im hebräischen Alten Testament verschiedene Bedeutungen:[16] "Sprichwort" (1 Sam 10,2); "Weisheitsspruch"

[13] Vgl. 103, 2f; 106, 19; 107, 1; 108, 7. Zum Motiv der "himmlischen Tafeln" s. Hengel, Judentum und Hellenismus 366 (Lit.).

[14] S. oben S. 71f; vgl. auch die Funktion der Engel in Dan.

[15] Vgl. die Engel in Apg und Offb; auf Jesus gewandt Jo 1, 51; 12, 29 unten S. 159. 209. 211. 267.

(1 Kg 5, 10; Jes 19, 11f); "dunkler Orakelspruch" (Num 23, 7. 18; 24, 3. 15. 20—23); "Rätselrede" (Ez 17, 2; 24, 3; Ps 49, 5; 78, 2; Spr 1, 6; Sir [39, 2. 3]; 47, 17). Die beiden letzten Bedeutungen "dunkler Orakelspruch" und "Rätselrede" kommen der Verwendung des Wortes im aethHen am nächsten.[17]

Die Einleitung zum ganzen Buch formuliert in bewußter Anlehnung an Num 24, 3 (Bileam):[18] *kai analabon ten parabolen autou eipen* (= Num 24, 3 LXX). An dieser Stelle ist die Übersetzung "Bilderrede" besonders unpassend, denn das Folgende (1—5) handelt nicht von Gleichnissen oder von visionären Bildern, sondern ohne Bilder vom kommenden Gericht Gottes, von der Belohnung der Gerechten und von der Strafe der unbußfertigen Gottlosen. Diese Rede beruht auf der visionären Schau Henochs (vgl. Bileam), die ihm von den Engeln erschlossen wurde (1, 2). *mšl* bezeichnet den aus dieser Erfahrung hervorgehenden Offenbarungsspruch oder wegen der Länge besser die Offenbarungsrede.

In der Einleitung zu den "Bilderreden" (37—71) wird der Offenbarungscharakter der Reden Henochs noch dadurch unterstrichen, daß von einem Empfang der Reden gesprochen wird; ebenso auch in einem Vers, der zu dem eingelegten Noahstück (65—69) gehört:

37, 5: "Drei Bilderreden (aeth.: *mesale*) wurden mir zuteil, und ich habe meine Stimme erhoben, sie den Bewohnern des Festlands zu erzählen."

68, 1: "Darauf gab mir mein Großvater Henoch in einem Buch die Zeichen aller Geheimnisse, so wie die Bilderreden, die ihm gegeben worden waren, und er stellte sie für mich in den Worten des Buches der Bilderreden zusammen."

Im Kontext dieser Rahmenverse[19] ist dann allerdings nicht von einem Wortempfang, sondern von Visionen die Rede, in denen Geheimnisse gezeigt und gedeutet werden. Dieser Umstand beeinflußt den konkreten Sinn von "Bilderrede". Das Wort kann nicht auf die Redeform eingeschränkt werden, es meint auch die entsprechende Erfahrungsform.

Je ein Text aus den "Bilderreden" und aus den Noahstücken verdeutlicht das damit aufgegebene Problem des Verständnisses von *mesal:*

43, 3f: "Da fragte ich den Engel, der mit mir ging und mir das Verborgene zeigte: Was sind diese (nämlich die Blitze und Sterne)? Er sagte zu mir: Ihre sinnbildliche Bedeutung (aeth: *mesla*; Flemming: "ein Gleichnis"; Charles: "their parabolic meaning") hat der Herr der Geister gezeigt. Dies sind die Namen der Heiligen ..." 60, 1 (aus dem Noahstück): "In jener Bilderrede (Flemming: "Bild") sah ich, wie der Himmel der Himmel gewaltig erbebte, und das Heer des Höchsten, die Engel ... in große Aufregung kamen."

---

[16] Vgl. Hauck, ThW V 744f; Jeremias, Die Gleichnisse Jesu 10 Anm. 1.

[17] Zum Problem der "Bilderreden" im aethHen vgl. Eißfeldt, Der Maschal im Alten Testament; Hermaniuk, La parabole évangélique 127—141; Hauck, ThW V 746; Jeremias, Gleichnisse Jesu 10 Anm. 1: "im aeth.Hen. hat äth. *mesal* die Bedeutung 'apokalyptische Geheimreden'".

[18] Vgl. oben S. 80.

[19] Die Bezeichnung "Bilderreden" begegnet noch an folgenden zum Rahmen gehörenden Stellen: 38, 1; 45, 1; 57, 3; 58, 1; 69, 29.

II. Bilderrede/mšl als Kennzeichnung der von Henoch empfangenen geheimnisvollen Offenbarung

Einen Spruch kann man nicht "zeigen", und man kann ihn auch nicht "sehen".[20] Die übliche Übertragung zu 43, 4a "sinnbildliche Bedeutung" (Beer, vgl. Charles)[21] entspricht weder dem Sinn von *mšl* noch dem, was "der Herr gezeigt hat", nämlich Blitze und Sterne. Die Deutung durch den Engel folgt erst in 43, 4b. Die Übersetzung "Gleichnis" (Flemming) hilft auch nicht weiter. In 60, 1 kommt die Übersetzung "Bild" (Flemming) dem Sinn wohl näher, sie ist vom Übersetzer aber nicht weiter begründet worden. *mšl* ist an beiden Stellen ein Symbolwort für visionäre Erfahrung.[22] Folgende Momente könnten bei dieser Ausgestaltung des Begriffs *mšl* mitgewirkt haben:

1. *mšl* als lebendige, konkrete Darstellung einer Sache, als Symbol

mšl hat ursprünglich die Bedeutung "ähnlich sein, gleich sein".[23] Im Arabischen bedeutet ma*t*ala "abbilden, darstellen"; mi*t*l "Ebenbild"; mi*t*al "Modell, Muster"; timṭal "Statue, Bild"; maṭal "Gleichnis, Sprichwort". Hermaniuk[24] folgert von da aus, daß auch im hebr. *mšl* nicht der literarische Formbegriff "Spruch" das Entscheidende sei, sondern der Sinn "lebendige konkrete Darstellung einer Sache, Symbol, typischer Fall". Von diesem Ansatz her würde ein Weg zur Bezeichnung einer visionären geschauten Erfahrung als eines *mšl* führen, hinter dem ein tieferer Sinn verborgen ist.

2. *mšl* als die Form einer mittelbaren Gottesoffenbarung

NumR 14, 20 stellt fest: "Mit Mose redete Gott von Angesicht zu Angesicht, mit Bileam dagegen nur in *mešalim.*" Dieser Text gehört zu einer Reihe von Versuchen, die prophetische Erfahrung im Anschluß an Num 12, 6—8 von der allein Mose gewährten

---

[20] Vgl. aber aethHen 37, 2: "hört und seht ihr Nachbarn die heiligen Reden" (s. dazu unten S. 84f). Vielleicht erlaubt die semitische Vorstellung vom Sehen eines Wortes auch die Übertragung des Begriffes *mšl* auf visionäre Erfahrungen.

[21] aethHen 43, 3f ist einzig von Hermaniuk, La parabole 130, für eine nähere Begriffsbestimmung von *mšl* herangezogen worden: "Le texte contient tous les éléments constitutifs de la parabole. Pour son auteur, la parabole est une *révélation* ... Elle est donc une chose qui est montrée (cf. 37, 5). Le contenue de ces réalités vues en vision, leur objet, est un *mystère* (cf. 40, 2. 8)."

[22] Charles 223 zu 60, 1 empfindet die Unangemessenheit der Kombination von "parable" und "Sehen". Er schließt von daher auf Interpolation und schlägt vor, statt "in that parable" "in that vision" zu lesen. Damit ist der Ausdruck aber in Wirklichkeit nicht erklärt, denn auch der "Interpolator" wird sich bei der Einfügung von *mšl* etwas gedacht haben. Außerdem läßt sich das Problem der Bedeutung von *mšl* nicht auf aethHen 60, 1 beschränken.

[23] Vgl. zum folgenden Hauck, ThW V 744f und Anm. 16; Jeremias, Gleichnisse Jesu 14: *mšl* bezeichne im nachbiblischen Judentum "bildliche Reden aller Art: Gleichnis, Vergleich, Allegorie, Fabel, Sprichwort, apokalyptische Offenbarungsrede, Rätselwort, Deckname, Symbol, fingierte Gestalt, Beispiel (Vorbild), Motiv, Begründung, Entschuldigung, Einwand, Witz".

[24] La parabole 62—96. 123f.

unmittelbaren Gottesgemeinschaft abzuheben und ihre Art und Weise näher zu bestimmen.[25] Zugleich knüpft er aber auch an die Bileamstellen Num 23, 7. 18; 24, 3. 15. 20. 21. 23 an, wo es stereotyp heißt: "Da hob er an seinen Spruch *(mšl)* und sprach" (vgl. Hen 1, 2).[26] Aus dem *mšl* Bileams in Num ist im NumR ein *mšl* geworden, mit dem Gott sich an Bileam wendet. Und zwar wird *mšl* hier, wie SNum 103 (zu 12, 8) zeigt, als dunkler Offenbarungsspruch verstanden, mehr oder weniger synonym zu *ḥjdh* "Rätsel":[27] "Wie ich mit den Propheten in Rätseln und Gleichnissen rede, so rede ich (auch) mit Mose? Da ist es eine Belehrung, daß es heißt: Und nicht in Rätseln."

Diese Bestimmung des Redens Gottes zu Propheten in "Rätseln" konkurriert schon in Num 12, 6—8 mit der anderen Bestimmung, daß Gott sich den Propheten durch Gesichte und Träume offenbart: "Wenn unter euch ein Prophet des Herrn ist, so offenbare ich mich ihm durch Gesichte und rede durch Träume zu ihm" (Num 12, 6). SNum 103 (zu 12, 6) stellt die Reihenfolge (Gesichte, Träume) um und stellt beide Offenbarungsweisen unter das Prädikat des "Redens" Gottes: "Wie ich mit den Propheten rede durch Träume und Gesichte, so rede ich auch mit Mose? Da ist es eine Belehrung, daß es heißt: Nicht also mein Knecht Mose."[28]

In Num 12, 6—8 und in der von dort herkommenden Tradition sollen die Begriffspaare Traum/Gesicht und Rätsel *ḥjdh/mšl* die Offenbarungsweise Gottes gegenüber den Propheten charakterisieren.[29] Im aethHen stehen in ähnlicher Weise die Begriffe "Gesicht" und "Bilderrede" nebeneinander. Beide bezeichnen sowohl die Erfahrung wie die Verkündigung Henochs. Vgl. 37, 1: "Das Gesicht, das schaute, das zweite Gesicht der Weisheit,[30] das schaute Henoch . . ." mit 37, 5: "Drei Bilderreden wurden mir zuteil, und ich habe meine Stimme erhoben, sie den Bewohnern des Festlandes zu erzählen."[31]

Träume und Gesichte sind häufig rätselvolle, dunkle Offenbarungswirklichkeiten, die noch gedeutet werden müssen. Wenn prophetische Erfahrungen als *ḥjdh* oder als *mšl* bezeichnet werden, dann ist wohl gerade das Moment einer gewissen Dunkelheit und Rätselhaftigkeit auf den Begriff gebracht worden.[32] Während in Num 12, 6—8 und bei den Rabbinen unter Offenbarung in Rätseln die Schau dunkler prophetischer Visionen und Träume verstanden wird, entspricht im aethiopischen Henoch der Offenbarung in *mešalim* die Schau der

[25] S. auch unten S. 176—180.

[26] Zur Formel und zu ihrem Alter vgl. Eißfeldt, Der Maschal 17, 20: möglicherweise der nachexilischen Überarbeitung zuzuweisen; Hermaniuk, La parabole 76—81.

[27] *mšl* wird in nachexilischer Zeit zunehmend synonym mit *ḥjdh* "Rätsel" gebraucht; vgl. Jeremias, Gleichnisse Jesu 10 Anm. 1; unten S. 177. 179f.

[28] Den Rabbinen gilt der Traum als Mittel des Sprechens Gottes zu den Propheten, s. Kristianpoller, Traum und Traumdeutung 1f. 2f.

[29] S. dazu unten S. 175ff.

[30] Zum Thema "Weisheit" s. den nächsten Paragraphen.

[31] Ähnlich auch 38, 1 und 39, 4.

[32] Vgl. unten S. 187f. 194f; ferner die Zuordnung von *ermeneia* zu *parabole / ainigma* in Sir und Weish oben S. 55f; Dan 5,12 oben S. 50; die Anwendung der Deuteterminologie auf Rätsel unten S. 102f (Josephus); die Anwendung der Deutetermini auf die Gleichnisse Jesu: Mk 4, 34 *(epelyen)*; Mt 13, 36 *(diasapheson)*.

himmlischen Geheimnisse bzw. "alles Verborgenen".[33] Die Geheimnisse verlieren ihren Geheimnis- oder Verborgenheitscharakter auch nicht durch Offenbarung, da er ihnen qualitativ durch ihre Zugehörigkeit zur himmlischen Welt oder zum Bereich Gottes anhaftet. Nirgendwo im aethHen wird deutlich, daß "die geschauten Dinge und Personen als Symbole der für den Menschen unzugänglichen göttlichen Geheimnisse"[34] aufgefaßt werden. Im Gegenteil, sie werden als die himmlischen Realitäten schlechthin offenbart und erfahren. Als solche sind sie allerdings für den Seher und für seine Hörer nur in dunkler, rätselhafter Offenbarungserfahrung — im *mšl* — zugänglich.

§ 30 Die Verkündigung Henochs als "Weisheitsrede"

Verhältnismäßig unverbunden neben der Charakterisierung der Henoch gewährten Offenbarung und seiner Verkündigung als einer dunklen Offenbarung ("Bilderrede") durch Träume, Visionen und Deutung von seiten der Engel steht die Charakterisierung seiner Verkündigung als "Weisheitsrede" oder als "Weisheit", und zwar in den Rahmentexten des aethHen, sowohl zu visionären Stükken wie zu paränetischen Stücken. Der Begriff der "Weisheit" erhält dadurch eine apokalyptische Prägung und vertritt zugleich den Offenbarungs- und Wahrheitsanspruch der Henochüberlieferung.

I. Die Gleichsetzung der Verkündigung Henochs mit offenbarter Weisheit in den Rahmenstücken

37, 1—5: "Das zweite Gesicht,[35] das schaute, das Gesicht der *Weisheit,* das schaute Henoch, der Sohn Jareds ... (2) Dies aber ist der Anfang der *Weisheitsreden,* die ich die Stimme erhebend den Bewohnern des Festlandes mitteilen und erzählen will. Hört

---

[33] Vgl. 43, 4: "Ihren *mašal* hat dir der Herr der Geister gezeigt" mit den übrigen stereotypen Wendungen der Bilderreden: "Darauf fragte ich den Engel, der mit mir ging und mir *alles Verborgene* zeigte" (43, 4); "der mit mir ging und mir *alle Geheimnisse* zeigte" (46, 2 vgl. 59, 1. 3; 71, 3. 4).

[34] So Hauck, ThW V 764 Anm. 33, in Anlehnung an Hermaniuk, La parabole 127—141. Hermaniuk identifiziert die visionäre Offenbarungsform mit dem visionären Inhalt und kommt daher zu der Auffassung, die visionäre Wirklichkeit sei ein *mšl,* ein Symbol für jenseitige Wirklichkeiten: "La parabole révèle donc les choses mystérieuses, des réalités soustraites aux regards des hommes. *La forme que prend cette révélation,* comme nous venons de l'insinuer, n'est pas une lumière intellectuelle par exemple, ou une parole, mais *un objet sensible, chargé d'une signification, donc un symbole.* Au concret dans notre cas, *ce sont des réalités contemplées en vision par Henoch.* Ce sont elles *qui constituent ici la parabole*" (131) (Hervorhebungen vom Verfasser dieser Arbeit). H. hat das Verdienst, das Problem des *mšl* im aethHen gründlicher durchdacht zu haben, als es gewöhnlich geschieht.

[35] Zur Wortstellung vgl. Flemming, Charles. Beer stellt um: "Das Gesicht, das schaute, das zweite Gesicht der Weisheit, das schaute".

ihr Urväter, und sehet[36], ihr Nachkommen die heiligen Reden, die ich vor dem Herrn der Geister vortragen werde. (3) Es wäre besser, sie nur den Urvätern zu erzählen; aber auch den Nachkommen wollen wir die wahre *Weisheit* nicht vorenthalten. (4) Bis jetzt ist niemals von dem Herrn der Geister solche *Weisheit* einem Menschen verliehen worden, wie ich sie nach meiner Einsicht (und) nach dem Wohlgefallen des Herrn der Geister empfangen habe, von dem mir das Los des ewigen Lebens beschieden worden ist. (5) Drei Bilderreden wurden mir zuteil, und ich habe meine Stimme erhoben, sie den Bewohnern des Festlandes zu erzählen." Der Parallelismus von "Weisheitsreden"[37] (2) und Bilderreden (5) ist besonders auffällig, praktisch werden beide Begriffe identifiziert. Die gleiche Tendenz steht auch hinter der näheren Bestimmung "Gesicht der Weisheit" (1), der die Aussage von einem Empfang der Weisheit (4) entspricht. Die Bestimmung der "wahren Weisheit" (aeth. "Anfang der Weisheit") für die Nachkommen (3) gibt der Weisheit darüber hinaus eine eschatologische Ausrichtung: sie soll gerade in der letzten Zeit gehört und "gesehen" (2) werden (vgl. dazu 1, 2; 82, 1; 91, 1; 92, 1), ähnlich wie die Worte der alten Propheten der Gegenwart gelten (z. B. Qumran).

Der Text beansprucht für die eschatologische und kosmologische Verkündigung Henochs in den "Bilderreden" das Prädikat einer "Weisheit durch Offenbarung".[38]

82, 1b—3 (Schluß des astronomischen Buchs): "Bewahre, mein Sohn Methusala, die Bücher von deines Vaters Hand und übergib sie den kommenden Geschlechtern der Welt. (2) Ich habe *Weisheit* dir, deinem Sohne und deinen zukünftigen Söhnen (darin) übergeben, damit sie sie ihren Kindern (und) den Geschlechtern bis in Ewigkeit überben, diese *Weisheit,* die über ihre Gedanken (geht). (3) Die sie verstehen, werden nicht schlafen, sondern mit ihren Ohren horchen, um diese *Weisheit* zu lernen. Und sie wird denen, die (von ihr) essen, besser gefallen als gute Speisen." Der Text schließt ein visionäres Stück[39] ab und verfolgt die gleiche Tendenz wie 37, 1—5.

92, 1 (Einleitung zum paränetischen Buch): "Dies ist die von Henoch, dem Schreiber, verfaßte vollständige *Lehre der Weisheit,* die für alle Menschen preisenswert und Richterin der ganzen Erde ist, und die für alle meine Kinder, die auf der Erde wohnen werden, geschrieben ist." Der unmittelbare Kontext (91, 1: "denn das Wort ruft mich, und der Geist ist über mich ausgegossen, um euch alles zu zeigen, was euch bis in Ewigkeit treffen wird") charakterisiert die Mahnreden als inspiriertes Testament Henochs.[40] So beruht die "Lehre der Weisheit" ebenso auf Offenbarung wie die vorausgehenden Teile des Henochbuches, allerdings nicht ausdrücklich auf Visionen, sondern auf prophetischem Wortempfang und auf prophetischer Zukunftsschau. Im weiteren Kontext der Mahnreden, aber auch an anderen Stellen des aethHen werden die Hintergründe für diese Inanspruchnahme der Weisheit durch die Henochüberlieferung deutlich.

II. Die Geschichte der Weisheit und der Weisen im aethHen

Das Prädikat "Weisheit" wurde im zweiten Jahrhundert von nahezu allen jüdischen Gruppierungen für ihr religiöses und nationales Programm beansprucht. So wurde die Auseinandersetzung zwischen der hellenistischen Reform-

---

[36] So nach dem aeth. Text Charles und Flemming; Beer: "vernehmt".
[37] Vgl. auch *logos sophias* 1 Kor 12, 8; ferner 1 Kor 2, 6.
[38] Vgl. dazu Hengel, Judentum 369—381.
[39] Vgl. oben S. 78f.
[40] Vgl. Hengel, Judentum 391f.

partei und den Chassidim auch zu einem Kampf um die "Weisheit". Er hat konkrete Spuren in den Mahnreden und in der Zehnwochenapokalypse des aethHen hinterlassen.

Der Verkündigung und der Propagandaliteratur der Gegner (94, 6. 9; 96, 7; 98, 15; 99, 1; 104, 10) stehen die Worte Henochs (94, 5; 104, 11) als "Worte der Wahrheit und Worte des großen Heiligen" (104, 9 vgl. 104, 10) gegenüber. Sie vertreten die wahre Weisheit: "Haltet fest meine Worte in den Gedanken eurer Herzen und laßt sie nicht aus euren Herzen getilgt werden. Denn ich weiß, daß die Sünder die Menschen verführen werden, die Weisheit zu verschlechtern; keine Stätte wird für sie gefunden werden, und Versuchungen aller Art werden nicht aufhören." (94, 5). Der Rückgriff auf den Weisheitsmythos (vgl. aethHen 42, 2) disqualifiziert den Anspruch der Gegner auf Weisheit und verdeutlicht zugleich den Offenbarungscharakter der von Henoch vertretenen Weisheit.

Die Weisheit ist nicht mehr einfach in Welt und Geschichte vorhanden, sondern schon lange verlorengegangen, wie die Zehnwochenapokalypse feststellt (93,8). In der siebten Woche wird der Abfall sein Höchstmaß erreichen, jedoch bringt sie auch einen neuen Zugang zur Weisheit: "Am Ende derselben werden die auserwählten Gerechten der ewigen Pflanze der Gerechtigkeit auserwählt werden, um siebenfache Belehrung über seine ganze Schöpfung zu empfangen" (93, 10; vgl. auch die Anspielungen in der Tiersymbolapokalypse 90, 6).[41]

Diese Weisheit führt, anders als die verfälschte Weisheit der Sünder, nicht zum Tode und zur Vernichtung, sondern zu einem gottwohlgefälligen Wandel und zur Erkenntnis der Wahrheit (104, 11—12. 13; 99, 10; vgl. Dan 12, 4. 9. 10). Die "Weisen" und "Gerechten" finden durch die offenbarte Weisheit eine Orientierung in Welt und Geschichte (vgl. auch aethHen 82, 3) und die Verheißung ihrer endgültigen Rettung (100, 6). Sie rufen — allerdings vergebens — die Sünder und Toren zur Umkehr (98, 9. 14; 90, 7 vgl. Dan 12, 10b).

Die gegenwärtige Mitteilung der Weisheit durch Offenbarung an die Gerechten wird am Ende noch durch die eschatologische Mitteilung der im Himmel vorhandenen Weisheit überboten werden. Diese Vorstellung kommt in den auf die gegenwärtige Auseinandersetzung bezogenen Mahnreden weniger zum Tragen als in den anderen Teilen des Henochbuches (91, 10; 5, 8; 48, 1; 49, 1; 100, 6).[42] Jedoch wird die Weisheit von diesen apokalyptischen Kreisen gerade in der Gegenwart beansprucht. Weisheit ist das signum der Apokalyptiker und der von ihnen vertretenen Botschaft.[43] Daher muß nun die konkrete Prägung und Füllung des Prädikats "Weisheit" im aethHen dargestellt werden.

---

[41] Vgl. 90, 9—10; 32, 6: Augen werden durch den Empfang von Weisheit geöffnet.

[42] Vgl. Kuhn, Enderwartung 148—154.

[43] Vgl. Hengel, Judentum 457: "Die erkenntnismäßige Grundlage der Apokalyptik bildet der Gedanke der 'Offenbarung' besonderer göttlicher 'Weisheit' über die der menschlichen Ratio verborgenen Geheimnisse der Geschichte, des Kosmos, der

III. Der Charakter der Weisheit und ihre Funktion im Rahmen der apokalyptischen Verkündigung

1. Die Mitteilung und der Besitz der Weisheit

Nach dem Weisheitsmythos ist der Himmel der Ort der Weisheit (42, 1f). Wenn sie Menschen in der letzten Zeit zuteil wird, dann vom Himmel her. Dieser Ortsbestimmung entspricht die Gottesprädikation "Herr der Weisheit, vor dem jedes Geheimnis offenbar ist" (63, 2 vgl. 84, 3). Ihr entsprechen auch die Aussagen über den Menschensohn als Träger der Weisheit (51, 3; 49, 3) und über die Fülle der Weisheit im Eschaton (49, 1 vgl. 5, 8; 48, 1; 61, 11; 91, 10).

Die Mitteilung der Weisheit ist auf verschiedene Weise erfolgt. Der Schöpfer "hat Belehrung und Weisheit allem, was sich auf Erden und im Meere regt, gegeben" (101, 8). Adam und Eva aßen im "Garten der Gerechtigkeit" vom "Baum der Weisheit" und "wurden der Weisheit kundig, und ihre Augen wurden aufgetan" (32, 3—6). Der abtrünnige Engel Penemue "hat den Menschenkindern das Unterscheiden von Bitter und Süß gezeigt und ihnen alle Geheimnisse der Weisheit kundgetan" (69, 9; die Fortsetzung erwähnt nur die Kunst des Schreibens; es wird sich bei den "Geheimnissen der Weisheit" wohl um verschiedene wissenschaftliche Erkenntnisse und Techniken handeln). Daneben tritt die Weisheit auch selber als Offenbarerin auf, so wenn sie den "Heiligen und Gerechten", den Menschensohn, offenbart (48, 7).

In diesem Sinne läßt sich auch die Wendung von einem "Gesicht der Weisheit" verstehen (37, 1), das Henoch zuteil wurde: die Weisheit hat ihn Visionen sehen lassen. Es könnte sich allerdings auch um einen Genitiv des Inhalts handeln: das, was Henoch sah, ist Weisheit. Henoch ist auf jeden Fall Weisheit "verliehen worden", er hat sie "empfangen nach seiner Einsicht und nach dem Wohlgefallen des Herrn der Weisheit", und zwar in einem alle sonstigen Weisheitsmitteilungen übersteigenden Maße (37, 4). Mit dem Empfang der Weisheit durch Visionen konkurriert, wie schon die Bestimmung "nach seiner Einsicht" andeutet,[44] ihr Empfang durch Inspiration (91, 1: "der Geist ist über mich ausgegossen"; 49, 1: "Weisheit ist wie Wasser ausgegossen") oder auch durch Illumination: die auserwählten Gerechten empfangen am Ende der siebten Woche "siebenfache Belehrung über seine ganze Schöpfung" (93, 10). An dieser Stelle wird zwar nicht ausdrücklich vom Empfang der Weisheit gesprochen, er ist aber sachlich gemeint. Der Inhalt der siebenfachen Belehrung ist identisch mit dem Inhalt der Weisheitsoffenbarung im aethHen.

Die einmal empfangene Weisheit wird in "Weisheitsreden" (37, 2), in den "Büchern" (82, 1f; 104, 12f vgl. 101, 6), in "heiligen Reden" (37, 2 vgl. 104, 9)

---

himmlischen Welt und des Schicksals des Einzelnen im Eschaton. Obwohl selbst stark von dem enzyklopädischen Wissensdrang der späten Weisheit geprägt, unterscheidet sie sich entscheidend von der auf Schulüberlieferung, eigener Beobachtung und Erfahrung beruhenden traditionellen Weisheit. Weisheit und Prophetie fließen hier ineinander: Der Prophet ist Weiser und der Weise Prophet. Die Ausbildung dieses Weisheits- und Offenbarungsverständnisses ist auf dem Hintergrund der Reaktion der orientalischen Religionen gegenüber dem griechischen Rationalismus zu verstehen."

[44] Vgl. 49, 3: "Und in ihm wohnt der Geist der Weisheit und der Geist, der Einsicht verleiht, der Geist der Lehre und der Kraft."

und "Worten der Wahrheit" (104, 9f) weitergegeben (82, 1f). Sie wird zur "Weisheitslehre" (92, 1 vgl. 98, 1 Flemming; 101, 8 Flemming), die "gelernt" werden soll (82, 3; 99, 10 Bonner: *mathesontai)* und zugleich den Adepten die Freuden der Heilserkenntnis bereitet: "sie wird denen, die von ihr essen, besser gefallen als gute Speisen" (82, 3 vgl. 104, 12). Es entspricht dem Heils- und Traditionscharakter dieser Weisheit, daß man sie "annehmen" (99, 10) und "in den Gedanken des Herzens festhalten" soll (94, 5). Diese Forderung schließt allerdings eine den Inhalten der Weisheitslehre gemäße intellektuelle Anstrengung nicht aus, sondern ein: "Die sie verstehen, werden nicht schlafen" (82, 3 vgl. 93, 10—14; 99, 10). Der Begriff der "Weisheit" ist also den einzelnen Offenbarungs- und Erkenntnisformen gegenüber indifferent, bzw. ihnen übergeordnet. Er kann für sie alle eintreten. Die Identität des Begriffs "Weisheit" im aethHen liegt in seinem Inhalt.

2. Die inhaltliche Charakterisierung der apokalyptischen Lehre als "Weisheit"

Die Rahmenstücke des aethHen kennzeichnen in gleicher Weise visionäre wie paränetische Stoffe der Henochüberlieferung als "Weisheit". Die Charakterisierung der von Henoch empfangenen Offenbarung als "Bilderreden" unterstreicht den Geheimnis- und Verborgenheitscharakter der offenbarten Geheimnisse, während ihre Bezeichnung als "Weisheitsrede" auf die durch Offenbarung vermittelte Teilhabe an der göttlichen Weisheit und an ihren Geheimnissen abhebt.

Diese Weisheit umfaßt "alle Geheimnisse" (49, 1f; 51, 3; 63, 2f; 84, 3). Die Geheimnisse sind "tief und ohne Zahl" (63, 3). Nur Gott, "der Herr der Herrlichkeit und der Herr der Weisheit" (63, 2), und der Menschensohn verfügen über sie und kennen sie. Jedes Geheimnis, das Henoch erfährt oder sieht, ist ein "Geheimnis der Weisheit", welches in sein Wissen übergeht (vgl. die Formel "ich weiß dieses Geheimnis" 103, 2; 104, 10. 11; 106, 19).[45] So baut sich aus der Fülle der offenbarten kosmologischen, soteriologischen und eschatologischen Geheimnisse ein ungeheurer Wissensstoff auf. "Der Engel Michael aber, einer von den Erzengeln, führte mich hinaus zu allen Geheimnissen der Barmherzigkeit und Gerechtigkeit. Er zeigte mir alle Geheimnisse der Enden der Erde und alle Behälter aller Sterne und Lichter." (71, 3f) Die auserwählten Gerechten empfangen in der siebten Woche "siebenfache Belehrung über seine ganze Schöpfung" (93, 10).

Weil es sich bei diesem Wissen um Teilhabe an der Weisheit Gottes handelt, ist das Streben nach Weisheit in sich selbst gerechtfertigt (vgl. die Fragen 93, 11—14). Außerdem bietet allein diese Weisheit und Kenntnis der göttlichen Geheimnisse eine Orientierung in der letzten Zeit vor dem Ende. Ihre Aneignung ist heilsnotwendig.[46] "Die Bücher (Henochs) werden den Weisen und Gerech-

---

[45] Vgl. auch: "ich weiß, daß" 94, 5; vgl. 98, 8. 10; 103, 7.
[46] S. oben S. 86.

ten übergeben werden und viel Freude, Rechtschaffenheit und Weisheit verursachen." (104, 12 vgl. 99, 10; 5, 8) Die Toren und Sünder werden wegen ihres Mangels an Weisheit zugrunde gehen (98, 1 vgl. 98, 9. 14; 99, 1; 100, 6). "Weisheit" wird so gerade mit ihrer intellektuellen Komponente zu einem Heilsbegriff wie der Begriff der "Gerechtigkeit" (vgl. das Nebeneinander von Weisheit und Gerechtigkeit: 32, 3; 48, 1; 49, 1f; 61, 11; 63, 2f; 99, 10) und identisch mit der Kenntnis der göttlichen Geheimnisse.

§ 31 Ergebnis: Das Offenbarungsverständnis im aethHen

Das Offenbarungsverständnis des aethHen gipfelt in der Charakterisierung der von Henoch erfahrenen und verkündigten Offenbarung als *mšl* und als Weisheit. Mit der Bezeichnung *mšl* wird im Anschluß an die alttestamentliche Tradition (Bileam; Num 12, 6—8) auf den geheimnisvollen Charakter der Offenbarung abgehoben. Diesem geheimnisvollen Charakter entspricht die Vermittlung der Offenbarung durch Träume und Visionen sowie deren Deutung durch Engel. Die Gemeinschaft mit den Engeln ist darüber hinaus für weite Teile der Henochüberlieferung eine Grundvoraussetzung für die Vermittlung von Offenbarung und für die Erkenntnis apokalyptischer Geheimnisse überhaupt. Diese sind der Inhalt der Offenbarung.

Für die Kennzeichnung der von Henoch verkündigten Offenbarung als Weisheit lassen sich zeit- und geistesgeschichtliche Gründe aus der Entwicklung des palästinischen Judentums im dritten und zweiten Jahrhundert vor Christus anführen. In der Sicht der Henoch-Überlieferung besteht die Weisheit wesentlich in der Kenntnis der göttlichen Geheimnisse. Ihre Übermittlung kann sowohl durch Visionen, wie durch Inspiration oder Illumination erfolgen. Nachdem sie einmal offenbart ist, wird sie Gegenstand der Tradition und des Studiums — und wohl auch Gegenstand der Diskussion in den apokalyptischen Weisheitsschulen. So ist der Begriff der Weisheit umfassender als der des *mšl*. Beide treffen sich aber in der Beziehung auf die göttlichen Geheimnisse, im Anspruch auf Offenbarungsqualität und zum Teil sogar in den Offenbarungsformen. Es kann ja von "Gesichten der Weisheit" gesprochen werden.

Diese Übereinstimmung hat zur Folge, daß apokalyptische und weisheitliche Formen und Inhalte der Offenbarung und Verkündigung auf das engste zusammenrücken und zum Teil kaum mehr voneinander unterscheidbar sind. Die Subsumierung der mit *mšl* gekennzeichneten visionären Erfahrungen unter den Begriff Weisheit dürfte sich wohl dahingehend verstehen lassen, daß alle apokalyptischen Stoffe, nachdem sie einmal erfahren wurden, nachher Gegenstand und Inhalt der Weisheit werden. Anders gesagt: *mšl* ist dem apokalyptischen Gewinn von Erkenntnis zugeordnet, Weisheit dagegen der Tradierung und Anwendung dieser apokalyptischen Erkenntnisse. Die stärkste Klammer für beide Begriffe bildet ihre gemeinsame Beziehung auf die göttlichen Geheimnisse.

4. Kapitel: Das Bild der Prophetie im 4 Esra und im syrBar

Das vierte Buch Esra[1] schildert die visionären Erfahrungen des fiktiven Verfassers Esra in Anlehnung an traditionelle Muster prophetischer Erfahrung und in äußerst sorgfältiger Stilisierung. Darin wird man nicht bloß ein geschicktes literarisches Verfahren erblicken dürfen. Denn dieser Esra gilt dem Buch als der letzte Prophet. "Du bist uns ja von allen Propheten allein übriggeblieben wie eine Traube aus der ganzen Lese, wie eine Leuchte am dunklen Ort, wie ein Rettungshafen für das Schiff im Sturm." (12, 42) Der Verfasser zeichnet ein Prophetenbild, wie es seiner Kenntnis der Tradition, zeitgenössischen Vorstellungen von Prophetie und seiner eigenen Kenntnis ekstatischer und visionärer Vorgänge entspricht. Wie der Inhalt und die Thematik des Buches nach Ansicht des Verfassers prophetisch sind, so auch das von ihm gezeichnete Bild des Esra.

Die syrische Baruchapokalypse hat nicht einen derartig ausgeprägten persönlichen Stil wie das 4. Buch Esra, sie geht aber in vielen Anschauungen und Traditionen mit diesem parallel. Die wichtigeren Stellen zum Offenbarungsverständnis und zum Bild der Prophetie im syrBar sollen im Anschluß an die einzelnen Ausführungen zu 4 Esra behandelt werden.

§ 32 Die Form der prophetischen Erfahrung

I. Die Vorbereitung des Sehers

Jeder der sieben Visionsberichte im 4 Esra wird durch eine Schilderung der Vorbereitung des Sehers auf den Offenbarungsempfang eingeleitet, darauf folgt das eigentliche Corpus der Vision und zum Schluß die Ankündigung der nächsten Offenbarung. Dieses Schema ist auf den zwei Grundelementen, auf der Darstellung des Sehers und seiner Vorbereitung und auf der Darstellung des eigentlichen Offenbarungsvorgangs aufgebaut. Der syrBar ist nicht ganz so streng aufgebaut wie 4 Esra, hat jedoch ebenfalls einen siebenteiligen Aufbau.[2] Im Zentrum der ersten sechs Teile stehen gleichfalls Offenbarungen.

1. 4 Esra

Jeder Offenbarung geht eine Zeit des Wartens und der Vorbereitung voraus, gewöhnlich "sieben Tage" (5, 20f; 6, 35; 9, 27; 13, 1; drei Tage: 13, 58—14, 1; zwei Nächte: 11, 60). Während dieser Vorbereitungszeit fastet der Seher unter Weinen und

---

[1] Der Untersuchung zu 4 Esra lag die Übersetzung von H. Gunkel in: Kautzsch AP II 331—401 zugrunde; die Übersetzungen von Violet, Die Apokalypsen des Esra und Baruch in deutscher Gestalt, und Box in: Charles AP II 542—624, sowie die Ausgabe des lateinischen Textes von Gry, Les dires prophétiques d'Esdras, wurden zum Vergleich herangezogen. Zum syrBar wurden außer der deutschen Fassung von V. Ryssel in: Kautzsch AP II 404—446, die Übersetzungen von Violet a. a. O. und Charles in: Charles AP II 470—526 verglichen.

[2] Vgl. Eißfeldt 850—852.

Klagen (5, 20; 6, 35), oder er ernährt sich bei Enthaltung von Fleisch und Wein nur von Pflanzenkost (9, 24—26; 12, 31) und betet "ohne Unterlaß" (9, 25). Am Ende der Vorbereitungszeit gerät er in einen ekstatischen Zustand. Er beginnt, die ihn bedrängenden Fragen vor Gott auszusprechen. "Als aber die sieben Tage um waren, begannen die Gedanken meines Herzens, mich mächtig zu bedrängen. Da bekam meine Seele den Geist der Einsicht, und ich begann nochmals vor dem Höchsten Worte zu sprechen." (5, 21f vgl. 3, 1—3; 6, 36; 9, 27f) Er empfängt einen Traum (11, 1; 13, 1 vgl. 5, 14), oder er hört die Stimme Gottes (14, 2).

Diese mehr technische Beschreibung der Vorbereitung auf den Offenbarungsempfang wird durch gelegentliche Reflexionen darüber ergänzt, weshalb gerade Esra solcher Offenbarungen gewürdigt wird. Gott kennt Esras Gerechtigkeit und Frömmigkeit (6, 32 vgl. 12, 7). Esra allein ist die Offenbarung zuteil geworden, weil er sein Leben dem Studium und der Erkenntnis gewidmet hat (13, 54f). Die Herrlichkeit Zions schließlich wurde Esra gerade deshalb geoffenbart, weil ihm das Geschick des Volkes und der Stadt Gottes so nahe gegangen ist (10, 38; vgl. 5, 33; 10, 50). So hat Gott Esra für der Offenbarung "würdig" gehalten (12, 9. 36; 13, 14). Darum ist er "selig vor vielen" und hat "vor dem Höchsten einen Namen wie wenige" (10, 57).

Hinter solchen Feststellungen wird ein sehr klares Wissen um die notwendige physische und psychische Disposition zum Offenbarungsempfang erkennbar. Einzelne Elemente dieser Disposition: Fasten, reines Leben, Kenntnis und Studium der Schriften begegnen an verschiedenen Stellen unserer Untersuchungen.[3] Deutlicher als anderswo wird im 4 Esra der Anteil herausgearbeitet, welchen das persönliche Betroffensein und das Fragen nach den Wegen und Geheimnissen Gottes am Zustandekommen der Offenbarung besitzen: in den den Offenbarungen vorausgehenden Fragen und Klagen des Sehers (3, 4—36; 5, 23—30; 6, 38—59; 7, 29—37), in seinem Anteil an den Dialogen mit dem Offenbarungsengel, in seiner schon erwähnten Trauer über Zion (10, 38. 50) und schließlich ganz reflex im Selbstgespräch nach der Adlervision: "Da erwachte ich vor mächtigem Schrecken und großer Furcht, und ich sprach zu meinem Geiste: Du hast mir dies eingebracht, weil du nach des Höchsten Wegen grübelst" (12, 3f vgl. 4, 2; 5, 34; 8, 4; 9, 13). Selbst die Gefährdung einer solchen Veranlagung und solchen Verhaltens scheinen dem Verfasser bewußt zu sein, wenn er den Engel zu Esra sagen läßt: "Hege nicht allzu ängstlich eitle Gedanken über diese Zeit, daß du nicht Angst erdulden müssest in der letzten Zeit." (6, 34 vgl. 7, 16; 8, 50. 55; 14, 14) Dieses Wissen um den Anteil des Sehers am Zustandekommen der Offenbarung hindert den Verfasser aber in keiner Weise, die gefundenen neuen Einsichten als empfangen, als Offenbarungen aufzufassen und zu beschreiben.

2. SyrBar

Siebentägiges Fasten zur Vorbereitung auf die Offenbarung: 12, 5; 20, 5—21, 1; 47, 2 (43, 3); vgl. 9,1. Gebet oder Klage des Sehers am Ende der Vorbereitungszeit: 21, 3; 34, 1—5 (Klage über Zion); 48, 1— 24. Den Reflexionen, weshalb gerade Esra der Offenbarung gewürdigt wurde, entspricht in etwa 13, 3. Baruch hat auf Grund seines Studiums und seines Tuns ein gewisses Recht auf Offenbarung (38, 3f). Feinere psychologische Reflexionen fehlen.

---

[3] Vgl. oben S. 53. 75f unten S. 111.

II. Die Formen der Offenbarung

1. 4 Esra

Der Seher empfängt die Offenbarungen jeweils dann, wenn sein Warten auf Offenbarung den Höhepunkt erreicht hat und wenn er in den ekstatischen Zustand hinübergleitet. Die ersten drei "Gesichte"[4] haben die Form eines Dialogs mit dem Engel Uriel, der zu ihm "gesandt" war (4, 1 vgl. 4, 52; 5, 31; 7, 1; 9, 25; 10, 28f). Für diese Form gibt es bereits traditionelle Ansätze,[5] die aber vom Verfasser des 4 Esra wesentlich erweitert und ausgebaut wurden. Die visionären Momente treten gegenüber dem eigentlichen Dialog zurück, der sich in Frage und Antwort entwickelt. In diesem Dialog entfaltet der Seher in immer neuen Anläufen und Fragen die ihn bedrängenden religiösen Probleme: das Problem des Leidens in der Welt, des Schicksals des Gottesvolkes und die Frage nach dem Schicksal der Sünder. Der Engel belehrt ihn über die Absichten Gottes mit seiner Welt, über die beiden Äonen, über das Gericht und über die Herrlichkeit. Die drei Gespräche münden jeweils aus in drei apokalyptische Belehrungen über die Nähe des Endes (4, 33—50; 5, 50—6, 10) und über die diesem vorausgehenden Zeichen (4, 51—5, 13; 6, 11—28; 8, 63—9, 6). Einzig diese "Zeichen" werden dann im Rückblick auf das ganze Buch als Offenbarung noch einmal erwähnt: "Die Zeichen, die ich dir offenbart, die Träume, die du gesehen, und die Deutungen, die du gehört, die bewahre in deinem Herzen." (14, 8) Es gab noch keinen traditionellen Namen für die theologisch-spekulativen Offenbarungsgespräche. Der Verfasser selbst hat sie als Teil der Offenbarung der "Zeichen" verstanden.

Die folgenden drei "Gesichte" haben die Form von Visionen (9, 38—10, 27: die klagende Frau und die wohlerbaute Stadt) oder Träumen (11,1—12, 3: der Adler und der Löwe; 13, 1—13: der Mensch), welche den Seher jeweils in Schrecken versetzen (10, 27; 12, 3; 13, 13; vgl. 5, 14f) und dann auf seine Bitte (10, 37; 12, 7—9; 13, 13—20) vom Engel Uriel gedeutet werden (10, 40—54; 12, 10—35; 13, 21—53).

2. SyrBar

Das Warten auf Offenbarung wird im syrBar nicht so breit geschildert wie im 4 Esra. Das ganze Buch und zugleich damit die erste Offenbarung wird ähnlich eingeleitet wie Prophetenschriften im Alten Testament (1, 1 vgl. Jona 1, 1; Hag 1, 1; Sach 1, 1; 7, 1; Jer 36, 1). Damit soll der prophetische Charakter der Erfahrung und Verkündigung Baruchs unterstrichen werden. Im weiteren Verlauf der Offenbarung entwickelt sich ein Dialog mit dem Herrn, ebenso in den übrigen Teilen. Nur im 6. Stück (53—76) wird die Offenbarung (Vision von der Wolke mit schwarzen und weißen Wassern: 53)

[4] Zur Einteilung nach "Gesichten" s. Gunkel, Kautzsch AP II 32 Anm. d.

[5] Am 7, 1—3. 4—6. 7—9; 8, 1—3; Jer 1, 4—10. 11—12. 13—19; Sach 1, 9—10; 2, 1—3; 5, 5—11; 6, 4—5; aethHen 21—32; vgl. Gunkel a. a. O. 342.

durch einen Engel (55, 8; 56, 1; 63, 6; 71, 3) gedeutet. Sonst hört Baruch eine "Stimme aus den (Himmels-)Höhen" (13, 1; 22, 1),[6] die im weiteren Verlauf der Dialoge jedoch nicht mehr genannt wird. Dort heißt es nur noch: "da antwortete der Herr und sprach zu mir" (15, 1; vgl. 17, 1; 19, 1; 23, 2; 25, 1; 27, 1; 29, 1). So auch bei der Deutung der Vision (36) vom Wald, vom Weinstock, von der Quelle und von der Zeder und bei dem sich daran anschließenden Dialog (38, 1; 42, 1) und bei der Belehrung über die Endzeit (48, 26; 50, 1). Die beiden genannten Visionen empfängt Baruch im Schlaf (36, 1; 53, 1; Erwachen nach ihrem Aufhören: 37; 53, 12). Von anderer Art ist eine Vision im ersten Stück: Baruch wird vom Wind auf die Mauern Jerusalems getragen, sieht, wie Engel die Tempelgeräte bergen (6) und die Mauern Jerusalems zerstören (7—8; vgl. 80, 1—3) und damit, indem sie dem Zerstörungswerk der Chaldäer zuvorkommen, die Priorität des göttlichen Geschichtshandelns sichern.

§ 34 Deuteterminologie und Deuteverfahren

1. 4 Esra

Die Deutung erfolgt nach dem aus der Traumdeutung geläufigen Schema so, daß die einzelnen Züge der geschauten Bilder auf die Endgeschichte übertragen werden.

Die lateinische Deuteterminologie läßt Rückschlüsse auf die griechische Vorlage und auf das hebräische Original zu:

haec absolutio est (10, 43), Violet: *epilysis* (so Aquila Gen 40, 8 für *ptr;* Alius Koh 8, 1 für *pšr;* vgl. *lysis* Koh 8, 1 LXX; Weish 8, 8; Dan LXX 12, 8; ferner Mk 4, 34; 2 Petr 1, 20; *epilysis* für Gesetzesauslegung Ps Clem Hom 2, 38, 1).

interpretatio (12, 8. 10. 16. 18. 20. 23. 30. 35; 13, 15. 21. 22. 25. 52; 14, 8) vgl. Gen 40, 8 Itala (M: *ptrwn*); Violet zu 13, 25: *synkrisis* (vgl. Gen 40, 12. 18 LXX; Dan *Th* 2, 4 und öfters für *pšr).*

distinctio (12, 8), Violet: *synkrisis;* Box: *sapheneia* (vgl. Gen LXX 40, 8 *diasaphesis).*
interpretor (12, 12).

Nur wenige Deutestellen ragen wegen ihres Inhalts aus dem allgemeinen Deuteverfahren heraus. 12, 11f deutet den Adler auf "das vierte Weltreich, das deinem Bruder Daniel[7] im Gesicht erschienen ist, ihm freilich ist es nicht so gedeutet, wie ich dir jetzt deuten will oder schon gedeutet habe". Der Verfasser des 4 Esra bringt mit dieser Bemerkung eine Korrektur an der früheren Prophetie an, die über das Verfahren in 1QpHab noch hinausgeht. Wurde dort festgestellt, daß Habakuk zwar von Gott den Auftrag erhielt, "aufzuschreiben, was über das letzte Geschlecht kommen wird", daß ihm aber die Vollendung der Zeiten nicht kundgetan wurde, sondern erst dem Lehrer der Gerechtigkeit (1QpH 7, 1—5),[8] so setzt 4 Esra an die Stelle der Daniel schon zuteil gewordenen Deutung des vierten Weltreichs auf das griechische Reich (Dan 7, 23f), eine neue Deutung dieses Reiches auf das römische Reich.[9] Von der alten Prophetie

---

[6] Billerbeck I 126: eine Bat-Qol; vgl. aber unten S. 209f.
[7] Vgl. die verwandte Redeweise 2 Petr 3, 15: "Wie auch Paulus, unser geliebter Bruder, nach der ihm verliehenen Weisheit euch geschrieben hat."
[8] Vgl. oben S. 63.
[9] Vgl. Bentzen, Dan 65.

wird also nur der visionäre Ansatz und die Tradition von einem letzten vierten Reich übernommen, nicht deren ebenfalls offenbarte Deutung. Die Deutung, welche Esra erhielt, konkurriert mit der Deutung, welche Daniel erhielt, und soll diese verdrängen. Voraussetzung dieser theologischen Korrektur an der Prophetie ist das Weiterlaufen der weltgeschichtlichen Entwicklung über die Zeit Daniels hinaus. Die neue Deutung soll weniger mit der alten Prophetie konkurrieren als diese durch theologische Anpassung sichern — das visionäre Bild scheint eine höhere Dignität zu besitzen als die nachher mitgeteilte Deutung. Dieser an 4 Esra ablesbare geistesgeschichtliche Vorgang dürfte in der geschichtlichen Wirklichkeit, welche hinter 4 Esra steht, eine ähnliche Konkurrenz von Deutungen sowohl der prophetischen Traditionen wie der in der Gegenwart empfangenen visionären Erfahrungen als Korrelat haben. Wahrscheinlich standen sich dort auch empfangene und durch Studium oder gelehrte Diskussion gefundene Deutungen gegenüber;[10] man wird zwischen beiden Bereichen aber keine zu scharfe Grenze ziehen dürfen.

Im ersten Teil des Buches begegnet die Deuteterminologie einmal neben *similitudo/mšl.* Der Engel antwortet auf die Frage des Sehers, wie weit die Zeit schon vorgerückt sei: Sta super dexteram partem et demonstrabo tibi *interpretationem* similitudinis (4, 47). Darauf sieht Esra einen glühenden Ofen vorüberziehen, der etwas Rauch zurückläßt,[11] und eine Regenwolke, von der einige Regentropfen zurückbleiben[12] (4, 47f). Der Engel deutet ihm das Gesehene: "Wie des Regens mehr ist als der Tropfen und des Feuers mehr ist als des Rauchs, so ist das Maß der Vergangenheit bei weitem größer gewesen; zurück aber sind nur noch geblieben — Tropfen und Rauch." (4, 50) Solche Deutesätze schließen in 4 Esra regelmäßig die vom Engel vorgelegten Gleichnisse ab (4, 21 zu 4, 13—18; 4, 42 zu 4, 40—42; 7, 10 zu 7, 3—9; 8, 2c zu 8, 2ab vgl. 7, 104f; 8, 41), nur steht in 4, 47f an Stelle des Gleichnisses die Doppelvision vom Ofen und von der Wolke. Die Bezeichnung *similitudo* (sonst in 4 Esra 4, 3 für die drei Rätsel[13] und das "Gleichnis" 8, 2ab) muß also wohl auf die Vision bezogen werden, aber anders als in aethHen nicht auf die dunkle Offenbarungsform, sondern auf den gleichnishaften Inhalt der Vision, welcher dann analog sowohl zu den symbolischen Träumen in 11, 1—12, 2; 13, 1—13 und zu den übrigen Gleichnissen[14] erschlossen und "gedeutet" werden muß.[15] Dieser Sprachgebrauch hat sicher seine Entsprechungen in den Diskussionen der apokalyptischen Kreise.

2. SyrBar

Bitte um Deutung: 38, 3; 54, 6. 20.

Einleitung der Deutung: 39,1; 56, 1; 70, 1.

Schlußformel: "Dies ist das Gesicht und dies ist seine Deutung" 40, 4 vgl. 71, 1; 76, 2.

---

[10] Vgl. unten S. 101f.

[11] Vgl. zum Bild Gen 15, 17.

[12] Vgl. syrBar 53.

[13] Zu *mšl/ḥjdh* s. oben S. 82f.

[14] Das Verständnis der "Gleichnisse" in 4 Esr als *similitudo/mšl* ist durch 8, 2a gesichert; vgl. die Anwendung der Deuteterminologie auf die Gleichnisse Jesu: Mk 4, 34 *(epilyo);* 4, 13 *(oida, ginosko);* Mt 13, 36 *(diasapheo).*

[15] Vgl. Herm v 3, 3, 2: *akoue oun tas parabolas tou pyrgou;* Dan LXX 12, 8: *tinos ai parabolai autai.*

§ 35 Die eschatologischen Geheimnisse als Inhalt der Offenbarung an Esra und an Baruch

1. 4 Esra

Dem Verfasser des 4 Esra fehlt, wie oben schon bemerkt wurde, eine allgemeinere Bezeichnung für den Inhalt der ersten drei "Gesichte". Das Resumee 14, 7 faßt ihren Inhalt unter die Kategorie der dem Ende vorausgehenden "Zeichen". Innerhalb der ersten drei "Gesichte" finden sich allerdings einige Termini, die geeignet sind, ihren Inhalt besser zu charakterisieren. Esra wünscht, "die *Wege* des Höchsten zu erfassen und seines Gerichtes *Spruch* zu erspähen" (5, 34; vgl. 4, 2f; 5, 40; 12, 1f). Dabei beschränkt er seine Fragen bewußt auf "die Dinge, die uns selber betreffen" (4, 23), auf die Lebens- und Glaubensprobleme Israels. Das kosmologische Interesse, dem im aethHen so breiter Raum zugestanden wurde, wird bewußt zurückgedrängt.[16] Esra fragt nicht nach "Dingen, die zu hoch sind" (4, 23). Die Erörterung der Lebensfragen Israels mündet aber immer wieder in die Frage nach dem Zeitpunkt des Endes: "Wie lange noch, wann soll das geschehen?" (4, 33; vgl. 8, 63—9, 6), nach dem bereits erreichten Alter der Welt (4, 44—50; 5, 50—55; vgl. 14, 10. 16) und nach den Zeichen des Endes (4, 51—5, 13; 6, 11—26; 7, 26; 9, 3).

Im zweiten Teil des Buches wird die Esra geschenkte Offenbarung an einigen Stellen als Offenbarung von "Geheimnissen" charakterisiert: "denn der Höchste hat dir große Geheimnisse (mysteria multa) offenbart" (10, 38 — vor der Deutung des Zionsgesichtes); "du allein bist würdig gewesen, dies Geheimnis des Höchsten zu erfahren" (12, 36 — nach der Deutung der Adlervision). Esra soll alles, was er gesehen hat, in ein Buch schreiben und es die Weisen seines Volkes lehren, von denen er sicher ist, "daß ihre Herzen diese Geheimnisse fassen und bewahren können" (12, 38 vgl. Dan 7, 28; Lk 2, 51). Da hier der Inhalt des ganzen Buches gemeint ist, dürften alle eschatologischen Auskünfte des Engels im ersten Teil unter den Begriff der Geheimnisse fallen. Diese Schlußfolgerung wird durch die Worte über die Offenbarung an Mose gestützt, welche den gleichen apokalyptischen Inhalt hat wie die Offenbarung an Esra: "Ich teilte ihm viel Wunderbares mit, zeigte ihm die Geheimnisse der Zeiten, und wies ihm das Ende der Stunden." (14, 5) "Wunderbares" (vgl. 13, 14. 57) und "Ende der Stunden" (vgl. 12, 9; 13, 58)[17] stehen in einem synonymen Parallelismus zu den "Geheimnissen der Zeiten". So ist auch in 4 Esra die Offenbarung ihrem Wesen nach eine Offenbarung von "Geheimnissen".

2. SyrBar

Der syrBar kennt ebenfalls ein Resumee der Offenbarung: "Und er hat mir ein Wort geoffenbart, daß ich mich trösten sollte, und hat mir Gesichte gezeigt, damit ich nicht

---

[16] S. die grundsätzliche Abgrenzung 4, 7f; vgl. Gunkel, Kautzsch AP II 355 Anm. i.

[17] Vgl. 3, 14: "Den (Abraham) hattest du lieb und offenbartest ihm allein das Ende der Zeiten, im Geheimen bei Nacht."

länger trauern sollte, und er hat mir die Geheimnisse der Zeiten kundgetan, und das Herankommen der Perioden hat er mir gezeigt." (81, 4) Die ersten beiden Zeilen des Zitats blicken auf die Offenbarungsformen. "Wort" dürfte sich auf die Antworten des "Herrn" in den Dialogen beziehen. Die letzten Zeilen beziehen sich auf den Inhalt, auf die eschatologischen Geheimnisse. Die Wirkung dieser eschatologischen Offenbarung besteht im "Trost" des Sehers und seiner Gemeinde (43, 1 vgl. 54, 4). Ihr Inhalt bezieht sich auf das Ende der Zeiten und auf die diesem vorausgehenden Zeichen bzw. auf die Erkenntnis des göttlichen Heils- und Geschichtsplans (vgl. 10, 4; 14, 1; 20, 1. 6; 23, 6f; 26—27; 28—30; 68—74; 82, 3; 83, 1. 5. 8; 85, 8. 10), des Gerichts und der "unerforschlichen Wege" Gottes (20, 4). Das Wort "Geheimnis" wird für diesen Inhalt der Offenbarung verwendet, wenn auch wie in 4 Esra verhältnismäßig selten: "Du allein kennst die Dauer der Generationen, und nicht offenbarst du deine Geheimnisse der großen Masse." (48, 3 vgl. 81, 4) Die kosmologischen Stoffe und Traditionen sind bekannt, sie werden aber nur am Rande erwähnt, wohl um die Gültigkeit der eschatologischen Aussagen zu unterstreichen. Dem Gott, der die eschatologischen Geheimnisse offenbart und der das Ende herbeiführt, "ist nichts zu schwer",[18] seinem Wort sind die "Anfänge der Welt dienstbar" (54, 2f vgl. 24, 4—8; 48, 1—9; 59, 4—11).

§ 36 Prophetie und Weisheit

1. 4 Esra

Zu den Voraussetzungen für die Offenbarung an Esra gehörte seine Hinwendung zur "Weisheit" (13, 55).[19] Im abschließenden siebten Gesicht, welches von der Wiederherstellung der heiligen Bücher handelt, wird die Inspiration Esras als Begabung mit Weisheit geschildert, so schon in der Ankündigung (14, 25) und dann bei der Schilderung des Inspirationsvorganges selbst, welche Kenntnis pneumatischer und ekstatischer Vorgänge verrät:[20] "und als ich getrunken, entströmte meinem Herzen Einsicht, meine Brust schwoll von Weisheit, meine Seele bewahrte die Erinnerung" (14, 40).

Die dem Esra geschenkte Offenbarung soll nicht verlorengehen. Sie ist zwar nicht für das Volk bestimmt (vgl. 14, 6. 13a. 45), aber wie gegen Ende des Buches immer wieder betont wird, für "die Weisen deines Volkes, von denen du sicher bist, daß ihre Herzen diese Geheimnisse fassen und bewahren können" (12, 38 vgl. 14, 13b. 26b. 46). Die Übergabe der Offenbarung an die Weisen geschieht durch "Lehren" (12, 38; 14, 13b) und durch die Tradierung der apokalyptischen Bücher (12, 37f; 14, 26. 46). Diese sind für die Weisen Gegenstand des Studiums. "Denn in ihnen fließt der Born der Einsicht (intellectus), der Quell der Weisheit (sapientia), der Strom der Wissenschaft (scientia)." (14, 47) Die in den Büchern enthaltenen Lehren und Geheimnisse vermitteln

---

[18] Vgl. Gen 18, 12; Hi 42, 2; Sach 8, 6 LXX; Mk 10, 27; 14, 36; Lk 1, 37.

[19] S. oben S. 91.

[20] Gunkel, Kautzsch AP II 400 Anm. r: "Während sich sonst Pneumatiker der Gedanken und Worte, die ihnen 'im Geist' gekommen sind, nach der Ekstase häufig nicht wieder zu erinnern vermögen, hat Esra im Geist Bewußtsein und Erinnerung nicht verloren. Der Verfasser weiß offenbar über das *pneuma* gut Bescheid."

Weisheit, Einsicht, Wissenschaft. Diese drei Begriffe sind fast synonym.[21] "Einsicht" und "Wissenschaft" unterstreichen die intellektuelle Komponente im Begriff der "Weisheit". "Weisheit" bedeutet umgekehrt Studium und Erkenntnis der Geheimnisse (vgl. 12, 38). Prophetie und Weisheit haben in den Geheimnissen den gleichen Gegenstand, die Form der Erfahrung ist verschieden. Die Weisheit ist von der prophetischen Erfahrung abhängig. Diese kann sich aber auch gerade im Milieu der (apokalyptischen) Weisheit neu ereignen.

2. SyrBar

Charakteristisch für syrBar ist die häufige Assoziation von "Weisheit" und "Einsicht" einerseits und "Weisheit" und "Gesetz" andererseits. Im Katalog der Offenbarung an Mose (59, 4—11) stehen als Inhalte neben dem Gesetz, dem Ende der Zeiten (59, 4) und mancherlei Kosmologischem und Eschatologischem auch "die Wurzel der Weisheit" (vgl. zum Ausdruck 51, 3), "der Reichtum der Einsicht", der "Quell der Erkenntnis" (59, 7). Auf dieser Linie dürften auch die Erwähnungen von Weisheit und Einsicht im heilsgeschichtlichen Rückblick (61, 4 unter David; 66, 2 unter Josia) liegen. Die kommende Welt wird jenen gegeben, "welche sich Vorräte der Weisheit zu eigen gemacht haben, und bei denen sich Schätze der Einsicht vorfinden, und die sich von der Gnade nicht losgesagt, und die die Wahrheit des Gesetzes beobachtet haben" (44, 14 vgl. 51, 3. 4. 7). Gesetz und Weisheit bieten dem Volk in dieser Zeit vor dem Ende eine feste Orientierung (48, 2 vgl. 46, 4; 77, 16).

Trotz dieser weitgehenden Parallelisierung fallen Gesetz und Weisheit aber nicht zusammen. Von der Weisheit Gottes ist die Rede im Zusammenhang mit seinem Gericht, mit seinen Wegen, mit seinem Ratschluß (14, 8f), mit seinen Wundertaten, seinen tiefen Gedanken, seinem Weltregiment (54, 12f). Dem entspricht die konkreteste Aussage über die Weisen: die Menge der Erdbewohner wird es nicht merken, daß sie am Ende lebt (27, 15), aber "jeder, der es merkt, wird alsdann weise werden" (28, 1). Weisheit besteht also doch wohl in der Erkenntnis dieses Regiments Gottes. Allerdings wird es in der Endzeit nur wenige Einsichtige und Weise geben (48, 33. 36 vgl. 70, 5). So dürfte auch die Belohnung der Weisen und Einsichtigen mit ihrer Erkenntnis der Leitung und Führung Gottes zusammenhängen (vgl. 44, 14; 51, 3. 7). Zu einer Abstimmung des ganzen Buches und seines Inhalts auf die Übergabe an die Weisen wie bei 4 Esra oder auch zu einer Charakterisierung seines Inhalts als "Weisheit" wie im aethHen ist es beim syrBar aber nicht gekommen.

§ 37 Ergebnis

Das vierte Buch Esra entwirft ein nach Form und Inhalt apokalyptisch gefärbtes Bild der Prophetie. Dieses Bild ist in die Vergangenheit projiziert, seine einzelnen Konturen und Farben stammen aber aus der Gegenwart. Das gilt für die Vorbereitung auf die Offenbarung durch Fasten, Studium und Ringen um Erkenntnis der Wege Gottes und seines Gerichts, des Schicksals des Volkes Israel und für das Zurücktreten des kosmologischen Interesses, für die Offenbarungsformen: Gemeinschaft und Dialog mit den Engeln, symbolische Träume

[21] Vgl. 5, 22: Et resumpsit anima mea spiritum intellectus et iterum coepi loqui coram Altissimo sermonem; 1 Kor 12, 8: *logos sophias* und *logos gnoseos.*

und Visionen, welche der Deutung durch den Engel bedürfen, wie auch für den Inhalt der Offenbarung, für die Mitteilung eschatologischer Geheimnisse. Alle diese Einzelzüge haben ihre Entsprechung im apokalyptischen Milieu.

Diese Feststellung gilt erst recht für das Verständnis des Inhalts der Offenbarung als Gegenstand der Weisheit und der weisheitlichen Überlieferung und für das Nebeneinander von "Weisheit, Einsicht und Wissenschaft". Dieses Nebeneinander läßt auf eine intensive intellektuelle Beschäftigung mit den eschatologischen Geheimnissen, bzw. mit der apokalyptischen Weisheitstradition schließen, deren Folge neben starker theologischer Durchdringung gelegentliche Neuinterpretationen und Anpassungen der vorausgehenden apokalyptischen Überlieferung an die neue geschichtliche Situation sind (vgl. 12, 12). Gerade auch in diesem Zusammenhang hat das "Deuten und Auslegen" seinen festen Platz.

Der syrBar bestätigt in vielen Einzelheiten das an 4 Esra gewonnene Ergebnis. Entscheidende, das Offenbarungsverständnis berührende Differenzen sind nicht begegnet, allerdings auch nicht das Ausmaß theologischer und psychologischer Reflexion und Durchgestaltung der Einzeltraditionen wie im 4 Esra.

5. Kapitel: "Deuten" und "Auslegen" bei Josephus

Im Werk des Josephus begegnen die Ausdrücke für "Deuten" und "Auslegen" nur am Rande. Sein Sprachgebrauch ist für uns aber besonders wertvoll, weil er weit stärker als Philo die einzelnen Ausdrücke im technischen Sinne gebraucht und weil er der jüdisch-palästinischen Sprache näher steht. Zugleich bezeugt er mit seinem Werk die weite Verbreitung des Deuteverfahrens im palästinischen Judentum und bringt dessen damalige Voraussetzungen und Umstände zur Sprache.

§ 38 *krino* und *lyo*

Josephus kennt, wie schon seine Nacherzählung der Josephsgeschichte, der Episode von Ri 7 und der Danielgeschichte[1] zeigt, *krino* und *krisis* als Deuteausdrücke für Träume.

Ant 2, 11—17 ergänzt bei der Nacherzählung von Gen 37, 5—10 die dort fehlende Deuteterminologie: *krino, diasapheo, eikazo, ektypoo*. Ant 2, 69—89 ist hinsichtlich der Deuteterminologie von LXX unabhängig; 75. 89: *krisis;* 69. 75. 77: *exegesis;* 72:

[1] Die Josephusstellen zu Daniel s. oben S. 45; Ant 5, 219—221 bezieht sich auf Ri 7, 13f.

ermeneutes; 72: *symballo;* Ant 5, 219—221: *krino.* Die Nacherzählung von Ri 7, 13f bei Jos wirft ein interessantes Licht auf das Verständnis der Traumsymbole in der jüdischen Schriftauslegung. Das Gerstenbrot als Brot aus der geringsten unter allen Getreidearten steht für das unter allen Völkern Syriens verachtete Israel, dem Jahwe den Sieg und die Erhöhung verleihen wird. Von hier aus läßt sich hinter manchen Gleichnissen der Jesustradition eine Israelsymbolik vermuten.

Die gleiche Terminologie wie bei der Nacherzählung dieser alttestamentlichen Begebenheiten verwendet Jos auch, wo er von Ereignissen der jüngsten Vergangenheit berichtet.

1. Traumdeutung mit Hilfe der prophetischen Tradition

Josephus besaß die Gabe der prophetischen Erkenntnis;[2] wenigstens beanspruchte er sie, als er dem Vespasian und seinem Sohn Titus ankündigte, sie würden Cäsaren und Weltherrscher (Bell 3, 399—408). Den Vorgang dieser prophetischen Erkenntnis beschreibt er vorher im Zusammenhang mit seiner Entscheidung, sich dem römischen Feldherrn Nikanor lebend zu ergeben, um diese göttliche Botschaft ausrichten zu können (3, 354. 361. 400). In der Höhle von Jotapata eingeschlossen, erinnerte er sich an Träume, durch welche ihm Gott die Geschicke der Juden und der römischen Herrscher vorher angezeigt hatte (3, 351). Die auf diese Feststellung folgenden Sätze sollen wohl den Weg von den noch ungedeuteten Träumen bis zur Deutung und zum Prophetenspruch beschreiben.

3, 352: *en de kai peri kriseis oneiron ikanos symbalein ta amphibolos ypo tou theiou legomena.*

Die Träume sind mehrdeutige Gottessprüche.[3] Ihre Deutung *(krisis)* geschieht durch schlußfolgerndes Verfahren, durch *symballein,* ein Wort, welches wiederum ein terminus technicus für Traum- und Orakeldeutung ist.[4]

3, 352: (Fortsetzung) *ton ge men ieron biblon ouk egnoei tas propheteias os an autos te on iereus kai iereon ekgonos.*

Die Kenntnis der prophetischen Tradition steht wohl in einem Zusammenhang mit der Fähigkeit des Josephus zur Traumdeutung, ebenso seine Herkunft aus dem priesterlichen Milieu. Vielleicht läßt sich dieser Zusammenhang so bestimmen, daß neue Erkenntnisse auf der Linie oder in Fortsetzung der alten pro-

[2] Vgl. dazu Hengel, Die Zeloten 10 f. 241. 247; Meyer, ThW VI 824; Michel, Spätjüdisches Prophetentum 63; ein "message-dream" (= nicht der Deutung bedürftiger Traum) des Josephus: Vit 208f.

[3] Bauernfeind-Michel übersetzen "Josephus verstand sich nämlich auf die Deutung von Träumen *und* auf die Auslegung von Gottessprüchen, die zweideutig geblieben waren." Ähnlich Thackeray: "He was an interpreter of dreams *and* skilled in divining the meaning of ambiguous utterances of the Deity." Diese Auflösung in zwei nebeneinanderstehende Aussagen wird der sachlichen Verschränkung bei Jos nicht gerecht.

[4] Liddell-Scott 1675; vgl. ferner Lk 2, 19 (zu *terein* s. oben S. 51); Betz, Offenbarung 108.

phetischen Verkündigung liegen müssen. *ge men* "nichtsdestoweniger, dennoch"[5] legt nämlich einen kräftigen Akzent auf die Kenntnis der prophetischen Tradition. Es geht beim "Deuten" nicht nur um formal richtiges schlußfolgerndes Denken, sondern auch um eine inhaltliche Bestimmtheit durch Kenntnis früherer Offenbarungserfahrungen. Dieses Nebeneinander von Tradition und neuer Erfahrung, welches schließlich zur klaren Einsicht führt, beschreibt noch einmal der folgende Satz:

3, 353: *on epi tes tote oras enthous genomenos kai ta phrikode ton prosphaton oneiron spasas phantasmata prospherei to theo lelethyian euchen.* Josephus beschreibt den Moment der Inspiration. In der Stunde der Not wird er *enthous*,[6] von Gott ergriffen. Er wird der nun ihn betreffenden Intention der alten Prophetien eigentlich inne und zugleich seiner früher erlebten Träume. Die Einsichten schließen sich zur Deutung und zur Erkenntnis seiner Aufgabe zusammen, welche er in einem still gesprochenen Gelübde[7] übernimmt. Als Diener *(diakonos)* Gottes, wird er sich den Römern stellen und ihnen das Zukünftige ansagen (3, 354).

Der besprochene Text stellt ein für unsere Fragestellung insofern besonders wertvolles Exempel dar, als er den Deutevorgang näher beschreibt.[8] Ausgangspunkt sind wie gewöhnlich "Träume". Die Deutung *(krisis)* ist notwendig, weil die Traumerfahrung an sich mehrdeutig ist. Der Deutevorgang ist wenigstens teilweise rational. Bei ihm kommt der Deutetradition, im jüdischen Kontext der Schrift, besonders der Heils- und Unheilsprophetie, ein normierender Einfluß zu. Die Deutung selbst wird aber letztlich intuitiv-charismatisch gewonnen. Josephus spricht von einem "Gotterfülltwerden" *(enthous genomenos).* Dem entspricht im Buche Daniel die Offenbarung der Deutung durch ein Schlüsselgesicht bzw. durch einen Engel, in Qumran der Anspruch des Lehrers, die rechte Schrifterkenntnis von Gott erhalten zu haben.

---

[5] Liddell-Scott 340.

[6] Meyer, ThW VI 824, spricht zu Recht von "Ekstase" und "Verzückung"; vgl. ders., Der Prophet aus Galiläa 56: "Josephus bietet eine Selbstaussage, die die psychologische Echtheit des Erlebten wahrscheinlich macht."

[7] *euche;* gegen Bauernfeind-Michel (Gebet); Thackeray (prayer). Michel, Prophetentum 63 ("Nach besonderen Offenbarungen ist ein *Dankgebet* üblich; in diesem Falle hat aber das Gebet des Josephus apologetische Tendenz. Dieser ganze Zusammenhang ist letztlich *unprophetisch*, weil Josephus den Willen Gottes lediglich als unabwendbares Schicksal empfindet") verkennt die Funktion der *euche* an dieser Stelle; außerdem mißt er Josephus in unzulässiger Weise an einem willkürlich aufgestellten Kanon des Prophetischen (man beachte die Formulierung, die eigenartige exklusive Gegenüberstellung von "Prophetie" und einem nicht weiter erklärten Moment eines Gottesbildes).

[8] Vgl. Betz, Offenbarung 105f: "Es ist besonders wertvoll, daß Josephus — aus apologetischen Gründen! — das Erlebnis seiner Berufung eingehend darstellt und dabei beschreibt, wie ein Prophet seiner Art Gottes Wort empfängt und dessen Willen versteht." Hier bahnt sich trotz der Anlehnung an die Josephusinterpretation Michels eine objektivere Würdigung an.

II. Schrift- und Zeichendeutung vor dem jüdischen Krieg und vor dem Untergang Jerusalems

Unmittelbar nach dem Bericht vom Brand des Tempels, welcher den Untergang des jüdischen Gemeinwesens besiegelte, zählt Josephus die Omina auf, welche die Katastrophe schon vorher angekündigt haben sollen (Bell 6, 288—315). In diesem Bericht geht es ständig um die richtige Deutung der Omina.

Als erstes erwähnt Josephus ein *teras* (288. 295) oder *semeion* (295. 315), welches sich am 8. Xanthikus (= Nisan) noch vor Ausbruch des Krieges ereignete, als sich das Volk schon zum Fest der ungesäuerten Brote im Tempel versammelt hatte. In der neunten Nachtstunde umstrahlte ungefähr eine halbe Stunde lang helles Licht Altar und Heiligtum (290). "Dies schien den Unerfahrenen *(apeiroi)* zwar etwas Gutes (anzuzeigen), von den Schriftgelehrten wurde es aber entsprechend den eingetroffenen Ereignissen gedeutet *(ekrithe)*." (291) Über die Verfahren und über die Voraussetzungen der Deutung erfahren wir nichts. Der Hinweis auf die "Schriftgelehrten" dürfte aber so zu verstehen sein, daß Kenntnis der Tradition zur richtigen Deutung notwendig ist.[9]

Bei dem gleichen Feste öffnete sich nachts um die sechste Stunde das schwere Osttor des inneren Tempels ganz von selbst *(automatos)*, das sonst kaum von zwanzig Männern geschlossen werden konnte (293). Dieses *teras* fand wiederum verschiedene Deutung. Die breite Masse *(idiotai)* betrachtete es als Heilszeichen, da Gott ihnen das Tor zu den guten Dingen geöffnet habe. Die Kundigen *(logioi)* bedachten, daß die Sicherheit des Tempels vergehe und daß das Tor für Feinde geöffnet werde. So hielten sie das Zeichen für eine Ansage der kommenden Verwüstung (295). In diesem Zusammenhang fällt das Wort "Deuten" zwar nicht. Der Vorgang entspricht aber genau dem vorher erwähnten. Beim Deutevorgang hat das rationale Element seinen Platz, sowohl bei der Deutung durch die Masse, wie bei der durch die Kundigen. Beide suchen eine analoge Beziehung zwischen dem Zeichen und dem kommenden Geschehen herzustellen. Dazu treten Heils- bzw. Unheilserwartungen, die wiederum auf der Einschätzung der Stunde und auf der Auslegung der Tradition, besonders der prophetischen Tradition, beruhen.[10]

Auch die übrigen Omina haben ihre je verschiedene Deutung gefunden. Josephus erwähnt diese Tatsache jedoch nur resümierend: *oi de kai ton semeion a men ekrinan pros edonen a de exouthenesan* (315). In gleicher Weise und im gleichen Zusammenhang wie von der Deutung der Omina spricht er auch von der Deutung eines Schriftworts, vermutlich von Num 24,17:[11] "Was sie aber

[9] Vgl. Bauernfeind-Michel II, 2 180 Anm. 136; 182 Anm. 138.

[10] Zum traditionsgeschichtlichen Hintergrund vgl. Bauernfeind-Michel II, 2 184.

[11] S. dazu Hengel, Zeloten 243—246; Bauernfeind-Michel II, 2 190—192; Meyer, Prophet 52—57.

am meisten zum Kriege erregte, war ein zweideutiger Orakelspruch *(chresmos amphibolos)*,[12] den man ebenfalls in den heiligen Schriften gefunden hatte, daß zu jener Zeit aus ihrem Lande einer die Herrschaft über den Weltkreis erhalten werde. Dies deuteten sie auf einen Angehörigen ihres Volks, und viele weise Männer (*sophoi*) gingen hinsichtlich der Deutung (*krisis*) in die Irre. Das Wort offenbarte aber *(edelou ... to logion)* die Herrschaft des Vespasianus, der in Judäa zum Weltherrscher ausgerufen wurde" (6, 312f).

Mit der Beziehung von *krisis* auf ein Schriftwort steht Josephus dem Sprachgebrauch der Prophetenkommentare aus Qumran nahe.[13] Ebenso ist es hinsichtlich der Auffassung der Prophetenworte als Orakelsprüche *(chresmoi)*, die in der Gegenwart und unmittelbaren Zukunft ihre Erfüllung finden. Allerdings tritt bei Josephus das Moment der eschatologischen Erwartung nicht so hervor wie in den Qumranschriften. Das ist in unserem Zusammenhang aber weniger relevant. Offenbarungen in der Gegenwart (Zeichen, Träume) oder in der Vergangenheit (Prophetensprüche) bedürfen auf jeden Fall in gleicher Weise der Deutung, nicht nur um ihrer Aktualisierung willen, sondern auch deshalb, weil sie mehrdeutig, dunkel sind und ihr Sinn erst durch Deutung erschlossen werden muß. Die Deutung ist aber vom Glaubens-, Erwartungs- und Bekenntnisstand des Deutenden abhängig. Autoritativen Anspruch erhebt sie, wenn sie selber in irgendeiner Weise nicht nur erschlossen, sondern auch empfangen wird.[14]

III. Rätsel und ihre Lösung

lyo und seine Derivate eignen sich durch ihre Grundbedeutung "auflösen" dazu, das "Lösen" von verwickelten Problemen und Rätseln zu bezeichnen.[15] In diesem Sinne begegnen *epilyomai* und *lyo* bei Jos:

Ant 8, 167: Salomo löste (*epelyeto*) die von der Königin von Saba vorgebrachten *sophismata* schnell und mit großer Leichtigkeit.

Ant 8, 148f (= Ap 1, 114f; Zitat aus dem Historiker Dios): Salomo und Hiram geben sich gegenseitig Rätsel (*ainigmata*) zur Lösung (*lysai* viermal) auf. Im gleichen Sinne wie *lysai* wird 8, 148 einmal *diakrinai* gebraucht. Der Wechsel zwischen beiden Ausdrücken ist stilistisch bedingt; inhaltlich besagen sie, wie die Fortsetzung im Text zeigt, das Gleiche. Diese Verwendung ist bei *diakrino* durchaus ungewöhnlich.[16] Sie ist wohl in der Verwandtschaft der Grundbedeutung beider Worte (*krino* "sondern"; *lyo* "lösen") und vor allem in der Anwendung beider Wortstämme auf die schwierige, rationale Anstrengungen erfordernde Traum- und Zeichendeutung begründet.[17] Andererseits werden Träume und Visionen des öfteren nicht nur mit Rätseln verglichen, sondern direkt als "Rätsel" bezeichnet.[18] In unserem Zusammenhang ist dieser Beleg

---

[12] Zum Ausdruck vgl. das Zitat Bell 3, 352 oben S. 99.
[13] S. oben S. 60f.
[14] S. das Beispiel des Josephus oben S. 100.
[15] Vgl. Dautzenberg, Hintergrund 96. 99; oben S. 44 und das Register s. v. *lyo* etc.
[16] In Liddell-Scott 399 nicht notiert.
[17] Vgl. oben S. 50 (Dan 5, 12); S. 55 (Weish 8, 8).
[18] S. oben S. 82f (aethHen) und die Zusammenfassung des Materials unten S. 194 bis 196.

von Bedeutung, weil er gerade in der sonst nicht belegten Beziehung von *diakrino* "deuten" auf Rätsel den als rätselhaft geltenden Charakter der sonst zu deutenden Offenbarungen und Zeichen unterstreicht.[19]

§ 39 *exegeomai*

Das Anwendungsfeld von *exegeomai* in der Bedeutung "auslegen, deuten"[20] umfaßt im außerbiblischen Sprachbereich sowohl die Deutung vorgegebener Traditionen und Gesetze, wie auch Träume und Zeichen. In der Sprache der griechischen Bibel begegnet *exegeomai* im Sinne von "deuten, auslegen" nur am Rande, ohne festes hebräisches Äquivalent. Spr 29, 18 LXX und Philo Vit Cont 78; Spec Leg 2, 59[21] weisen aber auf die technische Anwendung des Wortes im Zusammenhang mit der jüdischen Schriftauslegung hin. Der gelegentlichen Bezeichnung der heidnischen Traumdeuter *(ḥrṭmjm)* als *exegetai* Gen LXX 41, 8. 24 entspricht in der Nacherzählung der Josephsgeschichte bei Jos Ant 2, 69. 75. 77 die Bezeichnung der Traumdeutung als *exegesis*. Die im folgenden noch zu besprechenden Belege aus Jos fügen sich in diese Linien ein.

I. exegeomai als terminus technicus für die jüdische Schriftauslegung

exegeomai wird in diesem Sinne bei Jos gebraucht: Von den beiden Gesetzeslehrern Judas und Matthias, die ihre Schüler während der Krankheit des Herodes aufforderten, den über dem Tempel angebrachten goldenen Adler zu zerstören[22] (Bell 1, 649, vgl. Ant 17, 149); von den Pharisäern als der "ersten" jüdischen Sekte (Bell 2, 162; Ant 18, 15); von einem betrügerischen Juden, der sich in Rom als Gesetzeslehrer ausgab (Ant 18, 81). Wenn *exegeomai* in diesem Zusammenhang immer auf die Gesetze bezogen wird, dann deshalb, weil diese der Auslegung bedürfen, um angewandt werden zu können, bzw. weil sie verschiedener Auslegungen fähig sind (vgl. Ant 18,15). Die Pharisäer zeichnen sich bei der Auslegung durch besondere Genauigkeit *(akribeia)* aus (Bell 1,648; 2, 162).[23] Auf dem Missionsfeld soll die Auslegung die "Weisheit" der mosaischen Gesetze erschließen (Ant 18, 81), analog zur Darstellung der jüdischen Religionsparteien durch Josephus als "Philosophien" und analog zur Darstellung des jüdischen Synagogengottesdienstes als einer philosophierenden Versammlung bei Philo.[24] Das Hervortreten von

---

[19] Möglicherweise hat auch *krisis* Ant 8, 30 die Bedeutung "Lösung eines Rätsels" (Thackeray: "Urteil"). Denn der Text stellt ausdrücklich fest, daß die Anwesenden "geistig blind waren, wie beim Finden der Lösung eines Rätsels".

[20] Vgl. Büchsel, ThW II 910; Dautzenberg, Hintergrund 96.

[21] Ferner in der bei Eus Praep Ev 8, 7, 13 zitierten Schilderung des Synagogengottesdienstes: ein anwesender Priester oder Ältester *(geron)* verliest die Gesetze und erklärt sie *(exegeitai)* der Reihe nach; s. dazu unten S. 287. Es stimmt allerdings nicht, daß Philo "seine Arbeit am at.lichen Text *exegeisthai* nennt" (so Büchsel, ThW II 910, unter Verweis auf Leg All III 21; das Subjekt ist dort aber nicht Philo, sondern die sich selber "erklärende" Schrift).

[22] Vgl. zu dieser Episode Hengel, Zeloten 221.

[23] Der Zusammenhang zwischen der Deuteterminologie in der Apokalyptik und der Terminologie der Schriftauslegung erhellt auch aus der Tatsache, daß *akribos* etc. im griechischen Daniel zur apokalyptischen Deuteterminologie gehört; vgl. oben S. 51. Vgl. ferner 1Q22 1, 3 (*pšr* oben S. 64); PsClemHom 2, 38, 1 (*epilysis* ebd.).

[24] Vgl. unten S. 277; Hengel, Judentum 317. 464—473 ("Die Juden als Philosophen nach den frühesten griechischen Zeugnissen").

exegeomai im Judentum der neutestamentlichen Zeit entspricht der Bedeutung, welche die schriftliche Überlieferung und besonders das Gesetz erlangt haben.

II. exegeomai in der Traumdeutung

Josephus berichtet Bell 2, 111—113 und Ant 17, 345—348 von einem Traum des Archelaos, welchen dieser fünf Tage vor seiner Abberufung nach Rom hatte. Archelaos sah neun (Bell 112; Ant 345: zehn) volle und große Weizennähren von Rindern abgefressen werden (vgl. damit den Doppeltraum Pharaos Gen 41, 1—7). Die herbeigerufenen Traumdeuter *(manteis;* Bell 112 außerdem auch noch: *Chaldaioi;* vgl. dazu Dan 2, 2. 4; Jos Ant 10, 195, 198, 199, 203, 234) geben verschiedene Deutungen (Bell 113 *allon d' allos exegoumenon;* Ant 346: *ou gar eis ena pasin ekeito aphegesis*).[25] Ein Essener Simon gibt schließlich die richtige, zutreffende Deutung (Ant 348: *exegesato):* die Ähren bedeuten die Regierungsjahre des Archelaos, deren Zahl nun abgelaufen sei (vgl. Gen 41, 26: "die sieben schönen Ähren sind sieben Jahre"), die Rinder bedeuten eine Wendung der Verhältnisse, da Rinder beim Pflügen den Acker wenden. In Ant tritt noch ein weiterer Zug der Deutung hinzu: die Rinder bedeuten ein böses Schicksal, da diese Tiere unter ihrer Arbeit leiden.

Diese Geschichte hat viel Ähnlichkeit mit Gen 41 (vgl. auch das Versagen der anderen Traumdeuter), sie betont aber im Gegensatz zu Gen 41; Dan 2; 5 nicht die Inspiration des Traumdeuters. Doch geht aus den Nachrichten des Josephus über die Essener (s. unten § 40) hervor, daß diesen besondere Fähigkeiten der Zukunftserkenntnis zugeschrieben wurden, und zwar auf Grund ihrer Kenntnis der heiligen Schriften (vgl. auch das Beispiel des Josephus selbst oben § 38 I), der prophetischen Überlieferung und auf Grund ihres reinen Lebenswandels (Bell 2, 159). Die richtige Deutung des Esseners dürfte also im Sinne des Josephus mit dessen Kenntnis der richtigen biblischen Deutungstradition zusammenhängen (Ähren = Jahre).[26] Sowohl der Traum selbst wie seine Deutung sind also durch traditionelle Motive bestimmt. Daß es daneben auch Abwandlungen gibt (Deutung der Rinder), versteht sich von selbst. Ein sachlicher Unterschied zwischen *exegeomai* und *krino* läßt sich bei Josephus nicht feststellen, beide Worte werden einem aramäischen *ptr* bzw. hebräischen *pšr* entsprechen. Wahrscheinlich gilt das ebenso für *exegeomai* als term. techn. der Gesetzesauslegung.[27]

§ 40 *ermeneuo*

ermeneutes "Ausleger, Verkünder" begegnet in der Nacherzählung der Josephsgeschichte Ant 2, 72 (s. oben). *ermeneia ton nomon* Ant 12, 87 bezeichnet die Übersetzung der Gesetze aus dem Hebräischen in das Griechische durch die Siebzig. In der peroratio zu den Antiquitates (20, 264) bezeichnet Josephus seine eigene Tätigkeit als

---

[25] *aphegesis*, eigentlich "Erzählung", wird als stilistische Abwechslung für *exegesis* stehen.

[26] Bauernfeind-Michel I 430 Anm. 30 bezeichnen den Bericht Bell 2, 112f sogar als einen "essenischen Midrasch" zu Gen 37, 6ff; 40, 16ff; 41, 22ff. Zur alttestamentlichen, kaum auf Josephus zurückgehenden Prägung der Tradition von Simon s. auch Betz, Offenbarung 104f. 109.

[27] *ptr* ist terminus technicus für die Auslegung der Schrift und der Mischna bei den palästinischen Amoräern, s. Bacher, Die exegetische Terminologie der jüdischen Traditionsliteratur 2, 178—180.

ermeneusai. Damit meint er, wie der Kontext zeigt, die "Übersetzung" der jüdischen Geschichte in das Griechische (262f), aber "Übersetzung" ist in einem weiteren, anspruchsvolleren Sinne zu verstehen, als nur von der Übertragung aus einer Sprache in die andere. Die Wortbedeutung nähert sich dem "Auslegen". Nach der Meinung des Josephus ist es daher auch weniger wichtig, daß er sich auf griechisch nicht einwandfrei ausdrücken kann (263). "Bei uns nämlich folgt man nicht denen, welche die Sprachen vieler Völker gelernt haben. Man meint nämlich, daß diese Gewohnheit weit verbreitet ist nicht nur bei den meisten Freien, sondern auch bei den meisten Haussklaven. Das Zeugnis der Weisheit aber gibt man allein jenen, welche die gesetzlichen Überlieferungen in aller Klarheit verstehen und die Bedeutung[28] der heiligen Schriften übertragen können." *(tois ta nomima saphos epistamenois kai ten ton ieron grammaton dynamin ermeneusai dynamenois* 264) Die "gesetzlichen Überlieferungen" erschließen sich also nicht dem einfachen Lesen. Es bedarf eines besonders geschulten Verständnisses oder einer besonderen Fähigkeit, damit man ihre Bedeutung richtig erkennen und wiedergeben könne. Diese "hermeneutische" Vorstellung steht in enger Beziehung zu den Voraussetzungen der Propheten- und Traumdeutung bei Josephus.

§ 41 Ergebnis: Deuten und Auslegen im palästinischen Judentum

Josephus bezeugt den weiten und aktuellen Anwendungsbereich des Verfahrens der Auslegung und Deutung im Judentum der neutestamentlichen Zeit. Neben den traditionellen Ausdrücken *krino, krisis* kommen bei ihm erstmalig im Bereich der jüdisch-hellenistischen Literatur die Worte *exegeomai, exegesis* und *exegetes* stärker zum Tragen. Aber auch darin dürfte Josephus schon traditionellen Sprachgebrauch bezeugen, da diese Worte mit Vorzug für die Gesetzesauslegung stehen, während *krino* für Traum-, Propheten- bzw. Orakel- und Zeichendeutung steht. Das aramäische Äquivalent ist beide Male *pšr,* dessen Anwendung auf die Gesetze und die gesetzlichen Überlieferungen im Griechischen besser durch *exegeomai* wiedergegeben werden konnte als durch das stärker dem mantischen Bereich verhaftete *krino.*

Das Vorkommen von *diakrino* neben *lyo* im Zusammenhang der Anekdote um die Rätsel, welche sich Salomo und Hiram gegenseitig aufgaben, zeigt besonders deutlich den rationalen Einschlag im mit *krino* bezeichneten Deuteverfahren, wie auch daß sein eigentliches Anwendungsgebiet gerade das Rätselhafte, Undeutliche, der weiteren Klärung Fähige und Bedürftige ist. In den verschiedenen Beispielen von Deutungen, welche Josephus gibt, ist dieses rationale Element immer enthalten. Gewöhnlich treten aber noch weitere Momente hin-

[28] Liddell-Scott 452: *dynamis* III 1: "*force* or *meaning* of a word"; vgl. Sir Prol 18—22: "Nachsicht zu haben in den Fällen, wo wir etwa trotz alles auf die Übersetzungsarbeit *(ermeneia)* verwendeten Fleißes einzelnen Wendungen, wie es scheint, nicht die richtige Bedeutung gegeben haben *(? adynamein).* Denn nicht hat es ganz den gleichen Sinn *(isodynamei),* wenn etwas ursprünglich hebräisch ausgedrückt ist und dieses dann in eine andere Sprache übertragen wurde *(metachthe)*".

zu. An erster Stelle muß hier die Kenntnis der Tradition genannt werden, aus welcher heraus allein eine richtige Deutung erfolgen kann. Die Aneignung dieser Tradition wird im allgemeinen wie bei Josephus selbst, bei den Schriftgelehrten und bei den Essenern schulmäßig erfolgt sein. In diesem Zusammenhang lohnt sich auch ein Blick auf die übrigen Angaben des Josephus über die besondere Fähigkeit der Essener, die Zukunft zu erkennen.[29] Hier begegnet zwar nicht das Wort *krino* oder Ähnliches, aber wieder der Hinweis auf besondere Kenntnis der Tradition, auf eine Art Schule und auf die Bedeutsamkeit asketischer Vorbereitung.

Bell 2, 159: "Es finden sich übrigens auch solche unter ihnen, die, nachdem sie sich von Jugend auf mit den heiligen Büchern, mit mancherlei Reinigungen und mit den Sprüchen (*apophthegmata*) der Propheten vertraut gemacht haben, die Zukunft vorherzuwissen behaupten. Und in der Tat ist es ein seltener Fall, wenn einmal ihre Weissagungen nicht in Erfüllung gehen." Der Zusammenhang zwischen den "mancherlei Reinigungen" der Essener und ihrer Sehergabe hat eine Analogie im Zusammenhang zwischen dem enthaltsamen Leben der Therapeuten und ihren ekstatischen Erlebnissen, und auch zwischen dem Fasten des Esra und den ihm zuteil gewordenen Offenbarungen.[30] Vielleicht sollte man aber auch an einen spezifisch essenischen Zusammenhang zwischen dem, was Josephus ihre Sehergabe nennt, und der essenischen Reinheit denken. Nach 1QSa 2, 3—8 darf kein mit Unreinheit oder einem körperlichen Makel Behafteter an den Gemeindeversammlungen teilnehmen, "denn die heiligen Engel sind in ihrer Gemeinde" (2, 8f). Aus verschiedenen Stellen der Qumranschriften ergibt sich andererseits ein Zusammenhang zwischen der Gemeinschaft mit den Engeln und der der Gruppe eigenen Erkenntnis.[31] So kann "Reinheit" als Voraussetzung für besondere Offenbarungserfahrungen gelten.

Ant 13, 311—313 ist eine Anekdote über die eingetroffene Voraussage des Esseners Judas überliefert. Wenn auch deren geschichtlicher Gehalt kaum exakt bestimmbar sein dürfte,[32] so ist in unserem Zusammenhang doch die Mitteilung wichtig, daß sich um diesen Mann Genossen und Bekannte geschart hatten, um das Vorhersagen der Zukunft zu erlernen. In dieser "Schule" werden sicher weniger einzelne Orakel von der Art des hier berichteten, als die Techniken, Traditionen und aktuellen Einsichten besprochen worden sein, welche zu solchen Orakeln und zur Geschichtsdeutung überhaupt befähigten.[33] Nach der Entdeckung der Qumranschriften muß man wohl auch einen

[29] Vgl. dazu Michel, Prophetentum 60f; Meyer, ThW VI 823f.

[30] Vgl. oben S. 90f; unten S. 111; Michel, Prophetentum 61: "Asketische und technische Übungen mögen bei der Erlernung dieser Kunst der Weissagung mitgewirkt haben." Ant 15, 379: viele Essener werden wegen ihres vortrefflichen Wandels und wegen der Kenntnis der göttlichen Dinge geschätzt.

[31] Vgl. oben S. 70—72; unten S. 210f.

[32] S. dazu und zur alttestamentlichen Stilisierung des Textes Betz, Offenbarung 99—102.

[33] Betz, Offenbarung 101: "Es ist kaum denkbar, daß Judas als Lehrer der Prophetie anders verfährt als der Lehrer der Gerechtigkeit und die jüdischen Lehrer allgemein: Gegenstand des Unterrichts ist die Heilige Schrift. Die Lehre von der Vorhersage der Zukunft muß auf die Schrift gegründet sein, sie setzt Erfahrung im Umgang mit der Schrift voraus."

Traditionszusammenhang zwischen dem Bild des weissagenden Esseners nach Josephus, der Pescherauslegung der Propheten in Qumran[34] und dem Anspruch der Qumransekte auf besondere Offenbarungen durch die Gemeinschaft mit den Engeln[35] annehmen.

Neben den bereits aufgezählten Momenten, welche zu einer Deutung gehören (schlußfolgerndes Denken, Kenntnis der Deutungstradition d. h. der Schrift und der Propheten), wird der aktuelle Heils- und Unheilserwartungsstand von Bedeutung sein, der sich ebenfalls wieder an der Schrift formen konnte. Außerdem tritt bei besonders qualifizierten Deutungen das ekstatische Moment hinzu, bzw. der Anspruch, die Deutung empfangen zu haben.[36]

Schließlich muß man auch noch auf das breite und aktuelle Anwendungsfeld des "Deutens und Auslegens" bei Josephus hinweisen: Auslegung der gesetzlichen Überlieferungen *(exegeomai)*, Auslegung einzelner Träume *(krino, exegeomai)*, Gewinnung und Formulierung eines prophetischen Auftrags im Anschluß an Träume und prophetische Tradition, Deutung von kommendes Heil oder Unheil ankündigenden Zeichen *(krino)*, und aktualisierende Deutung alter prophetischer Orakel *(krino)*. Gemeinsame Voraussetzung all dieser Anwendungen ist einzig, daß in den verschiedenartigen Überlieferungen, Ereignissen und Erfahrungen der Wille Gottes für die Gegenwart verborgen und erschließbar vorhanden sei. Das Verfahren der Deutung ist allgemein, Josephus weiß auch von falschen Deutungen zu berichten. Der Wert der einzelnen Deutung hängt von der schulmäßigen und charismatischen Kompetenz des jeweiligen Deuters ab. Zu manchen prophetischen Überlieferungen (z. B. der *chresmos amphibolos*) und zu manchen Erfahrungen (z. B. die *semeia* oder *terata*) gab es verschiedene Deutungen. Sie dürften aus einer breiteren Diskussion in den Kreisen des Volkes und der Gelehrten erwachsen sein und bis zum Eintreten der Ereignisse, wahrscheinlich auch noch nach diesen,[37] im Fluß gewesen sein. So lassen die verhältnismäßig spärlichen Angaben des Josephus den Schluß zu, daß für weite Kreise des palästinischen Judentums neutestamentlicher Zeit das Deuten und Auslegen von Orakeln, Zeichen und Träumen ein bestimmendes Element ihres geistigen Lebens und ihres Geschichtsverständnisses gewesen ist.[38]

---

[34] S. oben S. 60.

[35] S. oben S. 70—72; unten S. 210f; Meyer, ThW VI 824 Anm. 293, weist auf 1QS 11, 5—9 hin.

[36] S. das Beispiel des Josephus selber, oben S. 100f. Michel, Prophetentum 61, urteilt zu skeptisch, wenn er meint: "Ein klares Bild von der Entstehung dieser Gottessprüche hat Josephus sicher nicht gehabt."

[37] Vgl. die Diskussion um die Omina oben S. 101f; ferner die beiden Fassungen der Traumdeutung des Simon oben S. 104, die zu Ri 7 nach Ant 5, 519—521 hinzugewachsene Deutung oben S. 99.

[38] Vgl. auch unten S. 129 zu Mt 16, 3.

6. Kapitel: Individuelle religiöse Erfahrung und gemeinsamer Gottesdienst bei den Therapeuten

Philos Traktat über die Therapeuten: De Vita Contemplativa[1] enthält die ausführlichste Beschreibung eines zeitgenössischen jüdischen Gottesdienstes. In diesem Bericht begegnen auch zwei Termini für "Deuten" und "Auslegen", nämlich *exegesis* (78) und *epilyomai* (75). Die Bedeutung des Traktats im Zusammenhang unserer Fragestellung nach einem Zugang zum Milieu der urchristlichen Prophetie geht aber über das Vorkommen dieser Termini hinaus. Die notwendige Scheidung zwischen der philonischen Einfärbung der Therapeuten und dem geschichtlichen Tatbestand[2] läßt nämlich den ekstatisch-mystischen Typ der Frömmigkeit der Therapeuten[3] und die Einbeziehung dieser Frömmigkeit in den gemeinsamen Gottesdienst noch klarer hervortreten, als dies in der Darstellung Philos ohnehin der Fall ist.

§ 42 Das Schriftstudium der Therapeuten

Philo charakterisiert das Leben der Therapeuten als einen *bios theoretikos* (58 vgl. 64. 67. 90) im Gegenüber zum *bios praktikos* der Essener (1).[4] Er versteht *theoria* aber nicht mehr im griechischen Sinne als wissenschaftliche, sondern als intuitiv-mystische Erkenntnis. Daher die häufige Gleichsetzung von *theoria* und *orasis*[5] und die Bezeichnung des Schriftstudiums der Therapeuten wie auch ihrer jüdischen Zeitgenossen als *episteme kai theoria ton tes physeos pragmaton kata tas tou prophetou Moyseos ierotatas yphegeseis* (64).[6] Die Therapeuten widmen sich jedoch nicht nur dem Studium des Pentateuch, sie nehmen vielmehr außer den *nomoi* auch die *logia thespisthenta dia propheton,* die *ymnoi* und weitere Schriften mit in ihren Meditationsraum *(semneion, monasterion),* durch welche "die Erkenntnis und Frömmigkeit vermehrt und vollendet werden" (25). Es ist nicht klar, ob mit der letzten Gruppe von Schriften "außerkanonische" von der Sekte geschätzte oder ihre eigenen Schriften gemeint sind oder nur der dritte Teil des jüdischen Kanons mit den Psalmen an der Spitze. Auf je-

---

[1] Grundlegend für die Interpretation von Vit Cont sind die Untersuchungen von Heinemann: Therapeuten, und: Die Sektenfrömmigkeit der Therapeuten. Vgl. ferner die kommentierte Ausgabe Daumas-Miquel, De vita contemplativa; Conybeare, Philo about the Contemplative Life; die deutsche Übersetzung von Bormann in: Cohn-Heinemann-Adler-Theiler, Philo VII, 44—70; Philonenko, Le Testament de Hiob et les Thérapeutes.

[2] S. dazu Heinemann, Therapeuten 2322—2331.

[3] Heinemann, Sektenfrömmigkeit 107—114; vgl. auch Lewy, Sobria ebrietas 31—34. 75—80.

[4] Zum Verhältnis Therapeuten — Essener vgl. Hengel, Judentum 452; Vermès, The Etymology of "Essenes".

[5] Migr Abr 165; Mos II 196, Som II 173; vgl. Heinemann, Therapeuten 2324f.

[6] Vgl. Philo Mos II 216; Decal 98.

den Fall ist es bei Philo außergewöhnlich, daß er überhaupt den dreigeteilten Kanon mit den Prophetenschriften und nicht nur den Pentateuch ausdrücklich erwähnt.[7] Durch die Beziehung auf die Prophetenschriften wird die Frömmigkeit der Therapeuten eine apokalyptische Färbung erhalten haben, ähnlich wie die Frömmigkeit der Qumran-Essener.

Von welcher Art die Schriftauslegung der Therapeuten war, läßt sich nur vermuten. Philos Hinweis, daß sie bei der Schriftlesung "in ihrer althergebrachten Philosophie Allegorie treiben" (28 vgl. 78), ist recht vage. Dieser Hinweis wird durch die Bemerkung präzisiert, daß die Sekte eine eigene allegorische Auslegungstradition von ihren Anfängen her besitze und an dieser ihr gegenwärtiges Schriftstudium orientiere (29). Ähnlich ist es bei der Pescher-Exegese der Qumran-Essener.[8] Nach Philos Darstellung widmen die Therapeuten ihre ganze Zeit dieser Art der *theoria* und *philosophia*[9] (28. 30. 34f). Sie ist das Motiv für ihren asketischen Lebensstil (10—13. 38f. 67f).

§ 43 Die ekstatische Frömmigkeit der Therapeuten

Die Bindung an die Schrift und an die der Sekte eigene Tradition der Schriftauslegung bildet den Rahmen für die eigene religiöse Erfahrung der Therapeuten. Diese beschreibt Philo als mystisch-ekstatisch:

"Diejenigen, welche sich weder aus Gewohnheit noch auf Grund einer Ermahnung oder Aufforderung, sondern von himmlischer Liebe ergriffen, diesem Dienst widmen, befinden sich in Verzückung (*enthousiazousin*) wie die Bakchanten oder Korybanten, bis sie das Ziel ihrer Sehnsucht erblicken" (12).

Ließe sich diese Angabe immerhin noch als eine der üblichen philonischen Übertreibungen ansehen — wie oft beschreibt er den Gewinn religiöser Erkenntnis in ekstatischer Sprache[10] —, so ist das bei der Erwähnung von Träumen der Therapeuten nicht mehr möglich, da Philo Träume in seinen "Idealbildern der Frömmigkeit"[11] sonst nicht erwähnt. "Immer bewahren sie unvergessen die Erinnerung an Gott, so daß sie sogar in ihren Träumen sich nichts anderes als die Schönheit der göttlichen Tüchtigkeiten und Kräfte vorstellen. So tragen viele sogar im Traume die preiswerten Lehrsätze *(dogmata)* ihrer heiligen Philosophie vor" (26).

Diese Verallgemeinerung von Träumen und Ekstasen unter den Therapeuten wird auf das Konto Philos gehen. Jedoch wäre es falsch, solche Erlebnisse nur

---

[7] Heinemann, Therapeuten 2329.

[8] S. dazu oben S. 60—64.

[9] Zum Begriff "Philosophie" vgl. unten Anm. 12; oben S. 103.

[10] Vgl. Bousset, Rel 449—451 (mit Stellen).

[11] Heinemann, Therapeuten 2335; Philos eigene Stellung zum Traum ist eher kritisch, vgl. Flacc 164. Eine positive Bewertung erfahren nur die in der Bibel erzählten Träume; s. die Stellen bei Oepke, ThW V 231; zu Philos Lehre vom Traum vgl. auch unten S. 187f.

als "unbeabsichtigte Symptome tiefer Frömmigkeit" anzusehen, sie sind "Höhepunkte des religiösen Lebens" der Therapeuten.[12] In solchen Erfahrungen wurden die *dogmata* der Sekte gewonnen, die dann in ihre eigene Tradition und Schriftauslegung eingingen.[13] Aus ihnen dürften neben den grundlegenden Schriften der *archegetai* der Sekte (29) auch die Hymnen hervorgehen, welche Philo wieder in stark griechischen Kategorien beschreibt: "Daher widmen sie sich nicht nur der Betrachtung, sondern verfassen auch Gesänge und Hymnen an Gott in mannigfachen Versmaßen und Melodien, die sie in recht feierlichen Rhythmen, so gut sie können, abfassen." (29 vgl. 80. 84)

Wenn die Zuordnung des Testamentum Hiob zum Kreis der Therapeuten akzeptiert wird, wäre es denkbar, daß das dort erwähnte Reden in Engelsprachen (TJ 48—50) mit ekstatischem Reden und Stammeln in diesen Kreisen zusammenhängt.[14]

Ein weiterer Aufschluß über die inhaltliche Eigenart der Lehre und der Träume bzw. der Visionen der Therapeuten ist nur noch durch den religionsgeschichtlichen Vergleich möglich. An der schon zitierten Stelle Vit Cont 26 heißt es von ihren Träumen: *ta kalle ton theion areton kai dynameon phantasiousthai.* HEINEMANN[15] weist darauf hin, daß die Lehre von den göttlichen Kräften in der "Übersetzungssprache" Philos der Kosmogonie und Kosmologie der Religionen entspreche, die "Kräfte" selber den Gottheiten der griechischen, den Engeln der jüdischen Religion. Er folgert: "Will man also Philons Worte nicht einfach als rhetorische Phrase nehmen, so liegt ihnen der Tatbestand zugrunde, daß die Therapeuten ihre Lehren hatten über Schöpfung und Überwelt." Damit würden sich die Therapeuten in die Reihe jüdischer Mysti-

---

[12] Heinemann, Therapeuten 2335; ebd: "der Schlußsatz (von 26) zeigt, daß die Worte, die den Verzückten entfuhren, von anderen beachtet wurden und als maßgebend für die 'Philosophie', also für die Lehre der Therapeuten galten". Im gleichen Sinne schon Conybeare, Contemplative Life 212: "*eklalousin*] has usually the sense of 'divulging' a mystery"; ebd. 305 zu den Ekstasen der Therapeuten: "We must infer that like Paul and Zacharias and many another in that age of vision, they also beheld such apparition when awake, and that such manifestations were connected in a peculiar manner with their mysteries."

[13] Vgl. zum Begriff der *dogmata* Vit Cont 31 vom Gottesdienst am Sabbat: *parelthon de o presbytatos kai ton dogmaton empeirotatos dialegetai.*

[14] Philonenko, Testament de Hiob 53.

[15] Sektenfrömmigkeit 114; vgl. zu den "Kräften" Conf Ling 171f; Quaest in Ex 2, 68; im gleichen Sinne wie Heinemann Conybeare, Contemplative Life 212: "*dynameon*] i. e. the angels and powers entrusted the task of creating and watching over the world". C. verweist ebd. auf den ganz ähnlich strukturierten Text Cyprian Epist 9 (ed. Gusdorf 16, 4): castigare nos itaque divina censura nec noctibus desinit nec diebus. Praeter nocturnas enim visiones per dies quoque impletur quod nos Spiritu Sancto puerorum innocens aetas, quae in ecstasi videt oculis et audit et loquitur ea, quibus nos dominus movere et instruere videtur.

ker einfügen, die über die *mʿśh bršjt* und über die *mʿśh mrkbh* spekulierten und verkündeten.[16]

Philonenko, der seinen Artikel über die Beziehungen zwischen dem Testamentum Hiob und den Therapeuten offensichtlich ohne Kenntnis der Arbeiten Heinemanns zu den Therapeuten schrieb, arbeitet seinerseits die Bedeutung der *mrkbh*-Spekulation für die Einordnung des TJ in die jüdische Mystik heraus,[17] ohne eine mögliche Beziehung zu den Therapeuten gerade in diesem Punkt zu erwägen. Zum Thema *mrkbh*/Wagen vgl. TJ 52, 6—10: leuchtende Wagen holen die Seele Hiobs ein. Der Wagenlenker auf dem größten Wagen wird nur von Hiob und seinen drei ekstatisch redenden Töchtern gesehen; TJ 33, 9: "Mein Reich jedoch besteht auf ewige Zeiten, und seine Pracht und Herrlichkeit ruht auf des Vaters Wagen"; Apk Moses 33: ein Lichtwagen beim Tode Adams; Apk Abr 18f: Wagenvision als Einleitung kosmologischer Visionen.

Wenn die mystisch-ekstatischen Erlebnisse und Erfahrungen den "Höhepunkt" des Lebens der Therapeuten bilden, dann wird es auch möglich, einige weitere Angaben über ihr Leben diesem Höhepunkt zuzuordnen. In ihren täglichen Gebeten, die sie morgens und abends verrichten,[18] bitten sie um Erleuchtung. Morgens: Vit Cont 27: *photos ouraniou ten dianoian anaplesthenai;* 89: *aletheian epeuchontai kai oxyopian logismou* (nach Osten zur Sonne hin). Abends: 27: die Seele möge frei von aller Verwirrung durch die Sinne nach der Wahrheit suchen. Ihr tägliches, langanhaltendes Fasten (35) und die geschlechtliche Enthaltsamkeit (68) sind im jüdischen Kontext am ehesten als Vorbereitung auf den Empfang von Visionen verständlich.[19] Wenn einige sogar vom *pothos epistemes* getrieben drei und sechs Tage lang fasten (35), dürfte sich diese Vermutung noch mehr empfehlen.[20] Philo sieht diese langen Karenzzeiten durch die Synousie der Therapeuten mit der Weisheit begründet, welche ihnen reich-

---

[16] Sektenfrömmigkeit 114—117.

[17] Philonenko, Testament de Hiob 49: "L'image de 'chars du Père' mérite d'être relevée. L'auteur du Testament du Job est un de ces mystiques juifs qui plaçaient au coeur de leurs spéculations la vision de la Merkaba, le char céleste contemplé par Ezechiel."

[18] Zum Gebet am Morgen vgl. Jos Bell 2, 128 (Morgengebet der Essener zur Sonne hin); zum Gebet am Abend: 1QS 10, 1f; 1QH 12, 4—8; 1QM 14, 13—14.

[19] Heinemann, Sektenfrömmigkeit 107f. Zum Fasten als Vorbereitung auf Offenbarung vgl. oben S. 53. 90 f. 106. Traumverlangen durch Fasten ist ein Topos der rabbinischen Literatur, s. die Belege bei Ehrlich, Der Traum im Talmud 139; Löwinger, Der Traum in der jüdischen Literatur 63f; Kristianpoller, Traum und Traumdeutung 8. Geschlechtliche Enthaltsamkeit bzw. Reinheit als Bedingung für die Gemeinschaft mit den Engeln: 1QM 7, 6f; vgl. Hengel, Judentum 450 Anm. 803.

[20] Siebentägige Vorbereitungszeit auf eine Vision: Jub 44, 3; 4 Esr 5, 13; 6, 31. 35; 9, 24; 12, 39; syrBar 9, 2; 20, 5; 47 (zum Teil mit Fasten). Dreitägige Vorbereitung: 4 Esr 13, 56; fünfzehntägige Vorbereitung: Herm v 2, 2, 1; eintägige Vorbereitung: Herm v 3, 10, 6f.

lich und verschwenderisch ihre Lehrsätze *(dogmata)* darbiete (35).[21] Das gleiche Motiv *(zelos kai pothos sophias)* nennt er für den freiwilligen Verzicht der zur Sekte gehörenden alten Jungfrauen *(geraiai parthenoi)* auf leibliche Nachfahren. Sie wollen mit der Weisheit zusammenleben *(symbioun)*,[22] "verlangend nach unsterblicher Nachkommenschaft, welche allein die gottgeliebte Seele aus sich hervorbringen kann, da der Vater intelligible Strahlen als Samen in sie eingehen ließ, durch welche sie die Lehrsätze der Weisheit betrachten kann" (68).

Viele Einzelheiten im Leben der Therapeuten bleiben dunkel, sei es, daß Philo nicht genügend informiert war, sei es, daß er sie aus literarischen oder apologetischen Gründen überging. Der Typ der Frömmigkeit der Therapeuten läßt sich doch noch einigermaßen erkennen. Er ist jüdisch, mystisch, ekstatisch. Sollte dieser Frömmigkeitstypus nicht auch auf die gemeinsamen Gottesdienste eingewirkt haben?

§ 44 Die gottesdienstlichen Zusammenkünfte der Therapeuten. Vorfragen

Philo berichtet über die Versammlung der Therapeuten an jedem siebten Tag, d. h. am Sabbat (30—33) und an dem der Sekte eigenen "Vorfest des höchsten Festes" alle sieben mal sieben Tage (64—89).[23] Die Versammlung am Sabbat wird nach Art eines jüdischen Synagogengottesdienstes geschildert, die andere Zusammenkunft hat zum größten Teil den Rahmen eines Gastmahles (40. 58. 64. 66. 68—75. 81—83), zum Teil den einer heiligen Nachtfeier nach dem Gastmahl (83—89).

Da in die Schilderung des Gastmahls ebenfalls ein synagogales Element eingesprengt ist (75—81), erhebt sich die Frage nach der Beziehung dieser beiden Feiern zueinander

---

[21] Vgl. zur Synousie mit der Weisheit Weish 6—9: 7, 27 (von Geschlecht zu Geschlecht geht sie in heilige Seelen ein und schafft so Freunde Gottes und Propheten); 8, 9.16. 17; 9, 10; Verlangen nach Weisheit: 6, 12—17; 7, 7; Weisheit als Braut: 8, 2; als Lebensgefährtin: 8, 9; 9, 4; als Vermittlerin der Erkenntnis: 7, 21; 8, 8; 9, 12.

[22] Heinemann, Therapeuten 2335; Sektenfrömmigkeit 107f; vergleicht zum Motiv der geschlechtlichen Enthaltsamkeit im Zusammenhang mit Offenbarungsempfang aethHen 83, 2: "Zwei Gesichte schaute ich, bevor ich ein Weib nahm"; TNaft 8; die sexuelle Askese der Essener; die Ehelosigkeit des jüdischen Mystikers Ben Azzai; nach dem Midrasch und nach Philo (zu Ex 34, 2) habe sich Mose während der 40 Tage auch des Verkehrs mit Frauen enthalten (Stein, Philo und der Midrasch 1931, 45). Philonenko, Testament de Hiob 52, vergleicht zu Vit Cont 32 TJ 46 — Gürtel als Symbole der Jungfräulichkeit, sie befähigen zum Reden in Engelssprachen (TJ 48) und zum visionären Sehen (47; 52).

[23] Zum Problem dieses Festes vgl. Heinemann, Therapeuten 2331. 2335; Sektenfrömmigkeit 105f (auf Grund eines der Sekte eigenen Verständnisses von Lev 23, 15; 25, 8). Kalenderfragen und Festtermine spielten im zeitgenössischen Judentum überhaupt eine bedeutende Rolle vgl. 1QS 10, 1—8; Jub; Strobel, Zeitrechnung in: Reicke—Rost, Biblisches Handwörterbuch 3, 2217—2221.

(vgl. auch schon 40 die Überleitung der Schilderung der Gastmähler im literarischen Anschluß an den Bericht vom Sabbatgottesdienst). Diese Frage wird noch durch das Problem verschärft, ob bei der Feier am "Vorfest" das Gastmahl und der synagogale Wortgottesdienst zwei voneinander getrennte bzw. aufeinanderfolgende Teile bilden, oder ob tatsächlich der Wortgottesdienst während des Gastmahles stattfindet.[24] Philos Text läßt beide Möglichkeiten offen.[25] Haben wir es hier aber nur mit einer Folge seiner schriftstellerischen Eigenart bzw. mit seiner Unfähigkeit, reale Verhältnisse zu schildern, oder mit seinem Desinteresse an diesen zu tun,[26] oder begegnen wir hier einem typischen, nur formgeschichtlich zu erfassenden Phänomen, vergleichbar der Problemlage in 1 Kor 11—14, wo ja ebenfalls bis heute unklar geblieben ist, ob dort getrennte Versammlungen zum Wort und zum Herrenmahl oder eine einheitliche Versammlung vorausgesetzt sind[27], und wo der Text den Beginn des Herrenmahls (zugleich mit dem Sättigungsmahl oder nach diesem) im unklaren läßt. Eine ähnliche Unsicherheit besteht darüber, ob der sabbatliche Gottesdienst und das Gemeinschaftsmahl am gleichen[28] oder an verschiedenen[29] Orten stattfinden.

§ 45 Der synagogale Wortgottesdienst am Sabbat

Die Versammlung findet am "siebten Tag" statt (Vit Cont 31). Es ist nicht auszumachen, ob sie am Morgen oder am Abend beginnt.[30] Versammlungsort ist das gemeinsame Heiligtum *(semneion)*, welches durch eine drei bis vier Ellen hohe, brustwehrartige Wand oder Mauer in je einen Männer- und einen Frauenraum aufgeteilt ist. Zu *semneion* vgl. Vit Cont 25. 80: Bezeichnung des Meditationsraumes in der Behausung des einzelnen Therapeuten. Die Scheidewand zwischen Männern und Frauen (33) kann fest oder beweglich gewesen sein.[31] Die Erwähnung des Frauenraums zieht eine Begründung für die Teilnahme von Frauen nach sich: "Denn auch Frauen hören gewöhnlich dem Vortrag zu, von demselben Eifer und demselben Streben beseelt." (32)

Die Sitzordnung bei der Versammlung richtet sich nach dem Alter (30). Ein Umstand, den Philo in ähnlicher Weise auch für das Gastmahl erwähnt: die Ältesten lassen sich nach dem "Ordensalter", d. h. nach der Dauer ihrer Zugehörigkeit zur Sekte, nieder (67); vorher stehen alle in der gleichen Ordnung (66). Da Frauen ebenfalls am Mahl teilnehmen, folgt dort auch eine neue Begründung oder Apologie ihrer Teilnahme[32] und die Angabe, daß Männer und Frauen getrennt lagern, die Männer rechts und die Frauen links (69 vgl. 75). Eine ähnliche Betonung der Sitzordnung nach dem Alter

[24] So Heinemann, Therapeuten 2332, unter Berufung auf die griechische Sitte; Daumas, Vita Contemplativa 37, läßt beide Akte aufeinanderfolgen.

[25] Der Tisch und der Tischdienst werden vor (73) und nach dem Wortgottesdienst (81) erwähnt.

[26] S. dazu Daumas, Vita Contemplativa 27—30.

[27] Vgl. Hahn, Der urchristliche Gottesdienst 61.

[28] Daumas, Vita Contemplativa 37.

[29] Heinemann, Therapeuten 2330. Zu den Gemeinschaftsmählern in antiken Synagogen vgl. Hengel, die Synagogeninschrift von Stobi.

[30] Zum Topos des Zusammenkommens zur Versammlung vgl. unten S. 274f.

[31] Daumas, Vita Contemplativa 37 und 101: eine Barriere, die entfernt werden konnte.

[32] Vgl. oben S. 112.

findet sich in dem Bericht Philos über die Essener.[33] Wie dort erwähnt er auch die geziemende Körperhaltung.[34]

Die Schilderung des eigentlichen Gottesdienstes am Sabbat ist sehr kurz. Philo beschränkt sich auf den Vortrag des Ältesten, der seine Entsprechung im jüdischen Sabbatgottesdienst hat: *parelthon de o presbytatos kai ton dogmaton empeirotatos dialegetai* (31). Andere sonst in den Sabbatschilderungen enthaltene Elemente, das Schriftstudium[35] und die Schriftlesung,[36] fehlen wohl deshalb, weil Philo diese Elemente schon bei der Schilderung des Tageslaufs der Therapeuten unmittelbar vorher ausreichend gewürdigt hatte.[37] Sie können hier vorausgesetzt werden. Der Zusammenhang zwischen dem individuellen religiösen Leben und dem gemeinsamen Gottesdienst ist in dieser Hinsicht besonders eng.[38]

Dagegen wird der Vortrag in besonderer Weise charakterisiert. Er entspricht nicht den rhetorischen, auch von Philo geschätzten Gepflogenheiten der Zeit, sondern ist eine ruhige, sachliche, um Verständnis bei den Hörern sich bemühende Darlegung.

Vit Cont 31: *ou deinoteta logon osper oi rhetores e oi nyn sophistai parEPIDEIKNYMENOS, alla ten en tois noemasi diereunekos kai diermeneuon akribeian*[39] — vgl. 75 vom Wortgottesdienst am "Vorfest": *phrontizon men ouden EPIDEIXEOS — ou gar tes epi deinoteti logon eukleias oregetai.* Vgl. dazu die paulinische Antithese 1 Kor 2, 4: *kai o logos mou ouk en peithois sophias logois all' en apoDEIXEI pneumatos kai dynameos;* ferner 1 Kor 1, 17; 2, 1. 6.

Welche Eigenarten der Vortrag wirklich hatte, läßt sich aus Philos Andeutungen kaum entnehmen. War es nur ungeübte Rede, eine Variante des Synagogenvortrags oder eine in Sektenkreisen übliche Rede- und Auslegungsform? Das letzte ist am wahrscheinlichsten.

Die Reaktion der Gemeinde auf den Vortrag wird am Sabbat wie am Vorfest ähnlich beschrieben: sie hören der Rede zu, Lob (Vit Cont 31. 77), Verständnis oder Unverständnis (77) durch Mienen und Gesten andeutend (31. 77). Vielleicht hat es bei den Therapeuten ein ähnlich strenges Reglement für das Verhalten bei ihren Zusammenkünften gegeben wie in Qumran (1QS 6, 10—13; 7, 9—11. 13). Der Nachdruck, mit dem Philo von ihrem wohlerzogenen Reagieren spricht, ist typisch für die Schilderung jüdischen Gottesdienstes in neutestamentlicher Zeit.[40]

---

[33] Omn Prob Lib 81: *kath' elikias en taxesin . . . kathezontai.* Vgl. die Betonung der Rangordnung in der Qumransekte: 1QS 3, 19—23; 5, 23f; 6, 4. 8—11. 22; 7, 21; 8, 19; 9, 2; 1QSa 2, 14—17. 21; ferner unten S. 281.

[34] Vit Cont 30: *meta tou prepontos schematos;* Omn Prob Lib 81: *meta kosmou tou prosekontos.* Vom allgemeinen jüdischen Synagogengottesdienst, Spec Leg II 61: *kosmo kathezontai.* Die Forderung des *kosmos* bei der Versammlung steht auch hinter 1 Kor 11, 2—16; 14, 26—40 s. unten S. 282f.

[35] *philosophein:* Vit Mos II 216; Decal 98; Spec Leg II 61; unten S. 277.

[36] Omn Prob Lib 82 vgl. unten S. 287.

[37] Vit Cont 25. 28f s. oben S. 108—110.

[38] Vit Cont 25: *dogmata* werden im Traum ausgesprochen; 31: der *ton dogmaton empeirotatos* redet in der Versammlung.

[39] *diermeneuo* und *akribeia* sind term. techn. der Auslegung (vgl. das Register, auch s. v. *mljṣ);* vgl. ferner Vit Cont 75: der Vorsteher ist bestrebt, genauere Erkenntnis zu gewinnen *(theasasthai . . . akribesteron).*

[40] S. unten S. 281.

§ 46 Das Gemeinschaftsmahl und die Nachtfeier am Vorfest

Das Problem der Reihenfolge bzw. der Zusammengehörigkeit von Wortgottesdienst und Mahl wurde bereits besprochen. Es wird noch dadurch verschärft, daß Philo für die gewöhnlichen Sabbate zwar nicht von einem Gemeinschaftsmahl der Therapeuten berichtet, wohl aber davon, daß sie sich am Sabbat gründlich sättigen, im Gegensatz zum Fasten während der Woche (37), und daß er als Nahrung für den Sabbat das Gleiche nennt wie für das Gemeinschaftsmahl am Vorfest: Brot mit Salz und Hysop und Wasser (38. 73. 81). Da sonst Gemeinschaftsmähler am Sabbat bekannt sind, ist es wahrscheinlich, daß auch die Therapeuten am Sabbat ein gemeinsames Mahl hielten, daß dieses Moment aber dem Interesse Philos am Vorfest zum Opfer gefallen ist, für welches dann nicht das Gemeinschaftsmahl als solches, sondern das Mahl in Verbindung mit der Nachtfeier kennzeichnend ist.

Die Mahlfeier wird durch ein gemeinsames, stehend verrichtetes Gebet eröffnet, zu dem einer der "Ephemereuten"[41] aufruft (66). Die Genossen lassen sich nach dem Alter geordnet (67) und nach Geschlechtern getrennt (69) auf einfachen Speisesofas nieder (69). Die jüngeren Mitglieder der Sekte versehen den Tischdienst. Der Tisch *(trapeza)* mit der "hochheiligsten Speise", Brot mit Salz und Hysop, wird von ihnen in die Mitte der Versammlung gebracht (81). Dem Text nach geschieht das erst nach dem Wortgottesdienst, obwohl der Tisch auch schon vorher (73) erwähnt wird. Dem Mahl widmet Philo aber weiter keine Aufmerksamkeit. Wohl dem in Verbindung mit dem Mahl stattfindenden Wortgottesdienst (75—80).

Wenn alles zum Mahl bereit ist, die Mahlgenossen sich gelagert haben, die Diener zur Aufwartung bereitstehen, tritt tiefes Schweigen ein, und der Vorsteher *(proedros)*[42] beginnt seinen Vortrag, wahrscheinlich im Sitzen (vgl. 80). Vit Cont 75: "Sodann geht ihr Vorsteher einem Problem nach, das sich aus den heiligen Schriften ergibt *(zetei)*, oder erörtert *(epilyetai)* eine Frage, die von einem anderen aufgeworfen wurde." *zetei* entspricht *drš*, einem term. techn. für Schriftauslegung und Schriftforschung;[43] *epilyetai* könnte für *pšr* stehen.[44] Der Vortrag wird auch noch mit anderen Begriffen beschrieben: *didaskalia* = Unterweisung (76); *ermeneia* = Darlegung[45] (76); *exegeseis ton ieron grammaton*[46] (78); *dialegomai* (79; so auch der *presbytatos* am Sabbat: 31). Es handelt sich bei diesem Vortrag um Schriftauslegung. Wenn er Probleme aufnimmt, die von Mitgliedern aufgeworfen werden, werden diese sich ebenfalls aus dem Schriftstudium der Therapeuten und aus ihrer Auslegungstradition ergeben haben und die Kosmologie, vielleicht auch die Eschatologie, betreffen. Der Vortrag wird

---

[41] Zum Titel *ephemereutes* s. Daumas, Vita Contemplativa 38: inschriftlich in Syrien belegt.

[42] Vit Cont 75; der Text ist unsicher. Ich folge der Konjektur, welche Cohn nach Arm vorgenommen hat. Der Titel *proedros* ist außerdem durch Vit Cont 79 gesichert.

[43] Vgl. das Register zu *drš*.

[44] Vgl. das Register; Conybeare, Contemplative Life 248, weist auf den griechischen Titel hin, den Philo seinem Kommentar zu Gen und Ex gegeben hat: *zetemata kai lyseis;* vgl. ferner Ps Clem Hom 2, 38, 1: *epilysis* = Schriftauslegung.

[45] Vgl. das Register.

[46] Vgl. oben S. 103f.

von allen mit gespannter Aufmerksamkeit angehört (77), da sie das Verlangen haben zu lernen *(mathein* vgl. 1 Kor 14, 31).

Philo flicht in die Darstellung des Vortrags verschiedene Erwägungen ein über dessen Sinn und Methode. Diese stehen untereinander nur in lockerem Zusammenhang, vielleicht geben sie bestimmte Bräuche und Auffassungen der Therapeuten wieder. So begründet er dieses Mal die unrhetorische Vortragsart des Vorstehers mit dessen Bestreben, "genaue Erkenntnis zu gewinnen und, wenn ihm das gelingt, sie den anderen nicht vorzuenthalten, die nicht so scharfsichtig sind wie er" (75). Diese Bemerkung trifft sich mit der Vorschrift der qumranischen Sektenregel, daß der Schriftforscher das Gefundene den anderen Sektengliedern mitzuteilen habe (1QS 8, 11f).[47] Solche neuen Erkenntnisse werden auch von den Therapeuten durch ihr ständiges Bemühen um Verständnis der Schrift gefunden worden sein.[48]

Eigenartig ist auch die Angabe, daß der Vortragende "oft wiederholt und dadurch verweilt und zögert" (72). Philo erklärt sich diesen Umstand mit didaktischen Motiven; das ist wahrscheinlich zu rationalistisch. Es wird eher so sein, daß es sich gar nicht um einen gedanklich gegliederten Vortrag handelt, sondern um einen anderen Typ von religiöser Rede, die an das der Gemeinde bekannte Traditionsgut anknüpft, ihre Hoffnungen und Fragen ausspricht und die Hörer zur Zustimmung auffordert (vgl. 77 die lange Beschreibung der Reaktion). Sollte das im Leben der Therapeuten verankerte ekstatisch-enthusiastische Moment ihrem Gottesdienst so fern sein? Oder unterdrückt Philo in seiner Interpretatio Graeca dieses Moment nur, so gut er kann?

Ein kleiner Exkurs (78) soll die besondere Art der *exegeseis ton ieron grammaton* erläutern. Die Schriftauslegung der Therapeuten ist allegorisch (28). Nach ihrer Ansicht gleichen die Gesetzesbücher "einem Lebewesen, das als Körper die wörtlichen Anordnungen hat, als Seele aber die in den Worten verborgene unsichtbare Bedeutung" *(ton enapokeimenon tois lexesin aoraton noun).* Solange Beispiele für die Schriftauslegung der Therapeuten fehlen, läßt sich kaum etwas Genaueres über den Typ ihres Schriftverständnisses vermuten; auf jeden Fall wird die Deutung ähnlich wie in Qumram und bei Philo zum Text hinzugetreten sein und beansprucht haben, seinen eigentlichen Sinn erst auszusprechen.

Es läßt sich auch kaum ausmachen, ob die folgende, den Erkenntnis-Charakter dieser Art von Schriftauslegung erläuternde Bemerkung auf die Erfahrungen der Therapeuten oder auf die Erfahrung Philos zurückgeht. In unserem Zusammenhang ist diese Frage vielleicht nicht einmal so wichtig, als daß überhaupt im Kontext eines jüdischen Gottesdienstes so von "Erkenntnis" und "Schau im Spiegel" (vgl. 1 Kor 13, 12) gesprochen wurde. Vit Cont 78: "Sie (die Seele) erblickt durch die Worte wie durch einen Spiegel die übermäßige Schönheit der in ihnen sich zeigenden Gedanken (*osper dia katoptrou ton onomaton ta exaisia kalle noematon emphainomena katidousa);* sie faltet die allegorischen Symbole auseinander und entfernt sie und führt die Bedeutung der Worte nackt ans Licht für die, welche nur etwas erinnert zu werden brauchen, um das Unsichtbare durch das Sichtbare sehen zu können." Wieder fragt es sich, ob nicht

[47] Vgl. oben S. 76.

[48] Vgl. Vit Cont 26; 89: Bitte um *oxyopia logismou* (oben S. 111).

die Angaben über die ekstatische Schau als Höhepunkt des individuellen religiösen Lebens der Therapeuten (11f. 26) zur Erklärung herangezogen werden sollten, ob also ihre Schriftlesung und ihr Schriftstudium die Schau des Seienden (11), der "Schönheit der göttlichen Tugenden und Kräfte" (26) intendiert und vermittelt. Das Wort vom Spiegel hätte dann, ähnlich wie in 1 Kor 13, 12, seinen Ursprung in Num 12, 6—8 und im jüdischen Wissen um die Mittelbarkeit der Gotteserkenntnis in dieser Zeit.[49]

Wenigstens am Ende des Vortrags läßt Philo den lauten Beifall der Zuhörer (79) zu. "Dann erhebt sich der Vorsteher und singt einen Hymnus auf Gott, entweder einen neuen, den er selbst verfaßt hat, oder einen alten." (80) An dieser Stelle wird der Zusammenhang zwischen der individuellen religiösen Erfahrung und dem gemeinsamen Gottesdienst der Therapeuten besonders deutlich.[50] Sie bringen ihre Erfahrungen und Erkennnisse in die Gemeinde ein. Das Lob Gottes, welches aus ihrem religiösen Leben erwächst (29), hat dabei eine besondere Bedeutung, ähnlich wie in Qumran und schon im atl Gottesdienst (Psalmen). Nach dem Vorsteher singen auch andere (Philo verallgemeinernd: *oi alloi) kata taxeis en kosmo prosekonti.*[51] Die übrigen schweigen jeweils und singen den Refrain oder den Schluß (vgl. das *amen* in 1 Kor 14, 16).

Nach dem letzten Hymnus (81: *otan de EKASTOS diaperanetai ton ymnon* vgl. 1 Kor 14, 26: *EKASTOS psalmon echei)* wird der Tisch hineingetragen oder in die Mitte gestellt und das Mahl gehalten oder zu Ende geführt. Darauf folgt die "heilige Nachtfeier" (83). Männer und Frauen bilden je einen Chor und singen unter Führung eines besonders musikalischen *Chorführers* tanzend Hymnen auf Gott. Diese Feier hat enthusiastischen Charakter. Die bis dahin getrennten Chöre und Geschlechter vermischen sich, bilden einen Chor und tanzen dann auch miteinander. Philo deutet das enthusiastische Moment der Feier mehrmals an. 84: *epitheiazontes;*[52] 85: Vergleich mit den Bakchanten, wenn sie bei den Bakchusfesten den ungemischten Wein der Gottesliebe in vollen Zügen genossen haben (vgl. auch schon 12); 89: am Schluß der Feier: "Bis zum frühen Morgen verharren sie in dieser schönen Trunkenheit."

Auf eine genauere Beschreibung der Nachtfeier verzichtet Philo allerdings. Er rechtfertigt den bei Juden ungewöhnlichen gemeinsamen Tanz durch eine längere Ausführung über den einen Chor, welchen die israelitischen Männer und Frauen nach der Errettung am Roten Meer bildeten (86f), und insinuiert, daß die Therapeuten diesem biblischen Vorbild folgen (88).[53] Die abschließende Versicherung Philos scheint Einwän-

---

[49] Vgl. dazu unten S. 191f.

[50] Vgl. unten S. 275.

[51] Zur Betonung der Ordnung s. unten S. 279—281.

[52] Conybeare, Contemplative Life 254 zu *epitheiazontes:* "This word may here mean either 'crying out the name of the god' or 'prophesying, being inspired'."

[53] Daß Männer und Frauen am Roten Meer einen einzigen Chor bilden, ist neu gegenüber Vit Mos II 256. Die Schilderung dort entspricht dem Zusammensingen der noch getrennten Chöre Vit Cont 84. Der Anlaß für diese Umdeutung kann nur in den tatsächlichen Verhältnissen bei den Therapeuten, aber nicht im Text von Ex 14f liegen. In der rabbinischen Exegese wird darüber diskutiert, in welcher Weise die Israeliten das Meerlied gesungen haben, antiphonisch wie das Hallel oder jeden Vers, den Mose ihnen vorsang, wiederholend oder abwechselnd: Sota 5, 4; TosSota 6, 2f (303); Mekh Ex 15, 1 (42a).

den zuvorkommen zu wollen: "Vortrefflich sind die Gedanken, vortrefflich die Worte, ehrwürdig sind die Mitglieder des Chores. Das Ziel aber der Gedanken, Worte und Chormitglieder ist Frömmigkeit" (88).

Es braucht gar nicht bezweifelt zu werden, daß Philos Versicherung zu Recht besteht, wenngleich die "Ordnung" etwas flexibler gewesen sein wird, als er es zugibt. Die Aufhebung der Schranken zwischen den Geschlechtern wird ihren Ursprung aber sicher weniger in der Auslegung von Ex 14—15 haben, als in den religiösen und ekstatischen Erfahrungen, die am Beginn der Sekte der Therapeuten standen und auf Grund deren überhaupt Frauen zu ihr gehören konnten. Die durch Philos Schilderung hindurchschimmernden Erfahrungen und Probleme der Therapeuten kommen religionsphänomenologisch und religionsgeschichtlich den 1 Kor 14 zugrunde liegenden Erfahrungen und Problemen sehr nahe, wenn auch die Differenzen zwischen der Gemeinschaft der Therapeuten und der Gemeinde von Korinth nicht übersehen werden dürfen.

§ 47 Rückblick auf den ersten Teil: Konvergenzen im Offenbarungsverständnis

I. Das Deuten von Offenbarung als zentrales Problem im Judentum der neutestamentlichen Zeit

Eine Vorgeschichte kann man nur schreiben, wenn man die Geschichte kennt, auf welche die Vorgeschichte hinausläuft. Solange die urchristliche Prophetie noch als unbekannte oder als umstrittene Größe gelten muß, kann der Rahmen der religionsgeschichtlichen Vorarbeit nur entsprechend bescheiden sein. Die Fragen nach der Deuteterminologie und nach dem Offenbarungsverständnis haben aber in einen Bereich jüdischen religiösen Denkens und Erfahrens geführt, welcher, wie sich im weiteren Verlauf der Arbeit zeigen wird, zumindest zu den geschichtlichen Voraussetzungen der urchristlichen Prophetie gehört und einen religionsgeschichtlich gesicherten Zugang zu ihr ermöglicht.

Es zeigte sich nicht nur, daß das Verfahren der Auslegung und Deutung im Judentum der neutestamentlichen Zeit sehr weit verbreitet war und neben der Gesetzesauslegung das geistige Leben der Zeit bestimmte, sondern auch, daß es ein bestimmtes zweistufiges Offenbarungsverständnis impliziert, nicht nur in den Apokalypsen, in denen erst eine Schlüsselvision und/ oder ein *angelus interpres* die Botschaft der ursprünglichen Vision erschließt, sondern ebenso im Bereich der Prophetenauslegung und erst recht bei den aktuellen außergewöhnlichen Widerfahrnissen wie Träumen oder Zeichen. Offenbarung wird überall als verschlüsselte Botschaft begriffen, dennoch als eine Botschaft, welche die Gegenwart und die unmittelbare Zukunft betrifft.

Weil sie erst entschlüsselt werden muß, weil sie erkannt werden will und erkannt werden kann, gewinnt das intellektuelle Moment in der Aneignung von Offenbarung, beim Festhalten und Überliefern von Offenbarung, die Offenbarungserkenntnis oder Weisheit ein besonderes Gewicht. Solche Anforderungen drängen zur Schulbildung, sowohl weil der Wissensstoff gewaltig anschwillt, als auch weil die Deutung und Entschlüsselung der Offenbarung bzw. Tradition und ihre Anwendung auf die Gegenwart die Kenntnis der Deutetradition (Schrift, spezielle Gruppenüberlieferungen) und der Deutetechnik voraussetzt.

Der Deutevorgang ist mehr oder weniger rational bestimmt. Oft werden sich verschiedene Deutungen und Deutungsmöglichkeiten gegenübergestanden haben. Ihr Ausgleich erfolgte entweder durch Diskussion in der Schule oder in interessierten Kreisen oder durch den geschichtlichen Sieg einer Deutung, oft erst nach langen Auseinandersetzungen. Die unterschiedlichen Ansätze zur Deutung gehen auf unterschiedliche Traditionen, Verfahren und Interessen zurück. Soweit das zu Deutende wie die als Orakel aufgefaßten Abschnitte aus der Schrift oder "Zeichen" oder ins Wort gebrachte visionäre Erfahrungen der transsubjektiven Erfahrung zugänglich war, konnte sich eine sehr breite Auseinandersetzung um die richtige Deutung entfalten. Besonderes Ansehen genoß neben der schulmäßig gefundenen Deutung der Fachleute, Schriftgelehrten, Apokalyptiker, Weisen die charismatisch gefundene Deutung oder die Deutung des Charismatikers. Zwischen beiden Arten der Deutung verläuft indes keine scharfe Grenze; in der Praxis berühren sie sich häufig.

Um den schulmäßigen oder charismatischen Deuter sammelt sich je nach dem Gewicht und dem Anspruch seiner Deutungen eine mehr oder weniger formelle Gemeinde, bis zur Ausbildung fester Eigengruppen. Die Grenzen zwischen "Schule" und "Gemeinde" sind in dieser Hinsicht ebenfalls fließend. Das "Auslegen und Deuten" kann auch einen zweiten oder dritten Integrationsfaktor für eine entstehende Gruppe darstellen.

Dieses Milieu mit seinen Fragen, Interessen, Antworten und literarischen und vorliterarischen Gattungen ist nicht nur für die Vorgeschichte der urchristlichen Prophetie bedeutsam, sondern ebenso für die Ausbildung und Gestaltung der Evangelientradition und für die Entstehung und Formung der frühen christlichen Gemeinden. Im weiteren Verlauf der Arbeit können aber nur die Beziehungen aufgedeckt werden, welche von hier zur urchristlichen Prophetie bestehen. Im folgenden sollen noch einmal einige seiner typischen Vorstellungen, soweit sie sich nicht bloß in einer Schriftengruppe finden, zusammengestellt werden — zur besseren Erfassung der geschichtlichen Phänomene und ohne Anspruch auf Vollständigkeit.

II. Gemeinsamkeiten im Offenbarungsverständnis

1. Gemeinsamkeiten zum Problemkreis "Offenbarung"

Formen der Offenbarung:

Traum: Dan 2 (§ 10); 4 (§ 11); 7 (§ 13); aethHen 83 (§ 27); syrBar (§ 33); Jos Ant 3, 351 (§ 38); Philo Vit Cont 26 (§ 43).

Visionen: Dan 2 (§ 10); 8 (§ 14); 1QH 4, 18 ("Schau des Wissens" § 23 III); 1QM 10, 11 (Schau der Engel § 73); aethHen (§ 28); 4 Esra, syrBar (§ 33); Philo Vit Cont 12 (§ 43).

Gemeinschaft mit den Engeln: Dan 9 (§ 15); 10—12 (§ 16); 1QHf 2, 6 (§ 24, II); aethHen (§ 28); 4 Esra, syrBar (§ 33).

Erfahrung der Offenbarung (Schilderungen ekstatischer Erfahrung): aeth Hen 83, 5 (§ 27); 4 Esra 14, 40 (§ 36); Jos Ant 3, 353 (§ 38 I); Philo Vit Cont 12 (§ 43).

Vorbereitung auf die Offenbarung, Interesse an Offenbarung: Dan 9 (§ 15); 10 (§ 16); 4 Esra, syrBar (§ 32); Jos Bell 2, 159 (§ 41); Philo Vit Cont 27. 35. 68. 89 (§ 43).

Charakterisierungen der Offenbarung:

Rätsel, Gleichnis: Dan 5 (§ 12); 12((§ 16); Sir 39, 3 (§ 18); Weish 8, 8 (§ 18); aethHen (§ 29); 4 Esra (§ 34).

Geheimnis: Dan 2 (§ 10); aethHen (§ 30 III, 2); 4 Esra, syrBar (§ 35).

2. Gemeinsamkeiten zum Problemkreis "Deutung"

Gegenstände der Deutung:

Prophetentexte: Dan 9 (§ 15); Sir 39, 1 (§ 18); Qumran (§ 20—22); 4 Esra 12 (§ 34); Jos Bell 6, 312f (§ 38 II).

Träume, Visionen: Dan 2 (§ 10); 4 (§ 11); 7(§ 13); 8 (§ 14); 9 (§ 16); aethHen 83 (§ 27); 4 Esra, syrBar (§ 34); Jos (§ 39 II).

Zeichen: Dan 5 (§ 12); Weish 8, 8 (§ 18); Jos Bell 6, 288—315 (§ 38 II); vgl. die Ausrichtung auf "Zeichen" 4 Esra 14, 8 (§ 33 § 35).

Schriftauslegung: Spr 29, 18 LXX (§ 18); Jos (§ 39 I); Philo (§ 39 I § 46).

Deutung auf Grund von:

Schulung: Jos Ant 3, 352; Bell 6, 288—315 (§ 38 § 39 § 40).

Inspiration: Dan 4 (§ 11); 5 (§ 12); Jos Ant 3, 353 (§ 38 I).

Gemeinschaft mit den Engeln: Dan 7 (§ 13); 8 (§ 14); 9 (§ 15); 10—12 (§ 16); aethHen (§ 28); 4 Esra 10—13; syrBar (§ 33).

Kundgabe von seiten Gottes: 1QpH 7, 4 (§ 22); syrBar (§ 33).

Voraussetzung der Deutung ist die Dunkelheit oder Mehrdeutigkeit der Deutungsgegenstände: Dan 9 (§ 15); 1QpH 7, 4f (§ 22); Jos Ant 3, 352; Bell 6, 312f (§ 38); vgl. die zwei Ebenen des Sinnes der Schriften Philo Vit Cont 28. 78 (§ 46).

Diskussionen über die richtige Deutung: als Voraussetzung für die Pescher-Literatur in Qumran (§ 22); hinter 4 Esra 12 (§ 34); über die Omina und über den *chresmos amphibolos* Jos Bell 288—315 (§ 38 II); eine solche Diskussion steht vermutlich auch hinter Dan 9 (§ 15).

3. Gemeinsamkeiten zum Problemkreis "Weisheit"

Die Weisheit macht zu Propheten, inspiriert: Weish 7, 14. 27; Sir 39, 6 (§ 18); 4 Esra 14 (§ 36); aus der Gemeinschaft mit der Weisheit gehen die Lehrsätze der Therapeuten hervor: VitCont 35 (§ 43). Der Inhalt der Offenbarung wird Gegenstand der Weisheit: 1QH 2, 4f (§ 23 III); aethHen (§ 30); 4 Esra 12; 14 (§ 36).

Notwendigkeit der "Erkenntnis": Dan 8 (§ 14); 9 (§ 15); aethHen (§ 30 II, 1); syrBar (§ 36, 2).

Weisheit nützt zur Erkenntnis des Endes der Zeiten: Dan 2 (§ 10); 10—12 (§ 16); Weish 8, 8 (§ 18); syrBar 28, 1 (§ 36).

Der Inhalt der Offenbarung soll im Herzen bewahrt werden: Dan 7 (§ 13); aethHen 94, 5; 99, 10 (§ 30 III); 4 Esra 12, 38; 14, 40 (§ 36).

2. Teil: Die urchristliche Prophetie in 1 Kor 12-14

1. Abschnitt: Prophetie und Deutung

1. Kapitel: Prophetie und Deutung nach 1 Kor 12, 10; 14, 29

§ 48 Die Stellung von *propheteia* und *diakriseis pneumaton* im Charismenkatalog 1 Kor 12, 8—10 und ihre Zusammengehörigkeit

Die Aufzählung der Charismen in 1 Kor 12, 8—10 ist ebenso wie die anderen Aufzählungen 12, 28. 29—30 und die hinter 13, 1—3 stehende Liste von der besonderen Tendenz der Kapitel 12—14 geprägt.[1] Ihr Aufbau und damit auch die Stellung von Prophetie und *diakriseis pneumaton* innerhalb der Liste läßt sich weniger durch Beachtung der sprachlichen Gliederung als der sich im engeren und entfernteren Kontext ausprägenden Tendenz erkennen. Denn die sprachliche Gliederung ist ausgesprochen locker. Von 12, 10 ab verzichtet Paulus auf Zusätze wie *en to eni pneumati* (9b), und der Wechsel zwischen *eteros* und *allos* dient anscheinend mehr der Abwechslung.[2] Sachlich heben sich am Anfang *logos sophias* und *logos gnoseos* und am Ende *gene glosson* und *ermeneia glosson* als enger zusammengehörig heraus. Die Zusammengehörigkeit der Glossolalie und der Gabe der "Übersetzung"[3] wird darüber hinaus durch 12, 30; 14, 5. 13. 26—28 bestätigt. Dagegen ist die Zusammengehörigkeit von Prophetie und *diakriseis pneumaton* strittig. Sie wird zwar ebenfalls durch den Kontext 14, 29 nahegelegt, wird aber auf Grund der mit V 10 nachlassenden Gliederung der Liste bezweifelt.[4] Wenn man jedoch die sachliche Zusammengehörigkeit von *pistis, charismata iamaton* (12, 9) und *energemata dynameon* anerkennt, wird das folgende Nebeneinander von Prophetie und *diakriseis* am besten durch ihr Neben- bzw. Nacheinander in der Gemeindeversammlung erklärt (14, 29), analog zum Neben- oder Nacheinander von Glossolalie und "Übersetzung". Sprachlich genügt die Einsicht, daß der Wille zur Durchgestaltung der Liste mit 12, 9 erlahmt und der bloßen Aufzählung Platz macht. Von da ab begegnet kein Hinweis auf das die Charismen bewirkende Pneuma mehr. Die *energemata dynameon* klappen in der Aufzählung der Tatcharismen nach, und darauf wen-

[1] Greeven, Propheten, Lehrer, Vorsteher 3 Anm. 6: "die Aufzählungen 12, 8—10. 28. 29—30 zeigen, daß Paulus von Anfang an die Glossolalie im Auge hat". Zu 1 Kor 13, 1—3 s. unten S. 150f.

[2] Bl—Debr 306, 4.

[3] S. dazu weiter unten S. 229. 285—287.

[4] Vgl. Weiß, 1 Kor 299.

det sich die Reihe wieder den sich worthaft oder lautlich in der Gemeindeversammlung äußernden Charismen zu, mit deren Nennung sie auch begonnen hatte. Die Unterbrechung durch Tatcharismen ist durch die das gesamte Kapitel 12 bestimmende Tendenz bedingt, im Gegensatz zur korinthischen Fixierung auf die Glossolalie als die Geistesgabe alle Leistungen in der Gemeinde und für die Gemeinde auf das Pneuma und schließlich auf das Wirken Gottes zurückzuführen (12, 4—6).[5]

Diese Tendenz erklärt auch den Umstand, daß Glossolalie und "Übersetzung" erst am Ende genannt werden.[6] Auch die im Verhältnis zu den übrigen Listen (12, 28. 29—30; 13, 1—3; Röm 12, 6—8) späte Nennung der Prophetie wird mit dieser Tendenz zusammenhängen. Sie wird in Korinth ebenso selbstverständlich wie die Glossolalie als *pneumatikon* bewertet, aber nicht ebenso hoch geschätzt worden sein (vgl. 14, 1. 37). Die Nennung der *diakriseis pneumaton* nach der Prophetie ist dadurch allerdings noch nicht erklärt. Dieses Charisma wird sonst nie in den Listen oder Aufzählungen genannt, auch nicht in den Aufzählungen geistgewirkter Redeformen (14, 6. 26). Vielleicht ist der Grund dafür doch darin zu suchen, daß Paulus in 1 Kor 12, 8—10 im Unterschied zu den übrigen Listen auch möglichst viele Charismen aufzählen möchte, welche in der Gemeindeversammlung gehört werden können und durch ihren Inhalt zur Belehrung und zur Erbauung der Gemeinde beitragen können. Diese Vermutung ist allerdings nur sinnvoll, wenn *diakrisis pneumaton* als "Deutung von Geistesoffenbarungen" und nicht als "Unterscheidung der Geister" aufgefaßt wird. Sie wird also durch die folgenden Untersuchungen und Überlegungen gestützt und bestätigt werden müssen.[7]

§ 49 Die Bedeutung von *diakrisis* 1 Kor 12, 10 und von *diakrino* 1 Kor 14, 29

In der Literatur wird allgemein ein sachlicher Zusammenhang zwischen der *diakrisis pneumaton* und dem *diakrinein* von 14, 29 anerkannt. Während *diakrisis pneumaton* aber gewöhnlich mit "Unterscheidung der Geister"[8] über-

---

[5] Vgl. auch 12, 28—30; Conzelmann, 1 Kor 244f; Hermann, Kyrios und Pneuma 71—73.

[6] Analog dazu ihre Nennung und Karikierung an der Spitze in 13, 1.

[7] Durch den Hinweis auf 1 Kor 14, 24 (Conzelmann, 1 Kor 247; Bachmann, 1 Kor 382) läßt sich das Nebeneinander von Prophetie und *diakrisis* auf keinen Fall erklären. Dort wird keine *diakrisis pneumaton* geübt, auch keine "Unterscheidung der Geister", sondern der prophetische Akt des "Überführens", der Herzenserkenntnis, s. unten S. 247f. *diakrino* (14, 29) und *anakrino* (14, 25) müssen auseinandergehalten werden, vgl. unten S. 249f.

[8] So in den Kommentaren zu 1 Kor: Lietzmann, Conzelmann, Bachmann, Allo, Kuß, Wendland, Robertson-Plummer; vgl. Bauer 368; Büchsel, ThW III 951; Liddell-Scott 399.

setzt wird, wird *diakrino* ebenso gewöhnlich und selbstverständlich mit "prüfen"[9] oder "beurteilen"[10] übersetzt. Nur wenige Kommentatoren[11] bemühen sich um eine gleichgerichtete Wiedergabe beider Ausdrücke. Die in dieser Arbeit vorgeschlagene Übersetzung "Deutung — deuten" oder "Auslegung — auslegen" wird nirgendwo vertreten, obwohl spätestens seit FASCHERS *PROPHETES*[12] die Beziehung der *diakrisis pneumaton* zur griechischen Deuteterminologie wenigstens im Ansatz bekannt war.

I. Textkritisches

Doch vor der sprachlichen und religionsgeschichtlichen Überprüfung der einzelnen Übersetzungsmöglichkeiten muß zunächst die textkritische Frage geklärt werden, ob in 12, 10 mit P^{46}, B, A, Koine *diakriseis pneumaton* oder mit Sinaiticus, C, D, G, lat, sy *diakrisis pneumaton* zu lesen ist. Beide Lesarten sind sehr alt, die äußere Bezeugung ist für beide gut, die pluralische Form ist in der alexandrinischen Überlieferung fester verankert. Für sie sprechen auch innere Gründe. In der Charismenliste 1 Kor 12, 8—10 stehen noch mehrere Gaben im Plural: *charismata iamaton, energemata dynameon* (12, 9) und *gene glosson* (12, 10). Während der Singular an eine konstante bleibende Begabung, fast an ein "Amt", denken läßt (analog zu den "Ämtern" der Apostel, Propheten und Lehrer in 12, 28), faßt der Plural die Gabe in ihren jeweiligen Auswirkungen und sogar in deren jeweiliger inhaltlicher Bestimmtheit. Die *diakriseis pneumaton* bezeichnen nicht die Fähigkeit zur Deutung, sondern die jeweils geschenkten oder gefundenen Deutungen analog zum Gebrauch von *pšr* und *diakrisis.*[13]

In der Überlieferungsgeschichte ist eher eine Bewegung auf die einfachere singularische Vorstellung denkbar als das Umgekehrte. Dagegen lassen die übrigen Plurale in 12, 8—10, das Fehlen der *diakriseis pneumaton* in 12, 28—30; 13, 1—3; Röm 12, 6—8 und die grundsätzlich für alle Pneumatiker offengehaltene Darstellung des Deuteverfahrens in 1 Kor 2, 13[14] für Paulus eher die pluralische Form als ursprünglich annehmen.[15] Sie entspricht den merkwürdig schwebenden Benennungen der meisten Charismen — und auch den Modalitäten und den vielen Möglichkeiten des Deuteverfahrens. Dagegen hat es einen guten Sinn, wenn *ermeneia glosson* im Singular steht, dafür braucht es

---

[9] So in den Kommentaren zu 1 Kor: Allo, Kuß, Wendland, Heinrici; vgl. Büchsel, ThW III 948; Bauer 367.

[10] So in den Kommentaren zu 1 Kor: Lietzmann, Conzelmann, Wendland (im Kommentartext).

[11] Heinrici: "Beurtheilung" — "beurtheilen"; Robertson-Plummer: "discernment" — "discern"; J. Weiß umgeht das Problem der Übersetzung sehr geschickt; seine Erläuterungen zu 12, 10 und 14, 29 lassen die Sinnbestimmung "Untersuchung" — "untersuchen" erkennen.

[12] Fascher hat seinen Ansatz aber nicht weitergeführt, ebensowenig Kleinknecht, ThW VI 346; vgl. dazu Dautzenberg, Hintergrund 94.

[13] Heinrici, 1 Kor 370 bezieht den Plural ebenfalls auf die jeweils ausgesprochenen *diakriseis.*

[14] Vgl. unten S. 286.

[15] So auch die Textausgaben von Westcott-Hort, Weiß, Nestle-Aland, Aland-Black-Metzger-Wikgren; von den Kommentaren zu 1 Kor: Allo, Robertson-Plummer, Kuß, Lietzmann (im Kommentartext), Heinrici. Den Singular lesen die Textausgaben von Tischendorf, von Soden; von den Kommentaren: J. Weiß, Bachmann, Conzelmann, Wendland, Lietzmann (in der Übersetzung).

den Spezialisten. Die Parallelisierung von *propheteia* und *gene glosson* und der ihnen zugeordneten Charismen hat also ihre sachlichen Grenzen.

II. diakrisis "Deutung" und diakrino "deuten". Zusammenfassung des sprachlichen und religionsgeschichtlichen Arguments

diakrisis und *diakrino* gehören, wenn auch nur am Rande, zur griechischen Deuteterminologie.[16] Im biblischen Sprachbereich sind sie neben *synkrisis/synkrino, krisis/krino* und *epilysis/epilyo* Übersetzungsvarianten für hebräisches bzw. aramäisches *ptr/pšr* "auslegen, deuten".[17]

Das Deuteverfahren ist der gesamten uns bekannten Antike einschließlich des Judentums gemeinsam. Deutung hat es bereits im griechischen Bereich mit der Erkenntnis des Willens der Götter und mit mantischen Phänomenen zu tun.[18] Die Deuteterminologie und die Wortgruppe *prophetes* weisen dort ebenfalls schon Berührungen auf.[19]

Im nachbiblischen Judentum konstatieren wir eine starke Ausdehnung des seit alter Zeit bekannten Deuteverfahrens über den Traum hinaus auf alle jene Bereiche, hinter denen man den Willen und die Offenbarung Gottes vermutete, auf die als Orakel verstandenen prophetischen Texte des Alten Testaments[20] und auf Omina.[21]

Dieser Funktion des Deuteverfahrens entspricht auch seine Anwendung auf die urchristliche Prophetie nach 1 Kor 12, 10; 14, 29. Das vom Propheten verkündete, ihm offenbarte Wort oder Bild[22] soll durch die Deutung der anderen zur Deutung Befähigten erschlossen[23] oder dem Glaubens- und Erwartungshorizont[24] der Gemeinde zugeordnet werden. Ein solcher Zusammenhang zwischen Offenbarung und Deutung entsprach den griechischen Vorstellungen und war deshalb in Korinth verständlich.

Das Deuteverfahren hat im Judentum wie in seiner Umwelt rationalen Einschlag.[25] Jedoch durchzieht die besondere Wertschätzung und Anerkennung

---

[16] Vgl. Dautzenberg, Hintergrund 94—98.

[17] Vgl. das Register; Dautzenberg, Hintergrund 99f.

[18] Hopfner, Traumdeutung, Pauly-Wissowa 2. VI 2233—2245; Dodds, Die Griechen und das Irrationale 55—71; Oepke, ThW V 221—227; Dautzenberg, Hintergrund 95f.

[19] S. den Hinweis bei Dautzenberg, Hintergrund 96—98: Plat Tim 72ab; Strabo 17, 1, 43; Luc Verae Hist 2, 33 (im ausgedruckten Zitat a. a. O. 97 ist irrtümlicherweise *propheteuon* vor *Antiphon o ton oneiron ypokrites* ausgefallen); ferner Dio Chrys 12, 47; Luc Pergr Mort 21.

[20] Vgl. oben S. 60—64. 102—104.

[21] Oben S. 101.

[22] Vgl. unten S. 194—196.

[23] S. unten S. 286f.

[24] So könnte man Röm 12, 6: *propheteian kata ten analogian tes pisteos* verstehen.

[25] Das zeigt sich außer an der Etymologie der Deuteausdrücke, oben S. 43f, besonders an der Anwendung dieser Begrifflichkeit auf Rätsel, oben S. 102f.

der charismatisch-intuitiven, als eingegeben und inspiriert verstandenen Deutung die ganze biblische und jüdische Tradition.[26] Diese Art von Deutung hat autoritativen Anspruch und Offenbarungsqualität. Dem entspricht es, daß Paulus in 1 Kor 12, 10 die *diakriseis pneumaton* als Charisma und als Geistwirkung bewertet. Diese Bewertung schließt weder bei Paulus noch im Judentum aus, daß die Fähigkeit zur Deutung intellektuelle und bildungsmäßige Voraussetzungen (Traditionskenntnis) hat.[27]

2. Kapitel: Auseinandersetzung mit dem traditionellen Verständnis der *diakrisis pneumaton* als einer "Unterscheidung der Geister"

§ 50 Überprüfung der Argumente für ein Verständnis von *diakrisis/diakrino* als "Unterscheidung", "Beurteilung", "Prüfung" in sprachlicher Hinsicht

Nur wenige Kommentatoren übersetzen *diakrisis* 1 Kor 12, 10 und *diakrino* 14, 29 in gleicher Weise, obwohl die meisten von ihnen[1] faktisch für beide Stellen eine "Unterscheidung der Geister" voraussetzen. Daß es dennoch kaum möglich scheint, beide Stellen gleichsinnig zu übersetzen, könnte schon auf ein verborgenes sprachliches und sachliches Problem hinweisen. Ein solches ist tatsächlich mit dem traditionellen Verständnis "Unterscheidung der Geister" verbunden. Das sprachliche Problem bei der Übersetzung von *diakrisis* mit "Unterscheidung" liegt im abhängigen Genitiv *pneumaton.* Die übrigen sonst genannten Beispiele,[2] bei denen die Bedeutung "Unterscheidung" zutrifft, geben nämlich an, zwischen welchen Größen unterschieden wird.

---

[26] Vgl. die Zusammenfassung S. 120.

[27] Vgl. nur die bildungsmäßigen Voraussetzungen bei Daniel, bei Josephus und das Schriftstudium in Qumran.

[1] Anders Allo, 1 Kor 326 zu 12, 10: die Gabe der *diakrisis pneumaton* befähigt zum Urteil über die Qualität des in der Versammlung Vorgebrachten; 370 zu 14, 29: die "anderen" (= die Vorsteher) sollen das Geäußerte richten und kontrollieren.

[2] Bauer 367; die Kommentare verzichten durchweg auf die Angabe sprachlicher Analogien. Büchsel, ThW III 951, beschränkt sich auf das Neue Testament (bei drei Vorkommen!) und konstatiert: "Im Neuen Testament meist: *Unterscheidung.*" Liddell-Scott 399 nennt zu *diakrisis* = *discrimination* nur Hebr 5, 14 und 1 Kor 12, 10; zur eventuell verwandten Bedeutung *differentiation* führt er als Beleg einen Text aus Damascius Philosophus (6 Jh. n. Chr.) De principiis 1 (ed. Ruelle, Paris 1889) an; in diesem Text meint *diakrisis* aber die ontologische Unterschiedenheit der Einzeldinge.

Das ist der Fall bei Hebr 5, 14: *pros diakrisin kalou te kai kakou;* Sext Emp Hyp Pyrrh 3, 168: *diakrisis ton te kalon kai kakon.* Die weiteren von Bauer zum Vergleich herangezogenen Texte brauchen *diakrisis* in verschiedenen Bedeutungen. Plat Leg 937b: *eis ten ton pseudomartyron diakrisin* handelt davon, daß Prozeßeinwendungen gegen angeblich oder wirklich falsche Zeugnisse sicher hinterlegt und für die "gerichtliche Entscheidung über die (oder eventuell: 'Untersuchung der') falschen Zeugnisse" vorgelegt werden. Die Bedeutung "Unterscheidung" ist auch dadurch ausgeschlossen, daß im Kontext nirgendwo die Vorstellung auftaucht, Richter hätten etwa unter einer Menge von Zeugnissen zwischen den wahren und falschen Zeugnissen zu unterscheiden. Sie sollen vielmehr über die als falsch beanstandeten Zeugnisse entscheiden. Diod S 17, 10, 5: *e ton semeion diakrisis* (Bauer: "die Beurteilung von Wunderzeichen") gehört zu den Belegen für *diakrisis* = "Deutung".

Ebenso dürfte es sich mit 1 Kl 48, 5 verhalten: *eto tis pistos, eto dynatos gnosin exeipein, eto sophos en diakrisei logon, eto agnos en ergois.* Die Fortsetzung (48, 6) verlangt von den so Begabten, daß sie um so demütiger sein sollen. Wir haben also eine in polemischer Absicht aufgezählte Reihe von traditionellen Charismen vor uns, welche ihrer Tendenz nach mit 1 Kor 13, 1—3 verglichen werden kann. Die Weisheit bewährt sich in der *diakrisis* von *logoi.* Dabei kann es sich nicht um Allerweltsworte handeln, das verbietet schon der Parallelismus zu *gnosis.* Wenn es sich aber um bereits vorhandene, in Ansehen stehende Worte handelt, fragt es sich, wie und was an ihnen "unterschieden" werden soll. Ihre Qualität? Aber dann muß die entscheidende Voraussetzung, daß es sich um gute und schlechte *logoi* handelt, an den Text herangetragen werden. Vielleicht ist noch die Bedeutung "Beurteilung" denkbar. Aber auch dann fragt man sich, weshalb eine solche Fähigkeit so unvermittelt erwähnt wird. Sahen sich die frühen Gemeinden etwa ständig durch verschiedenartige *logoi* bedroht? Versteht man *diakrisis* aber als "Auslegung", "Deutung", dann fügt sich die Begabung unter die anderen ein. Neben dem, der fähig ist, besondere Erkenntnis zu verkünden, steht der Weise, der die überlieferten *logoi* auszulegen vermag. Diese Eigenschaft des Weisen wurde auch schon im Judentum hoch geschätzt (vgl. Koh 8, 1; Weish 8, 8; Sir 39, 1—3; 47, 17; Spr 1, 2—6).[3]

Bei *diakrino* in der Bedeutung "unterscheiden" wird ebenfalls wie bei *diakrisis*/"Unterscheidung" angegeben, worauf sich das "Unterscheiden" bezieht:[4] Apg 15, 9: *metaxy emon te kai auton;* Dg 5, 1: *oute phone, oute ethesi;* ZP 5, 103: *to dikaion kai to adikon;* Plat Phileb 52c: *choris tas te katharas edonas kai tas schedon akathartous;* Diodorus Comicus 2, 8: *ten penichran e plousian.* Einen Sonderfall stellt Hom Od 8, 195 dar: ein Zeichen durch Tasten (von seiner Umgebung) unterscheiden oder "herauserkennen".[5] Es kann auch gesagt werden, daß kein Unterschied gemacht wird (vgl. außer den schon zitierten Stellen Apg 15, 9; Dg 5, 1; Diodorus Comicus 2, 8 ferner noch Apg 11, 12; Hdt 3, 39; Thuc 1, 49). Das objektlose *diakrino* in 1 Kor 14, 29 eignet sich noch weniger als *diakrisis* in 12, 10 für die Übersetzung "unterscheiden". Nach dem unmittelbaren Kontext: *prophetai de dyo e treis laleitosan kai oi alloi diakrine-*

---

[3] Vgl. vor allem oben S. 55—57.

[4] Belege nach Liddell-Scott 399 und Bauer 367. Bauer nennt außerdem noch 4 Makk 1, 14 und Jos Bell 1, 27. In beiden Fällen handelt es sich um Erklärungen der Verfasser über das, was sie in ihren Werken darzustellen beabsichtigen. *diakrino* könnte an diesen Stellen am besten mit "gesondert darlegen" übersetzt werden; vgl. die ursprüngliche Wortbedeutung "sondern, trennen" und das lateinische disserere.

[5] Dieses Beispiel ist also nicht auf die *diakrisis pneumaton* anwendbar. Die *pneumata* sollen ja nicht von einer nichtpneumatischen Umgebung unterschieden werden.

tosan ist es zudem auf die Äußerungen der Propheten und nicht auf deren "Geister" zu beziehen.[6]

Dieser Überblick zeigt, daß das Verständnis der *diakrisis pneumaton* als "Unterscheidung der Geister" sprachlich nicht gedeckt werden kann. Denn die vorausgesetzte Differenzierung zwischen guten und bösen Geistern müßte nach allen Beispielen auch ausgedrückt werden. Sie ergibt sich auf jeden Fall nicht aus dem Text, sondern muß an ihn herangetragen werden.

Als Alternative zu "Unterscheidung" wird wenigstens für *diakrino* in 14, 29 die Bedeutung "beurteilen" in der Literatur vertreten. HEINRICI spricht darüber hinaus auch zu 12, 10 von "Geisterbeurtheilungen". Das ist konsequent. Denn man wird versuchen müssen, *diakrisis* in 12, 10 und *diakrino* in 14, 29 einheitlich zu interpretieren. Allerdings bleibt die Schwierigkeit, daß nach 12, 10 über "Geister", nach 14, 29 aber über die Äußerungen der Propheten geurteilt werden soll. Außerdem ist unklar, wie man sich ein solches Urteilen vorstellen soll.

CONZELMANN[7] empfindet dieses Problem und fragt: "Aber wieso soll und kann die Prophetie 'beurteilt' werden, die doch verständlich ist und ihre Autorität mit sich führt?" Er unterdrückt die Frage aber dann mit dem Hinweis auf 1 Kor 12, 1—3 und 10. HEINRICI[8] nimmt unter Berufung auf 1 Tim 4, 1; 1 Joh 4, 1 ein Urteil darüber an, von welchen Geistern die prophetische Rede ausgegangen sei; das Beurteilen in 14, 29 hat nach ihm die Aufgabe festzustellen, ob "das Geredete nachweislich vom Geiste herrühre" oder nicht. ALLO[9] glaubt, daß besonders autorisierte Mitglieder der Gemeinde über die gute Qualität der prophetischen Verkündigung urteilen und eine Kontrolle über die Prophetie ausüben sollten. BÜCHSEL[10] vermutet, daß eine energische Kritik an der Prophetie eine feste Stelle im Leben und Gottesdienst der Gemeinde hatte. WENDLAND[11] erkennt unter Berufung auf 1 Thess 5, 21 in der Anweisung *kai oi alloi diakrinetosan* das "Recht und die Vollmacht" der Gemeinde, "die Geisteswirkungen zu beurteilen".

Das "Urteilen" hat also nach Meinung der Kommentatoren ein ziemlich breites Spektrum. Dieses reicht vom Vorgang der intellektuellen Urteilsbildung, von der systematischen Kritik bis zum quasigerichtlichen Urteil über die Äußerungen der Propheten. Der Kuriosität halber sei vermerkt, daß E. LERLE[12] sogar eine Verbindung zwischen der *diakrisis pneumaton* und dem eschatologischen Gericht über die Engel hergestellt hat. *diakrino* hat dagegen in der Bedeutung "urteilen" ein viel engeres Spektrum.

LIDDELL-SCOTT 399 führt nur die Bedeutung "decide" (im gerichtlichen Sinne; in einer bestimmten Wahl- oder Entscheidungssituation). BAUER 367 notiert für IEph 5, 3; Did 11, 7; 1 Kor 14, 29 die Bedeutung "ein Urteil fällen über"; sie wird auch durch den

[6] Gegen Büchsel, ThW III 948 Anm. 8: "Gedacht ist nicht so sehr an das von den Propheten Gesagte als an die Geister der Propheten 12, 10."

[7] 1 Kor 288f.

[8] 1 Kor 370 und 433.

[9] 1 Kor 370.

[10] Der Geist Gottes im Neuen Testament 369; vgl. vCampenhausen, Kirchliches Amt 68 Anm. 5.

[11] 1 Kor 114.

[12] Diakrisis Pneumaton bei Paulus 92.

Sprachgebrauch der LXX bestätigt. Dort meint *diakrino* in der Bedeutung "urteilen" nie ein intellektuelles Urteil, sondern immer ein herrscherliches oder richterliches Urteilen (*špṭ:* Ex 18, 16; 3 Kg 3, 9; 1 Chr 26, 29; *djn:* Ps 49(50), 4; Spr 31, 9; die Bedeutung "richten" hat *diakrino* nach LXX auch Koh 3, 18 [beachte den Parallelismus zu 3, 17]; Esth 8, 12i). Bauer nennt ferner noch die Bedeutungsnuance "richtig beurteilen". Seine Beispiele müssen aber als Beispiele für eine weitere, gewöhnlich nicht beachtete Bedeutungsvariante von *diakrino* gelten: Hi 12, 11; 23, 10 steht *diakrino* für hebr. *bḥn* vom Ohr, das die Worte, und von Gott, welcher den Hiob "prüft". Diese Bedeutung hat *diakrino* auch BGU III 747i20.[13] Sie könnte auch für die von Bauer genannte Stelle Mt 16, 3 zutreffen: *to men prosopon tou ouranou ginoskete diakrinein, ta de semeia ton kairon ou dynasthe.* Denn die Parallele Lk 12, 56 hat *dokimazein.* Matthäus konnte *diakrinein* aber auch im Sinne von "deuten, auslegen" gebraucht haben, da er anders als Lukas *(ton kairon)* von "Zeichen" spricht. 1 Kor 11, 31 *eautous diekrinomen* fordert von den Korinthern ein strenges Urteil über sich selbst.

Da das *diakrinein* in 1 Kor 14, 29; 12, 10 nicht weiter erläutert wird, müßte man dann, wenn man an der Bedeutung "urteilen" festhält, die enge judiziale Bedeutung annehmen. Das hätte aber als Konsequenz, daß die Prophetie tatsächlich dem strengen Urteil anderer Charismatiker untergeordnet gewesen wäre (vgl. Allo, Wendland) und daß nicht die Prophetie selber, sondern das inspirierte Urteilen über sie Höhepunkt der Gemeindeversammlung gewesen wäre. Tatsächlich eine eigenartige Vorstellung. In den paulinischen Gemeinden hätte es schon eine Proto-Inquisition gegeben. Weshalb soll Paulus dann in Korinth die Prophetie und nicht die *diakrisis pneumaton* empfohlen haben?

So bliebe noch die dritte, vor allem von J. Weiss[14] vertretene Bedeutungsnuance "untersuchen, prüfen" analog zu *dokimazo.* Sie ist sprachlich möglich.[15] Exegetisch wäre allerdings eine befriedigende Erklärung für die verschiedenen Objekte, nämlich *pneumata* (12, 10) und die Äußerungen der Propheten (14, 29), zu fordern. Außerdem erhebt sich, wenn auch nicht in gleich scharfer Form wie zur Bedeutung "urteilen" wieder die Frage, ob sich eine solche Prüfung sinnvoll in den paulinischen Kontext von 1 Kor 12—14 und darüber hinaus in die korinthische Gemeindeversammlung einfügt. Weiss[16] sagt selber: "Soll jede einzelne prophetische Äußerung darauf untersucht werden, ob sie auch nicht von einem Dämon herrührt? Es scheint, daß dies wirklich die Meinung ist."

§ 51 Überprüfung der Argumente für ein Verständnis der *diakrisis pneumaton* als "Unterscheidung der Geister" in religionsgeschichtlicher Hinsicht

Das Verständnis der *diakrisis pneumaton* als "Unterscheidung", "Beurteilung" oder "Prüfung" der Geister und die analoge Auffassung des *diakrinein* von 1 Kor 14, 29 stützt sich außer auf eine anscheinend ungebrochene exege-

---

[13] Moult-Mill 150.
[14] 1 Kor 291.
[15] Vgl. oben; *diakrisis* "revision, examination": Moult-Mill 150; Liddell-Scott 399.
[16] 1 Kor 340.

tische Tradition von Chrysostomus[17] an auf die jüdisch-christliche Geister- und Dämonenlehre und auf eine Reihe von urchristlichen Texten: 1 Thess 5, 19—21; 1 Joh 4, 1—3; Did 11, 7,[18] aus welchen der Brauch und die Notwendigkeit einer "Unterscheidung der Geister" abgeleitet werden. Mit Ausnahme von 1 Thess 5, 19—21 sind diese Texte sämtlich jünger als 1 Kor 12, 10; 14, 29. Aus ihnen läßt sich weder eine einheitliche Anschauung, noch ein einheitlicher Brauch, noch eine einheitliche Terminologie hinsichtlich einer "Unterscheidung der Geister" eruieren. Und gerade dies wäre zu fordern, da die Angaben in 1 Kor durch ihre Kürze auf das Vorliegen technischer Terminologie schließen lassen und auch als term. techn. verstanden werden. Wie oben gezeigt wurde, ergibt sich die "Unterscheidung" zwischen guten und bösen Geistern und analog auch das "Beurteilen" oder "Prüfen" der Geister im Hinblick auf ihre göttlichen oder dämonischen Qualitäten nicht aus dem Text oder den sprachlichen Ausdrücken, sondern diese Bedeutung muß herangetragen werden — entweder auf Grund eines urchristlichen Usus, der anderweitig religionsgeschichtlich zu sichern wäre, oder auf Grund der exegetischen Tradition.

(1) 1 Thess 5, 19—22: *to pneuma me sbennyte* (19), *propheteias me exoutheneite* (20). *panta de dokimazete, to kalon katechete* (21), *apo pantos eidous ponerou apechesthe* (22). Gewöhnlich wird das *dokimazein* von 5, 21 auf die vorher erwähnte Prophetie zurückbezogen und mit dem *diakrinein* von 1 Kor 14, 29 und der *diakrisis* von 1 Kor 12, 10 verglichen.[19] Tatsächlich kann sich die Bedeutung von *diakrino* sehr eng an die von *dokimazo* "prüfen" annähern.[20] Dibelius[21] setzt außerdem *to kalon* (5, 21) mit *pros oikodomen* (1 Kor 14, 12) gleich. Rigaux[22] versteht darüber hinaus das *panta* (5, 21) als abgekürzte Bezeichnung für *panta eide pneumaton* und verknüpft auf diese Weise 1 Thess 5, 19ff noch stärker mit 1 Kor 12, 10.

Die Voraussetzungen dieser Exegese sind aber alles andere als gesichert. Der Rückbezug des *dokimazein* von 5, 21 auf *propheteia* bzw. auf die Geistwirkungen, also auf 5, 19f, wird vor allem durch die Beobachtung gestützt, daß die fünf Imperative zusammengehören und miteinander durch *me— me — de*[23] verknüpft sind.[24] Als äußere Klammer gilt die Tatsache, daß diese fünf Imperative zwischen dem Abschluß der allgemei-

[17] *kai gar polle tote ton pseudopropheton en diaphora tou diabolou philoneikountos parypostesai the aletheia to pseudos* (nach Heinrici, 1 Kor 370).

[18] 1 Tim 4, 1 dient in diesem Zusammenhang nur als Beleg für die verschiedene Qualität der Geister: Weiß, 1 Kor 301; Heinrici, 1 Kor 370.

[19] Vgl. Rigaux, 1 Thess 592; Oepke, 1 Thess 178; Robertson-Plummer, 1 Kor 267; Allo, 1 Kor 370; Wendland, 1 Kor 114; Bachmann, 1 Kor 382; vCampenhausen, Kirchliches Amt 68 Anm. 2.

[20] S. oben S. 129

[21] 1 Thess 31.

[22] 1 Thess 592: "Le *panta* s'entend de *panta eide pneumaton.*"

[23] Die Textbezeugung für *de* ist breit gestreut, ebenso aber auch für einen Text ohne *de;* vgl. den textkritischen Apparat in Aland-Black-Metzger-Wikgren, The Greek New Testament; für die Ursprünglichkeit von *de* spricht eine gewisse Härte. Die durch *de* betonte stilistische Verbindung zwischen den beiden Gruppen 5, 19f und 5, 21f konnte aus dem sachlichen Interesse an einer Reihe ethischer Imperative leicht übersehen werden.

[24] Vgl. Rigaux, 1 Thess 590.

nen Paränese des Briefs (5, 18) und dem den Brief abschließenden Segenswunsch (5, 23) stehen.[25]

Die stilistische Zusammengehörigkeit der Reihe soll gar nicht bezweifelt werden. Sie legt aber noch nicht fest, daß die Reihe auch ein einheitliches Thema hat. Inhaltlich und formal wird nämlich nach dem "Schluß" 5, 18 die Paränese doch wieder aufgenommen. Pneumatische Gaben sind auch in Röm 12 Gegenstand der Paränese. So erscheint 5, 19—22 als Nachtrag zu 5, 12—18. Das konkrete Motiv für diesen Nachtrag war die Empfehlung der Geistesgaben, besonders der Prophetie. Anlaß dazu scheint das geringe Ansehen der letzteren in den hellenistischen Gemeinden geboten zu haben.[26] Nach dieser Empfehlung bildet Paulus noch einmal einen Abschluß der Paränese, rhetorisch wirkungsvoll mit *panta de* eingeleitet und durch den generellen, kategorischen Imperativ *apo pantos . . . apechesthe* beschlossen.

Nur die beiden ersten Imperative handeln von Geistesgaben. Die drei übrigen erinnern in ihrer Begrifflichkeit weniger an pneumatische Erscheinungen als an die sittliche Paränese des Paulus:

dokimazete vgl. Phil 1, 10 (auch Röm 2, 18); Röm 12, 2.

kalon vgl. Röm 12, 17 (vgl. 2 Kor 8, 21); 2 Kor 13, 7 (vgl. Gal 6, 9).

poneron vgl. Röm 12,9. Der Satz steht im unmittelbaren Anschluß an die Charismenliste Röm 12, 6—8; außerdem haben wir hier auch eine gegensätzliche Formulierung, die 1 Thess 5, 21b—22 vergleichbar ist.

Das *panta* von 5, 21 läßt sich in seiner Allgemeinheit nicht auf die pneumatischen Erscheinungen einschränken. Es ist vielmehr so umfassend, daß es auch die Prophetie einschließen dürfte. Die Gemeinde soll alles ihr Begegnende prüfen. Das Gegensatzpaar: *to kalon — pan eidos ponerou* hat als Beziehungspunkt das allgemeine *panta* und nicht die Prophetengabe. So stehen praktisch nur die drei Imperative von 5, 19—21a auf einer Ebene. Paulus wehrt einer Verachtung der pneumatischen Gaben, besonders der Prophetie, und fordert die Gemeinde auf, alles, auch die Prophetie, auf seine Qualität hin zu prüfen, und das Gute, auch die Prophetie, festzuhalten.

Die Verbindung zwischen 1 Thess 5, 19f und 21f ist assoziativ und nicht durch der Prophetie innewohnende Probleme bedingt.[27] Mit *panta* setzt die rhetorische Schlußbildung ein, die in der generellen Ablehnung des Bösen *(apo pantos eidous ponerou)* ihren Höhepunkt erreicht. Das *dokimazein* von 1 Thess 5, 21 ist kein Beleg für einen der zu 1 Kor 12, 10 vertretenen Unterscheidung, Beurteilung oder Prüfung der Geister analogen Vorgang. Dafür ist es zu allgemein. Aus ihm läßt sich höchstens erschließen, daß Paulus auch die von ihm

---

[25] Dibelius, 1 Thess 31; Schweizer, ThW VI 420 Anm. 597.

[26] Es ist eigenartig, daß Paulus sowohl im 1 Thess wie in 1 Kor 2, 6—16 und 14 die Prophetie so nachdrücklich empfiehlt. Auf hellenistischem Boden fehlen wahrscheinlich wichtige Voraussetzungen für ihre Rezeption. In diesem Bereich ist die Prophetie auch am frühesten erloschen.

[27] Einen Hiatus zwischen 5, 19f und 21f erkennt auch Oepke, 1 Thess 178: "Ob die folgenden Worte mit den vorhergehenden eng zu verbinden oder allgemeiner zu verstehen sind, ist nicht ganz deutlich."

empfohlene Prophetie dem allgemeinen Werturteil der Gemeinde unterstellen will, im Vertrauen darauf, daß diese "das Gute festhalten" wird. Die Aufforderung zum *dokimazein* entspricht der grundsätzlichen paulinischen Auffassung über die Funktion und die Rolle der menschlichen Vernunft.[28] Ein weiterer entscheidender Unterschied zwischen 1 Thess 5, 19—22 und 1 Kor 12, 10 besteht darin, daß im Thessalonicherbrief die ganze Gemeinde als Subjekt des *me exouthenein* gegenüber der Prophetie und des *panta dokimazein* angesprochen ist, während nach 1 Kor 12, 10 die *diakriseis pneumaton* wie die Prophetie nur bestimmten Gemeindemitgliedern verliehen sind.

(2) 1 Joh 4, 1—3. 6. Mit 1 Joh 4, 1—3. 6 haben wir einen Text vor uns, der tatsächlich ein Beispiel für eine Art "Unterscheidung der Geister" darstellt.[29] Jedoch sind die Unterschiede zu 1 Kor 12, 10; 14, 29 so groß, daß eine gemeinsame Tradition oder auch nur ein gemeinsamer "Sitz im Leben" für beide Komplexe unwahrscheinlich ist.

1 Joh 4, 1—6 unterscheidet sich von 1 Kor 12, 10; 14, 29 grundsätzlich durch seine defensive Haltung gegenüber den von ihm angesprochenen pneumatischen Phänomenen (4, 1: *me panti pneumati pisteuete),* während der Kontext der beiden Korintherstellen hinsichtlich der Prophetie eindeutig positiv ist: sie ist eine *phanerosis tou pneumatos* (12, 7), sie wird empfohlen mehr als die übrigen *pneumatika* (14, 1—6. 20—25. 39). Auch die grundsätzliche Feststellung 1 Kor 12, 1—3 dringt weniger auf Unterscheidung und Absicherung als darauf, alles, was im Zusammenhang mit dem Bekenntnis zu Jesus als dem Herrn geschieht, auf den heiligen Geist zurückzuführen.[30]

Damit wird ein weiterer Unterschied zu 1 Kor 12, 10 deutlich. 1 Joh 4, 2f gibt nämlich im Gegensatz zu den Stellen über eine *diakrisis pneumaton* ein Erkenntniskriterium, nach welchem die Prüfung oder "Unterscheidung" erfolgen soll: *en touto ginoskete to pneuma tou theou · pan pneuma o omologei Iesoun Christon en sarki elelythota ek tou theou estin* usw.

Subjekt des *dokimazein* (4, 1) und *ginoskein* (4, 2) ist die ganze angesprochene Gemeinde, während in 1 Kor 12, 10; 14, 29 nur eine begrenzte Gruppe Subjekt des *diakrinein* ist. Das *diakrinein* ist ein Charisma wie die Prophetie, das *dokimazein* der *pneumata* dagegen eine Aufgabe der Gemeinde.

Das Objekt des *dokimazein* sind *pneumata.* In 1 Kor 12, 10 sind zwar auch *pneumata* Objekt der *diakriseis,* der Begriff muß dort aber anders, nämlich als "Geistesoffenbarungen"[31] verstanden werden. Außerdem wird in 1 Joh 4, 1 ja auch noch angegeben, in welcher Hinsicht die *pneumata* geprüft werden müssen: *ei ek tou theou estin.* Die in 1 Kor 12, 10 bei der Übersetzung "Unterscheidung der Geister" vermißte Gegenüberstellung der verschiedenen Arten von Geistern wird in 1 Joh der Tendenz des Ab-

---

[28] Vgl. vor allem Röm 12, 2; Phil 1, 10; Bornkamm, Paulus 143; Bultmann, Theologie 215; Grundmann, ThW II 263.

[29] In diesem Sinne wird 1 Joh 4, 1—3 zitiert von Weiß, 1 Kor 301; Heinrici, 1 Kor 370; Robertson-Plummer, 1 Kor 267.

[30] S. unten S. 144—146; Schweitzer, Die Mystik des Apostels Paulus 172f. Schnackenburg, 1 Joh (1963) 220, sieht eine größere Nähe zwischen 1 Kor 12, 1—3 und 1 Joh 4, 2; er betont aber ebenfalls die Unterschiede.

[31] S. unten S. 141f.

schnitts entsprechend gegeben. Auf der einen Seite steht das *pneuma tou theou, ek tou theou* (4, 2), *tes aletheias* (4, 6); auf der anderen Seite ein *pneuma,* von dem es heißt: *ek tou theou ouk estin, to tou antichristou* (4, 3), *tes planes* (4, 6).[32]

Es wird häufig angenommen, daß in 1 Joh 4 zwischen göttlichen oder dämonischen Geistermächten und menschlichen Geistern, die von Gott oder vom Satan beeinflußt sind, differenziert wird.[33] Diese Frage interessiert in unserem Zusammenhang nur insofern, als zu entscheiden ist, wie die *pneumata* hörbar werden. Das Stichwort "Prophetie" fällt in 1 Joh nämlich nur in der Begründung, welche für die Forderung des Prüfens der Geister gegeben wird: *oti polloi pseudoprophetai exelelythasin eis ton kosmon* (4, 1). Diese Formulierung deckt sich mit Sätzen, welche die Antichristerwartung auf die gegenwärtigen Irrlehrer beziehen: *kai nyn antichristoi polloi gegonasin ... ex emon exelthan* (2, 18f); *kai nyn en to kosmo estin ede* (4, 3). Daher ist es durchaus möglich, daß von Pseudopropheten ebenfalls in einem die eschatologische Erwartung[34] abwandelnden Sinne gesprochen wird, so daß in 1 Joh 4, 1—6 überhaupt keine direkte Auseinandersetzung mit Problemen der urchristlichen Prophetie stattfinden würde. Auch charismatische Lehrer oder Irrlehrer könnten in diesem Sinne als *Pseudopropheten* bezeichnet worden sein. Dennoch, auch wenn man annimmt, daß 1 Joh 4, 1—6 auf pneumatisches Reden, auf Reden "im Geiste", Bezug nimmt,[35] ist die Situation anders als in 1 Kor 12—14. Das *dokimazein* der *pneumata* ist nicht technische Terminologie, sozusagen ein Supplement zur urchristlichen Prophetie wie *diakrisis/diakrinein,* sondern der in einer bestimmten kirchengeschichtlichen Situation notwendige Versuch einer Grenzziehung, um die Gemeinde gegen schädliche Einflüsse abzuschirmen.

(3) Didache 11. Did. 11, besonders Vers 7, welcher der Gemeinde ein *diakrinein* der Propheten verbietet, wird immer wieder im Zusammenhang mit 1 Kor 12, 10; 14, 29 genannt.[36] Der Vers: *kai panta propheten lalounta en pneumati ou peirasete oude diakrineite* wird wohl nur im Zusammenhang mit seinem Kontext richtig verstanden.[37] 11, 1—6 handelt von der Behandlung wandernder Lehrer und Apostel. Apostel(!), welche die Gastfreundschaft der Gemeinde ausnützen, fallen unter das Verdikt: *pseudoprophetes esti* (11, 5. 6). 11, 7—12 handelt vom Verhalten zu den Propheten und von den Erkennungsmerkmalen von Pseudopropheten. Did 12 spricht allgemein von Gastfreund-

---

[32] Zur jüdisch-christlichen Geisterlehre vgl. Sjöberg, ThW VI 373f; Schweizer, ebd. 394. 447—449.

[33] Vgl. Schnackenburg, 1 Joh 220; Schneider, 1 Joh 171; de Jonge, 1 Joh 182: es ist oft kaum auszumachen, ob "Geist" psychologisch oder dämonologisch gemeint ist. Vgl. zum Problem auch Schweizer, ThW VI 433 und Anm. 689.

[34] Vgl. Mk 13, 22par; Offb 16, 13; 19, 20; 20, 10.

[35] Vgl. Schnackenburg, 1 Joh 219.

[36] Weiß, 1 Kor 301; Conzelmann, 1 Kor 290 Anm. 47; Heinrici, 1 Kor 370; Robertson-Plummer, 1 Kor 267. 322; Allo, 1 Kor 326. 370; Harnack, Did 42f.

[37] Vgl. Knopf, Did 30f; Harnack, Did 37—47.

schaft gegenüber wandernden Christen; Did 13 von den zuwandernden und ansässigen Propheten und Lehrern.

Die innere Logik des Abschnitts 11, 7—12 scheint folgende zu sein: grundsätzlich dürfen Propheten nicht beurteilt werden (11, 7). Es gibt allerdings Kennzeichen dafür, daß ein solcher ekstatischer Verkündiger gar kein Prophet, sondern ein Pseudoprophet ist, so, wenn er die *tropoi kyriou* nicht hat (11, 8), wenn er für sich einen Tisch herrichten läßt und davon ißt (11, 9), wenn er die Wahrheit lehrt, aber sie nicht tut (11, 10), wenn er Geld für sich verlangt (11, 12). Dann kann er wohl auch beurteilt oder gerichtet werden. Wenn ein Prophet dagegen sonst Sonderbares tut *(poion eis mysterion kosmikon ekklesias)*, aber andere nicht dazu verleitet (11, 11),[38] oder wenn er Geld für Notleidende verlangt (11, 12) darf nicht über ihn geurteilt werden (11, 11: *ou krithesetai;* 11, 12).

Wie vor allem 11, 11f zeigt, gebärdeten sich die Propheten, von denen die Did spricht, mitunter recht eigenartig, sie stellten auch unangenehme Forderungen. Die Versuchung, sie zu verurteilen oder zu verdächtigen, muß sehr nahe gelegen haben. In diesem Zusammenhang ist wohl auch das Verbot des *peirazein* und des *diakrinein* zu sehen. Die Begründung dieses Verbots: *pasa gar amartia aphethesetai, aute de e amartia ouk aphethesetai* klingt an Mt 12, 31 (vgl. Lk 12, 10; Mk 3, 28f) an. Diese Begründung zeigt auch den Sinn des Verbots des *peirazein* und *diakrinein;* es soll nicht nur die Person des Propheten, sondern vor allem die Souveränität des Geistes geschützt werden.

peirazein bedeutet wie Apk 2, 2 *(kai epeirasas tous legontas eautous apostolous kai ouk eisin, kai eures autous pseudeis)* "auf die Probe stellen".[39] *diakrinein* wird dann nicht ebenfalls "auf die Probe stellen", sondern "urteilen" oder "richten" heißen analog zum Gebrauch von *krinein* in 11, 11f und von *krisis* in 11, 11: *meta theou gar echei ten krisin.* Der Unterschied zu 1 Kor 12, 10 und 14, 29 ist deutlich. Bezieht sich in 1 Kor das *diakrinein* auf die Verkündigung des Propheten, so ist das *diakrinein* in Did auf die Person des Propheten bezogen, es wird höchstens durch dessen Verkündigung ausgelöst. Außerdem wird es in Did verboten, während es in 1 Kor zum geordneten Ablauf eines Gottesdienstes gehört. Did 11 ist also weder ein Beleg für einen urchristlichen Brauch der Geisterunterscheidung noch für den Brauch und die Notwendigkeit einer ständigen Prüfung oder Beurteilung der prophetischen Verkündigung.

---

[38] Es ist bisher noch nicht gelungen, Did 11, 11 befriedigend zu interpretieren. Broek-Utne, Eine schwierige Stelle in einer alten Gemeindeordnung, weist nachdrücklich auf diesen Umstand hin. Seine eigene Erklärung — "Wenn der Prophet aber ein Mysterium (z. B. einen geheimen Entschluß Gottes über die Gemeinde) geschaut hat, so hat er — sofern er nach diesem Mysterium handelt — Freiheit, Taten auszuführen, die er anderen Menschen nicht empfehlen kann" (581) — umgeht gerade die Wendung: *mysterion kosmikon ekklesias.*

[39] Vgl. Bauer 1269.

Das Problem in den Gemeinden auftretender Pseudopropheten taucht in Did wie in anderen Schriften (Herm m 11; 1 Joh 4, 1—6?) der nachapostolischen Zeit auf. Man begegnet ihm aber nicht durch ständiges Mißtrauen, ständige Wachsamkeit und ständiges Prüfen der prophetischen Verkündigung, sondern durch die fallweise Anwendung mehr oder weniger zutreffender Kriterien. Es gibt keinen Brauch der Approbation eines Propheten.[40] Der Ausweis eines Propheten ist zunächst einmal die Tatsache, daß er, wie die Did sagt, *en pneumati* redet (11, 7).

§ 52 Die Bedeutung des Plurals *pneumaton* im Ausdruck *diakriseis pneumaton*

Sofern in der Literatur über die *diakriseis pneumaton* reflektiert wird, wird der Genitiv *pneumaton* auf die verschiedenen Arten von Geistern bezogen, welche in der prophetischen Rede oder überhaupt in den Geistesäußerungen[41] zur Wirkung kommen. Die *diakrisis pneumaton* gilt als "die Gabe zu erkennen, ob es der göttliche oder menschliche oder ein dämonischer Geist ist, der aus dem Verzückten spricht".[42] Religionsgeschichtliche Voraussetzung für diese Interpretation ist die jüdisch-christliche Geister- und Dämonenlehre,[43] als nächste innerneutestamentliche Parallelen gelten 1 Joh 4, 1 und 1 Tim 4, 1. Wir haben bereits dargelegt, daß der Ausdruck *diakriseis pneumaton* sprachlich nicht auf die zu unterscheidenden Arten von Geistern hinweist und daß es sehr gute Gründe gibt, *diakrisis* als "Deutung" der prophetischen Äußerungen aufzufassen. Dann muß aber auch der Gen. obj. *pneumaton* anders aufgefaßt und übersetzt werden können, nämlich als "Geistesoffenbarungen". Diese Auffassung soll im folgenden nicht nur als möglich, sondern als dem Kontext und als der paulinischen Auffassung von *pneuma* angemessener begründet werden.

I. pneuma und pneumata in 1 Kor 12—14

In 1 Kor 12—14 begegnen wir zwei Reihen von paulinischen Aussagen über *pneuma*. In 12, 1—13 argumentiert Paulus grundsätzlich und theologisch. Alle Christen besitzen den Geist. Der Geistbesitz geht auf die Taufe und auf die

[40] Did 11, 11: *pas de prophetes dedokimasmenos* ist auch kein Beleg für eine solche Approbation oder Prüfung. *dedokimasmenos* heißt in diesem Zusammenhang nicht "geprüft", sondern "bewährt"; so auch Did 15, 1: man soll nur *andres dedokimasmenoi* zu *episkopoi* und *diakonoi* wählen; vgl. Harnack, Did 44: "erprobt"; vgl. ferner 1 Kl 44, 2; gegen Allo, 1 Kor 370, der behauptet: "un contrôle assez sévère est prescrit 11, 1—6. 8—12, et 12".

[41] Bachmann, 1 Kor 382.

[42] Lietzmann, 1 Kor 61.

[43] Vgl. dazu Kleinknecht, Sjöberg, Schweizer, ThW VI 337. 373f. 388—390. 394. 447.

Christusgemeinschaft zurück. Das Bekenntnis *kyrios Iesous* ist nur in der Kraft des Geistes möglich. Die verschiedenen Charismen sind nicht mit dem Geist identisch, sondern sind *phaneroseis tou pneumatos*, differenzierte Offenbarungen des einen Geistes zum Nutzen aller. Die *pneuma*-Aussagen in Kapitel 14 dagegen sind viel weniger durchreflektiert. Das Thema "allgemeine Geistbegabung" scheint sich auf eine möglichst breit gestreute Ausstattung mit Charismen zu verengen, die Charismen werden mit *pneumata* identifiziert (14, 12: *zelotai pneumaton)* oder schlechthin *pneumatika* genannt (14, 1), wie der Charismatiker ein *pneumatikos* ist (14, 37). Es gibt "Prophetengeister, die den Propheten untertan sind" (14, 32), und *pneuma* ist die dem Wort und dem Verstand nicht unmittelbar zugängliche Macht der Ekstase (14, 2. 14).

Die Differenz zwischen diesen beiden kurz skizzierten Aussagenreihen hängt sicher mit dem Problemkreis "Tradition" und "paulinische Interpretation" zusammen. Die erste Reihe ist theologisch von Paulus durchgestaltet, die zweite spiegelt ungebrochener die *pneuma*-Anschauungen des hellenistischen Christentums. In der religionsgeschichtlich arbeitenden Forschung wurde auch die *diakrisis pneumaton* von 12, 10 mit Recht zur zweiten Reihe gestellt, näherhin zu den *pneumata* von 14, 12. 32.[44]

Dibelius[45] erklärte die Spannung, welche zwischen den beiden Aussagereihen, besonders zwischen der Betonung der Einheit und Besonderheit des göttlichen Geistes und der Redeweise von *pneumata* besteht, durch die Vermutung, daß in der Redeweise von *pneumata* ein älteres, primitives, dämonologisches Geistverständnis (gute und böse Geister) überlebt. In Anknüpfung an die *pneuma*-Dämonen der Evangelien, an 1 Tim 4, 1; aethHen 15, 8; Test Rub 2, 3; Test Sim 3 behauptet er, daß die *pneumata*-Stellen in 1 Kor 12—14 ebenfalls von einer Mehrzahl von Geistern handeln, zumal sich ein Gebrauch im Sinne von "Geistwirkungen" nicht belegen lasse.[46] Die *diakrisis pneumaton* bestehe darin, "daß man erkennen kann, ob das göttliche *pneuma* oder eins von den dämonischen *pneumata* im Menschen wirksam ist".[47] Dibelius stützt seine These auch noch auf 1 Joh 4, 1 und 1 Kor 12, 1—3 als "Anleitung zur Prüfung der Geister"[48] und auf den sehr anfechtbaren Versuch, unter Hinweis auf 2 Kor 11, 14 (Satan verwandelt sich in einen Lichtengel) Paulus in die Denk- und Sprachtradition der jüdisch-christlichen Dämonologie s. v. *pneuma* einzustellen.[49] Gerade das ist aber zweifelhaft. So versteht Dibelius[50] auch die *zelotai pneumaton* von 1 Kor 14, 12 als "Leute, welche nach den Wirkungen von Geistern überhaupt streben", und zu 14, 32 vermutet er: "Diese Regel scheint nun für alle Arten von Prophetengabe, göttliche und nichtgöttliche, gelten zu sollen — vielleicht steht darum der Plural *pneumata*. Oder muß man annehmen, daß Paulus sich hier dem Sprachgebrauch akkommodiert habe, der die Geistwirkungen auf Geister zurückführte?"

---

[44] Dibelius, Die Geisterwelt im Glauben des Paulus 74f; vgl. auch Schweizer, ThW VI 420f.

[45] A. a. O. 76.

[46] A. a. O. 74; so unter Berufung auf Dibelius auch Schweizer, ThW VI 433 Anm. 689, obwohl er die Übersetzung "heiliger Geist und Dämonen" ablehnt.

[47] A. a. O. 76.

[48] A. a. O. 75.

[49] So in Anlehnung an Dibelius auch Lerle, Diakrisis Pneumaton 20. 93.

[50] A. a. O. 76.

Die exegetische Forschung ist DIBELIUS aber nur in seiner Erklärung zu 1 Kor 12, 10 einhellig gefolgt, welche ohnehin die alte exegetische Tradition nur religionsgeschichtlich untermauerte. Für den Plural *pneumata* in 14, 12. 32 dagegen hat man auch nach DIBELIUS Erklärungen von anderen als den dämonologischen jüdischen *pneuma*-Kategorien her gefunden. Der Interpret der paulinischen *pneuma*-Aussagen ist sehr schnell geneigt, mit personalen Kategorien an diese Aussagen heranzugehen. Dann kann der Plural *pneumata* natürlich nur zur Dämonologie führen. Man muß sich jedoch vor Augen halten, daß es damals andere Kategorien gab, die von uns nur noch annähernd rekonstruiert werden können.

Zu 1 Kor 14, 32: Die Stelle wird im Zusammenhang mit 14, 14 *(to pneuma mou)* gesehen. "Das dem einzelnen Pneumatiker geschenkte *pneuma*" kann als "'sein' *pneuma* bezeichnet werden".[51] Der Plural hängt mit der Mehrzahl der Personen zusammen. Ähnliche Ausdrucks- und Denkformen stehen hinter Apk 22, 6: *o kyrios o theos ton pneumaton ton propheton.* Wenn die personale Geistkategorie aufgegeben wird, wird man eine andere postulieren müssen, welche Einheit und Vielheit zugleich umfaßt; sie ist auch schon zur Interpretation alttestamentlicher Aussagen notwendig; vgl. Num 16, 22; 27, 16 mit Ez 37, 5f; Ps 104, 29.

Zu 14, 12: Der Plural *pneumata* erkläre sich "aus der Mannigfaltigkeit der Wirkungsweise des Geistes"[52] und habe praktisch die Bedeutung "Charismata".[53] Diese Gleichsetzung wird durch die Beobachtung unterstützt, daß *zelotai pneumaton* in 14, 12 praktisch synonym mit *zelotai pneumatikon* ist; die Aufforderung in 14, 1 lautet ja: *zeloute de ta pneumatika.*[54] Die "Aufteilung" der einen *rwḥ* je nach ihrer Wirkungsweise ist bereits alttestamentlich und jüdisch.[55] Ein zeitgenössischer Beleg für diese Denk- und Ausdrucksweise ist 1QH 17, 17: "Ich preise dich Herr wegen der Geister *(rwḥwt)*, die du in mich gegeben hast". Während die gleiche formelhafte Ausdrucksweise an den übrigen Stellen der Hodajot (12, 11f; 13, 19; 16, 11; f3, 14) mit *rwḥ* im Singular gebraucht wird, steht sie in dem zitierten Text 17, 17 im Plural, ohne daß eine Verschiebung im Sinn erkennbar wird.[56]

Trotz DIBELIUS wird man also beim Plural *pneumata* wie auch beim Singular *pneuma* nicht nur an Geist, sondern auch an die Wirkungsweisen und an die verschiedenen Wirkungen des Geistes denken dürfen. Dafür sprechen auch noch weitere Gründe und Überlegungen.

---

[51] Schweizer, ThW VI 433 und Anm. 689; Bauer 1344; ähnlich schon Heinrici, 1 Kor 434; Robertson-Plummer, 1 Kor 323: "The prophetic charismata"; Allo, 1 Kor 371; Conzelmann, 1 Kor 289: "seine Inspiration".

[52] Bauer 1344; so auch Conzelmann, 1 Kor 279 Anm. 76 in Auseinandersetzung mit Lietzmann.

[53] Robertson-Plummer, 1 Kor 311; Heinrici, 1 Kor 419.

[54] So auch Conzelmann, 1 Kor 279; vgl. Allo, 1 Kor 361.

[55] Jes 11, 2; Ex 31, 3; 35, 3; Num 24, 2; 1QH 14, 25; TLev 2, 3; 18, 7; aethHen 49, 3; vgl. schon Heinrici, 1 Kor 419.

[56] Vgl. Kuhn, Enderwartung 135: "Die Gabe des Geistes beim Eintritt in die Gemeinde kann durchaus im Sinne einer Vielzahl von Geistesgaben verstanden werden ... Sachlich dürfte trotzdem nicht an Geister gedacht sein, die das Tun des Menschen von vornherein auf Grund der Prädestination bestimmen, sondern an die besonderen Wirkungen des *einen* Gottesgeistes."

II. Die diakriseis pneumaton von 1 Kor 12, 10 und die Wendung pneumatikois pneumatika synkrinontes 1 Kor 2, 13

Der Abschnitt 1 Kor 2, 6—16 handelt unter einem anderen Gesichtspunkt von den gleichen Phänomenen der Geistesoffenbarung und der pneumatischen Rede, die in 12, 8—10; 13, 2. 8—12; 14, 6. 26. 29—31 unter der Rücksicht der Gemeindeordnung und ihrer theologischen Begründung zur Sprache kommen.[57] Das *synkrinein* von 2, 13 entspricht dem *diakrinein* von 14, 29 und der *diakrisis pneumaton* von 12, 10.[58] *synkrino* steht im biblischen Sprachbereich wie *diakrino* für *ptr*/*pšr*.[59] Bei Philo begegnet *synkrisis* "Deutung" neben *diakrino* / *diakrisis* in der gleichen Schrift (vgl. Jos 158 mit Jos 125. 143).[60] *synkrino* hat in 2, 13 die Bedeutung "deuten".[61] Das *synkrinein* wird wie in 12, 10 als Geistesgabe, als pneumatische Rede bewertet. Das geht aus dem Hauptsatz hervor, von welchem die Wendung *pneumatikois pneumatika synkrinontes* abhängt und welchen sie erklären soll: *a kai laloumen ouk en didaktois anthropines sophias logois all' en didaktois pneumatos.* Das *synkrinein* vollzieht sich in vom Geist eingegebenen Worten.

Dibelius[62] möchte zu *pneumatikois* noch *logois* ergänzen und übersetzt: "im Geist Geschautes mit vom Geist gegebenen Worten beurteilend, d. h. auslegend". Damit bringt er aber eine unnötige Verdoppelung in den Satz. *pneumatikois* ist wohl doch als substantiviertes Maskulinum zu fassen wie in 2, 15 und 3, 1. Die maskulinische Auffassung empfiehlt sich auch durch den Anschluß von 2, 14: *psychikos de anthropos ou dechetai ta tou pneumatos tou theou* als kontextgemäß.[63] Als "abgerissene Worte"[64] kann ich die Wendung allerdings nicht empfinden. Sie beschreibt einen der korinthischen Ge-

---

[57] Vgl. unten S. 152. 224f. 235. 250. 286. 289f.

[58] Kleinknecht, ThW VI 346, spannt den Vergleich zu weit, hat aber das Vorhandensein einer Beziehung zwischen 1 Kor 2, 13—15 und 12, 10 richtig erkannt: "Die Kritik, der hier Plato die *mantike entheos kai alethes* unterwirft, berührt sich grundsätzlich mit der *diakrisis pneumaton* (1 K 12, 10), dem *dia-*, *ana-* und *synkrinein* (1 K 2, 13—15; 14, 29), dem *dokimazein* (1 Th 5, 19—22)."

[59] S. oben S. 44f; vgl. auch Dautzenberg, Hintergrund 99f.

[60] Vgl. Dautzenberg, Hintergrund 99.

[61] So mit verschiedenen Begründungen: Conzelmann, 1 Kor 73; Heinrici, 1 Kor 105f; Kuß, 1 Kor 127f; Bachmann, 1 Kor 133f; Weiß, 1 Kor 65; Wendland, 1 Kor 25f; Büchsel, ThW III 955; Lietzmann, 1 Kor 13f; Robertson-Plummer, 1 Kor 47, würde der Übersetzung "deuten" den Vorzug geben, hat aber Bedenken, weil *synkrino* sonst immer mit Traumdeutung verbunden sei. Zu den sonstigen Übersetzungen s. Bauer 1534 und Lietzmann, 1 Kor 13f.

[62] Geisterwelt 91 Anm. 4.

[63] Vgl. Büchsel, ThW III 955. Für eine maskulinische Auffassung von *pneumatikois* sprechen sich ferner mit verschiedenen Begründungen folgende Autoren aus: Heinrici, 1 Kor 105f; Kuß, 1 Kor 127f; Allo, 1 Kor 47f; Robertson-Plummer, 1 Kor 47; Weiß, 1 Kor 65. Weiß will darüber hinaus mit Blaß *logois* in 2, 13 streichen und so auch *en didaktois* persönlich verstehen. Diese Konjektur ist überflüssig. Der überlieferte Text ist nicht nur verständlich, sondern auch sinnvoller, da sowohl die Deutung als pneumatische Rede als ihr Adressatenkreis als der Kreis der Pneumatiker charakterisiert werden.

[64] Büchsel, ThW III 955.

meinde bekannten Vorgang. Die Wendung hat technischen Charakter. Man wird sie nur so lange für rätselhaft oder schwierig halten, als man die Beziehung von 2, 6—16 zu den Phänomenen der pneumatischen Rede nicht anerkennt.

Objekt des *synkrinein* sind *pneumatika*, Geistesoffenbarungen.[65] Diese Wortbedeutung ist im Corpus Paulinum und im Neuen Testament singulär. Die beiden anderen Vorkommen von *pneumatika* in den Paulusbriefen[66] stellen nur Analogien, aber keine Parallelen zu unserer Stelle dar.[67] 1 Kor 9,11: *ei emeis ymin ta pneumatika espeiramen, mega ei emeis ymon ta sarkika therisomen* bezieht sich *pneumatika* ganz allgemein auf die paulinische Verkündigung des Evangeliums mit all seinen Gaben (daher der Plural). Dieses gehört auf die Seite des *pneuma*, auf die Seite Gottes, während der den Aposteln zu gewährende Unterhalt zu den *sarkika*, auf die Seite des Menschen gehört.[68] Ähnlich Röm 15, 27 im Zusammenhang der paulinischen Kollekte für die Jerusalemer Gemeinde.[69] Zu diesen Gegenüberstellungen vgl. schon Jes 31,3: "Denn die Ägypter sind Menschen und nicht Gott, und ihre Rosse sind Fleisch und nicht Geist." Diese Analogien zeigen nur, wie weit der Bedeutungsspielraum von *pneumatikos* ist. Die nächste sachliche Parallele zu *pneumatika synkrinontes* ist *diakriseis pneumaton* 1 Kor 12, 10. Die auch oben zu 1 Kor 14, 1 und 12 festgestellte sachliche Gleichheit zwischen *pneumatika* und *pneumata* im Sinne von "Geistesgaben" unterstützt auch die sachliche Gleichsetzung von *pneumata* und *pneumatika* im Sinne von "Geistesoffenbarungen".

1 Kor 2, 13b fügt sich ebenso in die in 14, 29—32 beschriebene Situation ein. Das *diakrinein* bezieht sich ja dort auf die Äußerungen der Propheten. Ihnen entsprechen die *pneumatika* von 2, 13b. Subjekt des *diakrinein* sind in 14, 29 *oi alloi*, die übrigen Propheten bzw. zur *diakrisis* Befähigten. Prophetie und Deutung sind auf die Belehrung und Ermahnung der übrigen Gemeindemitglieder bezogen: *ina pantes manthanosin kai pantes parakalontai* (14, 31). Dabei ist vorausgesetzt, daß die ganze Gemeinde den Geist besitzt (vgl. 12, 1—13). Die Benennung der Adressaten des *synkrinein* als *pneumatikoi* in 2, 13 geht darüber hinaus; sie ist polemisch und aus der Situation von 2, 6—16 zu erklären, da sie gleichzeitig den korinthischen Kritikern des Paulus die Qualität des *pneumatikos* absprechen soll.[70] Der gleiche Vorgang erscheint in 14, 29 unter dem

---

[65] Vgl. Lietzmann, 1 Kor 14: "Geistesgaben und Offenbarungen (die wir erhalten)"; Conzelmann, 1 Kor 73 Anm. 7: "Geistesgaben"; Heinrici, 1 Kor 105f; Bachmann, 1 Kor 134: "geistgegebene Offenbarungen"; Kuß, 1 Kor 126 (Übersetzung): "die Dinge des Geistes"; Allo, 1 Kor 49 (Übersetzung): "choses spirituelles".

[66] Zu 14, 1 s. oben S. 123. 136. 214.

[67] Gegen Schweizer, ThW VI 435, der die Bedeutung von *pneumatika* an diesen drei Stellen gleichsetzt: "kann *pneumatika* den Inhalt der nur durch Gottes *pneuma* gegebenen Erkenntnis, d. h. die dem *nous* unzugänglichen himmlischen Dinge, sachlich also die Christusbotschaft bezeichnen (1 K 2, 13; 9, 11; R 15, 27)". Diese Gleichsetzung wird hier bestritten, in allen ihren Einzelgliedern. *pneumatika* steht in 1 Kor 2, 13 im Kontext charismatischer Rede, nicht im Kontext der Verkündigung des Evangeliums ("Christusbotschaft").

[68] Vgl. Conzelmann, 1 Kor 183f; Kuß, 1 Kor 155; Wendland, 1 Kor 65.

[69] Vgl. Michel, Röm 371.

[70] Vgl. die Gegenüberstellung in 3, 1: *ouk edynethen lalesai ymin os pneumatikois all' os sarkinois.*

Gesichtspunkt der Gemeindeordnung, in 2, 13 unter dem Gesichtspunkt überhöhender und akzentuierender theologischer Deutung.

Außer der oben dargelegten Interpretation von 2, 13b werden noch weitere Auffassungen der Stelle auf Grund anderer Sinnbestimmungen von *synkrinontes* vertreten: "indem wir geistliche Inhalte in geistgewirkte Formen kleiden"[71] und "indem wir mit Geistesgaben und Offenbarungen (die wir schon besitzen) Geistesgaben und Offenbarungen (die wir erhalten) vergleichen (und sie danach beurteilen)".[72] Beide Interpretationen fassen nicht nur das *synkrinein* als einen formalen Vorgang auf ("in Formen kleiden"; "vergleichen"), auch sein Ergebnis bleibt in beiden Fällen formal.[73] Dem Kontext entspricht aber nur ein inhaltliches Ergebnis, nämlich die Vermittlung neuer Erkenntnis; vgl. 2, 10: *emin gar apekalypsen o theos dia tou pneumatos* (nämlich das, "was Gott jenen bereitet hat, die ihn lieben" 2, 9); 2, 12: *ina eidomen ta ypo tou theou charisthenta emin;* 2, 14: *... ou dechetai ta tou pneumatos tou theou.* Außerdem ermöglicht die Übersetzung "deuten" nicht nur eine religionsgeschichtliche Anknüpfung an das zeitgenössische Judentum, besonders auch an die Apokalyptik, und an griechische Bräuche, sondern auch die Zuordnung von 1 Kor 2, 6—16 zu 12—14 und damit eine Klärung bisher umstrittener Probleme des 1 Kor und des korinthischen Gemeindelebens.

III. pneuma "Geistesoffenbarung, Geistesausspruch" in 2 Thess 2, 2

Der "Paulus"[74] des 2 Thess bittet die Gemeinde 2, 1f, sich nicht erschüttern noch erschrecken zu lassen: *mete dia pneumatos mete dia logou mete di' epistoles os di' emon, os oti enestesen e emera tou kyriou* (2, 2b). Das *pneuma* steht dabei an erster Stelle der drei durch *mete* auf eine Ebene gestellten Faktoren, welche zu einer solchen Unruhe führen könnten. So wird es im allgemeinen auch nicht als "Heiliger Geist" verstanden,[75] sondern als inhaltlich bestimmte Geistwirkung, als "Geistesausspruch"[76] oder als "Geist(-rede)".[77] Die Kommentatoren schenken dieser Bedeutungsnuance allerdings wenig Aufmerksamkeit. Aber man kommt nicht umhin, bei *pneuma* ebenso wie bei *logos* und *epistole* an eine inhaltlich bestimmte Aussage zu denken, in diesem Falle an einen Ausspruch von Propheten, während unter *logos* entweder ein durch die Gemeinden gehendes Wort oder ein angebliches Wort des Paulus zu verstehen ist und *epistole* auf einen fingierten Paulusbrief anspielt.[78] Die Aufzählung *pneuma, logos,*

---

[71] Bauer 1534 s. v. *synkrino* 1; so auch Lightfoot, B. Weiß, Bousset (zitiert nach Bauer a. a. O.).

[72] Vgl. Bauer 1534 s. v. *synkrino* 2; Reitzenstein, Mysterienreligionen² 336; Lietzmann, 1 Kor 14 (Kommentartext); Bachmann, 1 Kor 133f; Wendland, 1 Kor 25f.

[73] Vgl. zur Kritik auch Büchsel, ThW III 955.

[74] Zum pseudepigraphischen Charakter des 2 Thess s. Braun, Zur nachpaulinischen Herkunft des zweiten Thessalonicherbriefes; Marxsen, Einleitung in das Neue Testament 38—44; Dautzenberg, Theologie und Seelsorge aus paulinischer Tradition 96—105; Bauer, Rechtgläubigkeit und Ketzerei 18f.

[75] Gegen Rigaux, 2 Thess 650.

[76] Dibelius, 2 Thess 44.

[77] Oepke, 2 Thess 181.

[78] Es ist umstritten, ob *os di' emon* nur zu *di' epistoles* gehört oder auch schon zu *dia logou.* Zu *dia pneumatos* wird man es auf keinen Fall ziehen dürfen, vgl. Rigaux, 2 Thess 652. Nach Bl-Debr 425, 4 (vgl. Moulton III 158) handelt es sich bei *os di' emon* um eine verkürzte Partizipialkonstruktion (vgl. Röm 13, 13; 1 Kor 9, 21; Gal 3, 16), so daß zu ergänzen wäre: *os di' emon gegrammenes* oder *os emon gegraphoton auten.* Damit wäre auch die Frage der Zuordnung geklärt.

epistole nennt drei von den Gemeinden anerkannte und geschätzte Faktoren der Belehrung. Es ist wahrscheinlich, daß wir in 2 Thess 2, 2 s. v. *pneuma* der gleichen Redeweise begegnen, welche auch hinter 1 Kor 12, 10 *diakriseis pneumaton* steht und einen prophetischen Ausspruch als eingegeben qualifiziert: der Geist wird mit seiner Wirkung bzw. mit seiner Botschaft gleichgesetzt.

IV. Die diakriseis pneumaton und die übrigen paulinischen Aussagen über pneuma

Wie wir bereits oben festgestellt haben, gehören die *diakriseis pneumaton* zur zweiten, theologisch nicht so durchreflektierten Reihe von *pneuma*-Aussagen in 1 Kor 12—14. Diese Reihe spiegelt den urkirchlichen Sprachgebrauch hinsichtlich des Charismen bewirkenden Geistes. Wer für 1 Kor 12, 10 weiter die Unterscheidung von guten und bösen Geistern oder das Vorhandensein einer Vielzahl von Geistern voraussetzt, muß zur Kenntnis nehmen, daß diese Voraussetzung weder vom Plural *pneumata* in 1 Kor 14, 12. 32[79] noch von anderen paulinischen Stellen gestützt wird und daß tatsächlich 1 Kor 12, 10 der einzige Beleg dafür wäre, daß Paulus für Engel und/oder Dämonen den Begriff *pneuma* gebraucht hätte.[80]

Argumenta e silentio dürfen natürlich nur vorsichtig verwendet werden. Aber selbst in 1 Kor 12, 3, wo man am ehesten die Aussage dämonischer Inspiration erwarten würde, ist diese vermieden.[81] Paulus hat nach dem Befund seiner Briefe keine Geisterlehre ver-

---

[79] Schweizer, ThW VI 433: “1 K 14, 14 kann das dem Pneumatiker geschenkte *pneuma*, das deutlich von seinem *nous* unterschieden wird, doch als ‘sein’ *pneuma* bezeichnet werden”. Ebd. Anm. 689 nimmt S. eine eigenartige Mittelstellung zwischen der in dieser Arbeit vertretenen Auffassung von *pneumaton* und der traditionellen Auffassung von einer Unterscheidung der Geister ein: “Vgl. ebs R 8, 15 u die *pneumata propheton* 1 K 14, 32. Mehr steckt nicht hinter diesem Sprachgebrauch ... Zwar ist 1 K 12, 10 vorausgesetzt, daß die *pneumata* auch falsch reden können ... es kann nicht einfach ‘Geistwirkungen’ bedeuten ...; aber auch nicht ‘heiliger Geist u Dämonen’ ..., weil 1 K 14, 32 nicht an Dämonen gedacht werden kann.”

[80] Wenn man dagegen wie Lerle, Diakrisis Pneumaton bei Paulus, die Arbeit schon mit der Feststellung beginnt: “Objekt der Untersuchung sind Geister” (2), dann wird man sie sogar in den Paulusbriefen finden: “Neben dem Geist Gottes gibt es noch einen anderen Geist, der mit gleicher Dynamik und Regsamkeit den Menschen zu beeinflussen versucht. Dieser Geist ist der Diabolos” (20). “Satan ist der Gegensatz zum *pneuma theou* oder zum *pneuma* im absoluten Sinne, wie der Geist lebendig macht, so tötet Satan.” (23) “Das Nichtanerkennen des Evangeliums, das Verstocktsein ... sind demnach Wirkungen des bösen Geistes” (67 zu Röm 11, 18; 2 Thess 2, 12). “Woran kann man aber einen Apostel von einem Pseudoapostel unterscheiden? Woran die Wirkung des Geistes Gottes von der des sich als Lichtengel tarnenden Teufels? ... Erkennen kann man dies, wenn man ein Charisma der Geisterunterscheidung hat ... Die Korinther in der Situation des 2 Kor sind der zerstörenden Wirkung durch böse Geister zum Opfer gefallen, denn sie konnten die Geister nicht unterscheiden.” (68) “So haben wir nunmehr in den großen Zusammenhängen des Paulinismus den Platz gefunden, den eine *diakrisis pneumaton* in der Gesamtheit der paulinischen Theologie einnimmt.” (69)

[81] Vgl. Schweizer, ThW VI 433 Anm. 689.

treten. *emeis de ou to pneuma tou kosmou elabomen* 1 Kor 2, 12 ist eine ad-hoc-Bildung, heraufgeführt durch das Bestreben, die göttliche Art und Herkunft des *pneuma (to pneuma to ek tou theou* ebd.) zu betonen.[82] Sie zeigt aber auch, in welcher Richtung Paulus allenfalls von einem anderen *pneuma* hätte sprechen können. Nicht von dämonischen Geistern als Einzelwesen, sondern von einer vom *kosmos* ausgehenden, ihm zugeordneten Sphäre und Kraft.[83] Auch dazu ist es aber infolge seiner Bindung an den theologischen Geistbegriff nicht gekommen.

Dagegen haben die oben angestellten Überlegungen und Vergleiche gezeigt, daß hinter der Redeform *pneumata* oder mein *pneuma* im Zusammenhang mit den Charismen ein Geistbegriff steht, dessen Einheit, da er nicht personal gefaßt ist, durch Verselbständigungen und Verteilungen der einzelnen Wirkungen und durch ihre Bezeichnung als *pneumata* nicht aufgehoben wird. Zu den Geistwirkungen, den *pneumatika* oder *pneumata* gehört aber nicht nur die Form der pneumatischen bzw. prophetischen Rede, sondern gerade auch deren Inhalt (1 Kor 2, 13; 2 Thess 2, 2; 1 Kor 12, 10).

3. Kapitel: Die Stellung der *diakrisis pneumaton* als "Deutung von Geistesoffenbarungen" im Kontext des ersten Korintherbriefes

Da bisher fast allgemein angenommen wurde, daß die "Unterscheidung der Geister" notwendig zum ekstatischen Leben der korinthischen Gemeinde dazugehörte, soll nun der Kontext des 1 Kor daraufhin untersucht werden, welches der beiden alternativen Verständnisse der *diakrisis pneumaton,* "Unterscheidung der Geister" oder "Deutung von Geistesoffenbarungen", diesem Kontext besser entspricht und sich besser in ihn einfügt. Daß die Übersetzung "Deutung von Geistesoffenbarungen" eine enge Verbindung zwischen 1 Kor 12, 10 und 2, 13 einerseits und zwischen 12, 10 und 14, 29 andererseits ermöglichte, ist schon deutlich geworden und wird uns in einem späteren Stadium der Untersuchung noch einmal beschäftigen.[1] So kann sich die Fragestellung hier auf den näheren und nächsten Kontext beschränken, einmal auf die Stellung der *diakrisis pneumaton* im Gesamt von 1 Kor 12—14 und auf die Beziehung zwischen der *diakrisis pneumaton* und 1 Kor 12, 1—3.

---

[82] Schweizer, ThW VI 435, belastet die Stelle zu einseitig, wenn er schreibt: "Das *pneuma* Gottes nicht haben, heißt vom *pneuma tou kosmou* bestimmt sein."

[83] Ähnliches gilt für 2 Kor 11, 4: *e pneuma eteron elabete o ouk elabete.* Man beachte hier die Parallelität von Christusverkündigung, Geistempfang und Evangelium (vgl. Gal 3, 2). *pneuma eteron* ist Analogiebildung zu *allos Iesous* und *euangelion eteron* (vgl. dazu Gal 1, 6—9). Vgl. auch die ad-hoc-Bildung *pneuma douleias* Röm 8, 15.

[1] S. oben S. 124f. 138—140; unten S. 218. 249f. 286. 290.

§ 53 Begründet 1 Kor 12, 1—3 die Notwendigkeit einer "Unterscheidung der Geister"?

1 Kor 12, 1—3 wird als "Anleitung zur Prüfung der Geister"[2] aufgefaßt. Paulus gebe mit der Regel 12, 3 ein Kennzeichen, mit dessen Hilfe man den "christlichen Charakter von Geisteserscheinungen" im Unterschied zu heidnischer oder dämonischer Ekstase feststellen könne.[3] Exegetisch und religionsgeschichtlich wird diese Auffassung damit begründet, daß das Verhältnis zwischen 12, 2 und 3 als Analogieverhältnis bestimmt und daß die bei Heiden (12, 2) und Christen (12,3) gleicherweise auftretende Ekstase als das tertium comparationis betrachtet wird.[4] So bilde das christliche Bekenntnis das entscheidende Kriterium für das Wirken des heiligen Geistes. Die Notwendigkeit dieses Prüfungsverfahrens wird praktisch ebenso begründet wie die Notwendigkeit eines Charismas der "Unterscheidung der Geister".[5] Es wird aber nur selten über das Verhältnis von 12, 3 zu 12, 10 reflektiert.[6]

J. Weiss[7] vermutet: "Die *diakrisis pneumaton* - - ., wofür V. 2f. ein sehr einfaches von Jedermann zu erkennendes Merkmal angegeben wird . . ., muß unter Umständen doch sehr schwierig gewesen sein; in gewissen Fällen wird die Mehrzahl der Gemeinde versagt haben, während einzelne in dem allgemeinen Enthusiasmus die überlegene Klarheit und Energie besessen haben werden, Ekstatiker zu entlarven oder zurückzuweisen, was dann wieder nur durch eine besondere Erleuchtung des Geistes erklärlich schien." Tatsächlich besteht zwischen 1 Kor 12, 3, wenn man es als "Regel zur Unterscheidung der Geister" auffaßt,[8] und einem Charisma der "Unterscheidung der Geister" eine schwer behebbare Spannung. Das reinliche Kriterium von 1 Kor 12, 3 wird durch ein besonderes Charisma in Frage gestellt und entwertet. Das Problem läßt sich wohl auch nicht durch die Annahme lösen, 12, 3 stelle eine Untersuchung der Prophetie hinsichtlich ihres Ursprungs, die *diakrisis pneumaton* eine Untersuchung der Prophetie hinsichtlich ihres Inhalts dar.[9] Denn wie wird man über den Inhalt einer anerkannten Geistesoffenbarung noch einmal richten können?[10]

---

[2] Dibelius, Geisterwelt 75.

[3] Gunkel, Die Wirkungen des Heiligen Geistes 41; vgl. Weiß, 1 Kor 294; Lietzmann, 1 Kor 60; Robertson-Plummer, 1 Kor 268; Heinrici, 1 Kor 362; Wendland 1 Kor 92; Lindblom, Gesichte und Offenbarungen 146 Anm. 1; Schweizer, ThW VI 421.

[4] Vgl. Weiß, 1 Kor 294; Lietzmann, 1 Kor 60; Wendland, 1 Kor 92; Conzelmann, 1 Kor 243; Kuß, 1 Kor 169f; Heinrici, 1 Kor 362; Gunkel, Wirkungen des Heiligen Geistes 41.

[5] So beruft man sich auch, dieses Mal wohl mit mehr Recht, auf 1 Joh 4, 1—6 (s. oben S. 132f: Robertson-Plummer, 1 Kor 262; Weiß, 1 Kor 301.

[6] So typisch Lietzmann, 1 Kor 61, der zu *diakrisis pneumaton* nach einer kurzen Worterklärung einfach auf 12, 3 zurückverweist.

[7] 1 Kor 301.

[8] So wieder ausdrücklich Brox, *ANATHEMA IESOUS* 110.

[9] Guy, NT Prophecy 112f.

[10] Vgl. Schweitzer, Die Mystik des Apostels Paulus 173: "In 1 Kor 12, 10 wird als eine Gabe des Geistes die 'Unterscheidung der Geister' . . . angeführt. Was Paulus damit meint, wissen wir nicht. Jedenfalls kann es sich nicht um die Gabe handeln,

Das Verständnis von 1 Kor 12, 1—3 als einer "Regel zur Unterscheidung der Geister" könnte vielleicht die Notwendigkeit einer Unterscheidung der Geister nach besonderen Kriterien begründen, es würde aber gleichzeitig eine charismatische "Unterscheidung der Geister" ausschließen. Dieses Verständnis von 12, 1—3 ist jedoch alles andere als selbstverständlich oder unbestritten.[11] Die entscheidende Frage in der Auslegung von 12, 1—3 ist die, ob Paulus überhaupt von ekstatischen oder pneumatischen Phänomenen im besonderen sprechen wollte oder ob er hier nicht das Bekenntnis zum Kyrios als die grundlegende Gabe des Geistes programmatisch vor eine Behandlung der einzelnen pneumatischen Phänomene und der mit ihnen aufgetretenen Spannungen in der korinthischen Gemeinde stellen wollte.[12] Die Beantwortung dieser Frage wird durch die Kürze und durch den dunklen Charakter des Textes zweifellos erschwert.

Die gesuchte Antwort wird davon abhängen, wie man das Verhältnis von 12, 2 zu 12, 3 bestimmt. Will Paulus den Korinthern hier eine Analogie (Ekstase)[13] oder einen Gegensatz ("Zwang", "Gefangenschaft bei den stummen Götzen" — "Freiheit", "Führung durch den Geist Gottes", "Sprechen im Geist")[14] zwischen ihrer heidnischen Vergangenheit und ihrer christlichen Gegenwart vor Augen stellen? Wenn man einmal davon absieht, daß bei einem Vergleich zwischen dem "Einst" und dem "Jetzt" immer ein Moment des Gegensatzes mitspielt, ist in 1 Kor 12, 2f kein ausdrücklicher Gegensatz erkennbar. Weder werden Stummheit und Reden im Geist einander gegenübergestellt[15] — denn nicht die Korinther, die Götter waren stumm, wie es im Stile jüdischer Polemik gegen den heidnischen Kult heißt[16] — noch wird auf der Seite der christlichen Gegenwart die Freiheit besonders betont oder auch nur erwähnt.

festzustellen, ob göttliche oder dämonische Geister das Wort führen. Nach 1 Kor 12, 3 ist ja jeder Geist, der sich überhaupt zu Christus bekennt, als göttlicher Art anzuerkennen."

[11] Zur Kritik vgl. Maly, 1 Kor 12, 1—3, eine Regel zur Unterscheidung der Geister?; dort auch ein Überblick über die verschiedenen exegetischen Positionen; ferner Greeven, Propheten 3 Anm. 6: "Man sollte endlich davon ablassen, an dieser Stelle eine Anweisung zur sicheren Unterscheidung von wirklichen und vorgetäuschten Pneumatikern zu finden"; vCampenhausen, Kirchliches Amt 68 Anm. 1, übernimmt zwar die Erklärungen Greevens, möchte aber dennoch nicht auf das "Kriterium" verzichten; vgl. auch Bachmann, 1 Kor 378.

[12] Greeven a. a. O.: die Formulierung von 1 Kor 12, 3 ergebe sich aus der Tendenz der Kapitel 12—14, "bereits das Bekenntniswort ist eine Geistwirkung"; vgl. Maly a. a. O. 94; Bachmann a. a. O.: "so führt er damit auch die einfachsten und grundlegendsten Äußerungen des Christenstandes auf den gleichen Geist zurück, der die wunderbaren Charismen schafft".

[13] So die Meinung der in Anm. 4 angeführten Autoren.

[14] So Maly, 1 Kor 12, 1—3, 86—89; vgl. Bachmann, 1 Kor 379f.

[15] Vgl. zu dieser Kritik an Malys Interpretation auch Conzelmann, 1 Kor 243 Anm. 13.

[16] Vgl. Hab 2, 18; Ps 115, 7; 3 Makk 4, 16; Epist Jeremiae 7; Jub 12, 3; Sib 4, 7.

Die Assoziation *pneuma — eleutheria* legt sich auch dann nicht nahe,[17] wenn man annimmt, Paulus habe die ausdrückliche Gegenüberstellung von *agesthai pros ta eidola* und *pneumati agesthai* (Röm 8, 14; Gal 5, 18) zwar vermieden, aber doch in dieser Bahn gedacht. Der Gedanke an "Freiheit" wird vielmehr durch das Verhältnis der Analogie zwischen 12, 2 und 12, 3 ausgeschlossen.

Diese Analogie bezieht sich allerdings nicht auf die von den Korinthern damals und jetzt gemachten ekstatischen Erfahrungen. *pros ta eidola agesthai* kann nur mit Mühe als Beschreibung eines ekstatischen Zustandes interpretiert werden.[18] Nicht besser steht es mit 12, 3b. Das Bekenntnis zum *kyrios Iesous* wird vielleicht auch in Ekstasen laut geworden sein, aber es ist gemeinchristlich (vgl. Röm 10, 9), und die Formulierung *oudeis dynatai eipein . . . ei me en pneumati agio* unterstreicht noch diesen allgemeinen Charakter.[19] Die Analogie bezieht sich vielmehr auf das Verhältnis, welches die Korinther, als sie Heiden waren, zu den Göttern hatten — sie wurden zu ihnen hingetrieben,[20] und welches die Korinther jetzt, da sie *en pneumati* sind,[21] zu Jesus haben. Das *pneuma* läßt den Fluch *anathema Iesous*[22] nicht zu, es treibt zum Bekenntnis *kyrios Iesous.* Paulus denkt hier in der Kategorie der Herrschaft und des Herrschaftswechsels.[23] Wie dem heidnischen Stand das Verfallensein an die Götter entsprach,[24] so entspricht dem Leben unter der Macht des *pneuma* das Bekenntnis.

[17] Gegen Maly, 1 Kor 12, 1—3, 87f.

[18] Zur Kritik an dieser Auffassung vgl. Maly a. a. O. 84; Dupont, Gnosis 149; Bachmann, 1 Kor 378f.

[19] Vgl. Bachmann a. a. O.; Maly a. a. O. 90.

[20] Mehr ist mit der im Neuen Testament ungewöhnlichen Fügung *egesthe apagomenoi* nicht gesagt. Zur Konstruktion vgl. Kühner-Blaß-Gerth III 2, 99: "Ein eigentümlicher, aber echt griechischer Gebrauch der Partizipien besteht darin, daß neben dem Prädikate ein Partizip desselben Stammes und gleicher Bedeutung steht." Aus den dort angegebenen Beispielen sind zwei Stellen aus Herodot in unserem Zusammenhang besonders interessant, weil die eine mit *agesthai* gebildet ist und die andere ein Grundwort mit dem Kompositum kombiniert. Hdt 6, 30 (über das Schicksal des Histiaios von Milet): "Wäre er als Gefangener *(os ezogrethe)* zum König Dareios geführt worden *(achthe agomenos),* so wäre ihm in der Tat nichts geschehen". 6, 89: "Die Korinthier . . . gaben den Athenern auf ihr Bitten zwanzig Schiffe, jedes gaben sie für fünf Drachmen her *(didousi de pentadrachmous apodomenoi).*" Zur Konstruktion ließe sich auch die Wiedergabe des hebräischen Infinitivus absolutus in der Septuaginta vergleichen; s. dazu Moulton, Einleitung 118f; Bl-Debr 422; Moulton III 157; Zerwick, Graecitas biblica 369.

[21] Vgl. Röm 7, 9; 8, 9; 1 Kor 6, 11; 2 Kor 6, 6.

[22] Conzelmann, 1 Kor 241: "*anathema Iesous* ist Gegensatzbildung des Paulus ad hoc zu *kyrios Iesous.*" Zur Auseinandersetzung mit anderen Auffassungen vgl. ebd. Anm. 10; Maly, 1 Kor 12, 1—3, 91—95 (Lit.); Lührmann, Das Offenbarungsverständnis bei Paulus 29.

[23] Vgl. dazu Röm 5, 12—21; 6, 12—14. 16. 23; 7, 1—6; 8, 1—11.

[24] Eine Bezugnahme auf Dt 28, 36 ist nicht erkennbar (gegen Maly, 1 Kor 12, 1—3, 85f).

Das *pneuma* ist also nicht zuerst die zur Glossolalie und zu Außerordentlichem befähigende, sondern die das ganze christliche Leben ermöglichende und zu ihm treibende Macht. Die Analogie zwischen dem Einst und dem Jetzt kommt sprachlich gebrochen zum Ausdruck, weil es sich auch sachlich um letztlich inkomparable Größen handelt.

1 Kor 12,1—3 ist demnach keine "Regel zur Unterscheidung der Geister". Der Passus hat vielmehr zusammen mit 12, 4—11. 12—17 die Funktion einer allgemeinen theologischen Grundlegung für die Lösung der verschiedenen in Korinth im Zusammenhang mit den *pneumatika* aufgetretenen Probleme. Es ist kaum mit Sicherheit auszumachen, ob die Themenangabe *peri ton pneumatikon* (12, 1) maskulinisch oder neutrisch aufzufassen ist.[25]

Aus folgender Erwägung heraus scheint mir die neutrische Deutung näherliegend: Zwar ist die erste mögliche Rückbeziehung auf 12, 1 in 12, 3 maskulinisch (*oudeis*),[26] und am Abschluß des ganzen Komplexes 12—14 steht noch einmal betont *pneumatikos* (14, 37).[27] Aber 14, 37 gehört wohl zur nachpaulinischen Interpolation. So dürften in 12, 1 die *pneumatika* angesprochen sein, mit denen sich dann auch der Kontext von 12, 4 ausdrücklich beschäftigt (vgl. auch 14, 1), während 12, 2—3 die *pneuma*-Begabung gegenüber diesem an den Charismen orientierten Sprachgebrauch grundsätzlich allen Christen zuspricht.

So ergibt sich, daß 1 Kor 12, 1—3 nicht zum Problem einer "Unterscheidung der Geister" beiträgt. Die *diakrisis pneumaton* kann nur von anderen Befunden im 1 Kor her weiter verdeutlicht und vereindeutigt werden. Das vom Verständnis "Unterscheidung der Geister" vorausgesetzte und geförderte generelle Mißtrauen gegen pneumatische Erscheinungen ist Paulus völlig fremd, wie sich auch bei den folgenden Überlegungen zeigen wird.

§ 54 Die *diakrisis pneumaton* im Kontext von 1 Kor 12—14. – Der Ertrag des 1. Abschnitts für die Erkenntnis der urchristlichen Prophetie

diakrisis pneumaton als "Deutung von Geistesoffenbarungen" reiht sich unter die verschiedenen Formen charismatischer Rede ein, von denen 1 Kor 12—14 handelt. Sie ist darüber hinaus sinnvoll der prophetischen Rede zugeordnet. Als

---

[25] Mask.: Heinrici, 1 Kor 359; Weiß, 1 Kor 294; Bachmann, 1 Kor 374; Neutr.: Conzelmann, 1 Kor 240f; Robertson-Plummer, 1 Kor 258; Wendland, 1 Kor 92; Kuß, 1 Kor 169; Lietzmann, 1 Kor 60; Hahn, Der urchristliche Gottesdienst 57 Anm. 8.

[26] Vgl. Heinrici, 1 Kor 359; Bachmann, 1 Kor 374.

[27] Vgl. Heinrici, 1 Kor 359; Bachmann, 1 Kor 374; Weiß, 1 Kor 294. Da der Vers aber zur Interpolation 14, 33b—38 gehört, läßt er sich nur für ein frühes Verständnis des Abschnitts heranziehen, vgl. unten S. 286. 297f.

"Unterscheidung der Geister" dagegen droht sie den Kontext zu sprengen; dieser gibt auch keinen weiteren Anhaltspunkt zu einem solchen Verständnis.

Das Verständnis der *diakrisis pneumaton* als einer "Unterscheidung der Geister" setzt die beständige akute Gefahr falscher Prophetie in der Gemeinde voraus. Mit dieser Gefahr setzt Paulus sich in 1 Kor 12—14 aber gar nicht auseinander, sondern nur mit rücksichtsloser, individualistischer Glossolalie (14, 1—25) und mit disziplinlosem Durcheinanderreden der Propheten oder auch der Pneumatiker (14, 31—33. 40). Vorsichtsmaßnahmen gegenüber der Prophetie sind nicht erkennbar, im Gegenteil. Paulus empfiehlt sämtliche *pneumatika,* besonders die Prophetie (14, 1. 39).

Aus dem traditionellen Verständnis der *diakrisis pneumaton* folgt dagegen in der Tat, daß dieses Charisma gegenüber allen Formen der Wortverkündigung, welche in 1 Kor 14 genannt werden, eine "übergeordnete Funktion" hat.[28] Man hat sogar ein besonderes Charakteristikum der urchristlichen Prophetie darin erblickt, daß sie der "Beurteilung unterworfen" und so von der Gemeinde abhängig gewesen sei. Von all dem kann auf Grund des Textes keine Rede sein. Dort ist die *diakrisis pneumaton* nur der Prophetie zugeordnet und ihr ebensowenig übergeordnet wie die *ermeneia glosson* der Glossolalie. Sie gehört so selbstverständlich zum prophetischen Sprechen und zu seinem Verständnis hinzu, daß sie in den Listen 1 Kor 12, 28. 29—30 und Röm 12, 6—8 gar nicht erwähnt wird. Der Gedanke einer Bedrohung der christlichen Freiheit einer Gemeinde durch Propheten und Ämter, welcher durch eine "Beurteilung" gesteuert werden müßte, ist erst aus späteren kirchengeschichtlichen Erfahrungen geboren und darf nicht in 1 Kor 12—14 eingetragen werden. Die *diakrisis pneumaton* ist kein Super-Charisma, sie ist der Prophetie nicht über-, sondern ihr zugeordnet. Sie meint eingegebenes Verstehen und Deuten, aber nicht eingegebenes Richten und Beurteilen.

1 Joh 4, 1—3; Did 11, 7—12 und Hermas m 11 zeigen schließlich, wie deutlich und eindeutig die Gemeinden sich gegen die von falschen Propheten und Lehrern ausgehenden Gefahren zu sichern wußten, so daß wir aus den Vorsichtsmaßregeln dort fast mehr über die falsche Prophetie als über die normale Gemeindeprophetie erfahren. In 1 Kor 12—14 ist von einer solchen defensiven Tendenz nichts zu spüren. Eine Spannung wird dort in das Bild der Prophetie nur durch die Annahme einer "Unterscheidung der Geister" hereingetragen. Diese Spannung mit ihren theologischen Konsequenzen verhindert aber auch, die urchristliche Prophetie nach 1 Kor 12—14 religionsgeschichtlich genauer einzuordnen und sich dafür des der Prophetie zugeordneten Verfahrens der Deutung zu bedienen. Von diesem aus ist nämlich zu erwarten, daß Worte der urchristlichen Propheten als eingegebene Orakel verstanden und gewertet wur-

---

[28] Hahn, Der urchristliche Gottesdienst 58; ähnlich Lerle, Diakrisis Pneumaton 95, der 12, 31: *zeloute de ta charismata ta meizona* auf die *diakrisis* bezieht.

den, ähnlich wie die Worte der alttestamentlichen Propheten und der Schrift überhaupt. Vom Deuteverfahren her ergibt sich auch, daß verwandte Phänomene wie vor allem der Traum und die antike Traumdeutung, ferner die apokalyptischen Visionen in ihrer Gestalt und mit ihrem durch Deutung erschlossenen Inhalt als Modelle zur Erhellung der urchristlichen Prophetie herangezogen werden können.

2. Abschnitt: Die prophetische Erkenntnis nach 1 Kor 13

4. Kapitel: Prophetie als "Kenntnis der Geheimnisse und der Erkenntnis" (1 Kor 13, 2)

§ 55 Vorbemerkung zur Frage nach der Prophetie in 1 Kor 13

Hinter dem "Hohenlied der Liebe" von 1 Kor 13 liegt eine in form- und traditionsgeschichtlicher Hinsicht verwickelte Vorgeschichte.[1] Die heutige Fassung im 1 Kor wird auf bereits vorher durch Paulus geprägtes Material zurückgehen.[2] Ihre Einpassung in den Kontext des 1 Kor ist aber ebenso unbestreitbar. Während die literarische Form, der von der "Weisheit" beeinflußte Stil, die Fragerichtung, unter welcher das Thema *agape* vorgestellt wird, ja schließlich dieses Thema selbst traditionell sind, stellt der Vergleich der *agape* mit den Charismen der Glossolalie, der Prophetie, des Glaubens und der Gnosis in 13, 1f. 9—12 die Beziehung zur Thematik von 1 Kor 8—12 und 14 her.[3]

Prophetie und Glossolalie werden in 1 Kor 13 allerdings unter einer anderen Rücksicht behandelt als im Kontext. Dort erscheinen sie als Manifestationen des Geistes in der Gemeinde (12, 7—11), als Charismen (12, 4. 31), als Gaben, welche primär der Gemeinde und ihrer Erbauung dienen sollen (14, 5. 12. 26). In 1 Kor 13 wird dagegen nicht ihr Nutzen für die Gemeinde, auch nicht ihre Herkunft vom Geist, sondern ihr Wert im Vergleich mit dem "Höchstwert", der *agape*, bedacht. Diese Fragerichtung ist durch die Form- und Stiltradition der "Priamel der Werte" bedingt.[4] Sie dürfte aber mindestens ebensosehr den spezifisch korinthischen Interessen entsprochen haben und begegnet sein wie die Fragerichtung von 1 Kor 12 und 14. Denn in Korinth schätzte man die Glossolalie oder auch die Gnosis gerade wegen des Wertes, welchen diese Gaben für ihren Besitzer oder in sich hatten.

---

[1] Vgl. Lehmann-Fridrichsen, 1 Kor 13. Eine christlich-stoische Diatribe; vRad, Die Vorgeschichte der Gattung von 1 Kor 13, 4—7; Bornkamm, Der köstlichere Weg; Schmid, Die Priamel der Werte im Griechischen von Homer bis Paulus 118—140; Dombrowski, Wertepriameln in hellenistisch-jüdischer und urchristlicher Literatur; ferner Conzelmann, 1 Kor 256—273 (Lit.); von den verschiedenen Veröffentlichungen Riesenfelds zu 1 Kor 13 ist hier seine "Étude bibliographique sur la notion biblique d'*AGAPE* surtout dans 1 Cor 13" zu nennen.

[2] Conzelmann, Paulus und die Weisheit; Dibelius, Zur Formgeschichte des Neuen Testaments 223.

[3] Vgl. Conzelmann, 1 Kor 257 Anm. 11; Schmid, Priamel 128f. 136ff. Auch Fridrichsen hat seine in "1 Kor 13" vertretene Auffassung, das Kapitel sei eine nachpaulinische heidenchristliche Interpolation, wieder zurückgenommen in: Le problème du miracle dans le christianisme primitif 97ff.

[4] Vgl. Schmid, Priamel 118—122. 127—130. 136.

Die formale und stilistische Selbständigkeit und Besonderheit jedes der drei Abschnitte 13, 1—3. 4—7. 8—12 erlaubte es, daß die Charismen nicht nur in verschiedener Rücksicht mit dem Höchstwert der *agape* verglichen werden (vgl. 13, 1—3 mit 8—12), sondern daß auch bedeutende Umstellungen in der Reihenfolge der Charismen auftreten (1—3: Sprachen, Prophetie, Glaube; 8—12: Prophetie, Sprachen, Gnosis). Daher muß die Frage nach der Prophetie, und das heißt die Frage nach dem zu ihrer Erhellung dienenden charakteristischen Kontext oder Milieu, zunächst für jeden der beiden Komplexe für sich gestellt werden.

§ 56 Die Stellung der Prophetie im Aufbau von 1 Kor 13, 1—3

In der exegetischen Literatur wird fast einhellig eine Beziehung zwischen der Prophetie und der Kenntnis der Geheimnisse und der Erkenntnis *(gnosis)* nach 1 Kor 13, 2a anerkannt,[5] obgleich man gewöhnlich keine bedeutenderen Folgerungen aus dieser Einsicht zieht. Im einzelnen gehen die Meinungen freilich auch zu diesem Vers auseinander. Nennt Paulus hier mehrere verwandte Charismen nebeneinander, etwa Prophetie, Weisheit und Gnosis,[6] oder Prophetie, Offenbarung *(apokalypsis)* und Gnosis[7] oder Prophetie und Gnosis,[8] oder spricht er nur von der Prophetie?[9] Diese Frage muß zunächst exegetisch geklärt werden, bevor mit Hilfe des Kontextes, nämlich des Kennens der Geheimnisse und der Erkenntnis, der religionsgeschichtliche und traditionsgeschichtliche Ort der Prophetie näher bestimmt werden kann.

Eine besondere Eigentümlichkeit des Abschnitts 1 Kor 13, 1—3 ist sein strenger Bau.[10] Er unterscheidet sich vom griechischen Priamelaufbau dadurch, daß er nicht nur einmal, sondern gleich dreimal die Elemente Beispielreihung (hier: *ean . . .),* Höchstwert (hier: *agapen de me echo)* und wertende Aussage (hier: *gegona . . .* bzw. *outhen . . .* oder *ouden . . .*) hintereinander bringt. Diese Auflösung entspricht mehr jüdisch-orientalischem Stilempfinden.[11]

Da die Prophetie ihren Platz am Anfang der zweiten Beispielreihung hat, brauchen wir uns hier nur mit dem Bau der Beispielreihungen zu beschäftigen. Auch er ist in allen drei Teilpriameln formal parallel: es handelt sich um mit *ean* eingeleitete Konditionalsätze. Im ersten Glied (13, 1) um einen Satz, im zweiten und dritten Glied (13, 2 und 3) je um einen Doppelsatz. Sowohl die Glossolalie (13, 1) wie die Gabe des Glaubens werden kurz und möglichst umfassend beschrieben. Wer in den Sprachen der Menschen und der Engel spricht, hat wohl den Inbegriff der Sprachengabe erlangt. Ähn-

---

[5] Anders Harnack, Das hohe Lied des Apostels Paulus von der Liebe (1 Kor 13) und seine religionsgeschichtliche Bedeutung 138.

[6] Conzelmann, 1 Kor 262; vgl. Bachmann, 1 Kor 391f (Prophetie, Kenntnis der Geheimnisse, Gnosis); Wendland, 1 Kor 103.

[7] Dupont, Gnosis 188. 192. 200.

[8] Heinrici, 1 Kor 398f; Weiß, 1 Kor 314; Lietzmann, 1 Kor 65; Maly, Mündige Gemeinde 194; wahrscheinlich auch Kuß, 1 Kor 175.

[9] Allo, 1 Kor 333f; Meyer, 1 Kor (nach der Angabe von Heinrici, 1 Kor 398).

[10] Schmid, Priamel 118—122; Weiß, 1 Kor 311.

[11] Schmid, Priamel 122; Dombrowski, Wertepriameln 402.

lich läßt sich die Gabe des bergeversetzenden Glaubens nicht mehr steigern.[12] So verhält es sich auch mit dem Verteilen der Habe und mit der Hingabe des Lebens. Beide Leistungen gehen bis an die Grenzen des Möglichen.

Angesichts dieser Tendenz der Beispielreihungen ist von vornherein anzunehmen, daß von der Prophetie ebenfalls in höchst möglicher Steigerung gesprochen werden sollte. Wenn ferner 13, 1 ein Beispiel und 13, 3 zwei Beispiele nennen, legt es sich gerade bei der formalen Strenge des Aufbaus nahe, auch für 13, 2 eine Doppelung der Beispiele anzunehmen, nicht aber das Auseinanderfallen des Satzes in zwei bis drei Beispiele (z. B. Prophetie, Weisheit, Gnosis) auf der einen und in ein dann doch wieder dem allgemeinen Muster entsprechendes Beispiel (Glaube) auf der anderen Seite.

Diese Annahme läßt sich durch weitere Beobachtungen unterstützen. Nur vor *propheteia* und *pistis* steht die Konjunktion (*kai ean* bzw. *kan*); nur sie werden durch *echo* als Charismen charakterisiert, die man "hat", während *gnosin* ebenso wie *mysteria* von *eido* abhängt[13] und ebenso wie *mysteria* inhaltlich gefaßt werden muß. Ferner entbehrt die bloße Nennung der Prophetie eben noch des sonst vorhandenen Moments der höchstmöglichen Steigerung. Dieses wird erst durch die Hinzufügung von *panta* bzw. *pasan* zu *mysteria* und *gnosin* erzielt. Die Bildung *pasan ten propheteian* analog zu *pasan ten pistin* wäre dagegen wohl zu ungewöhnlich gewesen. Außerdem hätte auch dann noch gezeigt werden müssen, worin in diesem Falle der besondere Vorzug der Prophetie gesehen werden sollte; etwa: "so daß ich alle Geheimnisse kennte und alle Erkenntnis". Prophetie kommt in 13, 2 also ähnlich wie in 13, 8—12 hinsichtlich der Seite der prophetischen Erfahrung und Erkenntnis zur Sprache,[14] und nicht hinsichtlich ihrer Verkündigungsaufgabe[15] oder sonstiger außergewöhnlicher Fähigkeiten.[16]

---

[12] Die Erwähnung des "Glaubens" in 13, 2 ist katalogbedingt (vgl. 12, 9), nicht sachbedingt wie die Erwähnung der Kenntnis der Geheimnisse und der Erkenntnis. Es handelt sich um charismatischen "Glauben". Eine innere Beziehung dieses "Glaubens" zur Prophetie, etwa nach Röm 12, 6, ist nicht erkennbar (gegen Greeven, Propheten 9).

[13] Gegen Heinrici, 1 Kor 398; Kuß, 1 Kor 174 (Übersetzung).

[14] Vgl. Weiß, 1 Kor 314: "denn das *eido ta mysteria panta* ist doch wohl eine Entfaltung von *echo propheteian*"; ähnlich Heinrici, 1 Kor 398f; Bornkamm, ThW IV 829; Friedrich, ThW VI 849; Allo, 1 Kor 343f, kommt mit seiner Auffassung, in 13, 2 sei von zwei Charismen, Prophetie ("ou grand charisme de connaissance") und Glaube, die Rede, der hier vertretenen Lösung am nächsten. Nur ist seine weitere Ausdeutung zu schematisch: "C'est un développement de la 'prophétie' à son degré le plus élevé, comme pouvaient le posséder les apôtres et leurs principaux collaborateurs."

[15] So wird der Text in der neuen katholischen Einheitsübersetzung aufgefaßt: "Und wenn ich prophetisch verkündigen könnte."

[16] Conzelmann, 1 Kor 262 Anm. 35: "Der enge Zusammenhang zwischen Prophetie und Kenntnis von Geheimnissen erscheint in der Tat 2 Kor 10ff.; aber identifizieren darf man beides nicht; 14, 24!". Diese Berufung auf die Kardiognosie begegnet schon bei Bachmann, 1 Kor 391. Zur Kardiognosie als Sonderfall der urchristlichen Prophetie s. unten S. 246—252. Bei Conzelmanns Hinweis auf 2 Kor 10ff muß es sich um einen Druckfehler handeln. Vermutlich sollte auf 1 Kor 2, 10ff verwiesen werden, vgl. dazu oben S. 138—140; unten S. 197—290.

§ 57 Zum Inhalt der prophetischen Erkenntnis nach 1 Kor 13, 2 a: "alle Geheimnisse kennen"

I. 1 Kor 13, 2 im Kontext der paulinischen Aussagen über mysterion

Die hinter dem Ausdruck "alle Geheimnisse" stehende Vorstellung von einer sehr großen Zahl von Geheimnissen ist echt paulinisch und entspricht, wenn nicht allen, so doch den meisten übrigen Stellen, an welchen sonst in den Paulusbriefen von *mysterion* die Rede ist.[17] Es ist kein Zufall, daß sich an diesen Stellen ebenfalls ein enger Zusammenhang mit der Prophetie nachweisen läßt.

In 1 Kor 14, 2 erscheinen die *mysteria* als Inhalt der inspirierten Rede der Glossolalen. Der Kontext drängt zu der Vermutung, daß *mysteria* auch Inhalt der Rede der Propheten sind.[18] Röm 11, 25 und 1 Kor 15, 51 handeln von je verschiedenen einzelnen eschatologischen Geheimnissen, welche Paulus den Gemeinden mitteilt. Die Herkunft dieser Geheimnisse ist prophetisch. Nach 1 Kor 2, 6—16 ist die *sophia en mysterio* nicht nur Inhalt der inspirierten Rede (2, 6), sondern von Gott durch das *pneuma* geoffenbart (2, 10) und Gegenstand der deutenden Tätigkeit (2 ,13) der Pneumatiker. Dort wird auch das *eidenai* als besonderes Ziel der göttlichen *apokalypsis* und der Geistverleihung genannt: *ina eidomen ta charisthenta emin* (2, 13).[19] Nach dem Kontext könnte auch die Charakterisierung des Paulus und des Apollos als *oikonomoi mysterion theou* (4, 1) auf die in 1 Kor 2, 6—3, 3 beschriebene "prophetische" Funktion des Paulus abheben,[20] während unter *yperetai Christou* vielleicht mehr die missionarische Aufgabe (3, 4—17) der beiden zu sehen ist.[21]

---

[17] Irreführend Bornkamm, ThW IV 825: "In den paulinischen und deuteropaulinischen Briefen geht der Begriff *mysterion* eine feste Verbindung mit dem Christuskerygma ein." Die einzige paulinische Stelle, auf welche B. sich in diesem Zusammenhang berufen kann, ist textkritisch unsicher, 1 Kor 2, 1: *katangellon to mysterion* (Sinaiticus^{x}, A, C etc; Sinaiticus^{c}, B, D, G, P, Ψ: *martyrion*) *tou theou*. 1 Kor 2, 7 gehört dagegen in einen anderen Zusammenhang, s. das folgende.

[18] S. unten S. 234—238.

[19] Zum Zusammenhang 1 Kor 2, 6—16 vgl. vorläufig oben S. 138—140.

[20] Lietzmann, 1 Kor 18, stellt 4, 1 in Beziehung zu 2, 7; 13, 2; 14, 2; 15, 51. Kümmel, ebd. 173, bezieht 4, 1 auf 2, 1; Kol 4, 3: "nicht die besondere Offenbarung für die *teleioi* (2, 7), sondern alles, was Gott den Menschen durch seine Boten offenbaren läßt". Die Erwähnung der *teleioi* in 1 Kor 2, 7 ist indes polemisch. Der Begriff *mysterion* wird davon nicht tangiert. Mit Kol 4, 3 läßt sich nur unter Voraussetzung der paulinischen Autorschaft argumentieren. Die pluralische Fassung in 1 Kor 4, 1 ist nicht einfach aus 2, 1; Röm 16, 25 und aus den Kolosserstellen ableitbar. Das gleiche ist gegen Conzelmanns summarische Behauptung einzuwenden: "Man darf nicht aus 2, 6ff einlesen, Paulus meine hier besondere Offenbarungen. Schon der Plural zeigt, daß er *die* Offenbarung meint" (1 Kor 102 Anm. 11). Es ist nicht nur ungewöhnlich, daß ein im Plural stehender Ausdruck eine singularische und singuläre Größe geradezu selbstverständlich bezeichnet. Dazu verlagert C., offensichtlich in Anlehnung an Kümmel, die Frage von den *mysteria* weg auf einen im Text gar nicht vorgefundenen Begriff der Offenbarung. Das Verfahren hat nur noch wenig mit historisch-kritischer Exegese gemeinsam, aber viel mit der in den letzten Jahrzehnten gängigen Engführung aller neutestamentlichen Aussagen in Richtung einer Kerygmatheologie. Vogt, "Mysteria" in textibus Qumran 253 Anm.,

Wie dem auch sei — an der Mehrzahl der Stellen ist der jüdisch-apokalyptische Hintergrund der paulinischen Verwendung des Begriffs *mysterion* mehr als deutlich. In der apokalyptischen Literatur finden sich auch die stärksten Analogien zum Ausdruck "alle Geheimnisse" und zum "Wissen von Geheimnissen". 1 Kor 13, 2 wird eigentlich erst vor diesem Hintergrund voll verständlich.

II. Der apokalyptische Hintergrund

1. "Alle Geheimnisse" und "ein Geheimnis wissen" im aethHen

In den Bilderreden des aethHen ist häufig von "allen Geheimnissen" die Rede. Grundsätzlich fallen alle darin aufgezeichneten Offenbarungen eschatologischer, soteriologischer und kosmologischer Art unter die Bezeichnung "Geheimnisse". Das zeigt die formelhafte Wendung: "Ich fragte den Engel, der mit mir ging und mir alle Geheimnisse zeigte" (46, 2 vgl. 59, 3; 68, 1; 71, 3. 4).[22] Synonym zu den "Geheimnissen" wird auch von dem "Verborgenen" (43, 3) oder von "allem Verborgenen" (40, 8) gesprochen. Nur vor Gott, dem "Herrn der Weisheit" ist "jedes Geheimnis offenbar" (63, 2); seine "Geheimnisse sind tief und unzählig" (63, 3). Menschen können von den Geheimnissen nur durch Offenbarung erfahren — wie Henoch, der in den Mahnreden ständig betont: "ich weiß dieses Geheimnis" (103, 2; 104, 10. 12 vgl. 106, 19); "ich weiß, daß" (94, 5); "wisset, daß" (98, 8.10; 103, 7).

Am aethHen läßt sich ferner die Anwendung der Weisheitsterminologie auf die apokalyptischen Geheimnisse und Offenbarungen in großer Breite verfolgen und nachweisen. Diese verloren dadurch keineswegs ihren apokalyptischen Charakter, vielmehr wurde Weisheit, wie ebenfalls in Dan, zum apokalyptischen term. techn.[23] Andererseits führte gerade der weisheitliche Einschlag, die intellektuelle Neugier, zu der ungeheuren Vermehrung der apokalyptischen Tradition und begünstigte so das apokalyptische Ideal, "um *alle* Geheimnisse zu wissen".[24]

---

vergleicht 1 Kor 4, 1 mit mehr Recht mit der Selbstbezeichnung des Lehrers der Gerechtigkeit als *mljṣ dʿt brzj plʾ* (1QH 2, 13 s. dazu oben S. 74)!

[21] Rengstorf, ThW VIII 543: "Insofern kommt *yperetes* hier in seinem Sinn dem von *apostolos* nahe." R. versteht allerdings dann *oikonomous* als nähere Erläuterung. Dazu besteht kein Anlaß.

[22] S. oben S. 77f.

[23] Vgl. oben S. 84—89.

[24] Conzelmann, 1 Kor 262f, verkennt diesen Zusammenhang, wenn er zu 13, 2 statuiert: "Paulus parallelisiert sie (nämlich die Prophetie) mit der Weisheit, der Kenntnis der Mysterien. D. h. er setzt ein christliches Spezifikum, die Geistrede in der Gemeinde, in allgemeinen Weisheitsstil um." Diese "Umsetzung" war schon lange vor Paulus vollzogen. Die "Kenntnis aller Geheimnisse" sagt deutlich, was Paulus in diesem Falle unter Prophetie verstehen will. "Geistrede" als christliches Spezifikum ist eine religionsgeschichtlich unbrauchbare Kategorie.

2. Wissen und Wirken der Weisheit nach Sal 7–9

Zwar ist in den Kapiteln 7—9 der Weisheit Salomos nicht ausdrücklich von Geheimnissen die Rede. Aber das dort vertretene Ideal vom umfassenden Wissen der Weisheit berührt sich sachlich sehr eng mit dem *eido ta mysteria panta* von 1 Kor 13, 2. Der vom "Geist der Weisheit" inspirierte Salomo (7, 7) hat universale kosmologische und astronomische Kenntnisse erhalten: "Er war es nämlich, der mir untrügliches *Wissen* über die Dinge gab." (7, 17) Unter den Gegenständen des Wissens ist wohl die Kenntnis der Geistermächte und des Denkens der Menschen (7, 20 vgl. die Kardiognosie der Propheten 1 Kor 14, 24f) besonders bemerkenswert. Im Lob der Weisheit wird auch eine ausdrückliche Beziehung zwischen Weisheit und Prophetie hergestellt:

"Von Geschlecht zu Geschlecht geht sie in lautere Seelen ein und rüstet Gottesfreunde und Propheten aus." (7, 27)[25]

Dieses Bild der Weisheit erhält durch 8, 8 eine ausdrücklich apokalyptische Note:[26]
"Sie *kennt (oiden)* das längst Vergangene und erschließt das Zukünftige;
Sie versteht sich auf die Wendungen von Aussprüchen und das Lösen von Rätseln *(lyseis ainigmaton)*
Zeichen und Wunder weiß sie voraus
und den Ausgang der Zeiten und Perioden."

Die Weisheit "weiß alles" *(oide ... panta* 9, 11). Sie muß dem Menschen helfen, den Willen Gottes zu "erkennen" *(gnonai* 9, 13. 17), die himmlischen Dinge "aufzuspüren" *(exichniasen* 9, 16). Schließlich werden noch einmal Verleihung der Weisheit und Geistsendung gleichgesetzt (9, 17 vgl. 7, 7). So erklärt sich auch von Weish 7—9 her die Explikation der Prophetie durch den Hinweis auf die "Kenntnis aller Geheimnisse".

3. Prophetie und Kenntnis der Geheimnisse in 4 Esra und syrBar

Esra gilt nach 4 Esra 12, 42 als der letzte Prophet.[27] Das im 4 Esra entworfene Prophetenbild steht gerade durch seine intellektuelle Note der Verbindung von Prophetie und Kenntnis aller Geheimnisse in 1 Kor 13, 2 sehr nahe. So wird Esra der Offenbarung deshalb gewürdigt, weil er sein Leben dem Studium und der Erkenntnis gewidmet hat (13, 54f).[28] Damit ist schon die Ausgangsposition für prophetische Erfahrung intellektuell bestimmt. Den Inhalt der prophetischen Erfahrung bilden die "Geheimnisse".[29] Angesichts der Vorstellung einer großen Zahl von Geheimnissen oder "aller Geheimnisse" empfiehlt es sich vielleicht doch in 10, 38 *"Altissimus revelavit tibi mysteria multa"* wörtlich mit "viele bzw. alle Geheimnisse" zu übersetzen,[30] statt mit Wellhausen anzunehmen, *multus* sei ein Hebraismus für *magnus.*

---

[25] Zur prophetischen Inspiration durch Weisheit vgl. Sir 24, 23—34; 4 Esr 14, 39—42 (s. oben S. 96).
[26] Vgl. oben S. 55f.
[27] S. oben S. 90.
[28] S. oben S. 91.
[29] S. oben S. 95f.
[30] Zum adjektivischen Gebrauch des inkludierenden "viele" im AT und im Judentum s. Jeremias, ThW VI 537—540.

Offenbarung in 4 Esra ist Wissensvermittlung. Das kosmologische Interesse tritt zurück (4, 28. 37f),[31] um so deutlicher wird das eschatologische und soteriologische Wissen betont (3, 14; 5, 33; 8, 63—9, 6; 13, 58; 14, 5). Die Inspiration des Propheten wird als Begabung mit "Weisheit" geschildert (14, 25. 39—42).[32] In den siebzig geheimen, den Weisen vorbehaltenen Büchern "fließt der Born der Einsicht, der Quell der Weisheit, der Strom der Wissenschaft" (14, 47). Ihr Inhalt ist trotz dieser ursprünglich weisheitlichen Kategorien apokalyptisch-prophetisch. Sie handeln von den "Geheimnissen des Höchsten" (vgl. 12, 36).

Im syrBar begegnet eine ähnliche Verbindung zwischen der Prophetie und der Kenntnis der eschatologischen Geheimnisse wie in 4 Esra.[33] "Weisheit" und "Einsicht" sind eschatologisch ausgerichtet. Gottes Weisheit wirkt sich in seinem Weltregiment und in seinem Gericht aus (54, 12f; 4, 8f). Wer merkt, daß er am Ende der Zeiten lebt, "wird alsdann weise werden" (28, 1). Welche Assoziationen sich mit dem Ausdruck "alle Geheimnisse kennen" verbinden, läßt sich ähnlich wie an Weish 7, 17—21; 8, 8 am Katalog der Offenbarung an Moses im syrBar (59, 4—11; vgl. 4 Esr 14, 5) ablesen.

4. Offenbarung und Kenntnis von Geheimnissen in den Qumrantexten

In den Qumrantexten ist sehr häufig von der Offenbarung und der Kenntnis der göttlichen Geheimnisse *(rz* und auch *swd)*[34] die Rede. Es ist sehr aufschlußreich, auf die dabei benutzten Wortverbindungen zu achten und sie mit dem "Kennen" der Geheimnisse von 1 Kor 13, 2 zu vergleichen.

a. Gott hat die Geheimnisse "kundgemacht" (*jd*ʿ hi)[35]

1QpH 7, 4f: "So bezieht sich seine Deutung auf den Lehrer der Gerechtigkeit, dem Gott *kundgetan* hat alle Geheimnisse *(rzj)* der Worte seiner Knechte, der Propheten."[36] Im gleichen Sinne 1QpH 7, 2 (über Habakuk): "Aber die Vollendung der Zeit hat er ihm nicht *kundgetan*." Das bedeutet, daß nach qumranischem Sprachgebrauch die Offenbarung an Propheten mit *jd*ʿ hi bezeichnet werden kann wie die Offenbarung an den Lehrer. Von dieser handelt der folgende Text aus den Lehrerliedern: "und du hast mir *kundgetan* deine wunderbaren Geheimnisse/ und in deinem wunderbaren Heilswissen hast du mein Stehen groß gemacht" (1QH 4, 27f).[37]

Dagegen kann der folgende Text nicht als Lehrerpsalm beansprucht werden:[38] "Denn du hast mich unterwiesen *(śkl* hi) in deiner Wahrheit / und in deinen wunderbaren Geheimnissen mir *Wissen gegeben*" (1QH 7, 26f). Der Verfasser hat das Wissen über die Geheimnisse entweder durch neue Offenbarung erhalten oder aus der Tradition der Gruppe übernommen. Das ist nach dem Stil der Hodajoth wohl die sicherere Annahme, wie der folgende Text und 1QS 9, 18 (unten) zeigen. 1QH 11, 9f (über die "Söhne des Wohlgefallens"): "Denn du hast sie *belehrt* im Rat deiner Wahrheit[39] / und in deinen wunderbaren *Geheimnissen* hast du sie unterwiesen (*śkl* hi)."

---

[31] S. oben S. 95.
[32] Vgl. oben Anm. 25.
[33] Oben S. 95f.
[34] S. Vogt, "Mysteria" in textibus Qumran; Kuhn, Konkordanz.
[35] Kuhn, Enderwartung 156, übersetzt das Hiphil von *jd*ʿ mit: "wissen lassen".
[36] Vgl. dazu oben S. 63.
[37] Übersetzung nach Jeremias, Lehrer der Gerechtigkeit 206.
[38] Zur Abgrenzung s. Jeremias, Lehrer 171.
[39] Vgl. dazu noch 1QH 11, 4. 16.

b. Unterweisung über die Geheimnisse als Funktion des Lehrers *(mljṣ)* und des Unterweisers *(mśkjl)*

1QH 2, 13:[40] "Und du hast mich gesetzt als Verkündiger des Wissens um wunderbare Geheimnisse *(mljṣ dʿt brzj)*." 1QS 9, 18: "um sie so mit Erkenntnis *(dʿt)* zu leiten und sie so Einsicht zu lehren in die Geheimnisse des Wunders und der Wahrheit *(śkl* hi)."

c. Vom Geheimnis "hören" und Ähnliches

1Q*26* 1, 4: "Wie er deinem Ohr das kommende Geheimnis offenbarte."

1QM 16, 15f: "denn seit ehedem habt ihr gehört durch die Geheimnisse Gottes ..."

Die beiden Stellen sind schwer zu deuten, da ihr Kontext weggebrochen ist. Sie könnten sich auf die Verkündigung der Geheimnisse in der Gemeinde beziehen. Die folgenden Stellen blicken ebenfalls auf die Offenbarung von Geheimnissen zurück.

1QH 1, 21: "Dieses *erkannte* ich auf Grund deiner Einsicht; / denn du hast mein Ohr geöffnet für wunderbare Geheimnisse."

1QH 12,12f: "Und Zuverlässiges habe ich gehört hinsichtlich deines wunderbaren Rates *(swd)* durch deinen heiligen Geist. Du hast mir Erkenntnis *(dʿt)* im Geheimnis deines Verstandes *(brz śklkh)* eröffnet."

Die Kenntnis der Geheimnisse wird, wie diese Texte erkennen lassen, immer auf die Kundgabe von seiten Gottes zurückgeführt, auch wenn diese Kundgabe in der Vergangenheit liegt und die Kenntnis der Geheimnisse nur durch Tradition vermittelt wird. Im Hinblick auf die Kundgabe bzw. auf das "Wissen lassen"[41] von seiten Gottes machen die Texte keinen terminologischen Unterschied zwischen der Offenbarung an Propheten (1QpH 7, 2), an den Lehrer der Gerechtigkeit (1QpH 7, 4f; 1QH 4, 27) und an die Gemeinde (1QH 11, 9f; 7, 26f). Ein "Wissen um die Geheimnisse" (vgl. 1 Kor 13, 2) begegnet nur beim Lehrer der Gerechtigkeit (1QH 2, 13), der damit auch für die Gemeinde in die nächste Nähe der Propheten rückt oder diese noch überbietet. Es entspricht dieser Einschätzung der Begabung des Lehrers, daß man von ihm sagt, Gott habe ihm "alle Geheimnisse" der Worte der Propheten "kundgemacht" (1QpH 7, 4). So paßt die Erkenntnis "aller Geheimnisse" auch zum Idealbild des Propheten in 1 Kor 13, 2.

§ 58 Zum Inhalt der prophetischen Erkenntnis nach 1 Kor 13, 2 b: *eidenai pasan ten gnosin*

I. In Beziehung zu den übrigen paulinischen Aussagen über gnosis

Anders als bei *mysterion* fällt der innerpaulinische Vergleich bei *gnosis* verhältnismäßig vage aus.[42] Da man die "ganze[43] *gnosis*" kennen[44] kann, handelt

[40] S. oben S. 74 und das Register; Übersetzung nach Jeremias, Lehrer 193.

[41] Vgl. Anm. 35.

[42] Vgl. Dupont, Gnosis 200; Bultmann, ThW I 707 Anm. 73.

[43] Vgl. dazu Bl-Debr 275, 3; Bauer 1252 *(pas* 1c α); Moulton III 200.

[44] Zur Wendung *eidenai ten gnosin* vgl. Bultmann, ThW I 689 über den griechischen Sprachgebrauch: "wie denn überhaupt der Gebrauch des Perfekts *egnoka* weithin durch den von *oida* verdrängt ist, und wie umgekehrt zu *eidenai* das Subst *eidesis* fast ganz durch *gnosis* oder *gnoma* verdrängt ist".

es sich in 13, 2 um objektives Wissen, ähnlich wie in 8, 1—6[45] um spezielleres Wissen, und nicht, wenigstens nicht direkt, um charismatische *gnosis* wie in 1, 5 (vgl. Röm 15, 14). Andererseits ist doch ein Bezug sowohl der *gnosis* von 8, 1—6 wie des charismatischen *logos gnoseos* (12, 8) und der charismatischen Redegattung der *gnosis* (14, 6) zur *gnosis* von 13, 2 denkbar.

Das Eigentümliche von 1 Kor 13, 2 ist die Vorstellung von einem außerhalb des Menschen liegenden ungeheuer großen, allumfassenden Wissen, das im Idealfalle vom Propheten erkannt werden könnte. Und zwar müßte dieses Wissen wohl in der Verlängerung der ebenfalls außerhalb des Propheten und unabhängig von ihm existierenden Geheimnisse gesucht und angesetzt werden. Sein Inhalt braucht sich nicht mit dem Inhalt der Geheimnisse zu decken, aber er sollte ihnen wahrscheinlich doch korrespondieren. Die tiefe *gnosis* Gottes von Röm 11, 33 würde am ehesten sowohl der Forderung des für den Propheten objektiven Wissens wie auch der Beziehung zu den göttlichen Geheimnissen entsprechen. Auf einer ähnlichen Linie liegt auch die Vorstellung von im Himmel bzw. in Christus verborgenen Schätzen der Erkenntnis, Kol 2, 3: *en o eisin pantes oi thesauroi tes sophias kai gnoseos apokryphoi.* Es hängt mit dem Charakter von 1 Kor 13, 1—3 zusammen, daß der Begriff der *gnosis* im Text selber nicht weiter präzisiert wird.

II. In Beziehung zur Sprache der LXX

gnosis als erkennbares, objektives Wissen und damit als Objekt menschlichen Erkennens begegnet in Spr 30, 3LXX:[46]

theos dedidachen me sophian
kai gnosin agion egnoka.

Vielleicht enthält auch schon M an dieser Stelle die Vorstellung von einem für den Menschen objektiven Wissen der Engelwesen[47] parallel zur "Weisheit" von 30, 3a; in der LXX muß der Ausdruck auf jeden Fall so aufgefaßt werden wie in Weish 10, 10 (Handeln der Weisheit an Jakob):

"Sie zeigte ihm das Reich Gottes
und gab ihm das Wissen der Heiligen *(gnosin agion)*."[48]

---

[45] S. Conzelmann, 1 Kor 166.

[46] Ein summarischer Überblick über *gnosis* in LXX bei Bultmann, ThW I 699f.

[47] *qdwšjm* als Bezeichnung für Engel: Hi 5, 1; 15, 15; Sach 14, 5; Ps 89, 6. 8; Dan 8, 13. Die Interpretation von Spr 30, 3 M ist aber so uneinheitlich, daß für den hebräischen Text kaum eine sichere Entscheidung fallen kann.

[48] Zu *agion:* Fichtner, Weish 41: "heilige Dinge"; ebenso Fischer, Weisheit 747 (EB). Vgl. dagegen die Assoziation von "Engel" und "Wissen" im aethHen; die Bezeichnung der Engel in den Qumranschriften als "Heilige": 1QS 11, 8; 1QH 3, 22; 4, 2; 11, 12f; f5, 3; 1QM 12, 1. 4. 7; 1QGenAp 2, 1; Kuhn, Enderwartung 91 Anm. 3. 1QSb 1, 5 (Maier): "er belehre dich in dem Wissen *(bdʿt)* der Heiligen; (Lohse, Kosmala): "er belehre dich in der Gemeinde *(bʿdt)* der Heiligen". Gemeinschaft mit den "Heiligen" (= Engeln) parallel zur Gemeinschaft mit den "Geistern des Wissens" und den "Wissenden": 1QH 11, 12—14; im Kontext ist auch von göttlichen Geheimnissen die Rede (11, 9. 10).

"Reich Gottes" ist hier eine im Himmel befindliche Wirklichkeit. In apokalyptischer Sprache hätte es auch heißen können: "sie zeigte ihm das Geheimnis seines Reiches". Parallel zur Offenbarung des Reiches steht die Verleihung des Wissens der Engel.[49] Der Passus wird sich auf den Gen 28, 11—16 berichteten Traum Jakobs beziehen. Dieser konnte im apokalyptischen Milieu als eine Himmelsreise Jakobs analog zu den Reisen Henochs verstanden werden.

III. In Beziehung zur Sprache der Qumrantexte

Einige Stellen aus den Qumranschriften können gleichfalls diesen objektiven Wissensbegriff veranschaulichen.

1. "Alle Erkenntnis" (vgl. *pasan ten gnosin*) ist bei Gott.

1QH 11, 8f: "Und ich habe erkannt, daß Wahrheit dein Mund ist
und in deiner Hand Gerechtigkeit
und in deinem Denken alle Erkenntnis *(kwl dʿh)*
und in deiner Kraft alle Gewalt und alle Herrlichkeit . . ."

2. Eröffnung der Erkenntnis durch Offenbarung

1QS 11, 5f (beachte das Wortgefolge: Geheimnis, verborgene Einsicht, Wissen): "Licht ist in meinem Herzen aus seinen wunderbaren Geheimnissen. / Auf das, was ewig ist, hat mein Auge geblickt, / tiefe Einsicht *(twšjh)*, die Menschen verborgen ist, / Wissen *(dʿh)* und kluge Gedanken (verborgen) vor den Menschen." (Vgl. auch 11, 18.)

1QH 12, 13: "Du hast mir Erkenntnis *(dʿh)* im Geheimnis deines Verstandes eröffnet."

3. Vermittler der Erkenntnis

1QH 2, 13 (Der Lehrer der Gerechtigkeit[50]): "Du aber setztest mich zum Zeichen für die Erwählten der Gerechtigkeit und zum Dolmetsch der Erkenntnis (*mljṣ dʿt*) in wunderbaren Geheimnissen."

1QHf 2, 5f (Engel[51]): "Nach der Fülle deiner Huld bestelle die Wacht deiner Gerechtigkeit über deinen Knecht, andauernd bis zur Errettung, und Deuter der Erkenntnis *(mljṣj dʿt)* mit jedem seiner Schritte . . ."

4. Endzeitliche Verleihung der Erkenntnis[52]

1QpH 11, 1 (zu Hab 2, 14): "Und danach wird ihnen geoffenbart werden die Erkenntnis *(dʿt)* wie Wasser des Meeres in Fülle."

Sowohl Spr 30, 3LXX und Weish 10, 10 wie die angeführten Belege aus den Qumranschriften beweisen die Zugehörigkeit dieses objektiven umfassenden Wissensbegriffs zur Apokalyptik. In beiden Bereichen setzt die Kenntnis dieses Wissens Offenbarung voraus. In 1 Kor 13, 2, in Qumran und wohl auch in Weish 10, 10 besteht eine Beziehung zur Offenbarung und Kenntnis von *Geheimnissen.*

---

[49] Zu den Engeln als "Wissensvermittlern" vgl. S. 71f. 210f.
[50] S. oben S. 74f.
[51] S. oben S. 71f.
[52] S. oben S. 63. 70f.

§ 59 Ergebnis: Der Inhalt der prophetischen Erkenntnis

Der Vergleich der einzelnen Aussagen von 1 Kor 13, 2 mit Texten aus den Apokalypsen, aus den Qumranschriften und aus der Weisheit Salomos ergab, daß das Ideal der prophetischen Erkenntnis nach 1 Kor 13, 2 sich weithin mit dem in diesen Schriften vertretenen Erkenntnisideal deckt. Das bedeutet, daß die urchristliche Prophetie sich auf die Stofftradition der zeitgenössischen Apokalyptik bezieht und von dieser nach Stoff und Tradition abhängig ist. Zugleich kennen die zum Vergleich herangezogenen Texte das Phänomen der eingegebenen Erkenntnis, zum Teil verbinden sie es auch schon mit der Bezeichnung "Prophetie" (4 Esra, Weish vgl. Sir). Auf dieser Linie dürfte auch eine Erklärung für die Wiederaufnahme der Bezeichnung "Prophetie" im Urchristentum zu suchen sein. Daß im Kontext (13, 1) bei der der Prophetie verwandten Gabe der Glossolalie von der Gemeinschaft mit den Engeln[53] die Rede ist, verstärkt die hier vorgenommene Zuordnung der Prophetie zur apokalyptischen Tradition ebenso, wie das bereits zu 12, 10 herausgearbeitete Verhältnis von Prophetie und Deutung.

5. Kapitel: Prophetisches Sehen durch Spiegel und in Rätseln 1 Kor 13, 12 a/b—Kontext und Forschungsgeschichte

Wer 1 Kor 13, 12a: "Denn jetzt sehen wir durch einen Spiegel im Rätsel, dann aber von Angesicht zu Angesicht" als eine paulinische Stellungnahme zur Eigenart und Begrenzung der prophetischen Erkenntnis wertet, wie der Verfasser dieser Arbeit, sieht sich einer verwirrenden Vielfalt von exegetischen und religionsgeschichtlichen Untersuchungen zu diesem Vers gegenüber. Eine Reihe von Autoren ist der Meinung, daß sich im dritten Teil von 1 Kor 13, in den Versen 8—12, das Erkenntnisproblem durchsetze oder daß in 13, 12 nur noch von der Gnosis die Rede sei.[1] Die Ausrichtung von 13, 12 auf das Er-

---

[53] Vgl. 1 Kor 11, 5. 10; Fitzmyer, A Feature of Qumran Angelology and the Angels of 1 Cor 11, 10. Zu 1 Kor 13, 1 s. Riesenfeld, Note sur 1 Cor 13.

[1] Harnack, Das hohe Lied des Apostels Paulus von der Liebe 148; Dupont, Gnosis 112: Paulus verstehe unter Prophetie immer "un discours inspiré"; in 13, 12 sei von den 13, 1f genannten Charismen nur noch die *gnosis* übriggeblieben; 145f: Paulus behandle das Problem der charismatischen Gnosis mit aus der prophetischen Erkenntnis herrührenden Kategorien; 202: die *gnosis* in 1 Kor 13, 12 repräsentiere auch die anderen Charismen, besonders die Prophetie, dagegen stehe in 1 Kor 14 die Prophetie für andere Charismen (besonders *apokalypsis* und *gnosis);* 248; ähnlich Hugedé, La métaphore du miroir dans les épîtres de saint Paul aux Corinthiens 182; Weiß, 1 Kor 319: "die Erörterung läuft also auf die Unvollkommenheit der *gnosis* hinaus, was zwischen Kap. 12 und 14 wenig Zweck hat"; vgl. ferner Hoffmann, Pauli Hymnus auf die Liebe 60. 70f; Niederwimmer, Erkennen und Lieben. Gedanken zum Verhältnis von Gnosis und Agape im ersten Korintherbrief 99.

kenntnisproblem braucht die Prophetie nicht auszuschließen,[2] zumal die Prophetie auch in 13, 2 rücksichtlich der prophetischen Erkenntnis und nicht rücksichtlich der prophetischen Verkündigung zur Sprache kam. Die Entscheidung, ob 1 Kor 13, 12 von Prophetie und Gnosis[3] oder nur noch von der Gnosis handelt, hängt von der Analyse des Aufbaus und der Bestimmung der Intention von 1 Kor 13, 8—12 und von einer religionsgeschichtlich abgesicherten Interpretation von 13, 12a ab.

§ 60 Aufbau und Intention von 1 Kor 13, 8—12

Die Form von 1 Kor 13, 8—12 ist im Unterschied zur Form der ersten beiden Abschnitte des Kapitels frei und lehnt sich an kein bestimmtes Schema an.[4] Kennzeichnend sind die antithetischen Sätze:[5]

8a *(piptei)* / bcd *(katargethesontai)*
9 *(ek merous)* / 10 *(to teleion)*
11a *(nepios)* / b *(aner)*
12ac *(arti)* / bd *(tote)*

Nachdem der zweite Teil direkt von der *agape* gesprochen hatte, erscheint *agape* im dritten Teil nur in der thematischen Überschrift: "die Liebe hört niemals auf" (8a).[6] Dagegen werden wieder, wie im ersten Teil, Charismen genannt und mit der *agape* verglichen. Während dort die Vorausstellung der Glossolalie (13, 1) die stärkste Beziehung zur korinthischen Situation schaffte und Prophetie und Glaube wenigstens noch eine Verbindung zur Liste von 12, 8—10 herstellten, führten die in 13, 3 genannten Leistungen (Hingabe des Vermögens und des Lebens) aus dem Kontext des 1 Kor hinaus und dienten einzig dem Vergleich mit dem Höchstwert, der *agape*. Im dritten Teil ist das Umgekehrte der Fall. Der Skopus wandert vom Vergleich mit der *agape* in 13, 8 hinüber zu Aussagen über den vorläufigen Charakter der Charismen an sich.

Dabei fällt auf, daß zwar in 13, 8 der hinfällige Charakter von Prophetie, Glossolalie und Gnosis behauptet wird, aber schon in 9f nur noch von Prophetie

---

[2] So auch Spicq, Agape in the New Testament II 161—165.

[3] Spicq a. a. O. 165 Anm.3; Achelis, Katoptromantie bei Paulus; Behm, Das Bildwort vom Spiegel 336f (nach 315f war dies auch die Meinung R. Seebergs; nach 337 Anm. 1 wurde 13, 12a von Godet und Bengel ebenfalls auf die Prophetie bezogen); diese Auffassung wird wahrscheinlich ebenfalls vertreten von E. Stauffer, in: Bachmann, 1 Kor 506; Kümmel in: Lietzmann, 1 Kor 189; Kittel, ThW I 177—179.

[4] Vgl. Schmid, Priamel 129.

[5] Schmid, Priamel 129; Weiß, 1 Kor 312.

[6] Mit 13, 8a beginnt ein neuer Abschnitt: Conzelmann, 1 Kor 266; Schmid, Priamel 127, besonders Anm. 116; vgl. auch Weiß, 1 Kor 347; Heinrici, 1 Kor 402; Robertson-Plummer, 1 Kor 295; Bachmann, 1 Kor 399. Gegen: Michaelis, ThW VI 166; Lehmann-Fridrichsen, 1 Kor 13, 89f. Zu *pipto* "aufhören" vgl. Lk 16, 17; Ruth 3, 18; Bauer 1309; so auch Lietzmann, 1 Kor 66. Bei der Bestimmung der Wortbedeutung muß man auf die Kontrastbegriffe *katargeisthai* / *pauesthai* sowie auf das *menein* von 13, 13 achten; vgl. Heinrici, 1 Kor 402; Michaelis, ThW VI 166.

und *gnosis* die Rede ist. Für J. Weiss[7] ist diese Beobachtung einer der Gründe, aus denen heraus ihm die Zugehörigkeit von 1 Kor 13 zu den Kapiteln 12 und 14 fraglich wird. In dem "redete ich wie ein Kind" von 13, 11 könnte man immerhin eine Anspielung auf die Glossolalie erblicken.[8] Dennoch ist es merkwürdig, daß das im Kontext am meisten umstrittene Charisma scheinbar nur beiläufig genannt wird — wie in 13, 8—12 auch die *agape* nur einmal genannt wird. Ihre eschatologische Beständigkeit wird behauptet, aber nicht bewiesen. Dagegen folgt auf die Behauptung der eschatologischen Hinfälligkeit der Charismen wenigstens der Versuch eines Beweises.

Die *glossai* waren für einen solchen Beweis allerdings denkbar ungeeignet. Wenn man in Korinth und auch sonstwo der Meinung war, die *glossai* stellten nicht nur Menschen-, sondern auch Engelsprachen dar,[9] dann wäre gerade ihr eschatologisches Bleiben das Selbstverständlichere gewesen.[10] So kann das Verschweigen der *glossai* im folgenden durchaus auf der Absicht beruhen, ihre Vergänglichkeit durch den Nachweis der Vergänglichkeit von Prophetie und Gnosis zu suggerieren.

Erleichtert wird diese Absicht durch den Umstand, daß die Prophetie in 13, 8—12 wie in 13, 2 nicht hinsichtlich ihrer Äußerungen, sondern hinsichtlich der prophetischen Erkenntnis zur Sprache kommt[11] — hinsichtlich ihrer Ausrichtung auf die "Geheimnisse", welche sie mit der Glossolalie gemeinsam hat.[12] Diese Ausrichtung erleichtert auch die Hinzunahme der Gnosis, welche sich zumindest auf einen den Geheimnissen

---

[7] 1 Kor 318: "Wäre Kap. 13 im Zusammenhang mit Kap. 12 und 14 geschrieben, so hätte es nahe gelegen, dies besonders an den *glossai* zu zeigen."

[8] So Heinrici, 1 Kor 404, unter Berufung auf die ältere Exegese: Oec., Theophyl., Bengel, Ewald, Godet. In grotesker Weise wurde diese Vermutung wieder aufgenommen von Hurd, The Origin of I Corinthians 189—194: Paulus gebe zu, daß er durch sein Sprachenreden bei der Gründung der korinthischen Gemeinde ein schlechtes Beispiel gegeben habe.

[9] Das ist angesichts des apokalyptischen Hintergrunds von 1 Kor 12—14, bzw. von 1 Kor 13, 1f. 12ab die wahrscheinlichste Interpretation von 1 Kor 13, 1; vgl. THiob 48, 3; 49, 2; 50, 1f: die verschiedenen Sprachen der Engelklassen; Asc Jes 7, 15; Rabbinisches (R. Jochanan b. Zakkai) bei Billerbeck III 449f; vgl. oben S. 71f. die *glossai angelon* müssen im Zusammenhang der apokalyptischen Gemeinschaft mit den Engeln gesehen werden, vgl. dazu S. 120. 210f; ferner Conzelmann, 1 Kor 262 Anm. 27; Behm, ThW I 725; Weiß, 1 Kor 313.

[10] Vgl. Conzelmann, 1 Kor 267 Anm. 80.

[11] Das wird von Dupont, Gnosis 112, übersehen. Er erkennt den prophetischen Hintergrund von 1 Kor 13, 12a, lehnt aber eine Beziehung auf urchristliche Prophetie ab, weil es sachlich um das Problem der Erkenntnis gehe und Paulus Prophetie sonst immer als "inspirierte Rede" auffasse. Gerade das ist schon für 13, 2 unhaltbar. Ähnlich versteht Schneider, ThW IV 600, das *propheteuein* von 13, 9 als "Ausübung der prophetischen Gabe": "Es gibt jetzt keine vollkommene Erkenntnis und keine vollkommene Ausübung der prophetischen Gabe". *ek merous* bezieht sich aber bei *propheteuomen* analog zu *ginoskomen* zunächst auf den Stückwerkcharakter der prophetischen Erkenntnis. Daraus folgt dann auch ein Stückwerkcharakter der prophetischen Verkündigung.

[12] Vgl. unten S. 234—237.

verwandten Bereich göttlichen Wissens bezieht. Eine besondere Polemik gegen die Gnosis ist weder in 1 Kor 13 noch im Kontext erkennbar,[13] ebensowenig wie eine Polemik gegen die Prophetie. Vielmehr soll die mehr oder weniger anerkannte oder doch erkennbare Hinfälligkeit von Prophetie und Gnosis auch die Hinfälligkeit der *glossai* demonstrieren. Die Gnosis wird zur Verstärkung der Argumentation hinzugenommen worden sein, vielleicht auch aus rhetorischen Gründen, um eine eindrucksvolle Doppelung oder parallele Gedankenführung zu erreichen (vgl. 8bd. 9a. 12a/b c/d).[14] Damit entfällt die vom Kontext und auch vom Vokabular von 13, 12a her sowieso kaum motivierbare Notwendigkeit, in Aufbau und Gedankenführung von 13, 8—12 eine fortschreitende Konzentration auf das Charisma der Gnosis nur deshalb anzunehmen, weil tatsächlich vom Erkenntnisproblem die Rede ist.[15] Dieses berührt ebenso, wenn auch in spezifischer Terminologie, die Prophetie und mit ihr die Glossolalie.

13, 8 spricht antithetisch von der Unvergänglichkeit der Liebe und von der Vergänglichkeit der Charismen. Die Prophetie steht dabei an der Spitze, gleich hinfällig wie sie sind die *glossai* und die *gnosis.*

13, 9f nimmt die Stichworte *gnosis, propheteia* von 13, 8 in umgekehrter Reihenfolge auf und betont den Stückwerkcharakter der gegenwärtigen charismatischen Erkenntnis. Dabei ist die weitgehende Parallelisierung von Prophetie und Gnosis zu beachten.[16] Die ganze Erkenntnis steht noch aus. Wenn sie kommt,[17] wird das "Stückwerk" zunichte. Der Gedankengang ist aus dem Gegegensatz zwischen dem Teil und dem Ganzen[18] und zwischen Gegenwart und eschatologischer Zukunft entwickelt.[19]

13, 11 greift den Topos vom Gegensatz zwischen dem Kind und dem Mann auf,[20] um an ihm den Unterschied zwischen dem jetztigen charismatischen Erkennen und dem Erkennen bei der Parusie zu veranschaulichen. Es handelt sich um ein kleines Gleichnis. Reden/*lalein,* Denken/*phronein,* Überlegen/*logizesthai* gehören zur Bildhälfte, sie können nicht ohne weiteres auf je eins der drei in 8 genannten Charismen bezogen werden.[21] Jedes dieser Charismen äußert sich

---

[13] Vgl. Behm, Bildwort 336; Delling, ThW VIII 76 Anm. 44: "Es handelt sich in 1 K 13, 8 um den in 12, 8 in einer Reihe mit anderen Charismen stehenden *logos gnoseos.*"

[14] Vollkommen unzutreffend urteilt Dupont, der die Argumentation in der Gnosis aufgipfeln sieht und diese als repräsentativ für die anderen Charismen betrachtet, s. oben Anm. 1.

[15] Gegen Harnack, Weiß, Hoffmann, Dupont, Hugedé (oben Anm. 1).

[16] Vgl. Delling, ThW VIII 76 Anm. 45: "auch die Prophetie vermittelt nur das *ginoskein ek merous*".

[17] Conzelmann, 1 Kor 267: Bei der Parusie.

[18] Vgl. Delling a. a. O. 76.

[19] Das scheint auch die Meinung Conzelmanns, 1 Kor 267 Anm. 75, zu sein: "Es stoßen sich eschatologische und Weisheits-Denkformen."

[20] Vgl. dazu Conzelmann, 1 Kor 267 Anm. 84; Weiß, 1 Kor 318 Anm. 4; Lietzmann, 1 Kor 65.

[21] Weiß, 1 Kor 318; Conzelmann, 1 Kor 268 Anm. 85. Ganz unmöglich Hoffmann, Pauli Hymnus 60: "Denn der dritte Teil ist offenbar folgendermaßen disponiert: Die Liebe zerfällt nie, während Weissagungen, Zungen, Erkenntnisse aufhören wer-

im Reden und hat sein eigenes Erkenntnisproblem. Andererseits wird man einen hintergründigen Bezug auf die Glossolalie über 13, 9f hinweg auch in 13, 11 anerkennen können. 13, 12 spricht wieder direkt zu Prophetie (ab) und Gnosis (cd), und zwar in umgekehrter Reihenfolge wie in 13, 9,[22] aber ähnlich parallel! Das in 13, 9f und 11 schon angesprochene und illustrierte Verhältnis zwischen gegenwärtiger und zukünftiger Erkenntnis wird nun in der den Charismen der Prophetie und der Gnosis zugeordneten traditionellen Begrifflichkeit erläutert. Dabei sind, nicht zufällig, die Aussagen über die Prophetie in dichterer traditioneller Sprache gemacht.

§ 61 1 Kor 13, 12 a als Aussage über die Prophetie nach der neueren Forschung

Nachdem die Analyse des Kontextes ergeben hat, daß 13, 12 von charismatischer Erkenntnis und 13, 12a im besonderen von der prophetischen Erkenntnis handelt, muß nun gefragt werden, ob und in welcher Weise die Prophetie hier zur Sprache kommt und was die Stelle zur weiteren Charakterisierung der urchristlichen Prophetie beiträgt. Die bisherigen Untersuchungen zu diesem *locus vexatissimus*[23] haben zur Genüge die Sprödigkeit und Vieldeutigkeit der Stelle ans Licht gebracht. Wie die Arbeiten von Achelis, Behm und Kittel[24] zeigen, läßt auch eine Beziehung auf die urchristliche Prophetie noch sehr unterschiedliche Interpretationen zu, je nachdem für welchen religionsgeschichtlichen Kontext man sich entscheidet.

I. H. Achelis

H. Achelis beschränkte sich in seiner Studie "Katoptromantie bei Paulus" auf die Erklärung von 1 Kor 13, 12a. Paulus spreche schon von 13, 8 an von charismatischer Erkenntnis.[25] Das *blepomen* von 13, 12 sei ein Indiz dafür, daß Paulus sich auf prophetische Visionen beziehe.[26] Die Worte *di' esoptrou en ainigmati* erklärten sich von

---

den. Jedes dieser drei vergänglichen Momente wird wieder Thema einer besonderen Strophe. Auf die Weissagungen bezogen: Stückwerk und Vollkommenes. Auf das Stammeln der Zungen bezogen: unmündig und Mann. Auf die Erkenntnis bezogen: Spiegel und unmittelbare Sicht." Es heißt trotz Hoffmann: *ek merous gar ginoskomen.* Damit fällt auch die Basis für seine übrigen Feststellungen.

[22] Behm, Bildwort 337: "Nimmt v. 12 — wie auch der rhetorische Aufbau der Verse erkennen läßt — v. 9 unter Einbeziehung des Ertrages von v. 10f wieder auf, so gilt das Bildwort vom Spiegel der Prophetie"; vgl. auch oben Anm. 3.

[23] So Behm, Bildwort 315.

[24] S. oben Anm. 3. Vgl. die forschungsgeschichtlichen Überblicke bei Riesenfeld, Étude bibliographique 18—22; Dupont, Gnosis 114—129; Hugedé, Métaphore 38—95.

[25] Katoptromantie 60.

[26] Katoptromantie 62.

einer Anspielung des Apostels auf die antike Katoptromantie.[27] *esoptron* bezeichne den Zauberspiegel, dessen man sich dabei bediente, während *ainigma* eine Charakterisierung des im Spiegel erscheinenden und noch der Deutung bedürfenden Bildes sei. Die Wendung *en ainigmati* erkläre sich daher, daß nach 13, 9 die zukünftige Welt der eigentliche Gegenstand des Interesses sei, so daß man übersetzen könne: "Wir sehen jetzt (die göttlichen) Dinge vermittels eines Spiegels an einem Rätselbilde."[28] Diese Interpretation lege sich auch vom unmittelbaren Kontext her nahe. Der Vergleich der gegenwärtigen und der zukünftigen Erkenntnis mit der Erkenntnis des Knaben und des Mannes in 13, 11 ziehe die Erwähnung der Katoptromantie geradezu logisch nach sich, da man sich bei dieser gewöhnlich eines Knaben als Medium bediente.[29] Paulus wolle mit dieser Anspielung auf die Katoptromantie die Unvollkommenheit der christlichen Seher charakterisieren. Die Anspielung liege auf der gleichen für die Korinther verständlichen und sie treffenden Ebene wie die Anspielung auf bestimmte Instrumente des heidnischen Kults in 13, 1.

ACHELIS hat damit zweifellos eine überraschend geschlossene Erklärung für 1 Kor 13, 12a angeboten. Es ist ihm gelungen, die Verbindung von *blepein, di' esoptrou* und *en ainigmati* aus einem Anschauungszusammenhang plausibel zu machen. Für die urchristliche Prophetie wäre dieser Lösung allerdings außer der Zuweisung des *blepein* und damit der Sicherung ihres visionären Charakters nicht mehr zu entnehmen, als daß sie unvollkommen und der Deutung bedürftig ist wie die Spiegelschau. Trotz ihrer Geschlossenheit hat die Hypothese wenig Zustimmung gefunden. Unter den zahlreichen Gegenargumenten ragen folgende besonders heraus:

Der Erklärungsversuch von der Katoptromantie her verkenne, daß mindestens der Begriff *ainigma,* wenn nicht sogar die ganze hinter 1 Kor 13, 12a liegende Erkenntnisproblematik, eine jüdische und alttestamentliche Vorgeschichte habe. Der Text müsse vor dem Hintergrund von Num 12, 8 gelesen werden.[30]

Weiter sei der von ACHELIS zwischen 13, 11 und 12 konstruierte Zusammenhang hinfällig. Die Antithese "Knabe — Erwachsener" sei aus dem Vokabular der Popularphilosophie, nicht aus dem der Magie entnommen.[31]

Während die urchristliche Prophetie nach ACHELIS in irgendeiner Weise auf die Erkenntnis der Zukunft ausgerichtet sei, das *blepein* in 1 Kor 13, 12 ihren visionären Charakter verdeutliche und der Vergleich mit der Katoptromantie darauf hinweise, daß sie unvollkommen und der Deutung bedürftig sei wie die Spiegelschau, bestreiten seine Kritiker auch das Recht dieser Auffassung von Prophetie. Das *blepein* beziehe sich nicht auf die zukünftige Welt, Paulus wolle vielmehr den Enthusiasmus der korinthischen Pneumatiker treffen und ihr "Hochgefühl gegenwärtigen Gotthabens".[32] Die urchristliche Prophetie sei nach 1 Kor 12 und 14 als "inspirierte Rede" und nicht als visionäre Schau der Zukunft zu fassen, und damit entfalle die Basis des Vergleichs mit der Ka-

---

[27] Vgl. dazu Katoptromantie 56—60; die Zusammenstellung und Diskussion der Materialien bei Hugedé, Métaphore 75—88; weitere Literatur ebd. 75 Anm. 3 und Kittel, ThW I 178 Anm. 6.

[28] Katoptromantie 62f.

[29] Katoptromantie 63.

[30] Behm, Bildwort 323; Dupont, Gnosis 128; Hugedé, Métaphore 94.

[31] Dupont, Gnosis 128; Hugedé, Métaphore 92.

[32] Behm, Bildwort 323.

toptromantie.[33] Die jeweilige Vorstellung von urchristlicher Prophetie bestimmt, wie sich auch weiter zeigen wird, überhaupt sehr stark die Auslegung von 1 Kor 13, 12a.

II. J. Behm

J. BEHMS Untersuchung "Das Bildwort vom Spiegel" ist wesentlich breiter angelegt. B. setzt sich mit den Hypothesen von REITZENSTEIN[34] und ACHELIS auseinander, knüpft wieder an die Positionen der bisherigen Exegese an[35] und bietet neben umfangreichem Material zum Bild vom Spiegel in der Antike auch eine bis heute gültige Klassifizierung dieses Materials:[36] "Das Bild vom Spiegel findet sich in drei — bei der Häufigkeit ihres Vorkommens — als konventionell zu bezeichnenden Hauptverwendungsarten. 1. Wird mit der Klarheit des polierten Metallspiegels die Reinheit der Seele verglichen" ... "2. Der Spiegel, in den man sieht, um sein Äußeres auf Ordnung, Sauberkeit usw. zu prüfen, erinnert an die Pflicht sittlicher Selbstprüfung und Selbsterkenntnis" ... "3. Im Spiegel sieht man indirekt, nicht die Dinge selbst, sondern nur ihren Widerschein, ihr von der spiegelnden Fläche zurückgeworfenes Abbild".

Die Beziehung von 1 Kor 13, 12a auf die Prophetie steht für B. schon von der Analyse des Kontextes her fest.[37] Im Text selber entdeckt er keine weiteren Hinweise auf Prophetie, es sei denn, er werte den Einfluß von Num 12, 8, "jener einen Stelle, die höchstwahrscheinlich auf 1 Kor 13, 12 eingewirkt hat",[38] in diesem Sinne. Außerdem erkennt er für *prosopon pros prosopon* eine Beziehung zu Ex 33, 11. 17—20, ohne allerdings über die Natur dieser Rückbeziehungen auf alttestamentliche Texte eingehender zu reflektieren.[39]

Aus Num 12, 8 LXX: "Von Mund zu Mund rede ich mit ihm, *en eidei kai ou di' ainigmaton*" ergibt sich ihm, daß *en ainigmati* in 1 Kor 13, 12 nicht als Rätselbild aufgefaßt werden kann (gegen ACHELIS), sondern die Bedeutung "dunkle, unverständliche Rede" haben muß. So breche in das Bild vom Schauen in den Spiegel eine unbildliche Redeweise ein. Der Ausdruck entspreche dem *en mysterio* von 1 Kor 2, 7 und müsse in

[33] Hugedé, Métaphore 92f. Zum ersten Mal wurde dieser Gedanke von Behm, Bildwort 341 geäußert, allerdings nicht zur Abgrenzung von Achelis; vgl. den folgenden Abschnitt. Bei Dupont, Gnosis 111f, kehrt er wieder und bestimmt dort die Interpretation von 1 Kor 13, 2 und 12; vgl. oben Anm. 1 und 11.

[34] in: R. Reitzenstein, Historia Monachorum und Historia Lausiaca. Eine Studie zur Geschichte des Mönchtums und der frühchristlichen Begriffe Gnostiker und Pneumatiker 242—256. 260; ders., Die Formel "Glaube, Liebe, Hoffnung" bei Paulus; ders., Himmelswanderung und Drachenkampf. R. vermutet, 1 Kor 13, 12 knüpfe an eine hellenistische Vorstellung von einem himmlischen Spiegel an, in dem der Mensch sich spiegle und durch den er erleuchtet werde. In 1 Kor 13, 12 sei "unter dem Spiegel, in dem die *gnosis* Gott schaut, das *pneuma* zu verstehen" (Historia Monachorum 254). Zur Kritik an den religionsgeschichtlichen Voraussetzungen wie an der exegetischen Verwendung dieser These vgl. außer Behm, Bildwort 316—320. 325—328. 335f, auch Dupont, Gnosis 122—127; Hugedé, Métaphore 49—75.

[35] Besonders an R. Seeberg, Das Rätsel des Spiegels: Die Reformation 10 (1911) 137—139.

[36] Die folgenden Zitate aus Behm, Bildwort 328. 330. 331. Dupont, Gnosis 120, schließt sich dieser Klassifizierung an; ebenso Hugedé, Métaphore 97.

[37] Vgl. besonders Bildwort 337.

[38] Bildwort 323 vgl. 337.

[39] So gewöhnlich auch in den Kommentaren — z. B.: Heinrici, 1 Kor 405; Weiß, 1 Kor 319; Bachmann, 1 Kor 403 Anm. 1 und 2.

ähnlicher Weise von einem *verbum dicendi* abhängig sein. Er beziehe sich auf die prophetische Verkündigung "in Form eines Rätsels", "als ein Rätsel" und dürfe (gegen Achelis) nicht von *blepomen* abhängig gedacht werden. Paulus wolle damit das Reden der korinthischen Enthusiasten von ihrem gegenwärtigen religiösen Besitz "als ein Tappen im Dunkeln, als ein Reden bzw. Hören in Rätselform"[40] bezeichnen.

Damit fällt *en ainigmati* für die weitere Erklärung des Satzes aus. Bei diesem fällt der Nachdruck "durch den Gegensatz *di' esoptrou ... prosopon pros prosopon*... auf die Art und Weise des Sehens",[41] mit welchem B. sich vor allem beschäftigt. Dem eschatologischen Schauen Gottes stehe das Schauen im Spiegel, und das bedeute, das Schauen Gottes im Spiegel, gegenüber. Von den drei Hauptverwendungsarten des Bildes vom Spiegel entspreche diesem Gegensatz nur die dritte Verwendungsart von der Mittelbarkeit der Schau im Spiegel. Paulus habe das Bild in dieser Bedeutung wie anderes (*eikon, omoioma*) schon aus dem populären hellenistischen Sprachgebrauch übernommen und mit "einer verwandten alttestamentlichen Reminiszenz verknüpft"[42] — nämlich mit Num 12, 6—8 — "um die Unvollkommenheit des prophetischen Verkehrs mit Gott zum Ausdruck zu bringen".

Der Zusammenhang mit Num 12, 6—8 läßt B. kurz die Möglichkeit erwägen, ob in 1 Kor 13, 12 nicht wie in Num 12, 6 an Gesichte und Träume als sinnliche Mittel der Gotteserkenntnis gedacht werden könne — zumal ja "literarische Beispiele für die Anwendung des Bildes vom Spiegel auf das Gebiet der Träume vorliegen".[43] Er verwirft diese Möglichkeit aber entschieden: "unter den Merkmalen urchristlicher Prophetie fehlt 1 Kor 14 und überhaupt bei Paulus das visionäre Element; als die Quelle der von ihm aufs höchste bewerteten prophetischen Begabung können dem Apostel Träume und Gesichte nicht vorschweben".[44] Warum eigentlich nicht?

Daher bleibt als Erkenntnisfeld für die Prophetie nur der nach Röm 1, 20 auch der natürlichen Gotteserkenntnis zufallende Bereich der irdischen Wirklichkeit: "die Erscheinungswelt ist das Medium für die Erfassung des überweltlichen Gottes".[45] Von 1 Kor 14 her möchte B. aber doch eine spezifisch christliche Gotteserkenntnis der Propheten postulieren: "der eigentliche Gegenstand ihrer Gotteserkenntnis" müsse "der Gott der Heilsoffenbarung, Gott in Christus sein ... die *mysteria* der Heilsgeschichte und ihre Wirkungen in der Herzensgeschichte der Menschen ... sind der letzte und höchste Inhalt prophetischen Sinnens".[46] Aber auch hier stößt B. auf die durch seine Anwendung des Wortes vom Spiegel aufgerichtete "Schranke", "daß Gott greifbar, erkennbar wird nur in der geschichtlichen Wirklichkeit".[47]

So endet Behms großangelegte Untersuchung, nachdem sie durch die Analyse des Kontextes den Bezug von 1 Kor 13, 12a auf die Prophetie gesichert und das antike Material über die Spiegelmetapher nahezu erschöpfend gesammelt und klassifiziert hatte, eigenartig unbefriedigend. Die prophetische Erkenntnis unterscheidet sich im Grunde so wenig von der christlichen und allgemeinmenschlichen Erkenntnis, daß man sich fragen muß, weshalb man dann 1 Kor 13, 12a überhaupt nur auf die Prophetie und nicht mit vielen großen Exegeten auf die

[40] Bildwort 323.
[41] Bildwort 336.
[42] Bildwort 340.
[43] Bildwort 341.
[44] Bildwort 341 vgl. oben Anm. 33.
[45] Bildwort 341.
[46] Bildwort 341f.
[47] Bildwort 342.

Erkenntnis im allgemeinen beziehen soll.[48] Andererseits soll sich diese an sich vernünftige Erkenntnis auch noch in dunkler, rätselhafter Rede äußern, ohne daß die grammatikalische und satzlogische Möglichkeit eines solchen Verständnisses auch nur erwiesen wäre. Die Annahme eines zweiten Prädikats *(verbum dicendi)* nach *blepomen,* von dem *en ainigmati* abhängig zu denken wäre, scheitert an der Fortsetzung: *tote de prosopon pros prosopon.* Hier ist doch eindeutig wieder *blepomen* das regierende Verbum. Diese Unzulänglichkeiten des Behmschen Ergebnisses haben ihre Wurzel primär in dem auch nicht durch die Berufung auf 1 Kor 14 begründbaren Ausschluß visionärer Erfahrung aus dem Bild urchristlicher Prophetie, nicht in mangelnder Kenntnis des religionsgeschichtlichen Materials, wenn dieses auch im Hinblick auf das Judentum durchaus noch der Erweiterung fähig war.

III. G. Kittel

Den nächsten bedeutenden Versuch zu 1 Kor 13, 12a legte G. KITTEL vor mit seinem Artikel *ainigma (esoptron)* im Theologischen Wörterbuch zum Neuen Testament. Er analysiert beide Begriffe im Hinblick auf ihre Verwendung in 1 Kor 13, 12a. *ainigma* bezeichne bei Griechen und Juden (vgl. vor allem SNu 103 zu Num 12, 8) den rätselhaften Orakel- und Prophetenspruch. Nach rabbinischen Texten, von denen "mindestens LvR 1 deutlich an das als "Spiegel" gedeutete *mrh* von Num 12, 8 anknüpfe, bedeute aber auch "'im Spiegel sehen' prophetisch sehen". Das "Schauen im Spiegel" sei eine Redeform für das Teilhaben an der Gottesoffenbarung. Diese bildliche Ausdrucksweise habe ihre Wurzel in der auch dem Judentum bekannten Katoptromantie, nicht in der Verwendung des Bildes vom Spiegel als einer Metapher für die indirekte Erkenntnis oder für die Mittelbarkeit der Gottesschau. Im Gegenteil: "Mose wird ja gerade als der gepriesen, der die höchste unmittelbarste Gottesoffenbarung empfängt, wenn er Gott in einem klaren Spiegel sieht."[49]

Da sowohl *ainigma* wie Schauen im Spiegel "ihre eigentümliche Prägnanz in der Anwendung auf eine prophetische Offenbarung erhalten",[50] entspreche nach 1 Kor 13, 12a die Schau des Pneumatikers der prophetischen Schau. "*en ainigmati blepein* bedeutet stets das nicht deutliche Sehen, Hören oder Reden der Propheten",[51] während *di esoptrou* keine Geringwertigkeit der Offenbarung andeuten wolle und darum auch von Mose ausgesagt werden konnte. Die rabbinische Exegese habe von der Rätselrede und der Spiegelschau der Propheten im Anschluß an Num 12, 8 gesprochen. Dem entspreche der "deutliche Zusammenhang" von 1 Kor 13, 12 mit Num 12, 8 M.[52] Das *en* bei *ainigma* erkläre sich aus *bḥjdwt* Num 12, 8.

KITTELS Herleitung hat ein negatives Echo gefunden. Sei es, daß man nach der Untersuchung BEHMS die Funktion des Bildworts vom Spiegel zur Bezeichnung des indirekten Sehens als genügend geklärt ansah,[53] sei es, daß man die Kritik DUPONTS an KITTELS

[48] Zur Kritik vgl. auch Dupont, Gnosis 140—142. Ebd. 141 die sarkastische Bemerkung: "Et le P.Allo ne peut s'empêcher de noter la concordance entre l'enseignement de Saint Paul et la doctrine thomiste de l'analogie."

[49] ThW I 178f.

[50] ThW I 179.

[51] ThW I 179.

[52] ThW I 179.

[53] Kümmel in: Lietzmann, 1 Kor 189.

Behandlung von Num 12, 8 übernahm.[54] DUPONT[55] behandelt KITTELS Erklärung unter der bezeichnenden Überschrift: "La Bible Hebraique", wie wenn K. versucht hätte, einen direkten exegetischen Zusammenhang zwischen Num 12, 8M und 1 Kor 13, 12a/b herzustellen. Gegen die Annahme eines solchen Zusammenhangs stehe die Beobachtung, daß nach Num 12, 8 *wmr'h*, das Äquivalent für *esoptron*, auf der Seite des direkten Verkehrs des Mose mit Gott und den "Rätseln" gegenüberstehe, während in 1 Kor 13, 12 der "Spiegel" von der Schau von Angesicht zu Angesicht weg und auf die Seite der "Rätsel" gerückt sei. Außerdem werde man nach Num 12, 8: "von Mund zu Mund rede ich mit ihm ... und nicht in Rätseln" eher ein Wort wie "hören" an der Stelle von *blepomen* erwarten können.[56]

Sofern KITTEL in seinem Artikel zunächst von den Begriffen *ainigma* und *esoptron* bzw. von ihren Äquivalenten im Talmud ausging und erst am Ende den Zusammenhang zu Num 12, 8 herstellte, geht die Kritik DUPONTS wenigstens teilweise an KITTELS Argumentation vorbei. Andererseits macht DUPONT doch auf Unklarheiten in KITTELS Erklärung aufmerksam. KITTELS Unsicherheit hinsichtlich der genauen Bedeutung von *ainigma* verrät sich zum Beispiel in dem Satz: "*en ainigmati blepein* bedeutet stets das nicht deutliche Sehen, Hören oder Reden der Propheten".[57] Da *blepein* kaum "Hören oder Reden" bedeuten kann, tritt in diesen Worten wohl KITTELS eigene Auffassung von *ainigma* als Rätselspruch zutage, die im Hinblick auf 1 Kor 13, 12a notdürftig durch den Zusatz "Sehen" überbrückt werden sollte. KITTEL begnügt sich auch zu schnell mit der Feststellung, "Schauen im Spiegel" sei eine Redeform für das Teilhaben an der Gottesoffenbarung, ohne weiter zu fragen, weshalb und in welchem Sinne (etwa doch indirekte Gottesschau?) diese Redeform verwendet wird. So übersieht er dann tatsächlich den Unterschied, welchen Paulus zwischen der gegenwärtigen Schau *di esoptrou* und der zukünftigen Schau *prosopon pros prosopon* macht, und damit auch die entscheidende Differenz zwischen 1 Kor 13, 12ab und Num 12, 8. Das wertvolle von ihm zur "Schau im Spiegel" erschlossene rabbinische Material hat durch ihn noch nicht den richtigen Platz in der Auslegung von 1 Kor 13, 12ab zugewiesen erhalten.

IV. J. Dupont

DUPONT widmet in seiner großen Untersuchung "Gnosis. La connaissance religieuse dans les épîtres de saint Paul" 1 Kor 13, 12a/b ein ganzes Kapitel.[58] Vorher hatte er bereits 13, 12c/d im Zusammenhang mit 1 Kor 8, 3 und Gal 4, 9 behandelt.[59] Seine Untersuchung unterscheidet sich von den bisher besprochenen durch eine stärkere methodische Reflexion und durch eine intensivere Auseinandersetzung mit der übrigen Forschung. Sie ist außerdem für unsere Fragestellung so bedeutsam, daß sie breiter als ihre Vorgänger diskutiert werden muß.

---

[54] Hugedé, Métaphore 143f; Conzelmann, 1 Kor 268.
[55] Gnosis 114.
[56] Gnosis 116.
[57] ThW I 179.
[58] Gnosis 105—148.
[59] Gnosis 51—88.

DUPONTS folgenreichste Entscheidung für die ganze Interpretation fällt gleich zu Beginn. Er lehnt den unter anderen auch von BEHM hergestellten Zusammenhang zwischen dem *blepein* von 13, 12 und dem *propheteuein* von 13, 9 ab.[60] Paulus verstehe unter "Prophetie" im Kontext 1 Kor 12—14 immer eine inspirierte Rede. Prophezeien bedeute, das Wort zu ergreifen, aber nicht, Gott zu sehen.[61] Außerdem schreite der Prozeß der Konzentration der Charismen von 13, 8 an kontinuierlich weiter, bis nur die *gnosis* bleibe.[62]

Im Zusammenhang seiner Erwägungen über den religionsgeschichtlichen Hintergrund des Themas "Gott sehen" (Apokalyptik) und über den Schrifthintergrund des Verses — er nimmt in Abgrenzung von KITTEL nur eine lockere Anlehnung an Num 12, 8 an — findet er aber doch eine aufschlußreiche Erklärung dafür, daß an dieser Stelle vom "Sehen" und nicht vom "Erkennen" die Rede sei. Paulus sei durch die Einfügung der eschatologischen Gottesschau an Stelle der Mose gewährten Offenbarungen in das von Num 12, 6—8 gelieferte Raster[63] dazu gebracht worden, nicht nur für die zukünftige, sondern auch für die gegenwärtige Erkenntnis Termini zu benutzen, welche die prophetische Erkenntnis bezeichneten, nämlich "sehen" und "*ainigma*" (Num 12, 8).[64]

Das nun anstehende Thema der Schau im Spiegel geht DUPONT in drei Schritten an. Zunächst legt er im Anschluß an BEHM das hellenistische Material dar und urteilt wie dieser, daß Paulus das Bild vom Spiegel aufgreife, um die Indirektheit des Sehens zu charakterisieren.[65] Das rabbinische, von KITTEL beigebrachte Material zum Thema "Spiegel" findet in diesem Zusammenhang keine Beachtung — zweifellos ein Nachteil des von DUPONT gewählten Vorgehens, die einzelnen Fragen je für sich und nacheinander abzuhandeln. So hat er sich mit KITTEL schon zu Beginn unter der Fragestellung "Einfluß der hebräischen Bibel?" auseinandergesetzt.[66]

Der nächste Schritt gilt der Verbindung von "Schau im Spiegel" und "im Rätsel". Es ist nicht notwendig, *en ainigmati* mit BEHM auf das Reden der Propheten zu beziehen, da Plutarch Is et Os 76 (II 382a)[67] und Philo Som 2, 3; Op Mund 76[68] zeigen,

---

[60] S. oben S. 160. 163.

[61] Gnosis 112: "Dans le grand développement sur les charismes dont le chapitre XIII fait partie, saint Paul entend toujours la prophétie d'un discours inspiré. Prophétiser, c'est prendre la parole; ce n'est pas voir Dieu."

[62] S. oben S. 159. 162.

[63] Gnosis 118: "Le texte semble ne lui avoir fournir qu'un canevas, l'antithèse entre deux types de connaissance."

[64] Gnosis 118f: "La modification capitale est la substitution de la vision face à face aux révélations de Moise. Ce changement transforme l'antithèse et l'accorde exactement à la pensée de saint Paul, désireux d'opposer une connaissance eschatologique à la connaissance présente, caractérisée par les tenues qui désignaient la connaissance prophétique. Ce changement explique aussi la substitution de l'idée de 'voir' à celle de 'connaître' — C'est parce qu'il songe déjà à l'opposer à une vision face à face, que Paul appelle 'vision' la connaissance prophétique (sic!)."

[65] Gnosis 133—135.

[66] Gnosis 114—117 (vgl. oben S. 168); 115 Anm. 3 bezweifelt er unter Berufung auf Billerbeck III 453 die von Kittel vertretene Übersetzung *'jspqlrj'* = Spiegel und ebenso den von Kittel behaupteten Zusammenhang zwischen *mr'h* Num 12, 8 und den rabbinischen Überlieferungen von der Schau im Spiegel; vgl. dazu unten S. 178f.

[67] Vgl. dazu unten S. 186.

[68] Vgl. unten S. 188.

daß *esoptron* und *ainigma* durchaus in einem vom Sehen bestimmten Kontext nebeneinander stehen können. *ainigma* drücke ebenso wie *esoptron* die Vorstellung des indirekten Sehens aus. Außerdem deute *ainigma* auch noch eine gewisse Dunkelheit an.[69] Der hellenistische Sprachgebrauch habe Paulus die Möglichkeit gegeben, das aus Num 12, 8 übernommene Wort nach der Einfügung des Bildes vom Spiegel stehenzulassen, wenn auch in anderer Bedeutung.[70]

Abschließend stellt Dupont dann die Frage, welche Art von Erkenntnis Paulus durch "Spiegel" und "Rätsel" charakterisieren wollte. Bereits Behm[71] hatte die Alternative: Erkenntnis Gottes durch Visionen und Träume oder Erkenntnis Gottes aus der Welt aufgeworfen und sich für die zweite Möglichkeit entschieden, obwohl er 1 Kor 13, 12a auf die Prophetie bezog. Dupont dagegen erkennt, daß die Erkenntnis Gottes aus der Welt zwar zur stoischen Popularphilosophie und zur jüdischen Missionspredigt (vgl. Röm 1) passe, aber nicht in den Kontext der charismatischen Phänomene von 1 Kor 13.[72] So entscheidet er sich, obwohl er bereits zu Beginn seiner Untersuchung für das Charisma der Gnosis optiert hatte, für die Erkenntnis Gottes durch Visionen und Träume. Diese würden nicht nur im unmittelbaren Kontext von Num 12, 8 erwähnt (12, 6), Philo bringe den Traum ausdrücklich in Zusammenhang mit den Themen "Spiegel" (Som 2, 206; Spec Leg 1, 219; Abr 190) und "Rätsel" (Som 2, 3).[73] Da dem Urchristentum Träume und Visionen bekannt waren und Paulus sich selbst in 2 Kor 12, 1—4 auf ein derartiges visionäres Erlebnis beruft, werden die Korinther verstanden haben, daß Paulus den indirekten Charakter der Gnosis mit dem indirekten Charakter der prophetischen Erkenntnis vergleichen und dadurch erweisen wollte. Paulus bediene sich also in 1 Kor 13, 12a/b einer der prophetischen Erkenntnis entspringenden Terminologie, um die Gnosis zu treffen.

Damit hat Dupont trotz des Ausschlusses des Charismas der Prophetie für 1 Kor 13, 12 ein Ergebnis erreicht, welches dem in dieser Arbeit vertretenen sachlich verhältnismäßig nahekommt. Allerdings läßt er die Annäherung des Charismas der Gnosis an die Träume und Gesichte nur auf der literarischen Ebene zu.[74] Es fragt sich aber doch sehr, ob Paulus in 1 Kor 13, 12 nicht direkt zur Sache spricht, statt — nach Duponts Auffassung — mit Hilfe des Bildes vom Spiegel das Bild der indirekten prophetischen Erfahrung in Träumen und Gesichten heranzuziehen, um die Differenz zwischen gegenwärtiger, indirekter, charismatischer Gnosis und zukünftiger Gottesschau zu demonstrieren.

Wenn man 1 Kor 13, 12ab zur urchristlichen Prophetie sprechen läßt, wird es nämlich nicht nur leichter, die Genese der paulinischen Formulierung und ihre Intention nachzuzeichnen, auch die religionsgeschichtliche Ableitung wird

---

[69] Gnosis 136f.

[70] Gnosis 138: "Nous supposons donc tout une série des décalages."

[71] S. oben S. 166.

[72] Gnosis 141f.

[73] Gnosis 143f; vgl. unten S. 187—189.

[74] Gnosis 146 Anm. 1: "Il ne faut pas presser cette assimilation de charismes au songes. Elle n'est pas explicite. *Elle est le fruit d'un rapprochement littéraire.* Et surtout, elle n'est faite que sous un angle bien précis: le caractère indirect des deux phénomènes. En se servant de ce qui a été dit de la connaissance prophétique, connaissance communiquée par des songes, saint Paul ne prétend pas dire que le charisme de gnose soit également l'effet de visions nocturnes!" (Hervorhebung von mir).

übersichtlicher.[75] Es bleibt dann kein Zufall, daß sich die alttestamentliche Auffassung von der prophetischen Erfahrung in Träumen, Visionen und Rätseln nach Num 12, 6—8 mit dem hellenistischen Thema von der indirekten Schau im Spiegel und im Rätsel trifft[76] und so erst die Formulierung und das Verständnis von 1 Kor 13, 12a ermöglicht. Diese Kritik soll im übrigen nicht die Anerkennung der exegetischen Intuition und Gewissenhaftigkeit DUPONTS verdrängen oder schmälern, welche ihn trotz der von der Fragestellung seiner Arbeit und auch noch vom Ansatz seiner Studie zu 1 Kor 13, 12ab vorgegebenen Engführung auf das Problem der Gnosis hin, zu diesem, seinen eigenen Intentionen nur schwer integrierbaren Ergebnis geführt haben.[77]

§ 62 Ergebnis: Der Ertrag der Forschung und die Frage nach der urchristlichen Prophetie

Durch die bisherige Arbeit an 1 Kor 13, 12a/b ist die hellenistische Verständnismöglichkeit des Satzes fast erschöpfend geklärt (BEHM, DUPONT, HUGEDÉ) worden, während das Ausmaß seiner Beziehung zum AT (Num 12, 6—8; Ex 33, 20) und zur jüdischen Exegese (KITTEL) umstritten ist, aber auch noch nicht genügend untersucht wurde. Ähnliches gilt für sein Verhältnis zur urchristlichen Prophetie. Sowohl bei der Zuweisung der Stelle an Prophetie oder Gnosis auf Grund einer vorhergehenden Analyse des Kontexts wie bei ihrer Interpretation hat sich gezeigt, daß die jeweilige einseitige Vorstellung von urchristlicher Prophetie das Verständnis entscheidend beeinflußt oder erschwert. So kam es zu merkwürdig gebrochenen Lösungen. Nach BEHM ist die Stelle vom Kontext her auf Prophetie zu beziehen, sie handelt aber nicht eigentlich von prophetischer Erkenntnis, sondern von der Erkenntnis Gottes aus Natur und Geschichte.

---

[75] Conzelmann, 1 Kor 269 Anm. 102, hat sich offensichtlich durch die Komplexität der Ausführungen Duponts daran hindern lassen, diesen zu verstehen. So folgert er: "Das wäre ein komplizierter Vorgang. Der Einfluß des AT ist an dieser Stelle nicht vorhanden. Das 'Sehen' gehört dem Bild vom Spiegel selbst zu" — als wenn es Paulus nur um die Anwendung des Bildes vom Spiegel ginge. Kein Wunder, daß seine eigene Behandlung der Stelle trotz des aufgehäuften Materials wenig hilfreich ist.

[76] So Dupont, Gnosis 145.

[77] Nach Dupont hat Hugedé das Thema in seiner Dissertation "La métaphore du miroir dans les épîtres de saint Paul aux Corinthiens" erneut aufgegriffen. Zu 1 Kor 13, 12 sind sein Vorgehen und seine Ergebnisse nahezu identisch mit denen Duponts. Anders ist es mit 2 Kor 3, 18, einer Stelle, die im Gesamt seiner Ausführungen aber nur eine untergeordnete Rolle spielt. H. unterläßt die Frage, auf welchen Erkenntnisbereich — natürliche Gotteserkenntnis oder Träume und Visionen — Paulus die Metapher vom Spiegel beziehe. Seine *Auffassung* von *ainigma* als "Bild, Illustration" (149. 183. 187) läßt vermuten, daß er eine Gotteserkenntnis aus den geschaffenen Dingen voraussetzt.

Nach DUPONT ist die Stelle vom Kontext her auf Gnosis zu beziehen, ihre Terminologie und Ausdrucksweise stammen jedoch von der prophetischen Erkenntnis.

Damit ergibt sich eine doppelte Aufgabe — einmal die Aufgabe einer neuen Überprüfung des jüdischen Materials und seiner Beziehung zu 1 Kor 13, 12a/b, zum andern die Interpretation der Stelle im Zusammenhang mit den in dieser Arbeit bisher gewonnenen Einsichten über die urchristliche Prophetie. Diese beiden Aufgaben werden sich um so weniger voneinander trennen lassen, je mehr die traditionsgeschichtlichen Vorstufen und Parallelen zu 1 Kor 13, 12a/b auch Vorstufen und Parallelen zur urchristlichen Prophetie darstellen.

6. Kapitel: 1 Kor 13, 12 a/b und die jüdische Exegese von Num 12, 6—8

Die bisherige Diskussion hat bereits gezeigt, daß 1 Kor 13, 12a/b kein direktes Zitat aus Num 12, 8 sein kann. Dafür hat sich zu vieles verschoben. Andererseits ist kaum ein Exeget bereit, auf Num 12, 8 als Hintergrund für die Korintherstelle völlig zu verzichten.[1] Beiden Texten ist ja nicht nur die Gegenüberstellung verschiedener Erfahrungsweisen der Offenbarung, sondern auch der Begriff des Rätsels und die Statuierung eines besonderen Verhältnisses "von Mund zu Mund" bzw. "von Angesicht zu Angesicht" gemeinsam. Diese Gemeinsamkeiten brauchen nicht durch einen direkten Zusammenhang zwischen 1 Kor 13, 12a/b und Num 12, 8 erklärt zu werden. Sie können auch durch die jüdische exegetische Tradition vermittelt sein. Der Text Num 12, 6—8 eignete sich durch seine Intention wie durch seine Schwierigkeiten geradezu als Haftpunkt für Traditionen über das Wesen der prophetischen Erfahrung.

§ 63 Text und Intention von Num 12, 6—8

Der Vers Num 12, 8, auf den sich die Exegese von 1 Kor 13, 12a/b gewöhnlich zurückbezieht, ist Teil der Gottesrede Num 12, 6—8 aus einem Zusammenhang, in welchem es (ab Num 12, 2) um die "Einzigartigkeit des Mose als Empfängers des göttlichen Wortes"[2] geht. Die Verse 6—8 besagen, "daß es verschiedene Weisen der Kundgabe des göttlichen Wortes gibt".[3]

[1] Conzelmann, 1 Kor 268, druckt den Text sogar hebräisch und griechisch; aber dann konstatiert er lakonisch: "Doch trägt der Hinweis auf diese Stelle nichts aus".

[2] Noth, Num 84. Der Abschnitt gehört wie Num 11, 29 zur Quellenschicht E, welche überhaupt in einem engeren Verhältnis zur Prophetie steht als die Quellenschicht J; vgl. Sellin-Fohrer, Einleitung 167. 170.

[3] Noth, Num 85; vgl. Ehrlich, Traum im AT 137—139.

6: "Höret meine Worte!
Wenn unter euch ein Prophet des Herrn ist,
so offenbare ich mich ihm in Gesichten
und rede in Träumen mit ihm.

7 Nicht so mit meinem Knecht Mose:
er ist mit meinem ganzen Haus betraut.

8 Von Mund zu Mund rede ich mit ihm,
nicht in Gesichten und nicht in Rätseln
und die Gestalt des Herrn schaut er.
Warum habt ihr euch nicht gescheut,
wider meinen Knecht Mose zu reden?"

Die vorstehende Übersetzung aus der Zürcher Bibel hat den masoretischen Text an einigen Stellen korrigiert. In unserem Zusammenhang ist besonders auf die Wiedergabe von *wmr'h* in V. 8 zu achten. So wie das Wort dasteht, gibt es kaum einen Sinn. Die LXX übersetzt mit *en eidei* und setzt damit ein hebr. *bmr'h* voraus,[4] ebenso die Vetus Latina, der samaritanische Pentateuch, die syrische Übersetzung und Targum Onkelos. Aber auch *bmr'h* kann verschieden verstanden werden: "im Sehen", "in Gestalt", "im Gesicht/Vision", "im Spiegel".[5] Von diesen Übersetzungen würde sich wegen des parallelen Ausdrucks in Num 12,6 die Übersetzung "im Gesicht" am ehesten empfehlen. Der Übersetzungstradition dagegen scheint diese Deutung nicht dem im Text angelegten Gegensatz zwischen den Offenbarungsweisen von V. 6 und V. 8 zu entsprechen. Da Jahwe sich dem Mose doch anders und klarer offenbart als den Propheten, wählt man gewöhnlich eine der anderen Bedeutungen von *bmr'h*, übersetzt freier oder entscheidet sich für eine Änderung des überlieferten Textes. An die Bedeutungen "im Sehen", "in Gestalt" schließen sich die folgenden Übertragungen an: "sichtbar";[6] "offenbar";[7] "ansichtig";[8] "in sichtbarer Gestalt";[9] sehr frei: "von Person zu Person".[10]

Sehr verbreitet ist die Emendation des Textes durch den Zusatz *l'* vor das aus LXX rekonstruierte *bmr'h*, gewöhnlich übersetzt mit: "nicht im Gesicht".[11] Hier setzt sich, allerdings nur in der (theologisch motivierten?) Negation die nächstliegende Übersetzung "im Gesicht" doch noch durch. Ähnlich radikal ist die Streichung des unbequemen *bmr'h*.[12]

---

4 Vgl. Kittel, ThW II 371.

5 Vgl. GB 453 zu *mr'h*.

6 So Ehrlich, Traum im AT 137 Anm. 1, der in bewußter Anlehnung an die verschiedene Übersetzung in LXX (6: *en oramati;* 8: *en eidei)* schon für den Urtext ein Wortspiel vermutet: *mar'ah* werde im Sinn "Vision" gebraucht, *mar'aeh* dagegen von einem vollen Sehen. Ähnlich die Übersetzung von H. Torczyner, Die heilige Schrift, Jerusalem 1954.

7 Die Bibel (Jerusalemer Bibel), Freiburg-Basel-Wien 1968.

8 M. Buber, Die fünf Bücher der Weisung, Köln-Olten 1954.

9 Lindblom, Die Vorstellung vom Sprechen Jahwes zu den Menschen im Alten Testament 267.

10 V. Hamp, Das Alte Testament, Aschaffenburg 1962; Schneider, Num 377 (EB I).

11 Zürcher Bibel; Grätz, SBOT (beide nach GB 453); Greßmann, Num 99 (SAT II); Michaelis, ThW V 331 Anm. 84; Harnack, Das hohe Lied 138 Anm. 2.

12 Luther — Text (1912 und 1956); Holzinger, Num 220 (Kautzsch I); Noth, Num 82.

Der Text unterscheidet zwischen den Offenbarungsweisen Gottes gegenüber den Propheten und gegenüber Mose.[13] Die Offenbarung Gottes an die Propheten, sein Reden oder mit ihnen Verkehren, sich Kundgeben geschieht in Traumgesichten. — Es handelt sich um einen synonymen Parallelismus;[14] eine Absicht, zwischen Traum und Gesichten zu differenzieren, ist nicht erkennbar. In V. 8 wird diese Offenbarung in Traumgesichten als Offenbarung in noch der Deutung bedürftigen Rätseln bezeichnet.[15] Dabei ist weniger an den Rätselspruch gedacht als an das Rätselhafte der gesamten Offenbarung.[16] "In Rätseln" hängt zwar von "rede ich mit ihm" ab, aber es steht eben auch in Beziehung zu den Träumen und Gesichten von 12, 6. Und dort ist sowohl vom Reden wie vom Sich-Kundgeben Gottes die Rede. Die bildhaften und die worthaften Elemente lassen sich bei Träumen und Visionen nicht so säuberlich trennen,[17] wie es eine einseitig das "Wort" betonende Theologie häufig voraussetzt.[18]

Die Offenbarung Gottes an Mose ist dagegen unmittelbarer. Gott spricht mit ihm "von Mund zu Mund". Diese Aussage kann mehr oder weniger anschaulich verstan-

---

[13] Noth, Num 79—86: Num 12 setzt die Einschaltung 11, 14—17. 24b—30 (ekstatisches Prophetentum der 72 Ältesten durch Anteil am Geist des Mose) literarisch voraus. Nachdem das Prophetentum dort durch die Berufung auf Mose legitimiert worden war, soll in Num 12 "die Konsequenz abgewehrt werden, als sei Mose nichts anderes als 'ein (ekstatischer) Prophet' gewesen" (Noth, Num 86); vgl. vRad, Theologie des AT I 303f; II 23.

[14] Vgl. Noth, Num 85; Ehrlich, Traum im AT 139.

[15] Noth, Num 85; Ehrlich, Traum im AT 139.

[16] Zur Rätselhaftigkeit von Träumen und Gesichten vgl. Haeussermann, Wortempfang und Symbol in der alttestamentlichen Prophetie 6; Ehrlich, Traum im AT 138 zu Num 12, 6—8; GB 223 s. v. *ḥjdh:* "von verhüllenden Offenbarungen".

[17] Vgl. dazu Lindblom, Prophecy in Ancient Israel 39. 50. 122—137; vgl. ferner das Ineinander von visionären und auditiven Elementen in den prophetischen Visionen von Am 7 an und in den Apokalypsen. Dan 8, 26: "Auch das *Gesicht* von den Abenden und den Morgen, das dir *gesagt* wurde, ist Wahrheit"; aethHen 37, 1: "Gesicht der Weisheit"; vgl. unten S. 203f.

[18] Vgl. oben S. 169. die einseitige Festlegung der urchristlichen Prophetie auf "inspirierte Rede". Die Unterbewertung des visionären Elements in der alttestamentlichen Prophetie ist ebenso traditionell. Michaelis, ThW V 330: "Was zu hören ist, das ist Gott selbst, der sein Wort dem Propheten in der Vision schenkt; was aber zu sehen ist, das ist nicht Gott selbst, sondern das sind (wie bei den Traumgesichten) Personen, Tiere, Gegenstände, Vorgänge, wie Natur und Leben sie auch kennen, mitunter wunderlich vergröbert oder phantastisch verzerrt, mitunter auch in mythologischer Aufmachung oder gar der himmlischen Welt angehörend, aber niemals Gott selbst. Es ist der alttestamentlichen Gottesanschauung angemessener gewesen, daß Gott sich mit (relativer) Unmittelbarkeit im Auditiven und nicht im Visuellen offenbart." So kann man nur urteilen, wenn wie M. im a. a. O. folgenden Text die visionären Elemente zurückdrängt und herunterspielt und den Prophetentext in seiner Endgestalt mit der prophetischen Erfahrung gleichsetzt — unter Mißachtung aller Erkenntnisse der Gattungsforschung. Auch die mehr psychologisch ausgerichteten Untersuchungen Haeussermanns (s. Anm. 16) hätten vor einem solchen Verfahren warnen müssen.

den und interpretiert werden. Faßt man das "von Mund zu Mund" als Bestimmung der unmittelbaren, personalen Beziehung, in welche Jahwe zu Mose trat,[19] dann liegt es auf der Linie der Verhältnisbestimmungen Ex 33, 11: "Der Herr aber redete mit Mose von Angesicht zu Angesicht, wie jemand mit seinem Freunde redet" und Dt 34, 10: "Und es stand hinfort kein Prophet in Israel auf wie Mose, mit dem der Herr von Angesicht zu Angesicht verkehrte." Das personale Gegenüber kann aber auch anschaulicher gefaßt werden, wie Jer 32, 4, wo es von Zedekia heißt: "er wird dem König von Babel in die Hände fallen, und er wird von Mund zu Mund mit ihm reden und Auge in Auge ihn sehen". So hat Jakob nach Gen 32, 31 "Gott von Angesicht zu Angesicht geschaut".

Auf dieser Linie liegt jedenfalls die Fortsetzung Num 12, 8a/b, in der es heißt, Mose habe "die Gestalt Jahwes geschaut". Es handelt sich zwar deutlich um einen späteren Zusatz, da hier der Gottesname in der Gottesrede genannt wird,[20] aber wohl doch um eine auch im Alten Testament einmalige[21] Interpretation des Redens Gottes mit Mose "von Mund zu Mund". In Num 12, 8a/b wird auch ein Wechsel im Subjekt vorgenommen, der für die nachfolgende Interpretationsgeschichte nicht unwichtig ist. War bisher vom Reden, Sich-Offenbaren Gottes in Traumgesichten, Rätseln, von Mund zu Mund die Rede, so verschiebt sich nun die Perspektive. Nicht das Handeln Gottes, sondern das Erkennen des Empfängers der göttlichen Offenbarung steht im Mittelpunkt: Mose sieht die Gestalt Jahwes. Ferner zeigt der Zusatz in Num 12, 8a/b, wie die Stelle nun zum Haftpunkt für Reflexionen und Traditionen über das Wesen der prophetischen Erfahrung wird. Die Unsicherheit in der Deutung der Textlesart *wmr'h* geht auf diese Eigenart des Textes zurück. Vielleicht hat diese Eigenart des Textes sogar die Einführung des Begriffs *mr'h* in Num 12, 8 verursacht zur Verstärkung oder zur Abschwächung?

§ 64 Num 12, 6—8 in LXX und in den Targumen

Ein Blick auf die alten jüdischen Übersetzungen zeigt, daß Num 12, 6—8, besonders V. 8, nicht nur vom Text, sondern auch von der Theologie her Schwierigkeiten bot, denen nur durch Interpretation beizukommen war.

Die LXX übersetzt *bmr'h* in Num 12, 6 mit *en oramati*, in 12, 8 mit *en eidei*. Mose hat nicht die Gestalt Jahwes gesehen, sondern: *ten doxan kyriou eiden*. Ebenso zeigen die Targumim zu Num 12, 6—8, daß man ähnlich wie der hebräische Text zwar den Unterschied zwischen der Gotteserfahrung der Prophe-

---

[19] Vgl. Nötscher, "Das Angesicht Gottes schauen" nach biblischer und babylonischer Auffassung 54; vBaudissin, Gott schauen in der alttestamentlichen Religion 220. 250f.

[20] Vgl. Noth, Num 85.

[21] Nötscher, Angesicht Gottes 45 Anm. 1, harmonisiert unzulässig, wenn er behauptet, Num 12, 8a stehe nicht im Widerspruch zu Ex 33, 20 "Du kannst mein Angesicht nicht schauen", und wenn er die Aussage in Num 12 mit einem Sehen der Herrlichkeit Gottes (vgl. Ex 33, 22) gleichsetzt. Dort wird übrigens auch viel vorsichtiger formuliert.

ten und der des Mose festhalten wollte, daß man aber gegen den hebräischen Text nicht mehr von einer Schau der Gestalt Gottes durch Mose zu reden wagte. Zwischen dem *mr'h* von 12, 6 und 12, 8 wird nur in LXX durch verschiedene Wortwahl differenziert, freilich ohne daß wenigstens dort auch eine klare Aussage über die andersartige Erfahrung des Mose gelungen wäre. TJeruschalmi deutet das hebräische *mr'h* durch die Wiedergabe mit aram. *ḥzjw* auf eine Gotteserfahrung der Propheten und des Mose(?) "durch einen Spiegel", ein Verständnis, welches der hebräische Text nicht gerade nahelegt, aber doch offenläßt. Die entscheidende Differenz zwischen Mose und den Propheten liegt nach Num 12, 6—8 in den alten Übersetzungen in der Bestimmung "nicht in Rätseln" (so auch im hebräischen Text) und positiv in dem unanschaulichen "Rede gegen Rede" (Targumim), durch das eine Gottesschau "von Angesicht zu Angesicht" geradezu ausgeschlossen werden soll (vgl. die Targume zu Ex 33, 11—23). Wenn also der hebräische Text eine Deutung auf eine Gottesschau des Mose "Angesicht zu Angesicht" zuließ, dann ist diese bereits in den alten Übersetzungen auch für Mose ausgeschlossen worden. In dieser Hinsicht steht 1 Kor 13, 12ab, das ja eine Gottesschau "von Angesicht zu Angesicht" erst für die Vollendung erwartet, näher an den alten Übersetzungen als am hebräischen Text.

§ 65 Num 12, 6—8 im rabbinischen Schrifttum

Num 12, 6 und 8 sind gerade im Hinblick auf die Gotteserfahrung des Mose und auf die Offenbarungsweisen Gottes an die Propheten häufig zitiert worden. Die Stelle war eine Art Haftpunkt für Traditionen über die Prophetie. In ihrer rabbinischen Auslegung sind fast alle Elemente aus 1 Kor 13, 12ab vorhanden.

I. Zu Num 12, 6:

"Wenn unter euch ein Prophet des Herrn ist, so offenbare ich mich ihm in Gesichten und rede in Träumen mit ihm".

"Träume und Gesichte" werden als Offenbarungsweisen Gottes an die Propheten abgehoben von seiner Offenbarung an Mose, so *SNum § 103* (Kuhn 268f).

Tanch ṣw 143a zu Num 12, 6: meine Schechina wird sich ihm (dem Propheten) nicht durch einen hellen Spiegel *('spqlrj')* offenbaren, sondern durch Traum und Gesicht. Ebenso Raschi zu Num 12, 6.

Der "helle Spiegel"[22] ist das Offenbarungsmittel gegenüber Mose. Nach LevR 1, 14; Jeb 49bBar haben auch die Propheten Gott durch Spiegel geschaut, aber durch eine

[22] Zur Übersetzung von *'jspqlrj'*/Spiegel vgl. Kittel, ThW I 178; Bacher, Die Agada der Tannaiten II 214; Krauss, Talmudische Archäologie I 68. 399; ders., Griechische und lateinische Lehnwörter in Talmud, Midrasch und Targum I 166. 211; Billerbeck III 452. Billerbeck übersetzt aber *'spqlrj'* im Zusammenhang mit der Prophetie nicht mit "Spiegel", sondern mit "Glasscheibe"; zur Kritik s. Kittel, ThW I 178; Jastrow 96 führt zu *'spqlrj'* die Bedeutungen: 1. "Window-glass"; 2. "Metaph. prophetic vision".

große Zahl von Spiegeln oder durch irgendwie getrübte Spiegel. In *Tanch ṣw* ist der "Spiegel" dagegen dem Mose vorbehalten, als term. techn. für die ihm zuteil gewordene mittelbare Gottesoffenbarung. Das Bild vom Spiegel wird in diesem Text ganz unanschaulich, metaphorisch gebraucht.

Der Traum wird unter Berufung auf Num 12, 6 als Offenbarungsmittel an die Propheten anerkannt.

Ḥag 5 b (Kristianpoller, Traum 1): "Und ich werde an diesem Tage mein Antlitz verbergen" (Dt 31, 28). Raba sagte: Der Heilige, gepriesen sei er, sprach: Obgleich ich mein Antlitz vor ihnen verborgen habe, so werde ich dennoch mit ihnen (mit den Propheten) im Traume sprechen.

Der Text spielt auf Num 12, 6 an. Er setzt die Offenbarung an die Propheten bzw. im Traume in Gegensatz zum Schauen des "Antlitzes" (vgl. 1 Kor 13, 12a/b). Ferner scheint er den Traum als die normale Offenbarungsform an die Propheten zu werten, vgl. *Ber 55b* (Kristianpoller, Traum 1).

Ferner gibt es ein reichliches rabbinisches Material, welches unabhängig von Num 12, 6 eine Beziehung zwischen Prophetie und Traum herstellt. Es ist gesammelt bei A. Kristianpoller, Traum und Traumdeutung 25f. A. Löwinger[23] stellt ganz allgemein fest, "daß immer eine Klasse der Offenbarungsträume unterschieden und ausgesondert wird. Diese lassen nur eine Deutung zu". Maimonides, More Nebukim II, 43 vertritt unter Berufung auf Num 12, 6 die Meinung, daß Gott mit den Propheten nur im Traume spreche, zu erkennen gebe er sich ihnen aber in einer Erscheinung. Sonst bestehe kein Unterschied zwischen *ḥlwm* und *mr'h*.[24]

II. Zu Num 12, 8

(1) "Von Mund zu Mund rede ich mit ihm"

Häufig[25] sieht man in diesem Satz keine Verhältnisbestimmung über die Unmittelbarkeit der Offenbarung, sondern bezieht ihn auf einen Auftrag Gottes an Mose, sich des Umgangs mit seiner Frau zu enthalten. AbothRN § 2 (Jehuda ben Betera) erschließt aus der Stelle auch, daß Gott Mose beauftragt hatte, die Gesetzestafeln zu zerbrechen.

NumR 14, 20 (Slotki 634) zitiert die Stelle bei einem Vergleich zwischen der Prophetie des Mose und der des Bileam. Der erste Vorzug der Prophetie des Mose war, daß er auf seinen Füßen stand, als Gott zu ihm sprach, während Bileam sich niedergeworfen hatte. Der zweite Vorzug des Mose bestehe darin, daß Gott mit ihm "von Mund zu Mund" gesprochen habe, während es von Bileam heiße: "So spricht der, der göttlichen Reden vernimmt" (Num 24, 4). Der dritte Vorzug der Prophetie des Mose: Gott sprach zu ihm von Angesicht zu Angesicht (Ex 33, 11), und dann heißt es wörtlich: "aber mit Bileam sprach er nur in *mšljm*", da es heiße: "da hob er seinen Spruch *(mšl)* und sprach" (Num 23, 7).

An diesem Text ist bemerkenswert, daß das "Mund zu Mund" das "von Angesicht zu Angesicht" nicht einschließt, aber vielleicht heranzieht. Ferner, daß das Sprechen Bileams in *mšljm* zu einem Sprechen Gottes zu Bileam in *mšljm* umgedeutet wird, analog zu dem Sprechen Gottes zu den Propheten in *ḥjdwt* nach Num 12, 8.[26]

---

[23] Der Traum in der jüdischen Literatur 30f.

[24] Löwinger, Traum 57; ebd. 30—34. 56f über die genaueren Bestimmungen des Verhältnisses zwischen Prophetie und Traum.

[25] SNum § 103; AbothRN § 26 (Jehudah ben Betera); ExR 46, 3 (R. Akiba); vgl. auch TJeruschalmi, oben S. 176; Kuhn, Sifre Numeri 269 Anm. 8.

[26] Vgl. oben S. 82f; unten S. 179 (zu SNum 103).

(2) *bmr'h*[27]

Die von den Rabbinen vorausgesetzte Lesart *bmr'h* erleichterte das Verständnis von Num 12, 8 ohnehin. Die zu diesem Wort vertretenen Interpretationen betonen in unterschiedlicher Weise die besondere Gotteserfahrung des Mose und schließen auch für ihn eine unmittelbare Gottesschau aus (vgl. LevR 1, 4 [Israelstam 7f]; SNum § 103 [Kuhn 269]).

LevR 1, 14 (Israelstam-Slotki 17): Was für ein Unterschied ist zwischen Mose und allen übrigen Propheten Israels? R. Jehuda b. Elai und die Rabbinen. R. Jehuda hat gesagt: Die Propheten haben mitten aus neun Spiegeln (*'spqlrjwt)* geschaut, wie es heißt... (Ez 43, 3; dort kommt das Verbum *r'h* mit seinen Derivaten neunmal vor[28]); dagegen hat Mose aus einem Spiegel geschaut, wie es heißt: "Ich lasse schauen und nicht in Rätseln" (Num 12, 8). Die Rabbinen sagten: Alle Propheten haben aus einem feuchten (beschlagenen) Spiegel geschaut, wie es heißt: Ich habe viel gemacht der Gesichte und gab Abbilder durch die Propheten" (Hos 12, 11). Aber Mose hat aus einem klaren Spiegel geschaut, wie es heißt: "Die Gestalt Jahwes erblickte er" (Num 12, 8). R. Pinchas hat im Namen des R. Hoschaja gesagt: Gleich einem König, der sich einem Angehörigen seines Hofstaats in seinem Bilde offenbart; denn in dieser Welt hat sich die Schekhina einzelnen geoffenbart, aber in der Zukunft: "Offenbaren wird sich die Herrlichkeit Jahwes, und alles Fleisch zumal wird sie schauen, denn Jahwes Mund hat es geredet." (Jes 40, 5)

Die eingangs gestellte Frage entspricht der Intention von Num 12, 6—8, die Sonderstellung des Mose als des Offenbarungsmittlers zu sichern. Daß die Propheten wie Mose durch Spiegel schauten, steht bereits fest. In diesem Sinne wird das *mr'h* von Num 12, 8 verstanden: schauen lassen (Partizip Hiphil). Es geht nun bei dem gleichen Offenbarungsmedium wieder darum zu differenzieren: die Propheten durch neun, Mose durch einen Spiegel, oder die Propheten durch einen beschlagenen, Mose durch einen klaren Spiegel. Eine Beziehung zu Num 12, 8 ist auch hinsichtlich des Gebrauchs der Spiegelterminologie vorhanden, aber nur schwer genauer zu bestimmen.[29] Es scheint sich um eine exegetische Tradition zu handeln, deren Ursprünge schon nicht mehr bekannt sind, so daß das *mr'h* des hebräischen Textes praktisch zweimal aufgegriffen wird: durch "Spiegel" und "schauen lassen". Ohne erkennbaren Zusammenhang mit Num 12, 6—8 begegnet die Spiegelterminologie noch Jeb 49bBar; MekSchimbJ zu Ex 20, 21.[30] Jastrow (96) gibt denn auch zu *'jspqlrj'* an: "Metaph. prophetic vision".

Deutlich wird das, was eigentlich gemeint ist, durch das Zitat Hos 12, 11 und die Erklärung R. Pinchas. Gott hat die Propheten nach Hos 12, 11 Abbilder, also nicht sich selbst, sehen lassen, und zwar in den Visionen (*ḥzwn*), welche sie hatten. Die Bildhälfte des Gleichnisses des R. Pinchas gibt für sich keinen Sinn. Weshalb soll sich ein König nur einem Angehörigen seines Hofes im Bilde offenbaren, und nicht allen seinen Untertanen? Sinnvoll wird das Gleichnis nur von der Sachhälfte her, von der indirekten Gottesschau des Mose und der Propheten: sie sehen Gott nicht von Angesicht zu Angesicht, sondern sein Bild, sie sehen ihn "im Spiegel" (vgl. dazu auch GenR 4, 4 [Freedman 29]). So erläutert die Schau im Spiegel für die Rabbinen auch, wie Mose nach Num 12, 8 die "Gestalt Jahwes" sehen konnte. Mit der Feststellung

---

[27] So lesen außer LXX und Targumen auch SNum 103, LevR 1, 4.

[28] Vgl. zur Zählung Kittel, ThW I 177 Anm. 2; Billerbeck III 453; Bacher, Die Agada der Tannaiten II 214 Anm. 1.

[29] Vgl. Kittel, ThW I 177f.

[30] Vgl. auch Sanh 97b; Sukk 45b.

der defizienten Schau der Propheten verbindet sich wie SNum § 103 und 1 Kor 13, 12ab die Erwartung einer zukünftigen, eschatologischen Gottesschau.

(3) "Und nicht in Rätseln"

SNum § 103 (Kuhn 270) zitiert dazu Ez 17, 2: "Menschensohn, trage ein Rätsel *(ḥwd ḥjdh)* vor und rede ein Gleichnis *(mšl mšl)*". Aus den Redeformen an den Propheten wird ähnlich wie in NumR 14, 20 aus Num 23, 7[31] ein Reden Gottes zu den Propheten in diesen Formen: Wie ich mit den Propheten in Rätseln und Gleichnissen[32] rede, so rede ich (auch) mit Mose? Da ist es eine Belehrung, daß es heißt: Und nicht in Rätseln".

(4) "Und die Gestalt des Herrn schaut er"

Der Text wird in einer Weise zitiert oder erklärt, welche deutlich macht, daß Mose die "Gestalt des Herrn" nicht unvermittelt oder vollkommen sah. Das geschieht entweder durch die Verbindung mit der Theorie von der Schau im Spiegel LevR 1, 14 (s. oben bei *bmr'h*) oder durch die Verbindung mit Stellen aus Ex 33.

SNum § 103 (Kuhn 271): Das ist das Schauen der Rückseite (Gottes). — Du sagst: Das ist das Schauen der Rückseite. Oder ist das (vielleicht) vielmehr das Schauen des Angesichts? Da ist es eine Belehrung, daß es heißt: "Dann werde ich meine Hand wegziehen, und du wirst meine Rückseite schauen" (Ex 33, 23).

Diese Verbindung mit Ex 33, 23 findet sich auch in TYerushalmi Num 12, 8. Es ist schon fast selbstverständlich, daß bei der Erörterung der Gottesschau des Mose auch das Thema des göttlichen Angesichts angeschlagen wird.

ExR 3, 1 und ähnlich ExR 45, 5; LevR 20, 10; NumR 2, 25 überliefern einen Ausspruch des R. Josua von Siknin im Namen des R. Levi (Ber 7a: Schemuel b. Nachman im Namen des R. Jonathan), nach welchem Mose zur Belohnung für seine Zurückhaltung (Ex 3, 6)[33] die Gestalt des Herrn erblicken durfte.

III. Ergebnis

In der rabbinischen Auslegung zu Num 12, 6—8 klingen die gleichen Probleme an, welche auch in 1 Kor 13, 12a/b zur Sprache kommen. Man hat den Text als grundsätzliche Aussage über die Prophetie und über die dem Menschen (Mose) überhaupt mögliche erreichbare Gottesschau aufgefaßt. Das "von Mund zu Mund" und "die Gestalt Jahwes sieht er" wurde nicht auf ein "Schauen von Angesicht zu Angesicht" hin interpretiert,[34] sondern im Gegenteil durch die Beachtung des *bmr'h* und durch die Verbindung mit Ex 33, 20. 23 als mittelbare Gottesschau verstanden. Das *bmr'h* hat verschiedene Interpretationen gefunden, darunter auch die von einer Schau des Mose und der Propheten im Spiegel, so daß sie nicht Jahwe selbst, sondern sein Bild sahen. Die Spiegelmetapher steht in den rabbinischen Texten in einem Zusammenhang mit Num 12,

---

[31] S. oben S. 177.

[32] Die Wendung "Rätsel und Gleichnisse" kehrt eigenartigerweise im Luther-Text Num 12, 8 wieder: "nicht durch dunkle Worte oder Gleichnisse".

[33] Vgl. dazu Billerbeck III 515.

[34] Damit ist ein entscheidender Einwand Duponts gegen die Annahme einer engen Beziehung zwischen 1 Kor 13, 12a/b und Num 12, 8 widerlegt; s. die nächste Anmerkung.

8, mit dem Problem der prophetischen Gottesschau und mit dem theologisch motivierten Bemühen, eine direkte Gottesschau auszuschließen. Der Unterschied zwischen der Gotteserfahrung des Mose und der der Propheten liegt für die rabbinische Auslegung in der unterschiedlichen Deutlichkeit der Erfahrung, darin, daß die Erfahrung der Propheten *bḥjdwt*, in Rätseln geschah.[35] Der begrenzten Gotteserfahrung in dieser Welt wird die Gottesschau nach dem Tode oder in der künftigen Welt gegenübergestellt.

Damit weist die rabbinische Auslegungstradition zu Num 12, 6—8 eine ähnliche Struktur auf wie 1 Kor 13, 12a/b. Sie spricht allerdings nur von Mose und von den Propheten der Vergangenheit. Das *blepomen* von 1 Kor 13, 12 ist in ihr nicht enthalten und damit auch nicht die zugespitzte, grundsätzliche Art der paulinischen Formulierung. Überhaupt liegt der entscheidende formale Unterschied zwischen Num 12, 8 und 1 Kor 13, 12a/b im Wechsel des Subjekts von Gott (Num 12, 8) zum Menschen (1 Kor 13, 12). Dieser Wechsel der Perspektive beginnt schon im hebräischen Text ("Die Gestalt des Herrn schaut er"). 1 Kor 13, 12a/b ist kein Zitat aus Num 12, 8; aber es liegt auf einer Linie, welche vom Ausgangspunkt Num 12, 6—8 bis zur rabbinischen Exegese reicht, und zwar erheblich näher an letzterer als am hebräischen Text von Num 12, 8.[36] Im folgenden soll versucht werden, den Einsatzpunkt von 1 Kor 13, 12a/b noch näher zu bestimmen.

§ 66 Num 12, 6—8 bei Philo von Alexandrien

Es ist keine Erklärung Philos zu Num 12, 6—8 erhalten. Er zitiert den Text aber zweimal in verkürzter Form innerhalb seines allegorischen Kommentars. Die Gestalt der Zitate, ihr Kontext und ihre Veranlassung sind im Zusammenhang unserer Fragestellung von großer Bedeutung.

1. Das Verständnis von Num 12, 6—8 in Rer Div Her 262

Der Abschnitt 262 steht im Zusammenhang der Auslegung (249—265) zu Gen 15, 12: "Als nun die Sonne sich zum Untergang neigte, fiel ein Tiefschlaf auf Abraham, und siehe, großer Schrecken überfiel ihn." Philo knüpft an diesen Text die Erörterung von den vier Arten der Ekstase, deren "vierte und allerbeste aber ist die gottvolle Ergriffenheit und Begeisterung, die den Propheten eignet" (249). Von dieser ist dann ab 258 die Rede.

---

[35] Dupont, Gnosis 116 beobachtet zwar richtig diese Differenz zwischen dem *bmr'h* und dem *bḥjdwt* in Num 12, 8, schließt aber dann infolge mangelnder Beachtung der rabbinischen Exegese, daß *bmr'h* in der paulinischen Vorlage auf der Seite des *prosopon pros prosopon* gegen *bḥjdwt* stehen müßte.

[36] Noch zu undifferenziert Kittel, ThW I 179, über den Zusammenhang mit Num 12, 8, "der sich freilich als Zusammenhang nicht mit LXX, sondern mit Mas und rabb Exegese erweist".

Philo nimmt zwei Merkmale für den Propheten an. Einmal die Ekstase, die er als Inbesitznahme durch den göttlichen Geist versteht. Eine Folge der Ekstase ist die dem Menschen an sich nicht zugängliche Kenntnis der Zukunft (261). Darum weiß man andererseits: dann, wenn die Schrift jemanden als Propheten bezeichnet, auch, daß er die prophetische Erfahrung der Ekstase machte (258. 262—265). In diesem Sinne wird Num 12, 6—8 zitiert: "Wie ist es aber mit Mose? Wird er nicht allgemein als Prophet gepriesen? Denn so sagt die Schrift: 'Wenn (einer) von euch Prophet des Herrn wäre, so würde ich mich ihm in einer Erscheinung zu erkennen geben, dem Mose aber in Gestalt und nicht durch Rätsel' (Num 12, 6. 8) und ferner: 'Nicht stand fürder ein Prophet auf wie Mose, den der Herr erkannte, von Angesicht zu Angesicht' (Dt 34, 10)" (262).

Das Zitat aus Num 12, 6—8 ist gegenüber LXX verkürzt. In unserem Zusammenhang ist der Ausfall von *stoma kata stoma laleso auto* (12, 8) von Bedeutung. Dadurch hängt *en eidei* von *gnosthesomai* ab und damit auch *ou di' ainigmaton*, *ainigma* bezieht sich damit auf die Deutlichkeit bzw. Undeutlichkeit der Offenbarung[37] und nicht auf den Offenbarungsspruch. Eine ähnliche Verschiebung begegnet ja auch in 1 Kor 13, 12a.

Im Hinblick auf 1 Kor 13, 12 ist auch das folgende Zitat aus Dt 34, 10 bedeutsam. Das *prosopon pros prosopon* könnte den Ausfall von *stoma kata stoma bewirkt* haben. Zugleich klingt mit dem *gnosthesomai* von Num 12, 6 und dem *on egno kyrios* von Dt 34, 10 auch ein Stück der Thematik von 1 Kor 13, 12c/d an. Was Philo unter *en eidei* verstanden hat, läßt sich besser im Anschluß an den folgenden Text erörtern. Die Gegenüberstellung zu *ou di' ainigmaton* schließt weder Traum noch Vision aus, wenn diese nur deutlich genug sind.

II. Das Verständnis von Num 12, 6—8 in Leg All III 103

Das Zitat aus Num 12, 6—8 schließt eine Erörterung Philos ab über den Unterschied zwischen einer ersten Art der Gotteserkenntnis, in der man "durch den Schatten die Gottheit wahrnimmt, da man von den Werken auf den Meister schließt" (99) und der zweiten Art der Erkenntnis, "welche das Gewordene überspringt und einen deutlichen Reflex *(emphasin enarge)* vom Ungewordenen empfängt" (100). Für diese zweite Art der Erkenntnis steht Mose. Dafür beruft Philo sich außer auf Ex 33, 13 auf Num 12, 6—8:

"Wenn unter euch ein Prophet für den Herrn aufsteht, so wird Gott ihm in einem Gesichte erkennbar sein und im Schatten, also nicht deutlich *(enargos)*. Zu Mose aber, der treu ist im ganzen Hause, wird er von Mund zu Mund sprechen, in Erscheinung *(en eidei)* und nicht durch Rätsel" (103).

III. Die Offenbarung des göttlichen eidos und die prophetische Gotteserkenntnis "im Spiegel"

1. Die abbildhafte Art der höheren Gotteserkenntnis

Praem Poen 41—46 unterscheidet in ähnlicher Art wie der vorhergehende Text die beiden Arten der Gotteserkenntnis. Prototyp der zweiten Art ist Jakob (44). Ein Vergleich soll verdeutlichen, wie Jakob zu dieser Art von Gotteserkenntnis gelangte: die Sonne sieht man nur durch ihre Strahlen, das Licht wird nur durch das Licht gesehen. "Ganz ebenso ist Gott sein eigenes Licht und wird durch sich allein gesehen, ohne daß

[37] S. unten S. 187f. 191. 195f. Den Gegensatz bildet die *enargeia* der Offenbarung; s. dazu unten Anm. 46.

ein anderer helfen kann, zur reinen Erkenntnis seines Daseins" (45). "Zur Wahrheit gelangen nur die Menschen, die die Vorstellung von Gott durch Gott gewinnen *(oi ton theon theo phantasiothentes)*, die Vorstellung vom Licht durch das Licht" (46)[38].

In Spec Leg I 33—50 entwickelt Philo die zweite Art der Gotteserkenntnis von der Frage nach dem Wesen *(ousia* 32. 36. 41) her — und zwar ausgehend von der Bitte des Mose Ex 33, 13. Gott verwehrt dem Mose die Erfüllung seiner Bitte um die Erkenntnis seines Wesens (41—44).[39] Mose antwortet darauf: "Deine Unterweisung hat mich belehrt, daß meine Kraft nicht reichen würde, um ein deutliches Bild deines Wesens *(to tes ses ousias enarges eidos)* in mich aufzunehmen.[40] Nun aber bitte ich Dich, wenigstens die Herrlichkeit, die Dich umgibt (vgl. Ex 33, 18) schauen zu dürfen; unter Deiner Herrlichkeit verstehe ich aber die dienstbaren Kräfte zu Deiner Seite" (45). Die Antwort Gottes besagt, daß auch die Kräfte unsichtbar und nur durch die Vernunft erfaßbar sind. Wenn "ihr Wesen *(kata ten ousian)* sich der völligen Erfassung entzieht, so lassen sie doch einen Abdruck und ein Abbild ihrer Wirksamkeit *(ekmageion ti kai apeikonisma tes eauton energeias)* in Erscheinung treten", ähnlich wie Siegel zahllose Abdrücke ermöglichen (47). Im folgenden werden die Kräfte mit den Ideen gleichgesetzt.[41]

2. Die mosaische Gotteserkenntnis "im Spiegel" nach Leg All III 101

Auf dem Hintergrund dieser Ausführungen, die, wenn sie auch eine echte Gottesschau ablehnen, doch an der Möglichkeit, "die Vorstellung von Gott durch Gott zu gewinnen", festhalten (Praem Poen 45f), und die offenbarungshafte Gotteserfahrung als "Abbild und Ausdruck" der göttlichen Kräfte interpretieren (Spec Leg I 47), wird auch die eigenartige Paraphrase der Bitte des Mose in Leg All III 101 durchsichtiger. Zugleich dürfte sich darin auch Philos Verständnis des *en eidei* von Num 12, 6—8 abzeichnen.

"Von solcher Art ist Mose, der spricht: 'Offenbare dich mir, daß ich dich erkennend sehe' *(emphanison moi sauton, gnostos ido se)* (Ex 33, 13), das heißt: offenbare dich mir nicht durch Himmel, Erde, Wasser, Luft und überhaupt etwas Erschaffenes; ich möchte auch nicht dein Bild in etwas anderem widergespiegelt sehen, sondern in dir, der Gottheit *(mede katoptrisaimen en allo tini ten sen idean e en soi to theo)*;[42] denn die Erscheinungen in den gewordenen Dingen lösen sich auf, die in dem Ungewordenen bleiben fest und ewig" (Leg All III 101).

---

[38] Vgl. Mut Nom 6; Quaest in Gen IV 1; Quaest in Ex II 6.

[39] Zur Unerkennbarkeit des göttlichen Wesens vgl. Poster C 13—16; Mut Nom 7f (ebenfalls unter Verwendung von Ex 33, 13).

[40] Vgl. zur Formulierung auch 40: *ei kai tes kata ton ontos onta theon enargous phantasias amoiboumen.*

[41] Ähnlich Poster C 169, wo die Erfassung der göttlichen Kräfte mit der Schau der Rückseite Gottes nach Ex 33, 23 gleichgesetzt wird; ebenso Mut Nom 9; Fug 165. Ohne Bezug auf Ex 33, 23: Quaest in Ex II 67; Mut Nom 15: Gen 17, 1 ("Der Herr erschien dem Abraham") ist nicht so zu verstehen, daß Gott selber sichtbar wurde, sondern eine von den Kräften (die königliche) kam zum Vorschein.

[42] Heinemann übersetzt: "sondern es in dir, der Gottheit, erblicken". Damit wird der Gedanke des Sehens im Spiegel verdunkelt.

Mose drückt sein Verlangen in diesem Zusammenhang offenbar korrekt aus. Das zeigt sich negativ am Fehlen einer göttlichen Zurechtweisung, positiv in der Umschreibung seiner Bitte. Er will ja nicht Gott selber oder sein Wesen sehen, sondern sein "Bild/*idea*" und zwar im "Spiegel" Gottes selber. Den gleichen Gedanken drückt die folgende Umschreibung "Erscheinungen im Ungewordenen/*ai en to ageneto emphaseis*" noch einmal aus. Denn emphasis bedeutet "Erscheinung auf (einer glatten Oberfläche), Reflex, Spiegelung (wie in einem Spiegel oder im Wasser)".[43] Dem Sehen im "Spiegel" Gottes oder "im Ungewordenen" entspricht die Forderung von Praem Poen 45f, daß man die Vorstellung von Gott durch Gott gewinnen solle wie die Vorstellung vom Licht durch das Licht. Dem Gedanken einer vermittelten Gottesschau im Spiegelbild entspricht die Beschreibung von Spec Leg I 47, nach welcher zwar das Wesen der göttlichen Kräfte unfaßbar ist, sie aber doch ein Abbild in Erscheinung treten lassen.

3. Der Zusammenhang der Spiegelmetapher in Leg All III 101 mit Num 12, 6—8

Nun stellt sich die entscheidende Frage, wie eng die Verbindung dieser Theorie von der indirekten Gottesschau im Spiegel nicht der Welt,[44] sondern göttlicher Offenbarung mit dem Zitat Num 12, 6—8 in Leg All III 103 wirklich ist. Tatsächlich liegt zwischen der Bitte (101) und dem Zitat noch ein ziemlich umfangreicher Paragraph über den Unterschied zwischen der Gotteserkenntnis des Bezaleel und des Mose. Das Zitat hat dann die Funktion, diesen Unterschied endgültig zu begründen. Es vertritt geradezu eine Demonstration der besonderen auf göttlicher Offenbarung beruhenden Gotteserkenntnis des Mose.

4. Die philonische Theorie vom Sichtbarwerden des göttlichen *eidos*

Philo versteht also Num 12, 8 als Beleg für die besondere Gotteserkenntnis des Mose. Dabei wird der Nachdruck, ähnlich wie in Rer Div Her 262, nicht auf *stoma kata stoma,* sondern auf *en eidei* liegen. Das entspricht nicht nur der philonischen Bevor-

---

[43] Liddell-Scott 530. Die gleiche Terminologie Som II 206 (der Traum des Bäckers nach Gen 40): "denn das getreue Abbild *(ekmageion)* seines Porträts *(eikon)* ist das ihm erschienene Traumbild (*phaneis oneiros*). Wenn wir also dieses genau untersucht haben, werden wir jenes wie ein Bild *(emphasis)* in einem Spiegel *(en katoptro)* sehen". Zum Traum als Mittel der Selbsterkenntnis s. unten S. 189. Verbindung von *emphasis* bzw. *emphainesthai* und "Spiegel": Abr 153 (mit *eidolon* und *enarges);* Decal 105 (s. S. 186); Vit Cont 78 (oben S. 116f).

[44] Dupont, Gnosis 141 benutzt Leg All III 101 nur für den Nachweis, daß Philo die indirekte Gottesschau im Spiegel der Welt nicht als offenbarte Erkenntnis gewertet hat. Er zitiert nur den Satz von der Spiegelschau, ohne die Verbindung mit den übrigen Aussagen des Abschnitts und mit Num 12, 6—8 wahrzunehmen. Ähnlich Hugedé, Métaphore 21f. 120, der den Text in folgender Weise interpretiert (?): "Les prophètes en général auraient de Dieu une notion comparable à celle des stoiciens: ils le voyaient dans ses oeuvres comme dans un miroir. Moise ne s'est pas contenté de cette vision indirecte de Dieu: il lui a demandé avec insistance de se manifester à lui" (120).

zugung der Kategorie des Sehens für die Gotteserkenntnis,[45] sondern auch der in Leg All III 101 verwendeten "optischen" Terminologie[46] und dem Verständnis von *eidos* im Zusammenhang mit dem Problem der Gottesschau.

In den nur armenisch überlieferten Quaestiones et Solutiones in Genesim ist in den Ausführungen (IV 1) zu Gen 18, 1f (Erscheinung Gottes vor Abraham bei der Terebinthe von Mamre) eine Theorie über das Sichtbarwerden des göttlichen *eidos* enthalten. Philo stellt wieder zwei Sehweisen einander gegenüber: "seeing not only the created world, the forms *(ta eide* [or *tas morphas*]*)*, of which it is the part of philosophy to see, but its Father and Creator, the uncreated God. For of what use would it be for Him to come and not be seen? And since He is incomprehensible, not only to the human race but also to the purest parts of heaven, He caused to shine forth, as it were, a certain radiance, which we most properly call'form' *(eidos* [or *morphe*]*)* and caused this radiance of light to shine around the whole soul, and filled it with an incorporeal and more than heavenly light. And being guided by this, the mind *(o nous)* is brought by (or 'through') form to the archetype. For what is said is better fitted to and harmonized with sight than with all the organs, since it is through sight, that a vision is apprehended *(noeitai)*."[47]

Nach diesem Text offenbart Gott sich durch eine von ihm ausgehende, aber nicht mit ihm identische "form", durch ein *eidos,* welches den aufnehmenden Verstand zum *archetypos* hinführt. Dieser Vorstellung entsprechen die Bezeichnungen *ekmageion* und *apeikonisma* für das In-Erscheinung-Treten der göttlichen *dynameis* (Spec Leg I 47), die *emphasis* und die *idea* Gottes nach Leg All III 101 und schließlich auch das *en eidei* im Zitat aus Num 12, 8 Leg All III 103.

5. Num 12, 6—8 als Anlaß für die Einführung der Spiegelmetapher in Philos Theorie der Gottesschau durch Offenbarungsformen

Die Terminologie in Leg All III 101 erlaubt noch eine weitere Feststellung. Sachlich stimmt sie, wie sich zeigte, mit anderen philonischen Texten zum Problem der Gottesschau überein. Sprachlich ist sie verhältnismäßig selbständig. Das dürfte mit den beiden für Leg All III 101—103 konstitutiven Zitaten Ex 33, 13 und Num 12, 6—8 zusammenhängen. Die Redeweise von den Erscheinungen oder Reflexen, den *emphaseis,* ist der Bitte: *emphanison moi sauton* zuzuordnen. Die Ausdrucksweise: *katoptrisaimen ten sen idean* dürfte dagegen der Auslegung bzw. dem Verständnis des *en eidei* von Num 12, 8 zugehören. Sonst kommt Philo, auch wenn er den vermittelten Charakter der prophetischen Gottesschau betont, ohne die Spiegelterminologie aus. Philo kennt also neben der philosophisch und erkenntnistheoretisch gefaßten Theorie der Gottesschau

---

[45] Quaest in Gen IV 1: "For what is said is better fitted and harmonized with sight than with all the organs, since it is through sight, that vision is apprehended"; vgl. unten die Erklärung zu Gen 18, 1f.

[46] Vgl. besonders *katoptrisaimen ten sen idean* und das *gnostos ido se* aus Ex 33, 13; *enarges* 100 und 103 bezieht sich ebenfalls auf die Deutlichkeit des optischen oder sinnlichen Eindrucks bzw. der Vision; vgl. Abr 153; Plant 21; Spec Leg I 44f (oben S. 182); Liddell-Scott 556.

[47] Text nach Marcus 266; die griechischen Worte stammen aus seinem Apparat.

durch Offenbarungsformen (*eidos, ekmageion*)[48] auch eine andere davon unabhängige Theorie von einer indirekten visionären Gottesschau des Mose, die sich der Metapher vom Spiegel bedient und exegetisch mit Ex 33, 13 und Num 12, 6—8 verbunden ist. Diese Anwendung der Spiegelmetapher ist sowohl bei Philo wie im Hellenismus ungewöhnlich und einmalig. Um so mehr erstaunt es, daß Philo im Gegensatz zu den vielen anderen Spiegelstellen in seinem Werk keine genauere Erklärung zu ihr gibt.

IV. Ergebnis

Philo zitiert Num 12, 6—8 zur Charakterisierung der besonderen prophetischen Gotteserkenntnis des Mose. Sein Verständnis der Stelle kommt dem von 1 Kor 13, 12 sehr nahe. Er kombiniert den Text mit Dt 34, 10: *on egno kyrios prosopon pros prosopon,* so daß die Thematik von 1 Kor 13, 12b/d mit anklingt. *di' ainigmaton* ist ähnlich wie in 1 Kor 13, 12a nicht mehr von einem Verbum des Redens abhängig. *en eidei* versteht er als Schau eines Erscheinungsbildes Gottes im Spiegel, als indirekte visionäre Gottesschau.

7. Kapitel: Sehen "im Spiegel" und "im Rätsel"

§ 67 Die visionäre Gottesschau "im Spiegel" und "im Rätsel" auf dem Hintergrund der philonischen Verwendung des Bildes vom Spiegel und der antiken Traumlehre

Die visionäre Gottesschau "im Spiegel" begegnet nur bei Philo, bei den Rabbinen und in 1 Kor 13, 12. An keiner Stelle wird sie genauer erklärt. Mehrfach steht sie zwar im Zusammenhang mit Num 12, 6—8, ohne daß doch ihr Sinn direkt ausgesprochen würde. Einzig in den Werken Philos bietet sich ein gewisser Kontext zu dieser Metapher, und zwar über die schon behandelten Stellen zum Problem der Gottesschau hinaus, sofern Philo das Bild vom Spiegel auch sonst für indirekte Gotteserkenntnis kennt und verwendet und sofern er die Metapher vom Spiegel im Zusammenhang mit der Traumlehre benutzt. Durch den Vergleich mit diesen Anwendungsgebieten kann die Intention der

---

[48] An sich hätte es von der Terminologie des Traumes (Som II 162; Spec Leg I 219) wie von der Spiegelmetapher (Abr 153; Spec Leg I 26. 219) her nahegelegen, den Begriff *eidolon* (mit *emphainein*: Som I 153) zu brauchen. Philo meidet ihn aber im Zusammenhang mit Gotteserscheinungen, wohl deshalb, weil er zu sehr belastet ist. Vgl. einerseits das alttestamentliche Bilderverbot im Verständnis Philos: Spec Leg I 26. 28. 106; Praem Poen 116; Fug 14; Leg All III 16; Deus Imm 43; zum andern die gespensterhafte Rolle der Traum — *eidola* in der griechischen Tradition: Büchsenschütz, Traum 13f; Kenner, Oneiros 449. 453f. 456; Björck, *ONAR IDEIN* 313.

Rede von der visionären Gottesschau im Spiegel zum mindesten verdeutlicht werden.

1. Die Metapher vom Spiegel im Zusammenhang mit der indirekten Gottesschau

Seit Plato wird das Bild vom Spiegel für das indirekte Sehen gebraucht.[1] In hellenistischer Zeit ist die Metapher sehr verbreitet. Außer bei Philo dient sie auch bei Plutarch[2] zur Charakterisierung der indirekten Gotteserkenntnis aus der Natur bzw. durch reflektierendes Nachdenken und Erkennen.

Fug 212f: "'Deshalb' heißt es, 'nannte sie den Brunnen den Brunnen dessen, den ich von Angesicht sah' (Gen 16, 14). Wie solltest du nicht, o Seele, die du noch in der Heranbildung begriffen warst und dich in die Wissenschaft allgemeiner Vorkenntnisse vertieftest, den Urheber der Wissenschaft durch die Bildung gleichwie durch einen Spiegel schauen *(kathaper dia katoptrou tes paideias . . . idein)*."

Decal 105: "Aus diesen und anderen Gründen mehr ist die Sieben so sehr geehrt, aus keinem anderen Grunde aber erhielt sie einen solchen Vorzug, als weil in ihr der Schöpfer und Vater des Weltalls sich am meisten kundtut *(emphainesthai)*. Gleichsam wie durch einen Spiegel sieht der Geist durch sie Gott in seinem Wirken, in seiner welterschaffenden und welterhaltenden Tätigkeit *(os gar dia katoptrou phantasioutai o nous theon)*."

Der Gedanke der Schau Gottes durch seine *emphaseis* im Gewordenen bildet auch die Grundlage für die Anwendung des Bildes vom Spiegel in Leg All III 101: "offenbare *(emphanistheies)* dich mir nicht durch Himmel, Erde, Wasser, Luft und überhaupt etwas Erschaffenes; ich möchte auch nicht dein Bild *(idean)* in etwas anderem widergespiegelt sehen *(katoptrisaimen)*, sondern in dir, der Gottheit".[3] Diese Grundlage wird aber nun abgewandelt; Mose möchte gerade eine *emphasis* Gottes im Ungewordenen erblicken. Ferner verzichtet Philo gerade an dieser Stelle auf die Vergleichspartikel vor der Spiegelmetapher, welche an den beiden anderen Stellen vorhanden ist.[4] Das kann nur bedeuten, daß Philo an dieser Stelle einen strengeren Gebrauch von der Metapher macht, daß er sie als terminus technicus gebraucht.

Es ist kaum ein Zufall, daß dies in Verbindung mit Ex 33, 13 und Num 12, 6—8 geschieht. Von ihrer Herkunft her ist die Spiegelmetapher für die visionäre Gottesschau eigentlich ungeeignet. Denn daß auch durch die visionäre Gottesschau nur eine indirekte Gotteserkenntnis erreicht werden kann, steht im Widerspruch zur Feststellung einer indirekten Gotteserkenntnis aus der Natur

---

[1] Dupont, Gnosis 129f; Hugedé, Métaphore 115—136; Behm, Bildwort 331—335; Weiß, 1 Kor 319.

[2] Is et Os 76 (II 382A); Amat 19 (II 765 AB); Ad principem ineruditum 5 (II 781 F; s. dazu Anm. 4); Behm, Bildwort 334; Dupont, Gnosis 131f; Hugedé, Métaphore 128f; Almquist, Plutarch und das Neue Testament 101—103.

[3] Vgl. oben S. 182f.

[4] Die Vergleichspartikel steht ebenso an den übrigen von Behm, Bildwort 331—334 für das indirekte Sehen angeführten Belegen. Die Ausnahmen Plut Mor 765AB. 781F erklären sich aus einem anderen, stärker ontologischen Gebrauch der Metapher. Nach Mor 781F sieht man nicht Gott in der Sonne wie in einem Spiegel, sondern die Sonne erscheint für jene, welche Gott in ihr sehen können, als Gottes Spiegelbild *(elios . . . di' esoptrou eidolon anaphainetai)*; vgl. auch 780 F: Gott setzt die Sonne als sein *eidolon* ein; 781 F: sie ist sein *mimema*. Nach 765AB schafft der himmlische Eros in den irdischen Dingen Spiegel der überirdischen Welt.

und zu den alttestamentlichen Berichten von Erscheinungen Gottes. Die Metapher ist also aus theologischen Gründen in die visionäre Terminologie eingeführt worden, um die Transzendenz Gottes zu sichern.

II. "Sehen im Spiegel" und "Sehen im Rätsel" im Zusammenhang mit Philos Lehre vom Traum

Philo bezieht das Bild vom Spiegel mehrmals und in verschiedener Weise auf den Traum und auf Traumerfahrungen. In Spec Leg I 26 soll der Vergleich mit den Spiegelbildern das Wesenlose und Flüchtige des Reichtums verdeutlichen. An den übrigen Stellen steht die Verwendung des Bildes vom Spiegel in engerer Beziehung zu Philos Lehre vom Traum.

1. Philos Lehre von den drei Klassen der Träume — der Begriff des Rätsels im Zusammenhang der Lehre vom Traum

Philo unterscheidet nach Som I 1—2; II 1—4 drei Arten "gottgesandter Träume": solche, "deren Traumbilder *(phantasiai)* Gott selber auf Grund eigener Initiative sendet" (I 1; vgl. II 2); solche, bei denen "unser Geist (*nous*) in dieselbe Bewegung wie der des Weltalls gerät und aus sich selbst heraus ergriffen und von Gott hingerissen zu werden scheint" (I 2; vgl. II 2); und solche, welche aus der Eigenbewegung der Seele heraus entstehen, "wenn diese korybantisch schwärmt und in Enthusiasmus gerät und durch ihre voraussehende Kraft die Zukunft kündet" (II 1). Diese Einteilung schließt an die Einteilung des Stoikers Posidonius an,[5] welcher selber die bis dahin bekannten griechischen Traumtheorien[6] leicht überarbeitete und systematisierte.[7] Im Grunde sind in diesem Schema die beiden einander strenggenommen ausschließenden Traumauffassungen von einem Außentraum (realistisch) und einem Innentraum (psychologisch) ohne Ausgleich nebeneinandergestellt.

In den erhaltenen zwei Büchern über die Träume behandelt Philo die Träume der zweiten und der dritten Art. Unter die zweite Art faßt er die durch Engel vermittelten Träume Gen 22, 10—22 und 31, 10—13, unter die dritte Art die Träume Josephs, seiner Kerkergenossen und des Pharao Gen 37; 40 und 41. Es läßt sich nur vermuten, welche biblischen Träume Philo unter der ersten Art im verlorengegangenen ersten Teil seines Werkes besprochen hat.[8]

Bemerkenswert und im Blick auf Philos Verständnis von Num 12, 6—8 wie auf 1 Kor 13, 12 von Bedeutung ist die Tatsache, daß Philo auch die traditionell mit Träumen und Gesichten verbundene Unterscheidung zwischen klaren, d. h. nicht der Deutung

---

[5] Erhalten in Cic Divin I 64; vgl. Leisegang, Der heilige Geist 177f; s. auch Cohn-Heinemann, Philo VI 163; Waszink, Die sogenannte Fünfteilung der Träume 76—81; Kenner, Oneiros 456. Philo benutzte sowohl den Kommentar des Posidonius zu Platos Timaeus wie auch den platonischen Text; s. Heinemann, Philons Lehre vom Heiligen Geist und der intuitiven Erkenntnis 111—116.

[6] S. dazu Kenner, Oneiros; Büchsenschütz, Traum und Traumdeutung 7—28; Dodds, Die Griechen und das Irrationale 55—71; Taylor, A Commentary on Plato's Timaeus 507—509.

[7] S. besonders Büchsenschütz, Traum und Traumdeutung 27; Kenner, Oneiros 456; Heinze, Xenokrates 103—108.

[8] Vgl. dazu Cohn-Heinemann, Philo VI 164 (M. Adler?); Waszink, Die sogenannte Fünfteilung 79—81.

bedürftigen, und unklaren, der Deutung bedürftigen, oder zwischen theorematischen und allegorischen Träumen in sein Schema einarbeitet.

Som II, 3f: "Daher hat der Hierophant die der ersten Art entsprechenden Erscheinungen *(phantasia)* ganz deutlich und sehr klar kundgetan, weil Gottes Eingebungen in den Träumen klaren Orakelsprüchen gleichen *(chresmois saphesin eoikota)*, die zur zweiten gehörenden weder ganz klar noch allzu dunkel, wofür das auf der Himmelsleiter erschienene Gesicht *(opsis)* ein Beispiel ist; denn dies war zwar rätselhaft, das Rätsel aber wurde für die, die scharf sehen können, nicht allzusehr in Dunkel gehüllt *(to de ainigma ou lian ... apekrypteto)*. Die zur dritten Art gehörenden Erscheinungen jedoch sind unklarer als die vorausgehenden und bedurften, da hier das Rätsel ganz tief und dunkel ist *(dia to bathy kai katakores echein to ainigma)*, auch noch der Traumdeuterkunst."

Die aufsteigende Linie in der Rätselhaftigkeit entspricht der philonischen Systematisierung. "Rätsel" oder "rätselhaft" sind jedoch unabhängig davon gängige Qualifikationen für visionäre Erfahrungen.[9] Die Erfahrung des Mose nach Num 12, 8 ist gerade dadurch charakterisiert, daß sie "nicht durch Rätsel" geschah. Sie bildet also das visionäre Gegenstück zur ersten Klasse der Träume.[10] Das "Sehen in einem Rätsel" von 1 Kor 13, 12a nimmt dagegen undeutliche, rätselhafte, noch der Deutung bedürftige Visionen oder Träume als den Normalfall der visionären, prophetischen Gotteserfahrung an.

2. Texte zu Traum und Spiegel

Nach Plato bewirken die verschiedenen Seelenteile durch ihre Bewegungen den Traum, der danach ausfällt, welcher der drei Teile die Oberhand behält.[11] Das wiederum ist auch vom Verhalten des wachen Menschen abhängig.[12] Dieser Ansatz ist in

---

[9] Vgl. Plat Tim 72b: *tes di' ainigmon outoi phemes kai phantaseos ypokritai* vgl. dazu unten S. 196; Dautzenberg, Hintergrund 97.

[10] Vgl. Waszink, Die sogenannte Fünfteilung 82f. Die Antike machte keinen wesentlichen Unterschied zwischen Träumen und Visionen, weder hinsichtlich der Art der Wahrnehmung (Sehen) noch hinsichtlich der realistischen Auffassung der Traum- oder Visionsinhalte; vgl. Björck, *Onar idein* 311f; Festugière, La révélation d'Hermes trismégiste I 312—317. Philo selbst sagt, daß Gott in den Träumen der ersten Art klaren Orakelsprüchen Gleiches eingibt: *ate tou theou chresmois saphesin eoikota dia ton oneiron ypoballontos* Som II 3; vgl. auch Migr Abr 190 (unten S. 189).

[11] Plat Polit 571c: "Die (erg. Lüste) antwortete ich, welche während des Schlafes zu erwachen pflegen, wenn nämlich einerseits der eine Bestandteil der Seele, der Vernunft, Humanität und Beherrschung jenes begierlichen Teils in sich begreift, im Schlafe liegt und wenn andererseits der tierische und wilde Teil der Seele, von Speise und Trank angefüllt, sich bäumt und nach Abschüttelung des Schlafes durchzugehen und seine Triebe zu befriedigen sucht."

[12] Plat Polit 572a: "Wenn dagegen jemand, denke ich, sich schon in bezug auf sein Inneres in gesundem und besonnenem Zustand befindet und sich zu Bette begibt, nachdem er erstens den vernünftigen Teil seiner Seele geweckt, ihn mit schönen Gedanken und Betrachtungen genährt hat und zu stiller Selbstprüfung gekommen ist; nachdem er zweitens den begierlichen Teil seiner Seele weder dem Mangel noch der Völlerei überlassen hat, damit er sich ruhig verhält — ...; nachdem er drittens ebenso den zornmütigen Seelenteil gedämpft ...; so weißt du, daß der Mensch in diesem Zustande nicht nur am besten die Wahrheit erfaßt, sondern daß auch dann die Traumgesichte am wenigsten unsittlich erscheinen."

die Traumlehre des Aristoteles[13] und seiner Nachfolger, in die des Posidonius und in gewissem Sinne auch in die der hippokratischen Schule übergegangen, welche die Träume zur Diagnose des körperlichen Gesundheitszustandes heranzog.[14]

Daher kann Philo den Traum des Oberbäckers (Gen 40, 16) auch als dessen Porträt oder Spiegelbild interpretieren: "Denn das getreueste Abbild *(ekmageion)* seines Porträts *(eikon)* ist das ihm erschienene Traumbild. Wenn wir also dieses genau untersucht haben, werden wir jenes wie ein Bild in einem Spiegel *(osper emphasin en katoptro)* sehen" (Som II 206). Im Traum spiegelt sich der Mensch.

Eine andere, aber doch auch wieder verwandte Verwendung der Spiegelmetapher begegnet im Zusammenhang der allegorischen Erklärung der Heilsopfer (Spec Leg I 212—223), genauer bei der Erklärung der bei diesen nach Lev 3, 4f LXX auf dem Altar zu opfernden Stücke: Fett, Leberlappen und Nieren: "Das Gebilde der Leber, das hochgelegen und sehr glatt ist, kann wegen seiner Glätte als glänzender Spiegel *(katoptron)* gelten; wenn nämlich der Geist *(nous)* sich von den Tagesgedanken zurückgezogen hat, ..., dann kann er auf die Leber wie in einen Spiegel sehen *(oia eis katoptron apoblepon)*, worin er all seine Gedanken klar erblickt, und wenn er da die Bilder *(eidola)* ringsherum betrachtet, ob nicht etwa Häßliches an ihnen hafte, soll er solches meiden, das Entgegengesetzte aber erwählen; wenn er dann an allen seinen Vorstellungen *(phantasiai)* seine Freude haben kann, vermag er durch Träume die Zukunft zu künden *(propheteue dia ton oneiron to mellonta)*" (219).

Bei Platon (Tim 71a—72c) spiegelt sich "die Macht der aus der Vernunft *(nous)* kommenden Gedanken" zwar in der Leber wider, sie wird aber nicht vom *nous* wahrgenommen, sondern vom bewußtlosen Teil der Menschenseele (Tim 71e). Bei Philo dagegen dient die Leber gerade als Spiegel des *nous*, als Mittel zu seiner Selbstprüfung und Läuterung.[15] Indem Philo die weissagenden Träume der Leber zuweist, kombiniert er anscheinend die Traumtheorie aus Platos Staat (572a) mit der Timaeusstelle.

Migr Abr 190: "— mitunter im tiefen Schlafe, denn dann geht gewissermaßen der Nus fort, trennt sich von Wahrnehmungen und allem übrigen, was zum Körper gehört, und beginnt mit sich selbst zu verkehren, indem er das Wahre gleichsam wie im Spiegel beobachtet *(os pros katoptron aphoron)*; wenn er sich dann gereinigt hat von allem, was er von den Sinnesvorstellungen sich eingeprägt, kündet er in Verzückung untrüglichste Traumweisungen über die zukünftigen Geschehnisse —, mitunter auch im Wachen".

Der Abschnitt ist in mehrfacher Hinsicht interessant. Philo hat die Metapher vom Spiegel nun ganz von ihrer platonischen Verbindung mit der Leber gelöst, sie direkt auf den Nus bezogen und in seine Lehre vom Traum eingefügt. Die dritte Art der gottgesandten Träume hat ihre prophetische Kraft aus der Eigentätigkeit der Seele, d. h. aus der Selbsterkenntnis des Nus. Ausdrücklich bezieht Philo visionäre Erlebnisse während des wachen Zustandes in die Betrachtung ein. Damit ist auch die sachliche Berechtigung gegeben, zur Erklärung der Spiegelmetapher im Zusammenhang der Gottesschau des Mose die philonische Traumlehre heranzuziehen. Doch darf man den Text nicht zu sehr aus seinem Zusammenhang isolieren. Philo benutzt nämlich die Vorstellung von der prophetischen Kraft der Seele zu einem anderen Zweck. Im prophetischen Traum

---

[13] Insomn 461a; Büchsenschütz, Traum und Traumdeutung 17—20; Kenner, Oneiros 455.

[14] Hippocr Insomn 2; Büchsenschütz a. a. O. 31—34; Taylor, Plato's Timaeus 507.

[15] So verwendet Philo die Spiegelmetapher auch unabhängig vom Traum: Vit Mos II 137. 139; Migr Abr 98; Jos 87; das Thema ist hellenistisch, vgl. Behm, Bildwort 330—331; Dupont, Gnosis 122—129; Hugedé, Métaphore 101—114.

kündet sich ihm die höchste vom Menschen aus erreichbare Stufe der Gotteserkenntnis an, wenn der Nus nicht mehr die Gestirne, auch nicht mehr das eigene Ich mit "Körper", "Sinneswahrnehmung", "Vernunft" und "Rede", sondern schließlich nur noch sich selbst betrachtet.

3. Beziehungen zur visionären Gottesschau

Die Metapher vom Spiegel steht also Migr Abr 190 sowohl in Beziehung zur visionären prophetischen Erkenntnis der Zukunft, wie zum Thema der indirekten Gottesschau — dieses Mal durch das höchste Vermögen des Menschen, den Nus. Die Formulierung der Bitte Leg All III 101: *mede katoptrisaimen en allo tini ten sen idean e en soi to theo*[16] erweist sich vor diesem Hintergrund wiederum als höchst überlegt: Mose erbittet korrekt eine indirekte Gottesschau (im Spiegel); nicht im Traum, sondern im Wachen, nicht durch eine von der Eigenkraft der Seele ausgehende Vision (Spiegel des Nus), sondern in einem von Gott ausgehenden "Spiegel" — also in einer Vision, welche der ersten Art der gottgesandten, d. h. der von Gott selbst ausgehenden Träume entspricht. Diese bedürfen außerdem nicht der Deutung, da sie "nicht in Rätseln" ergehen.

Dabei muß man festhalten, daß sich die Spiegelmetapher in Leg All III 101 nicht aus solchen Überlegungen ergibt, sondern ihnen nur zugeordnet werden kann. Von der antiken Traumlehre her wäre es einsichtiger gewesen, wenn Mose Gott im Spiegel seiner Leber oder seines Nus erblickt hätte. Im Zusammenhang mit der visionären Gottesschau hat die Spiegelmetapher jede Anschaulichkeit verloren und wird doch, wie selbstverständlich, ohne jede Vergleichspartikel eingeführt,[17] ebenso wie in 1 Kor 13, 12a und bei den Rabbinen. Sie wird also eine traditionelle Erklärung der Gottesschau des Mose nach Num 12, 6—8 sein. Die philonischen Texte zeigen, wie man sie verstehen kann, nicht wie sie entstanden ist.

Die Verklammerung von prophetischer Erkenntnis und Gotteserkenntnis in Migr Abr 190—195 entspricht der Auffassung von Prophetie, welche hinter 1 Kor 13, 12 steht und welche dort dazu führte, daß Num 12, 8 herangezogen wurde. Es hat auch den Anschein, daß Philo analog zu 1 Kor 13, 12 diese gegenwärtig mögliche prophetische Gottesschau im Spiegel als einen Vorgriff auf die Gottesschau nach dem Tode verstanden wissen wollte (Migr Abr 189f).

III. Ergebnis

Die Anwendung der Spiegelmetapher auf die indirekte Gotteserkenntnis aus der Natur ist aus dem zeitgenössischen wie aus dem philonischen Denken verständlich. Dagegen ist ihre Anwendung auf die visionäre Gottesschau singulär und nicht aus dem Gedanken einer indirekten Gotteserkenntnis aus der Natur

[16] Vgl. zur Bitte des Mose oben S. 183.
[17] Vgl. oben S. 186 und Anm. 4.

abgeleitet. Sie steht bei Philo im Zusammenhang mit Ex 33, 13 und Num 12, 6—8 und soll die Transzendenz des sich offenbarenden Gottes sichern.

Da Philo Träume und Visionen ähnlich behandelt, konnten auch jene Texte herangezogen werden, in welchen die Spiegelmetapher in irgendeiner Weise mit Träumen oder visionären Erlebnissen verbunden ist. Dabei ergab sich ebenfalls die Sonderstellung der Spiegelmetapher bei der visionären Gottesschau. Denn sonst konnte Philo in Anlehnung an die philosophische Tradition (Plato) die Leber oder den Nus mit einem Spiegel vergleichen, bei der Anwendung der Spiegelmetapher auf die Gottesschau mußte er jedoch Gott selber als Spiegel bezeichnen. Diese Ausdrucksweise läßt sich zwar auf dem Hintergrund der philonischen Lehre von der Gotteserkenntnis verständlich machen, sie ergibt sich aber nicht aus dieser. Die Spiegelmetapher ist anscheinend von anderswoher — Num 12, 6—8 — vorgegeben. Dafür spricht auch das Fehlen der sonst bei den Beispielen für die Spiegelmetapher regelmäßig vorhandenen Vergleichspartikel. Diese fehlt ebenso bei den Rabbinen und 1 Kor 13, 12.

Die Spiegelmetapher steht bei Philo wie bei den Rabbinen in einem Zusammenhang mit Num 12, 8, mit dem Problem der prophetischen Gottesschau und mit dem theologisch motivierten Bemühen, eine direkte Gottesschau auszuschließen.

Wenn so auch nicht die Entstehung, sondern nur die Verwendung der Spiegelmetapher im Zusammenhang mit Num 12, 6—8 geklärt werden konnte, erbrachte die Untersuchung in einigen anderen Fragen wichtige Ergebnisse. Die Gotteserfahrung des Mose ist als Vision oder Traum mit der Gotteserfahrung der anderen Propheten vergleichbar. Visionen oder Träume sind häufig rätselhaft und müssen gedeutet werden. *ainigma* ist in diesem Zusammenhang geradezu ein terminus technicus und braucht nicht auf ein worthaftes Rätsel bezogen zu werden. Die prophetische Erkenntnis wird von Philo wie in 1 Kor 13, 12 auch als Gotteserkenntnis behandelt, und zwar als gelegentlicher Vorgriff auf die Gotteserkenntnis nach dem Tode.

§ 68 "Sehen im Spiegel" als jüdische Charakterisierung der visionären Gottesschau

Trotz intensiver Befragung der rabbinischen und philonischen Texte zum Thema des "Sehens im Spiegel" hat sich der Ursprung dieser Ausdrucksweise nicht nachweisen lassen, nur ihre Intention und ihre Verbindung mit Num 12, 6—8. Bei den Rabbinen gibt es keine Erklärung für die Verwendung des Bildes vom Spiegel und auch keine konkrete Vorstellung von einer prophetischen Schau im Spiegel. Bei Philo ist das Bild zwar in den Kontext indirekter Gotteserkenntnis eingebettet, aber doch von diesem unabhängig.

Von Paulus wird das Bild ähnlich unvermittelt gebraucht wie von den Rabbinen. Ein besonderes Kennzeichen dieser Verwendung der Spiegelmetapher ist überall das Fehlen der Vergleichspartikel. Bezeichnenderweise ist sie in einen Teil der Textüberlieferung von 1 Kor 13, 12[18] nachträglich wieder eingedrungen, da man den spezifisch jüdischen Hintergrund dieser Verwendung der Spiegelmetapher nicht mehr erkannte und sie sich analog zu den übrigen hellenistischen Verwendungen zu erklären suchte.

Nach KITTEL[19] hängt der Ursprung des Bildes vom Spiegel "zweifellos mit der im Hellenismus vorhandenen Katoptromantie zusammen", wenn auch die Bildrede in der Anwendung auf die Gottesoffenbarung "gewiß ... nur noch bildlich gemeint" sei. Bei Philo läßt sich die Metapher nicht in einen Zusammenhang mit der Katoptromantie bringen. Die Rabbinen kennen die Katoptromantie, dabei sprechen sie auch vom Sehen in einem Spiegel/*bspqlrj'*.[20] Nur wird an den betreffenden Stellen ausdrücklich auf die Katoptromantie hingewiesen, und es wird auch angegeben, welche konkreten Inhalte Jakob oder Mose gesehen haben. Wenn die Spiegelmetapher im Zusammenhang mit Num 12, 6—8 gebraucht wird, fehlen nähere Bestimmungen. Im Hintergrund steht dann immer die Frage der Gottesschau.[21]

Es ist daher wahrscheinlich, daß sich diese Ausdrucksweise im Zusammenhang mit der Interpretation von Num 12, 6—8 entwickelt hat und daß sie von Anfang an unanschaulich und nur theologisch motiviert war. Das *mr'h* von Num 12, 8 war im bestehenden Text nur schwer zu verstehen. Andererseits bot es in einer Zeit, in der die Betonung der Transzendenz Gottes eine direkte Gottesschau ausschloß, durch die Übersetzung "Spiegel" die Möglichkeit, den indirekten Charakter der Gotteserfahrung des Mose und der Propheten zu sichern. Eine Anspielung auf die Verwendung von Spiegeln in der zeitgenössischen Mantik brauchte man darin um so weniger zu sehen, als sich im Judentum die Überzeugung durchgesetzt hatte,[22] daß die Prophetie — und mithin auch die prophetische Gottesschau — erloschen war.

LevR 1, 14 (R. Pinchas im Namen des R. Hoschaja)[23] und GenR 4, 4 (R. Meir) geben Anlaß zu der Vermutung, daß man nicht die Art und Weise, die Mittel und Techniken der prophetischen Gottesschau beschreiben, sondern primär auf den Abbildcharakter des Geschauten verweisen wollte. Daher wird man die Wendung von der Gottesschau "im Spiegel" wohl von Anfang an im Anschluß an Num 12, 8 metaphorisch auf die visionäre Gottesschau der Propheten bezogen haben.

Anhang: Der Vergleich zwischen Traum und Spiegel Sir 34(31), 3

Die leider nicht hebräisch erhaltene Spruchkomposition Sir 34, 1—8 setzt sich mit

---

[18] D, 33, Clemens v. Alexandrien, Syr., Arm. lesen: *os di' esoptrou.*
[19] ThW I 178.
[20] Mekh Ex 18, 21 (68a); GenR 91 (57c) zu 42, 1 Ende: Billerbeck III 452f.
[21] Vgl. LevR 1, 14 oben S. 178, Tanch *ṣw* 143 oben S. 176; diese Intention steht ebenfalls hinter der Verwendung der Spiegelmetapher in Sanh 95 (Billerbeck III 454).
[22] Vgl. Meyer, ThW V 814—818.
[23] Oben S. 178.

dem Glauben an die Bedeutsamkeit der Träume auseinander. Wenn der Verfasser auch im Hinblick auf die gottgesandten Träume eine Konzession an den traditionellen Traumglauben machen muß (V. 6), so ist seine Haltung den Träumen gegenüber doch eindeutig ablehnend. Sichere Weisung gibt allein das Gesetz (V. 8).[24] Die Träume dagegen versetzen Toren in Aufregung (V. 1), ihr Charakter ist flüchtig (V. 2): "Schatten", "Wind"), trügerisch (V. 4), nichtig, ebenso wie Wahrsagekunst und Zeichendeutung (V. 5). Wer sich nach Träumen richtet, geht in die Irre (V. 7). Unter diesen Vorwürfen steht auch der eigenartige Vergleich mit dem Spiegel — wenn man der Rekonstruktion des hebräischen Textes nach dem Syrischen durch R. SMEND folgt:[25]

V. 3: "Einander gleichen Spiegel und Traum:
Das Bild des Angesichts gegenüber dem Angesicht".

Nach dem Syrischen lautet V. 3a: "So ist das Gesicht *(ḥzw')* und der Traum der Nacht"; im Griechischen: *touto kata toutou orasis enypniou. ḥzw'* bzw. *orasis* wären falsche Übersetzung des hebräischen *mr'h*/Spiegel, so daß ursprünglich ein Wortspiel mit *mr'h*/Gesicht, Traum vorgelegen hätte.[26]

V. 3b würde in diesem Zusammenhang betonen, daß man im Traum keinem wirklichen, personalen Gegenüber begegnet, sondern nur einem Abbild. Syr.: "Gegenüber einer Person das Abbild eines Gesichts"; griechisch: *katenanti prosopou omoioma prosopou. omoioma* entspricht hebr. *dmwt* oder *dmh*.[27] Im Spiegel wie im Traum oder in der Vision (vgl. Hos 12, 11)[28] sieht man ein Bild, nicht die Sache selbst.

Wenn SMEND den Sirach-Vers richtig ins Hebräische rückübersetzt und gedeutet hat, wäre ein weiterer Ansatzpunkt für die Metapher vom Spiegel gefunden. Man hätte sich in Palästina die Beziehung visionärer Erlebnisse und Träume zur Realität durch den Vergleich mit dem Spiegel verdeutlicht. Dadurch konnte man auch das Problem der Gottesschau der Propheten nach Num 12, 8 theologisch korrekt lösen. Sirach nimmt diesen Vergleich in polemischer Absicht auf, um das Flüchtige und Inhaltlose der Träume zu charakterisieren.

Wenn er betont, im Traum sehe man nicht unmittelbar "von Angesicht zu Angesicht", sondern nur das Bild einer Person, so ist kaum zu entscheiden, ob diese Charakterisierung des Traums auf bereits geprägte Anschauungen zurückgeht. Von 1 Kor 13, 12 her, wo ebenfalls die Schau im Spiegel und die Schau "von Angesicht zu Angesicht" kontrastiert werden, wäre es zu vermuten. Da SMEND den Sirachtext allem Anschein nach rekonstruiert hat, ohne auf mögliche Beziehungen zum Thema von 1 Kor 13, 12 bzw. zur prophetischen Gottesschau "im Spiegel" zu achten, könnte 1 Kor 13, 12 seine Rekonstruktion auch weiter bestätigen. — Nimmt man Sir 34, 3b für sich und vergleicht es mit 1 Kor 13, 12b, so ergibt sich, auch unabhängig vom Vergleich zwischen Spiegel und Traum in 34, 3a, daß in 1 Kor 13, 12b von direkter Schau im Gegensatz zu indirekter visionärer Schau in 13, 12a die Rede sein muß, d. h., daß *di' esoptrou* auf visionäre Schau bezogen werden muß.

Die Knappheit der Sentenzen bei Sirach läßt kaum den konkreten historischen Hintergrund des Abschnitts 34, 1—8 erkennen. Es ist möglich, daß Sirach sich nur gegen das

---

[24] Vgl. Ehrlich, Traum im AT 164—167.

[25] Übersetzung nach Smend, Die Weisheit des Jesus Sirach hebräisch und deutsch 58. Zur Rekonstruktion des Textes s. ders., Die Weisheit des Jesus Sirach erklärt 305; vgl. auch Box-Oesterly, Charles AP I 433; Ehrlich a. a. O.

[26] Smend, Jesus Sirach erklärt 305.

[27] 2 Kg 16, 10; 2 Chr 4, 3; Jes 40, 18; Ez 1, 5. 16. 22. 26. 28; 8, 2; 10, 1. 10. 21. 22; 23, 15; Dan LXX 3, 92.

[28] **S. dazu oben S. 178.**

auch im Judentum seiner Zeit verbreitete Erfragen der Zukunft durch mantische Träume und Ähnliches wendet. Es ist aber ebenso denkbar, daß er mit seiner Polemik gegen *manteiai, oionismoi, enypnia* (34, 5) die apokalyptische Bewegung treffen wollte, deren spezifische Erwartungen er auch sonst kaum teilt,[29] und daß er gerade der apokalyptischen Propaganda gegenüber einzig das Gesetz als truglos und zuverlässig (34, 8) hinstellen wollte. Die Kleinmantik und der Typus apokalyptischer Erfahrung und Verkündigung lassen sich übrigens nicht völlig voneinander trennen, wie das Beispiel des Danielbuches[30] und später die Schilderung der essenischen Seher durch Josephus[31] zeigen. So wäre vielleicht auch eine über die prinzipielle Anwendung der Spiegelmetapher auf Visionen und Träume nach Num 12, 6—8 hinausgehende, sich mit dem Realitätsbezug der apokalyptischen Schauungen befassende Tradition denkbar, welche hinter Sir 34, 3 und 1 Kor 13, 12ab erkennbar würde.

§ 69 *ainigma* im Kontext visionärer Erfahrung

Die Untersuchungen und Kommentare zu 1 Kor 13, 12 widmen dem *blepein en ainigmati* gewöhnlich nur ein untergeordnetes Interesse — sicher deshalb, weil die Metapher vom Spiegel vor noch schwierigere Interpretationsaufgaben stellt und so den größten Teil der Aufmerksamkeit auf sich zieht. Die forschungsgeschichtliche Lage ist bereits oben dargestellt worden. Aus ihr erhebt sich die Forderung nach einer den Satzzusammenhang respektierenden einheitlichen Interpretation von 1 Kor 13, 12a. Im Gang der weiteren Untersuchungen über die Beziehungen zwischen 1 Kor 13, 12 und Num 12, 6—8 und über die Spiegelmetapher bei Philo ist das Thema des *blepein en ainigmati* bereits mehrfach angestoßen worden. Die grundsätzliche Möglichkeit, diese Wendung ebenso wie die Spiegelmetapher auf visionäre prophetische Erfahrung zu beziehen, ist schon gesichert.[32] Der Nachweis soll im folgenden vervollständigt werden.

I. Palästinisches Judentum

(1) *ḥjdh* in Num 12, 6—8. Die Parallelität zu den “Traumgesichten” von Num 12, 6

---

[29] Vgl. dazu Hengel, Judentum und Hellenismus 274f. Zum Problem visionärer Erfahrungen in der Qumrangruppe s. unten S. 214; vgl. auch die Visionen der Therapeuten oben S. 110f.

[30] Der inspirierte Traumdeuter und Seher versteht sich “auf Gesichte und Träume aller Art” (Dan 1, 18), ist “allen Gelehrten und Beschwörern ... zehnfach überlegen” (1, 20). Vgl. oben S. 45. 49; Bentzen, Dan 23.

[31] Bell 2, 159; Ant 13, 311ff; 15, 373ff; 17, 345ff; vgl. Meyer, ThW VI 821. 823f; ders., Prophet 42—45; ferner oben S. 106f. Die Funktionen sind auch schon bei Samuel “gemischt”, vgl. 1 Sam 9, 9; Westermann, Propheten in: Reicke-Rost III 1499. In späterer urchristlicher Zeit gibt es das Problem der Abgrenzung von “wahren” und “falschen” Propheten: Herm m 11; Did 11, 9—12. Zur Bestimmung des Hintergrundes von Sir 34, 1—8 müßte auch Sach 10, 2; 13, 2—6 herangezogen werden.

[32] Damit entfallen auch die Bedenken, welche Weiß, 1 Kor 319, im Anschluß an Preuschen (ZNW 7 [1906] 180f) veranlaßten, *en ainigmati* hypothetisch als Glosse zu behandeln.

läßt trotz der Abhängigkeit des *bḥjdwt* von *'dbr* keine Beschränkung auf "Rätselsprüche" zu. *ḥjdh* hat dort etwa die Bedeutung: Rätsel = verhüllende rätselhafte Offenbarung.[33]

(2) *'ḥjdh* (aram.) in Dan 5, 12. Dan 5, 13 beschreibt die Fähigkeiten Daniels in einem technischen Sinne. In Daniel ist "Verstand, Träume auszulegen, Rätsel kundzumachen und Knoten zu lösen". Der Satz ist auf die Situation von Dan 5 bezogen, nämlich auf die Aufgabe, die Schrift an der Wand zu lesen und zu deuten. — Ihm entspricht Dan 4, 6: "Ich weiß, daß der Geist heiliger Götter in dir ist und daß kein Geheimnis für dich zu schwer ist".[34] Die Begriffe sind hier wie dort traditionell. "Rätsel" steht Dan 5, 12 parallel zu "Träumen" und "Knoten", gehört zum Vokabular der Auslegung und soll die Dunkelheit, den verschlüsselten Charakter von Offenbarungen charakterisieren.[35] Der Begriff deckt sich zum Teil mit dem Begriff "Geheimnis" in Dan 4, 6.

(3) Bilderrede/*mšl* im aethHen. Das Wort bezeichnet im aethHen nicht bloß die Redeform: dunkler Orakelspruch, Rätselrede (so in Anlehnung an Num 24, 3 aethHen 1, 2. 3; vgl. auch 37, 5), sondern auch die Schau der himmlischen Geheimnisse selber (vgl. 43, 3f; 60, 1). Die himmlischen Realitäten sind für den Seher nur in dunkler, rätselhafter Offenbarungserfahrung zugänglich.[36] *mšl* hat im aethHen praktisch die gleiche Bedeutung wie *ḥjdh.* Beide Begriffe werden in nachexilischer Zeit weitgehend synonym gebraucht: für die Verkündigung der Propheten[37] und Weisen,[38] bzw. für Sätze der Tradition[39] wie auch für den Offenbarungsempfang der Propheten.[40] Im aethHen entspricht die Offenbarung der "Geheimnisse" oder des "Verborgenen" der Offenbarung in *mšljm.*[41]

II. Philo

Philo versteht die Offenbarung Gottes an die Propheten in Gesichten nach Num 12, 8 als eine Offenbarung in Rätseln. Das zeigt sich deutlich an seiner Behandlung des Zitats in Rer Div Her 262.[42] Er bezieht *ainigma* auf die Deutlichkeit bzw. Undeutlichkeit der Offenbarung, nicht auf den Offenbarungsspruch.[43] Ebenso geschieht es in Philos Lehre vom Traum Som II 3f.[44] Die Träume der zweiten und dritten Klasse sind "rätselvolle Schauungen *(opsis ainigmatodes)*". Das Rätsel kann entweder von den

---

[33] S. oben S. 174.
[34] S. oben S. 48.
[35] Vgl. oben S. 50.
[36] S. oben S. 82f.
[37] Ez 17, 2; vgl. oben S. 81. 179.
[38] Sir 47, 17; vgl. Hab 2, 6; Dt 28, 37; wahrscheinlich Ps 49, 5; 78, 2; Sir 18, 8; 47, 15.
[39] Spr 1, 6; Sir 39, 3; vgl. oben S. 55f. 58f. 81.
[40] NumR 14, 20 (oben S. 177): "Aber mit Bileam sprach er (Gott) nur in Gleichnissen *(mšljm)*"; SNum 103 zu Num 12, 8 (s. oben S. 179) in Anlehnung an Ez 17, 2 (vgl. Anm. 37).
[41] S. oben S. 83f.
[42] S. oben S. 181. 183.
[43] So ist in Leg All III 103 auch der Zusatz zu Num 12, 6 zu verstehen: *kai en skia o theos ouk enargos.*
[44] Vgl. oben S. 187f.

Scharfsichtigen durchdrungen werden,[45] oder es ist so tief und dunkel, daß es der Deutung *(oneirokritike episteme)* bedarf.[46] Da Philo Träume und Visionen weitgehend gleichbehandelt, hat diese Stelle auch für seine Vorstellung von der Prophetie volles Gewicht. *ainigma* ist bei Philo eine geläufige Qualifikation für visionäre Erfahrungen.[47]

III. Griechische Literatur

Hugedé[48] hat den Nachweis geführt, daß *ainigma* im Griechischen nicht auf die Bedeutung "Rätselspruch (énigme)" beschränkt ist,[49] sondern auch die weitere Bedeutung "illustration, symbole, image" hat, analog zu *ainissomai* "andeuten, anspielen, darstellen".[50] Daher kann man im Griechischen vom Sehen eines *ainigma* sprechen,[51] auch im Bereich der Mantik und Traumdeutung. Nach Plat Tim 72b sind die Propheten an den Orakelstätten nicht selber Seher *(manteis)*, sondern *tes di' ainigmon outoi phemes kai phantaseos ypokritai*. Die deutende Tätigkeit der Propheten bezieht sich auf die in mantischen Erfahrungen wahrgenommenen Aussprüche und Erscheinungen. Den Aussprüchen und Erscheinungen ist es eigentümlich, daß sie *di' ainigmon*, in rätselhafter Form, erfahren und weitergegeben werden.[52]

Die Beziehung zwischen im Traum gesehenem *ainigma* und seiner Bedeutung wird in Heliodor Aethiopica IV 15 deutlich: "Deine Traumgesichte *(enypnion)* kündigen die bevorstehende Hochzeit deiner Tochter an, weisen *(ainittomenon)* durch den Adler auf den bevorstehenden Bräutigam hin, der sie heimführen wird ... Und du bist bei dieser frohen Ankündigung *(euaggelizomenon!)* verdrossen und gibst dem Traum *(opsin)* eine trübe Deutung."

---

45 Som II 3: *to de ainigma ou lian tois oxy kathoran dynamenois apekrypteto*. Eine ähnliche Ausdrucksweise im Zusammenhang mit der Spiegelmetapher in Op Mund 76; vgl. Dupont, Gnosis 136.

46 Som II 4: *diakrinontai pros sophon ten lechtheisan technen andron.*

47 Vgl. die assoziative Reihung in Leg All III 226f: *ainigmata asapheias gemonta ... enypnia asapheias kai ainigmaton plere ... emanteusato.*

48 Métaphore 142 im Anschluß an S. E. Basset, 1 Cor 13, 12: JBL 48 (1928) 232—236.

49 Rätsel als Orakel bzw. Prophetenspruch: Plut II 407B. 409C (Pyth Or 25. 30); Sib 3, 811: *oste propheteusai me brotois ainigmata theia;* als verschlüsselte Traumweisung: Artemid Oneirocr II 12 (gegen Ende); IV 71; vgl. auch IV 63.

50 So z. B. auch Jos Ant 1, 24; 3, 182.

51 Hugedé, Métaphore 145f. Der wichtigste Beleg in diesem Zusammenhang ist Plut II 382A (Is et Os 76): die angesehensten Philosophen erkannten in den unbeseelten und unbelebten Dingen eine dunkle Andeutung des Göttlichen *(ainigma tou theiou katidontes);* Plut vertritt im Kontext die Meinung, daß der Tierkult nicht die Tiere ehre, sondern durch die Tiere, die von Natur aus gewissermaßen klare Spiegel des Göttlichen seien, das Göttliche selbst ehre: *ou tauta timontas alla dia touton to theion os enargesteron esoptron kai physei gegonoton*. Es handelt sich sicher um eine bemerkenswerte Parallele zum Nebeneinander von *esoptron* und *ainigma*. Plut benutzt jedoch im Unterschied zu Paulus beide Begriffe zu ontologischen Aussagen. Vgl. ferner Athen X 452a: ein Belagerter gibt einem Herold durch ein dunkles Zeichen *(delon en ainigmati)* seine Lage zu verstehen.

52 Vgl. auch die Beziehungen von Philos Traumlehre zu Plat Tim 71f oben S. 189; zum Sehen eines Rätsels vgl. oben S. 191.

IV. ainigma als terminus technicus apokalyptischer Erfahrung

Die Belege für *ainigma* im Kontext visionärer Erfahrung sind zwar nicht zahlreich, aber doch ausreichend. In 1 Kor 13, 12 *blepomen en ainigmati* wird die visionäre Erfahrung selber als *ainigma* bezeichnet oder charakterisiert. Dem kommt die Verwendung des Begriffs im Bereich des palästinischen Judentums am nächsten, wo ebenfalls nicht zwischen Traum/Vision und "Rätsel" differenziert wird, sondern "Rätsel" zugleich für die visionäre Erfahrung bzw. für die Offenbarung selber eintreten kann. Die formal nächste Parallele zum Ausdruck in 1 Kor 13, 12 findet sich aethHen 60 (ein Noahstück):

"(1) Im Jahre 500, im 7. Monat, im 14. des Monats, im Leben Noahs.[53] *In jener Bilderrede sah ich,* wie der Himmel der Himmel gewaltig erbebte und das Heer des Höchsten, die Engel, tausendmal Tausende und zehntausendmal Zehntausende, in große Aufregung kamen.

(2) Der Betagte saß auf dem Thron seiner Herrlichkeit, während die Engel und die Gerechten um ihn herumstanden. (3) Da erfaßte mich ein gewaltiges Zittern..." Der Seher fällt zu Boden, ein Engel richtet ihn auf und deutet ihm die Vision auf den Tag des Strafgerichts über die Sünder. Über die formale Parallele "in jener Bilderrede sah ich" *(mašal = ainigma)* hinaus ist auch der Kontext von Bedeutung für die Frage nach der urchristlichen Prophetie und nach dem Verständnis von 1 Kor 13, 12. Der Seher erfährt in der "Bilderrede" ein himmlisches Geschehen. Ihm wird eine Gottesschau mit eschatologischer Bedeutung gewährt.[54] Die einzelnen Züge der Schilderung wie das gesamte Schema sind traditionell.[55]

Wenn in 1 Kor 13, 12 von visionärer Gottesschau ("durch einen Spiegel") im Zusammenhang der prophetischen Erfahrung die Rede ist, wird man sich das urchristliche prophetische Erfahrungsschema ähnlich vorstellen müssen. Zur Datierung vgl. 2 Kor 12, 2;[56] Offb 1, 10; zur Schau Gottes bzw. des Thrones vgl. Offb 4—5. Solche visionären Gotteserfahrungen bedurften geradezu der näheren Bestimmungen *di' esoptrou, en ainigmati.* Zugleich zeigt sich an diesem Beispiel auch die Art und Weise, in welcher das Thema Gottesschau mit der prophetischen Erfahrung verbunden war. Die visionäre Gottesschau ist ein entscheidendes Moment der prophetischen Erfahrung, aber nicht ihr eigentlicher Zweck. Dieser liegt in der Mitteilung einer bestimmten Botschaft, apokalyptisch gesprochen (vgl. 1 Kor 13, 2) in der Erkenntnis der himmlischen, göttlichen, eschatologischen Geheimnisse. Diese Geheimnisse haben ihren Rang und ihre Bedeutung gerade deshalb, weil sie aus dem göttlichen Bereich selber stammen und nicht beliebige Geheimnisse sind (vgl. 1 Kor 2, 10—12).

---

[53] Aeth.: Henochs; zum Text siehe Charles, Charles AP II 223; Beer, Kautzsch AP II 268.

[54] Vgl. Keller in: Reicke-Rost II 1331f; Hempel, RGG VI 842.

[55] Datierung: vgl. Jes 6, 1; Ez 1, 1; Dan 7, 1; Schau der Herrlichkeit Gottes auf dem Thron: vgl. Jes 6, 1; Ez 1, 4ff; Dan 7, 9ff; Niederfallen bzw. Erschrecken des Sehers: vgl. Jes 6, 5; Ez 1, 28; Dan 7, 15; Sendungs- bzw. Deutegespräch: Jes 6, 6—13; Ez 2, 1—7; Dan 7, 16—27.

[56] S. dazu unten S. 220.

8. Kapitel: *blepo* im Kontext visionärer und eschatologischer Erfahrung

Da sämtliche Begriffe in 1 Kor 13, 12ab: *esoptron, ainigma, prosopon* auf wirkliches oder visionäres Sehen bezogen werden können oder müssen, ist es eigentlich selbstverständlich, wenn man das Prädikat *blepomen* eben von wirklichem oder visionärem Sehen versteht. Der Parallelismus zu *ginosko* 13, 12c könnte zwar trotzdem noch mit dem Gedanken spielen lassen, daß *blepomen* eine Art geistiger Wahrnehmung bezeichnen sollte, aber abgesehen von den bisherigen Ergebnissen hinsichtlich der visionären Sprache und Thematik in 1 Kor 13, 12a ist auch noch an das bei der Analyse des Kontextes gewonnene Ergebnis zu erinnern, daß in 1 Kor 13, 12 parallele Aussagen über die prophetische Erkenntnis und die *gnosis* gemacht werden, und nicht ausschließlich von *gnosis* die Rede ist.

Da dem gegenwärtigen Sehen *(arti)* in 1 Kor 13, 12 ein zukünftiges Sehen *(tote)* korrespondiert, und zwar die eschatologische Gottesschau, muß dieser Aspekt des *blepomen* mitberücksichtigt werden — besonders deshalb, weil W. Michaelis in seinem großen Artikel: *orao, eidon, blepo* usw. im Theologischen Wörterbuch zum Neuen Testament[1] glaubte, sowohl das visionäre wie das eschatologische Moment bei *blepein* allgemein zurückdrängen und im besonderen für 1 Kor 13, 12 ausschließen zu können. Das ist allerdings nur bei vorschneller theologischer Auswertung von vorwiegend sprach- und gattungsgeschichtlich bedingten Befunden möglich.

§ 70 *blepo* und *orao* im neutestamentlichen Griechisch

Ursprünglich bezeichnete *blepo* nur die Funktion des Auges: "blicken, Sehkraft besitzen", während die davon abgehobene Grundbedeutung von *orao* "sehen, wahrnehmen" war.[2] In hellenistischer Zeit dehnte sich der Bedeutungsspielraum von *blepo* aber nicht nur auf fast alle Bedeutungen von *orao* aus;[3] das Wort nimmt in der Volkssprache sogar weithin den Platz von *orao* ein.[4] Diese Tendenz läßt sich vor allem in den neutestamentlichen Schriften und im Hirten des Hermas beobachten, wo die Formen des Präsensstammes von *blepo*

[1] V 315—381; zu 1 Kor 13, 12: 344.

[2] Bl-Debr 101; Liddell-Scott 318 s. v. *blepo:* "see, have the power of sight (distinct from *oro* perceive, be aware of)"; Michaelis, ThW V 316f.

[3] Vgl. Michaelis, ThW V 317.

[4] Moulton-Milligan 455 s. v. *orao:* "The verb is rare in popular language, its place being taken by *blepo* and *theoreo*: but it is wrong to say that it is 'dead' after 1/AD."

für alle Funktionen von *orao* eintreten.[5] Die Häufigkeit von *blepo* im Präsensstamm verbietet es, die Aoristform *eidon* nach Art und Weise der Konjugationsparadigmen aus den Schulgrammatiken einzig als Aoristform zu *orao* zu behandeln.[6] Die Konjugation würde für das neutestamentliche Griechisch mit mehr Recht: *blepo, eidon* lauten.[7] Einige Zahlen sollen die Häufigkeit der einzelnen Formen und ihre Verteilung auf die neutestamentlichen Schriftengruppen illustrieren:

	orao	*opsomai*	*eoraka*	*ophthen*	insgesamt
Paulus	1[8]	1	1	4	7
Apg	1[9]	3	2	10	16
Offb	2[10]	2		3	7
NT	21[11]	33	35	25	114

	blepo	*blepso*	*eblepsa*	insgesamt
Paulus	24			24
Apg	12	1	1	14
Offb	12		1	13
NT	129[12]	2	2	133

	eidon
Paulus	17
Apg	59
Offb	56
NT	350[13]

[5] So auch Michaelis, ThW V 340. 33; Reinhold, De Graecitate Patrum Apostolicorum librorumque apocryphorum Novi Testamenti quaestiones grammaticae 97f. R. hebt ebd. die Sonderstellung der neutestamentlichen Schriften heraus: "Sed apud nostros scriptores quamvis vulgares *oro* multo frequentius quam in NTo, ut illi, id quod saepius observavimus, in hac quidem re propius ad Atticos accedere videantur, quam scriptores NTi." Besonders häufig ist *blepo* bei Hermas (70 mal), s. Bauer 284.

[6] So Michaelis, ThW V 316. 324 (zur LXX). 340.

[7] Vgl. Moulton II 231: "*blepo:* The simplex appears once in aor. and once in fut., over hundred times in present stem as the suppletive of *eidon* (so *blepo, eida* in MG)". Ähnlich Bl-Debr 101; Reinhold, De Graecitate 99: "*Vidi* plerumque est *eidon.* Rarius est aoristus *eblepsa,* qui plerumque indicat *intuitus sum*".

[8] 1 Thess 5, 15.

[9] Apg 8, 23.

[10] 19, 10 = 22, 4: *legei moi · ora me.*

[11] Davon insgesamt 8 Belege vom Typ: *ora me.*

[12] Davon insgesamt 9 Belege vom Typ: *blepe me.*

[13] Gesamtzahl nach Michaelis, ThW V 340.

Diese Übersicht macht jetzt schon deutlich, daß es nicht angeht, von der relativen Häufigkeit von *opsomai, eoraka, ophthen* oder *eidon* aus auf einen besonderen, von *blepo* unterschiedenen Gebrauch von *orao* abzuheben.[14] Den meisten neutestamentlichen Schriftstellern stand für Aussagen über "Sehen" im Präsens nicht *orao*, sondern *blepo* zur Verfügung.

§ 71 *orao, blepo* und *eidon* als Ausdrücke für visionäres Sehen und Gott-Schauen in der LXX

In der LXX ist die Verdrängung des Präsensstammes von *orao* noch nicht so weit fortgeschritten wie im neutestamentlichen Griechisch. Dennoch wird ein Überblick über die hauptsächlichen hebräischen Äquivalente zu *orao, blepo* und *eidon* sowie über ihre zahlenmäßige Verteilung über die Terminologie der LXX vorsichtiger urteilen lassen, als dies bei Michaelis geschieht, der feststellt: "*orao* und *eidon* sind die typischen Vokabeln zur Bezeichnung für visionäres und ekstatisches Sehen"[15] oder: "*blepo* findet sich nicht in den Wendungen 'Gott sehen', 'Gottes *doxa* bzw. *prosopon* sehen'".[16]

orao[17] gibt in LXX an 350 von 400 Stellen mit hebräischen Äquivalenten hebr. *r'h* wieder, an weiteren 35 Stellen hebr. oder aram. *ḥzh*.

Ähnlich ist es bei *eidon:* "etwa 670 Belegen mit *r'h* ... stehen 17 bzw. 19 Belege mit *ḥāzāh* bzw. *ḥᵃzāh* gegenüber".[18] Hinzu kommen noch 7 Stellen mit *ḥlm* (in Gen) und 20, an denen *eidon* für *jdʿ* steht.

blepo[19] gibt bei 90 Stellen mit Entsprechungen im Masoreten-Text 52 mal *r'h* wieder, 24 mal (vor allem bei Ez) *pnh* im Sinne geographischer oder architektonischer Orientierung, 3 mal *ḥzh* und 1 mal *nbṭ*. Wenn man den Sonderfall *nbṭ* abzieht, entsprechen die Relationen in der Wiedergabe von *r'h* und *ḥzh* etwa denen bei *orao* und *eidon*.

Die folgenden, nach Häufigkeit der einzelnen Tempora aufgegliederten Übersichten zeigen außerdem wieder — wie im neutestamentlichen Griechisch — die Konzentration der Belege für *blepo* auf das Präsens, so daß es nicht erlaubt sein dürfte, auf Grund der relativen Höhe der Belege für *opsomai, eoraka, ophthen* und *eidon* bestimmte Bedeutungen vorwiegend für das Präsens von *orao* zu beanspruchen oder sie für *blepo* auszuschließen.

---

[14] So Michaelis a. a. O.: "Auch im NT treten unter den Verben des Sehens *orao* und vor allem *eidon* stärkstens hervor."
[15] ThW V 329, 8ff.
[16] ThW V 327, 26f.
[17] Zahlen nach Michaelis, ThW V 324.
[18] Michaelis a. a. O.
[19] Ausgezählt nach den Angaben in Hatch-Redpath, Concordance 221 s. v. *blepo*.

orao	*eoron*	*opsomai*	*eoraka*	*ophthen*	insgesamt[20]
110	14	178	97	109	520

blepo	*eblepon*	*blepso*	*eblepsa*		insgesamt[21]
118	7	5	5		130

eidon	insgesamt[22]
930	930

Vor diesem Hintergrund sind nun die Belege für "ekstatisches Sehen" zu betrachten und zu vergleichen:

orao	*opsomai*	*eoraka*	*blepo*	*eidon*
11[23]	4	20	5[24]	25 (außerdem passim in Ez, Dan Th LXX)

o oron	*o blepon*
14[25]	8[26]

orao und *blepo* geben in LXX für visionäres Schauen gebrauchtes *r'h* und *ḥzh* wieder. Außer dem Umstand, daß *orao* wesentlich häufiger für *ḥzh* und in partizipialen Fügungen steht als *blepo*, ist kein Unterschied im Wortgebrauch feststellbar. Das zeigt sich auch daran, daß beide Wörter in gleichen Zusammenhängen auftreten, also alternativ gebraucht werden können:

Vgl. die Frage	*ti sy blepeis*	Am 8, 2 mit *ti sy oras* Am 7, 8
Vgl. die Frage	*ti sy blepeis*	Sach 4, 2 mit der Antwort *eoraka* Sach 4, 2
Vgl. die Frage	*ti sy blepeis*	Sach 5, 2 mit der Antwort *ego oro* Sach 5, 2
Vgl. die Qualifikation	*blepontes pseude*	Ez 13, 6 mit der Qualifikation *tous orontas pseude* Ez 13, 9.

Die Verwendung von *blepo* für visionäres Schauen in LXX ist um so bedeutsamer, als sich für diesen Gebrauch des Wortes kaum Belege aus dem nichtbiblischen Bereich finden.[27] Dagegen ist die Terminologie durch LXX nicht nur belegt, sie wird durch

---

[20] Zahlen nach Michaelis a. a. O.

[21] Ausgezählt nach Hatch-Redpath.

[22] Nach Michaelis a. a. O.

[23] *r'h:* Am 7, 8; Sach 5, 2; Jer 1, 11. 13; 24, 3; Ez 40, 4; *ḥzh:* Ez 12, 27; Partizip: Mich 3, 7; Ez 13, 9. 16; 22, 28.

[24] *r'h:* Am 8, 2; Sach 4, 2; 5, 2; Ez 13, 3; *ḥzh:* Ez 13, 6 (Partizip).

[25] *r'h* (Samuel): 1 Sam 9, 9. 11. 18; 1 Chr 9, 22; 29, 29a vgl. 1 Sam 16, 4; *ḥzh* (Gad): 1 Chr 29, 29.

[26] *ḥzh:* 2 Sam 24, 11; 2 Kg 17, 13; 1 Chr 21, 9; 2 Chr 9, 29; 12, 15; 29, 25; 33, 18. 19; Am 7, 12; Jes 29, 10; 30, 10; 47, 13; *štm h'jn*: Num 24, 3. 15.

[27] Vgl. aber PPar 44[11] (153 v. Chr.): *ego gar enypnia oro ponera, blepo Menedemon katatrechonta me,* Moult-Mill 455b.

1 Sam 9, 9LXX für jeden, der die Schriften in Griechisch liest, gewissermaßen kanonisiert: *oti ton propheten ekalei o laos emprosthen o blepon.* [28]Mit der an dieser Stelle vollzogenen Identifikation wird es auch zusammenhängen, daß LXX an verschiedenen Stellen *r'h* außer durch *o blepon* durch *prophetes* wiedergibt.[29]

Hinsichtlich der Gottesschau können wir uns kürzer fassen. Die oben zitierte Feststellung von Michaelis ist sachlich richtig. Sie könnte aber als Präjudiz für die Interpretation von 1 Kor 13, 12 gelten oder die Vermutung erwecken, *orao* sei ein geläufigerer Ausdruck "in den Wendungen 'Gott sehen', 'Gottes *doxa* bzw. *prosopon* sehen'".[30] Deshalb auch hierzu einige Feststellungen.

Davon, daß jemand Gott "gesehen" hat, ist in LXX nur noch an wenigen Stellen die Rede, und zwar immer als von einem Geschehen der Vergangenheit *(eidon:* Gen 32, 31; Jes 6, 5; *eorakamen:* Ri 13, 22). An den übrigen Stellen ist ein in M ausgesagtes "Gott Sehen" unterdrückt worden (Ex 24, 10. 11; Ps 63, 3; H i 19, 26). Ebenso ist es mit dem "Sehen des göttlichen Antlitzes" (Ps 11, 7; 17, 5); in Ex 33, 20 wird es schon im M verneint (LXX: *ou dynese idein).* Von einem *oran* der göttlichen *doxa* ist in LXX nur Num 14, 22 die Rede,[31] sonst handelt es sich um Formen von *opsomai* (Ex 16, 7; Jes 35, 2; 66, 18), *eidon* (Num 12, 8; Ps 63, 3; 97, 6; Jes 26, 10), *eoraka* (Jes 16, 19), *ophthen* (Ex 16, 10; Lev 9, 6. 23; Num 14, 10; 16, 19; 17, 7; 20, 6; Ps 17, 15; Jes 40, 5; 60, 2).

Dieser Befund verbietet es, ein *blepein* Gottes oder seines Angesichts terminologisch auszuschließen, zumal wenn — wie in den Paulusbriefen — der Präsensstamm von *oran* ganz ungebräuchlich ist. Stellen wie Ex 3, 6 (von Mose am brennenden Dornbusch): *eulabeito gar katemblepsai (nbṭ) enopion tou theou* und Jes 17, 7 (eschatologisch): *ton agion tou Israel emblepsontai (r'h)* erweisen überdies, daß *blepo* dem Thema "Gottesschau" nicht völlig ferngeblieben ist.

§ 72 Visionäres und prophetisches "Sehen" im palästinischen Judentum

Bereits in den alttestamentlichen Texten über Propheten und Prophetie nimmt das visionäre "Sehen" eine beachtliche Stellung ein. Das ergibt sich auch aus dem im Vorhergehenden gegebenen Überblick über die Terminologie der LXX. Die jüdischen Apokalypsen bezeugen zumindest, daß man sich Offenbarungs-

[28] Aufgenommen bei Philo Migr Abr 38. Vgl. auch Vit Cont 11: "Die Gemeinschaft der Therapeuten aber, von Anfang an belehrt, immer das Sehvermögen *(blepein)* zu gebrauchen, möge nach der Schau *(thea)* des Seienden streben." Zu den Visionen der Therapeuten s. oben S. 110f; zur Gleichsetzung von Prophet und Seher vgl. Fascher, *Prophetes* 148; Faschers Urteil zur Vorstellungswelt der LXX (ebd.): "Daß der Prophet ohne *orasis* nicht zu denken ist, beweisen Stellen wie Dt 13, 1. 3. 5; 1 Sam 3, 20. 21; 2 Sam 7, 4—17; Jer 23, 18. 32; Ez 7, 26; 13, 6. 9; Threni 2, 9; Dan 9, 24; Sir 46, 15; 48, 22."

[29] 1 Chr 26, 28 (Samuel); 2 Chr 16, 7. 10 (Chanani); Jes 30, 10 (neben *ḥzh/oron); prophetes* für *ḥzh:* 2 Chr 19, 2 (Jehu); 29, 30; 35, 15 (Asaph); vgl. dazu Fascher, *Prophetes* 105.

[30] Michaelis ThW V 327.

[31] Sir 42, 25: *kai tis plesthesetai oron doxan autou* bezieht sich nicht auf die unmittelbare Offenbarung der göttlichen *doxa,* sondern auf die Herrlichkeit der Schöpfungswerke.

empfang gewöhnlich als mit visionären Erlebnissen verbunden vorstellte. Es hat wenig Sinn, diesen Tatbestand um eines biblischen oder theologischen Primats des Wortes oder des Hörens willen irgendwie zu verschleiern.[32] Zweifellos gibt es bei den Visionen des alttestamentlichen oder apokalyptischen Typs gewöhnlich auch Worterfahrungen als integrierende Bestandteile der visionären Erfahrung.[33] Es ist in diesem Zusammenhang jedoch nicht nötig, den Befund in der Apokalyptik im einzelnen darzustellen, da gerade seine Aussagekraft für das Verständnis der urchristlichen Prophetie in Frage steht. Wichtiger ist der Nachweis, daß man im palästinischen Judentum weiterhin Prophetie und visionäres Sehen verbunden hat.

1. Sirach

Der Siracide schenkt im "Lob der Väter" (44—49) den Propheten eigentlich nur insofern Beachtung, als sie die Volksgeschichte mitbestimmt haben. Daher ist kaum von ihren Erfahrungen und von ihrer Verkündigung die Rede. Um so aufschlußreicher sind seine gelegentlichen Anspielungen auf diesen Bereich. 44, 3b: "Und Seher aller Dinge in ihrer Prophezeiung" H:[34] *wḥwzj kl bnbw'tm.* G hat das visionäre Element unterdrückt und durch ein Verbum des Redens ersetzt:[35] *apeggelkotes en propheteiais.* Grund für diese Umformung dürfte der griechische Begriff des *prophetes* sein, der am öffentlichen Verkündigen orientiert ist,[36] während der hebräische Begriff *nabij'* immer auch die besondere Erfahrung oder wenigstens den Anspruch auf diese impliziert.[37] Die Zeile gehört zur Einleitung (44, 1—15) des Lobes der Väter. Sie ist darin als einzige den Propheten gewidmet. So hebt sich die Verbindung "Sehen — Prophetie" besonders deutlich heraus.

46, 15: "Ob seines Mundes Zuverlässigkeit ward er befragt[38] als Seher *(ḥzh* G: *prophetes)*
und auch in seinem Wort war er als Schauer *(r'h*[39]) verlässig."

---

[32] Kittel, ThW I 219, 10ff, und besonders Michaelis, ThW V 338f. Diese beiden Stimmen sind repräsentativ für eine breite Strömung in der biblischen Theologie. Vgl. Benz, Paulus als Visionär 81: "Mit Paulus als Visionär hat sich die neutestamentliche Forschung wenig beschäftigt. Eine der wichtigsten Ursachen hierfür ist ein allgemeiner antivisionärer Komplex der modernen protestantischen Theologie. Man darf in ihm letztlich ein Erbe Kants erblicken, der in seiner Schrift 'Träume eines Geistersehers' Swedenborg als Typus des Visionärs mit tödlicher Ironie abgefertigt hat und darin die völlige Belanglosigkeit visionärer Erfahrungen für die menschliche Erkenntnis nachgewiesen zu haben behauptet."

[33] Grundsätzliches über das Verhältnis von Visionen und Auditionen z. B. bei Lindblom, Prophecy in Ancient Israel 122—165.

[34] Nach Smend, Die Weisheit des Jesus Sirach hebräisch und deutsch 47.

[35] Smend, Die Weisheit des Jesus Sirach erklärt 417, vermutet: G las nicht *ḥwzj,* sondern *hwwj* = "sie brachten hervor".

[36] Vgl. dazu Krämer, ThW VI 794f.

[37] Zur Verbindung von "Sehen" und "Verkünden" im Titel *nbj'* vgl. Fascher, *Prophetes* 148—150; Am 7, 12: "Seher (LXX: *o oron*), geh fort, flüchte dich ins Land Juda! Iß dort dein Brot und mach dort den Propheten (LXX: *propheteuseis)*".

[38] Rekonstruktion des Textes nach Smend.

[39] Mit Smend, Box-Oesterley, Ryssel, Hamp (Echter-Bibel); HT: *rw'h.*

Der Vers handelt in Anlehnung an 1 Sam 3, 19 (46, 15b). 20 (46, 15a. b); 9, 6 (46, 15a). 9 (46, 15b) von Samuel. Der Titel *ḥzh*[40] ist neu gegenüber 1 Sam 9; wahrscheinlich ist er deshalb eingeführt worden, weil der Titel *nabij / prophetes* schon in 46, 13b gebraucht worden war[41] und weil sich *ḥzh* als paralleler Ausdruck zu *r'h* anbot. G zeigt wieder völlige Verständnislosigkeit für die Assoziation Wort/Seher; daher in 46, 15a die Übersetzung *prophetes* und die Umschreibung in 46, 15b.

48, 22: "Denn Hiskia tat, was gut war,
und hielt an Davids Wegen fest,
die ihm gebot Jesaja, der Prophet *(prophetes)*,[42]
der Große und in den Gesichten Zuverlässige *(pistos en orasei autou)*

24: Starken Geistes schaute er die fernste Zukunft *(ḥzh)*
und tröstete die Trauernden auf Sion."

Die beiden Verse sprechen für sich. Im Text des Jesajabuches ist verhältnismäßig selten von visionären Erlebnissen die Rede. Dennoch wird Jesaja von der Nachwelt als Seher verstanden. Sowohl 48, 22: gebietender Prophet/Gesichte wie 48, 24: Schauen/Trösten und das Verhältnis von 48, 24: Schau der Zukunft zu 48, 25: Verkündigung des Künftigen weisen die für die Prophetenanschauung in Sir typische Verbindung von "Sehen" und "Verkünden" auf. Vgl. auch den folgenden Text!

49, 8: "Ezechiel schaute Gesichte *(rh mrh/eiden orasin doxes)*[43]
und beschrieb die Gestalten des göttlichen Thronwagens."

II. Die Qumranschriften

Die Belege für visionäres und prophetisches "Sehen" in den Qumranschriften beziehen sich auf die Vergangenheit und auf die Gegenwart.

1. "Seher" als Bezeichnung der alten Propheten

Gewöhnlich werden die alttestamentlichen Propheten unter dem Titel *nabij'* eingeführt, besonders wenn auf die "Worte" oder "Bücher" der Propheten Bezug genommen wird[44] oder wenn ihre Weisungen angeführt werden.[45] Häufig ist dabei die vor allem aus Jeremia bekannte Verbindung: "seine Diener, die Propheten".[46] Eine ähnliche Verbindung scheint zwischen der Bezeichnung der Propheten als "seine Gesalbten bzw. Gesalbte seines Heiligen Geistes" und als "Seher" zu bestehen.

CD 2, 12: "Und er lehrte sie durch die Gesalbten seines Heiligen Geistes[47] und die Seher der Wahrheit *(wḥwzj 'mt)*." Der Text steht in einem Geschichtsrückblick. Die Ausdrucksweise ist feierlich. *'mt* qualifiziert den Inhalt der Erfahrung und Verkündi-

---

[40] Vgl. oben S. 202.
[41] S. auch 46, 20c.
[42] Text nach G; Syr; 48, 22cd ist in HT nicht enthalten.
[43] Zu *doxes* vgl. 45, 3 (Mose nach Ex 33, 18—23; Num 12, 8 LXX). Smend, Weisheit d. J. S. erklärt 471, bemerkt zu 49, 8b: "Ein apokalyptisches Interesse blickt in den Worten durch."
[44] Vgl. 1QpH 2, 9; 7, 5. 8; 4QFl 1, 15. 16; CD 7, 10. 17; 19, 7.
[45] Vgl. 1QS 1, 3; 8, 16; CD 3, 21.
[46] 1QpH 2, 9; 7, 5; 1QS 1, 3; 4QpHos^b 2, 5; 4QDibHam 3, 13; vgl. im Alten Testament: 2 Kg 9, 7; Jer 7, 25, 4; 26, 5; 29, 19; 35, 5; Am 3, 7.
[47] Vgl. CD 6, 1: "[die er befohlen] durch Mose und auch durch seine heiligen Gesalbten".

gung der Seher als zuverlässig.[48] Aus Sirach sind folgende Verbindungen zu vergleichen: 46, 15 *b'mwnt* ... *ḥwzh* und: *n'mn r'h;* 48, 22: *pistos en orasei.*

1QM 11, 8: "Und durch deine Gesalbten, die Seher deiner Bezeugungen *(ḥwzj tʿwdwt)* hast du uns verkündigt die Zeiten der Kriege deiner Hände".

Der schwierig zu deutende Genetiv *tʿwdwt* soll wohl nach Analogie zu den übrigen von *ḥwzh* in den Qumranschriften abhängigen Genitiven wieder den Inhalt der prophetischen Erfahrung qualifizieren, und zwar als sicher und von Gott herkommend.[49]

2. "Seher" und "Schau" in der Gegenwart

In Anlehnung an Jes 30, 9—11 und Ez 14, 3—11; 13, 9 werden in den "Lehrerliedern" Anhänger und Gegner des Lehrers als "Seher" bezeichnet:

1QH 2, 15 (vom Lehrer): "und ein Herr des Friedens für alle, die Wahres schauen *(ḥwzj)*".

4, 10 (von den Gegnern): "Aber sie sind Lügendolmetscher *(mljṣj kzb)* und Trugschauer (*ḥwzj rmjh*), sinnen gegen mich Bosheit."

4, 20: "Und Seher von Irrungen (*ḥwzj tʿwt*) werden nicht mehr gefunden werden."

Die enge Anlehnung an die alttestamentlichen Texte erschwert eine genauere Sinnbestimmung des Titels *ḥwzh* in den Lehrerliedern. Er begegnet aber immerhin dreimal gegenüber einem einzigen Vorkommen von "Lügenpropheten" (1QH 4, 16)[50] und vier Vorkommen von *mljṣ*[51] im gleichen Kontext (1QH 2, 13. 14; 4, 7. 9).

Außerdem begegnen zwei Belege für *ḥzwn:*

1QH 4, 18: "Denn sie sagen über die *Schau* des Wissens: die wird nicht bestehen."

14, 7: "... die Männer deiner *Schau* ...".

Während die Titel *nbj'* und *mljṣ* primär an der verderblichen oder positiven Verkündigung ausgerichtet sind, steht bei *ḥwzh,* auch wenn man keine ekstatisch visionären Erfahrungen annimmt, die zuverlässige oder irreführende Erfahrung im Vordergrund, aus welcher die Verkündigung erwächst.[52]

3. "Gesicht" und "Traum" als Kennworte für prophetische Erfahrung

Die Analyse von Sir 44, 3; 46, 15; 48, 22. 24 erbrachte eine für die palästinische Auffassung vom Propheten typische Verbindung von "Sehen" und "Verkünden" bzw. *nabij'* zutage. Diese Verbindung ist bereits in Num 12, 6 grundgelegt. Dort stehen auch die "Träume" gleichberechtigt neben den "Gesichten". Eine ähnliche Kombination begegnet auch in der "Aufforderung an Zion" 11QPs[a] 22,[53] welche man wie die gesamte Psalmenrolle nicht zu den Qumranschriften im eigentlichen Sinne rechnen kann.

Die akrostichische Dichtung ist in der Form der Anrede an Zion gestaltet. Der Dichter gedenkt Zions, zählt die über es ausgesprochenen Segensverheißungen auf und be-

---

[48] Vgl. oben S. 69; zu *'mt* Jepsen, ThWAT I 334—337.

[49] Vgl. 1QM 14, 4f: "Gepriesen sei Israels Gott, der Gnade bewahrt seinem Bund und *Bezeugungen* der Hilfe dem Volke seiner Erlösung. Er beruft die Strauchelnden zu wunderbaren [Krafttat]en, doch der Völker Aufgebot rafft er dahin zur Vernichtung ohne Rest"; vgl. 3, 4.

[50] Vgl. dazu oben S. 65f.

[51] Vgl. oben S. 65f.

[52] Vgl. oben S. 69.

[53] Text, Übersetzung und Kommentar: Sanders, The Psalms Scroll of Qumran Cave 11, 43. 85—89.

schwört die auf diesen beruhende Heilshoffnung. Er gehört zu denen, "welche nach dem Tag deiner Erlösung verlangen, damit sie aufjauchzen in der Fülle deiner Herrlichkeit" (Z.4). Sein Gedicht soll zugleich Zion selber seine Hoffnung ins Gedächtnis zurückrufen (vgl. Z. 2) und es ermutigen.[54] Diesem Zweck dienen die Sätze, in welchen der Verfasser seine eigene Zuversicht beteuert (Z. 1. 12), seine Wünsche (Z. 13. 15), die Schilderung der Hoffnung Zions (Z. 2—11) und die abschließenden Imperative,[55] in denen die im ganzen Lied latent vorhandene Absicht offen ausgesprochen wird:

"Nimm an die *Schau,* die über dich gesprochen ist,
und *Träume* von Propheten, für dich gesucht.[56]
Erhebe dich und werde weit, Zion;
preise den Höchsten, deinen Befreier" (Z. 13—15).

Die "Schau" und die "Träume" der Propheten sind der eigentliche Antrieb für die Zuversicht des Verfassers. Diese Form des Offenbarungsempfangs ist für ihn unproblematisch und ebenso selbstverständlich wie die Tatsache, daß die "Schau" dann in der Verkündigung der Propheten "ausgesprochen" wird.[57] Möglicherweise zeichnet sich hier ein apokalyptisch beeinflußtes Bild von Prophetie ab.[58] Der Text enthält auch in sprachlicher Hinsicht einige Anzeichen verhältnismäßig später Entstehung.[59] Aber dieser Umstand allein reicht noch nicht aus, ihn auch in den Umkreis apokalyptischer Literatur zu stellen oder unter den angesprochenen "Schauungen" und "Träumen" von Propheten die Schauungen apokalyptischer Seher zu vermuten.[60] Denn dieses Bild von Prophetie ist, wie die Untersuchung der Sirachstellen ergab, nicht auf apokalyptische Kreise beschränkt. Hinzu kommt, daß sich sämtliche Einzelaussagen des Hymnus durch den Rückbezug auf die kanonische Prophetie erklären lassen.[61] Die Gegenwart des Verfassers ist durch die Gruppe derer bestimmt, "die Zion lieben" (vgl. Z. 1. 12) und seine Erlösung erwarten (Z. 4). Die Propheten ordnen sich dagegen zwanglos in die Linie der Heilserwartung für Zion, die schon lange vor der Gegenwart des Verfassers begonnen hat:[62]

"An die Verdienste deiner Propheten wirst du dich erinnern, und mit den Taten deiner Frommen wirst du dich zieren" (Z. 6).

Solche Erwägungen sprechen eher dagegen als dafür, daß in diesem Hymnus auf gegenwärtige visionäre Erfahrung angespielt wird. Der offene Gebrauch der Bezeichnung *nabij'* für Personen der Gegenwart wäre ebenfalls mehr als außergewöhnlich.

---

[54] Sanders, Psalms Scroll 85, zieht Jes 54, 1—8; 60, 1—22; 62, 1—8 zum Vergleich heran.

[55] Möglicherweise hat auch *ṭhr* (6) imperativische Funktion; Sanders, Psalms Scroll 87, übersetzt: "Purge violence from thy midst."

[56] Die Übersetzung ist unsicher; s. Sanders, Psalms Scroll 89.

[57] Vgl. unten S. 218f zu *apokalypsis.*

[58] Hengel, Judentum und Hellenismus 323, sieht in 22, 13 einen Hinweis "auf das apokalyptische Element".

[59] Sanders, Psalms Scroll 85, verzichtet auf einen Datierungsversuch, bemerkt aber: "The vocabulary is essentially biblical though there are a few neo-Hebrew forms and a few very rare if not unique forms".

[60] So könnte man den Hinweis Hengels (s. oben Anm. 58) verstehen.

[61] Sanders, Psalms Scroll 85: "Much of the vocabulary and imagery is taken from the book of Isaiah, and especially Isa 66, 10—11."

[62] Sanders a. a. O.: "In those prayers God is reminded of the promises of the prophets toward her."

Seine Annahme erforderte eindeutigere Anhaltspunkte im Text. Wenn allerdings in der Gegenwart "Schauungen" und "Träume" erfahren wurden, wofür dieser Text zwar keinen Anhalt bietet, mußte sich das Problem einer Wiederaufnahme von *nabij'* immer neu stellen. Die Pseudepigraphen, besonders Dan, 4 Esr[63] und syrBar, beweisen, daß man für die neuen Erfahrungen wenigstens prophetische Qualität beanspruchte.

§ 73 1QM 10, 10f: Ein Zeugnis für ekstatisch-visionäres Schauen

1. Kontext und Aufbau

Eine Aussage über visionäres Schauen findet sich in einem verhältnismäßig alten[64] hymnischen Bestandteil der Kriegsrolle, in 1QM 10, 8—16 (soweit ist der Zusammenhang einigermaßen erhalten). Die Bedeutung dieses Textes macht eine gründlichere Behandlung notwendig. Nach einem einleitenden Lobpreis Gottes (10, 8—9a) folgt ein Lobpreis auf die Erwählung Israels, der ab 10, 10 aus einer Aufreihung von Prädikationen besteht:

10: "Das Volk der Heiligen des Bundes
und derer, die im Gesetz belehrt sind,
der einsichtigen Weisen [Lücke, etwa ein Kolon lang . . .]
die die Stimme des Geehrten hören *(wšwmj qwl nkbd)*

11 und / die heiligen Engel schauen *(wr'wj ml'kj qwdš),*
deren Ohr geöffnet ist *(mgwlj 'zn)*
und die Unergründliches hören *(wšwmj 'mwqwt).*"

Im Original folgt nun eine schwer auffüllbare Lücke. Möglicherweise ist ein Hinweis auf das Schöpfungswirken Gottes zu ergänzen,[65] analog zu 10, 12c: "Der die Erde geschaffen hat und die Gesetze ihrer Einteilung usw." Der Sache nach wird aber nicht auf das Wirken Gottes als solches zurückgelenkt, sondern sein Wirken bzw. die von diesem Wirken herrührenden kosmischen und geschichtlichen Ordnungen werden als Inhalt des Offenbarungswissens der "Heiligen des Bundes"[66] aufgezählt. Das ergibt sich aus dem diesen Zusammenhang abschließenden Bekenntnis:

16 "Dies wissen wir aus deinem Verstehen." *(jd'nw mbjntkh)*

---

[63] Vgl. oben S. 90.

[64] Maier, Texte II 126, zu 1QM 10, 11.

[65] Yadin, The Scroll of the War of the Sons of Light 306, ergänzt: "Who did create"; van der Ploeg, Le Rouleau de la guerre 137: "Tu es le Dieu qui crées"; zurückhaltend Maier a. a. O.

[66] Kuhn, Enderwartung und künftiges Heil 90—93: ein eschatologischer Würdename der Qumranfrommen; vgl. auch Dan 7, 27; 8, 24; 1QH 11, 11f.

Ähnlich lautet die abschließende Feststellung der verwandten Passage 1QH 1, 5—21:[67]

"Dieses erkannte ich auf Grund deiner Einsicht;
denn du hast mein Ohr aufgetan *(gljth 'znj)* für wunderbare Geheimnisse".

Dieser Abschluß beweist außerdem, daß die Israelprädikate zu Beginn nicht auf die vergangene Geschichte Israels zu beziehen sind, sondern Aussagen über das gegenwärtige Israel und über seinen gegenwärtigen Offenbarungsempfang darstellen. 1QM 10, 10f und 10, 16 bilden eine *inclusio* für den dazwischenstehenden Katalog kosmologischer und eschatologischer Geheimnisse, der seine nächsten außerqumranischen Entsprechungen in den jüdischen Apokalypsen hat. Und zwar muß man hierzu nicht nur ähnliche Aufzählungen in Katalogform vergleichen, sondern auch die Offenbarung solcher Geheimnisse in Visionen und bei Himmelsreisen. 1Q M10, 8—16 spricht in hymnischer Form den Inhalt einer oder mehrerer Apokalypsen aus. Das Offenbarungsverständnis des Textes ist sehr eng verwandt mit dem von 1 Kor 13, 2: "Und wenn ich die Prophetie besitze und alle Geheimnisse kenne und alle Erkenntnis."[68]

In der Einleitung zu diesem Katalog 10, 10f verlagert sich der Akzent von allgemeinen Israelprädikationen: "Heilige des Bundes"; "im Gesetz belehrt"[69] zunächst auf die Betonung charismatisch-eschatologischer Weisheit und Einsicht: "die einsichtigen Weisen *(mśkjlj bjnh)*",[70] dann auf die Beschreibung des Offenbarungsempfangs. Dabei gehören die beiden zweihebigen Zeilen:

"die die Stimme des Geehrten hören
und die heiligen Engel schauen" (11bc)

eng zusammen. "Hören" und "Schauen" stehen parallel. Die "Stimme des Geehrten" wie die "heiligen Engel" sind Quellen des Offenbarungswissens. Beide gehören in den Bereich apokalyptischer Vorstellung und Erfahrung von Offenbarung. Sie begegnen sowohl getrennt wie alternierend. Visionäre Erlebnisse sind im biblisch-jüdischen Traditionsbereich häufig mit Hörerfahrungen verbunden. Bei der Beschreibung dieser Erlebnisse führt gewöhnlich die optische Terminologie. An unserer Stelle jedoch scheint das "Sehen der heiligen Engel" die Voraussetzung dafür zu sein, daß die Seher "Unergründliches hören". Infolge dieser wechselseitigen Verflechtungen läßt sich das "Schauen der heiligen Engel" nur soweit und sofern erschließen, als man den ganzen Zusammenhang erschließt.

---

[67] Von dieser Verwandtschaft kann man sich durch vergleichende Lektüre überzeugen; s. auch die Hinweise auf 1QH 1 bei Yadin, The Scroll of the War 305f.
[68] S. oben S. 159; dort auch apokalyptische Parallelen.
[69] Ohne Parallelen in den Qumranschriften und im spätjüdischen Schrifttum.
[70] Vgl. Dan 9, 22; 11, 33; 12, 10; 1QS 4, 3; 1QHf 18, 3.

II. Kommentar

1. "Die die Stimme des Geehrten hören"

Eine ähnliche Wendung begegnet 1QH f12, 5 (statt *šwmʿj* aber *lhʾzjn*). Der dortige Kontext ist aber so zerstört, daß die genaue Bedeutung dort kaum festgestellt werden kann. Die Kommentare verweisen außerdem auf Dt 5, 23—26; 4, 12:[71] die Stimme Gottes am Sinai. Da der Kontext jedoch auf ein gegenwärtiges Hören zielt, ist wohl kaum an die Donnerstimme der Sinaitradition gedacht. Nähere Beziehungen bestehen zum Hören der Stimme Gottes in den prophetischen Berufungsvisionen (Jes 6, 8; Ez 1, 18 vgl. 10, 5b) und in der apokalyptischen Tradition.[72]

GriechHen 13, 8: "Siehe, da überkamen mich Träume, und Gesichte überfielen mich; ich sah Gesichte eines Strafgerichts, und eine Stimme drang zu mir und rief, daß ich es den Söhnen des Himmels anzeigen und sie schelten solle"; vgl. 65, 4.

Dan 4, 28.

SyrBar 13, 1f: "Darnach stand ich, Baruch, auf dem Berge Zion; und siehe, eine Stimme kam aus den (Himmels-)Höhen und sagte zu mir: Stelle dich auf deine Füße, Baruch, und höre das Wort des allmächtigen Gottes." Es handelt sich um die Einleitung eines Offenbarungsgesprächs, das bis 20, 6 reicht. Zum Subjekt der Stimme vgl. 15, 1; 17, 1: "Da antwortete der Herr und sprach zu mir;" 16, 1: "Da antwortete ich und sprach: 'O Herr, mein Gott';" vgl. ferner 23, 1; 28, 6; 22, 1 (Ende dieses Offenbarungsgesprächs 30, 5).

4 Esr 6, 13—29.

Im Neuen Testament: Apg 10, 10—16 (eine ekstatisch-visionäre Erfahrung des Petrus, bei welcher ihn eine Stimme anspricht; er antwortet: Nicht doch, *Herr*); Offb 10, 4: Da hörte ich eine Stimme aus dem Himmel (beachte 10, 5: "der Engel, den ich sah"!). 8 (10, 9: "und ich ging zu dem Engel"); 11, 12; 14, 13; christologisch: 1, 10—12; 4, 1.

In den apokalyptischen Texten wird Gott immer als Urheber der Stimme vorausgesetzt und erkennbar. Daß sie dennoch nicht direkt als "Stimme Gottes" bezeichnet wird, hängt mit der steigenden Betonung der Transzendenz Gottes im Judentum zusammen. Vielleicht besteht auch ein Zusammenhang zwischen der Wendung "Stimme des Geehrten"[73] und dieser Tendenz. Die rabbinische *bt qwl* bildet den Schluß dieser Entwicklung. Die mit ihr verbundene Abschwächung und Abwertung des neuen Redens Gottes darf aber nicht schon in die frühen Texte zurückgetragen werden.[74]

Dem verwandten Stoff nach gehört auch Jo 12, 28f in diese Tradition: "Da kam eine Stimme vom Himmel: Ich habe verherrlicht und werde wieder verherrlichen. Da meinte die Volksmenge, die umherstand und es hörte, es habe gedonnert. Andere sagten: Ein Engel hat mit ihm geredet." Die drei Alternativen: Himmelsstimme (= Stimme

---

[71] Yadin, The Scroll of the War 306; van der Ploeg, Le rouleau de la guerre 137, verweist auf Ex 20, 19 ("Aber Gott soll mit uns nicht reden, sonst müßten wir sterben").

[72] Vgl. Betz, ThW IX 277. 279f.

[73] Vgl. zu diesem Gottesprädikat Mk 14, 61; aethHen 77, 1; Billerbeck II 51.

[74] Vgl. Betz, ThW IX 281—283; Bousset 318.

Gottes), Donner und Stimme eines Engels liegen tatsächlich sehr eng beieinander.[75] Jede dieser Offenbarungsformen unterstreicht die charismatische und eschatologische Qualität Jesu. Vielleicht kann man auch sagen, daß sich in diesen drei Alternativen geläufige apokalyptische Deutungsvarianten für außergewöhnliche Hörerfahrungen niedergeschlagen haben.

2. "Und die heiligen Engel schauen"

Die Aussage vom Schauen der Engel ist in den Qumranschriften einmalig. Sie ergänzt die häufigeren Aussagen von der Gemeinschaft, welche die Qumrangruppe mit den Engeln hat,[76] z. B.: 1QM 7, 6 (die Engel streiten mit im heiligen Krieg); 1QSa 2, 8f (Anwesenheit der Engel bei der Gemeindeversammlung). Jedoch dürfte nicht an ein bloßes visuelles Erfahren dieser Gemeinschaft gedacht sein, und auch nicht primär daran, daß die Gemeinde bestimmte Engel bei ihren kosmischen Funktionen sieht, wie man vielleicht aus 10, 11f vor dem Hintergrund der apokalyptischen Schilderungen vermuten könnte: "... die Herrscher der Lichter und die Last der Geister und die Herrschaft der Heiligen" (vgl. 1QH 1, 10–12). Der Kontext läßt vielmehr an das Sehen von Engeln als Offenbarungsmittlern denken.

Die Qumrangemeinde[77] hat Gemeinschaft mit den Engeln als "Geistern des Wissens" (1QH 3, 22f; 11, 13f; f10, 6), und diese teilen ihr Wissen mit: "Heer der Erkenntnis, zu erzählen dem Fleische die Machttaten und gültige Gesetze dem Weibgeborenen" (1QH 18, 23); "Deuter der Erkenntnis mit jedem seiner

---

[75] Zur Beziehung zwischen "Stimme Gottes" und "Donner" s. Betz, ThW IX 276—279. Ebd. 292 übergeht B. allerdings in kaum begreiflicher Weise diese religionsgeschichtlichen Bezüge, wenn er zu Jo 12, 28—30 schreibt: "Hier zeigt der Evangelist, daß das unvermittelte Reden Gottes vom Himmel her am Unvermögen der menschlichen Hörer scheitert. Die Anschauung von der Himmelsstimme wird somit abgelehnt u mit ihr auch die jüdische Spekulation über den Empfang der Gottesstimme am Sinai". Vgl. dagegen den Wortlaut Jo 12, 28: *elthen oun phone ek tou ouranou,* 30: *ou di' eme e phone aute gegonen.* Das "unvermittelte Reden Gottes vom Himmel her" geschieht in der mehrdeutigen Form einer Himmelsstimme. Apg 9, 7; 22, 9; 26, 13f wird das Erlebnis des Paulus und seiner Begleiter je verschieden dargestellt, ohne daß man daraus theologische Schlüsse ziehen dürfte; vgl. auch Dan 10, 7 und Apg 23, 9 (Vermutung der Pharisäer über die Christophanie des Paulus): *ei de pneuma elalesen auto e angelos.* — Wann wird man endlich aufhören, hinter jedem neutestamentlichen Satz eine Verwerfung und Übertrumpfung jüdischer Lehren zu postulieren?

[76] Stellen und Versuch einer Klassifizierung bei Kuhn, Enderwartung und gegenwärtiges Heil 66—73.

[77] S. zum Folgenden oben S. 70—72. Zum Wissen der Engel vgl. auch 11QPs[a] 26, 12 (Sanders, Psalms Scroll 90): "Als alle seine Engel es (das Wirken des Schöpfers) gesehen hatten, sangen sie laut, denn er ließ sie sehen, was sie nicht kannten"; 1QH 13, 11: "sie erzählen deine Ehre in all deiner Herrschaft, denn du hast sie sehen lassen, was nicht [...]".

Schritte" (f2, 6). Außerdem wirken sie als "Zurechtweiser" (1QM 6, 4; 1QH f2, 6f) für die Frommen. Diese Gemeinschaft mit den Engeln ist, wie unser Text bezeugt, ganz real erlebt, ja "gesehen" worden.

Die nächsten Analogien finden sich wieder in der alttestamentlichen Prophetie, in der Apokalyptik und im Neuen Testament:[78]

Ez 40, 3; Sach 1, 9; 2, 2. 7; Dan 4, 10. 20; 7, 16; 8, 15—19; 9, 21 ("da eilte der Mann Gabriel heran, den ich früher im Gesicht gesehen hatte"); 10, 5—9 (7f: ausführliche Beschreibung der Erscheinung / *mr'h* des Engels); 12, 5ff.[79]

AethHen 1, 2; 40, 2. 8[80]; 4 Esr 4, 1; 5, 15 ("Aber der Engel, der mir erschienen war, der mit mir sprach")[81]; syrBar 6, 4—7; 55, 3; 63, 6[82].

Lk 1, 11. 26. 28; 2, 9; 24, 23; Jo 1, 51; 20, 12; Apg 10, 3; 12, 7; 27, 23; Offb 5, 2; 7, 1f; 8, 2 und passim. In näherer Beziehung zu diesem Anschauungskreis dürften auch Mk 1, 13 (christologisch) und 1 Kor 11, 10 stehen; vgl. auch Gal 1, 8.

3. "Deren Ohr geöffnet ist"

Die Wendung "das Ohr entblößen" wird im Alten Testament immer als die Ermöglichung oder als der Anfang von Mitteilung verstanden (1 Sam 20, 2. 13; 22, 8. 17; Rut 4, 4); mitunter ist Gott der Handelnde (1 Sam 9, 15; 2 Sam 7, 27; 1 Chr 17, 25). Im Buch Hiob öffnet Gott den Menschen das Ohr für "Ermahnung"/*mwsr* (36, 10; vgl. 36, 15); 33, 16 geschieht dies im Zusammenhang mit Traum und nächtlichen Gesichten.

In Hodajoth aus Qumran wird bekannt, daß Gott das Ohr der Beter "aufgedeckt" hat (1QH 18, 4; f4, 7. 12; 5, 10). Der Kontext läßt zuweilen ((f4, 12; 5, 10) erkennen, daß dieses Handeln Gottes im Zusammenhang der Übermittlung von Offenbarungswissen steht: "für wunderbare Geheimnisse" (1QH 1, 21; vgl. f4, 12; 5, 10f) oder ähnlich wie im Buche Hiob für die Ermahnung (1QH 6, 4; in der Gemeinde oder durch Engel?).

Von diesen Beispielen steht 1QH 1, 21 wegen des näheren und des entfernteren Kontextes unserer Stelle am nächsten. Jedoch muß ein wichtiger Unterschied beachtet werden. Die Formulierung im Partizip Pual ist einmalig, ebenso der Gebrauch der Formel zur Charakterisierung von Menschen. In dieser Hinsicht kommt ihr die Wendung "geöffneten Auges" / *glwj 'jnjm* Num 24, 4. 16 aus der Einleitung zum dritten und vierten Bileamspruch am nächsten.[83] Zwischen der Vorstellung des Sehers Bileam und der Vorstellung der charismatisch

---

[78] Yadin, The Scroll of the War 306, summarisch: privilege of the elect often alluded to in the Pseudepigrapha"; van der Ploeg, Le rouleau de la guerre 137, verweist eigenartigerweise nur auf Jos 5, 3 und ("Surtout") auf die Engelerscheinungen in 2 Makk; aber diese haben wirklich einen ganz anderen Charakter (Engelepiphanien!).

[79] Zu Dan vgl. oben S. 52f.

[80] Vgl. oben S. 77—80.

[81] Vgl. oben S. 92f.

[82] Vgl. oben S. 92f.

[83] Ges-Buhl 139 s. v. *glh* behandelt Num 24, 4. 16 unter dem Piel (!); vgl. Num 22, 31; Ps 119, 18.

begabten Qumrangruppe in 1QM 10, 10f besteht zumindest eine stilistische, wenn nicht sogar eine traditionsgeschichtliche Verwandtschaft:

"Spruch dessen, der Gottesworte hört,
des Allerhöchsten Gedanken kennt
der Gesichte des Allmächtigen schaut,
niedergefallen, entschleierten Auges" (Num 24, 16; vgl. 4).

Die Einleitung des aethHen bezeugt den Einfluß dieses Schemas in apokalyptischen Kreisen:

"Und Henoch hob an ⟨seinen Spruch⟩ und sprach,
ein gerechter Mann,
dem die Augen von Gott geöffnet waren,
daß er das Gesicht des Heiligen in den Himmeln sah,
welches mir die Engel zeigten;
und von ihnen hörte ich alles
und verstand, was ich sah,
doch nicht für dieses Geschlecht,
sondern für das künftige, ferne" (aethHen 1, 2)[84].

In 1QM 10, 10f ist zwar gegenüber diesen beiden Beispielen eine Verlagerung des Akzents zum "Hören" hin konstatierbar. Wichtiger ist, daß hier außerhalb der literarischen Gattung "Apokalypse" in einem bekenntnishaften Hymnus gleiche Erfahrungsstrukturen greifbar werden wie in den Apokalypsen. Der Vergleich mit Num 24, 4. 16; aethHen 1, 2 erlaubt darüber hinaus die Vermutung, daß auf beiden Seiten, in den Apokalypsen wie im Hymnus, ein gemeinsames Schema abgewandelt wird.[85]

4. "Und die Unergründliches *('mwqwt)* hören"

Der Begriff "Tiefe" bzw. "tief" wird in der Weisheitsliteratur und vor allem in der Apokalyptik metaphorisch gebraucht. Mit "Tiefe" wird das Unerforschliche (Spr 25, 2; Koh 7, 24; Ps 64, 7; 4 Esr 13, 52) bezeichnet. Sie ist ein Bild für die Unerfaßbarkeit und Unermeßlichkeit Gottes (Hiob 11, 8; 4 Esr 4, 7f; syrBar 54, 3). Seine Gedanken (Ps 92, 6; syrBar 54, 12; vgl. Röm 11, 33; 1 Kor 2, 10), seine Wege (syrBar 14, 8), seine Geheimnisse (1QS 11, 19; aethHen 63, 3) sind tief. Er allein kann Tiefes, Verborgenes, Dunkles enthüllen (Hiob 12, 22; Dan 2, 22.)[86]

In 1QM 10, 11 meint "Unergründliches" bzw. "Tiefes" die von Gott der Gruppe mitgeteilten Geheimnisse. Der folgende Katalog (10, 11—15) steht repräsentativ für diese. Der erste Zweck der Wendung "die Unergründliches hören" ist indes die Charakterisierung der Gruppe selber, bzw. der ihr zuteil ge-

[84] Übersetzung nach Flemming; vgl. oben S. 79—81.

[85] Vgl. das Verhältnis zwischen der Beschreibung der Verkündigung von Geheimnissen 1 Kor 2, 6—16 und der Verkündigung eines Geheimnisses Röm 11, 26—30. Umgekehrt ist dann auch ein Rückschluß von einer literarischen Apokalypse wie Offb auf urchristliche Prophetie hin legitim.

[86] Vgl. oben S. 46f.

wordenen Auszeichnung. Die nächstverwandten Stellen Dan 2, 22; Ps 92, 6; aethHen 63, 3; 1QS 11, 19; syrBar 14, 8; 54, 12; Röm 11, 33 setzen zwar auch voraus, daß der Mensch durch Nachdenken (Ps 92, 6) oder durch Offenbarung (die übrigen Stellen!) Einsicht in die "Tiefe" des göttlichen Planens und Wissens gewonnen hat, aber sie sprechen alle in der Form des bekennenden Lobpreises von dieser "Tiefe", wie es auch ihren Gattungen entspricht.

Der Gattung von 1QM 10, 10f, der Selbstvorstellung der Gruppe, entspricht dagegen die Form der Selbstprädikation, die ihre nächsten Analogien in den Einleitungen der Bileamsprüche und des aethHen hat.[87] Wenn dabei solch enge Beziehungen zu visionären apokalyptischen Texten auftreten, wird man sowohl 1QM 10, 10—16 wie die apokalyptischen Texte nicht rein literarisch verstehen dürfen, sondern sie bestimmten, in beiden Textbereichen gleichmäßig bezeugten Erfahrungen zuordnen müssen. Ähnlich wäre im Neuen Testament auch das Verhältnis von Röm 11, 33: "O Tiefe des Reichtums, der Weisheit und der Erkenntnis Gottes" (bekennender Lobpreis) zu 1 Kor 2, 10 zu bestimmen: "uns nämlich hat es Gott durch den Geist offenbar gemacht. Denn der Geist erforscht alles, auch die Tiefen Gottes" (Beschreibung der der Gemeinde geschenkten charismatischen Erkenntnis).

III. Das Verhältnis von apokalyptischer Erfahrung zu apokalyptischem Wissen

Es ist mehr oder weniger einem Zufall zu verdanken, daß der Text 1QM 10, 10—16 gebildet wurde und in der Kriegsrolle erhalten geblieben ist. Wenn sich schon bei der Untersuchung der literarischen Apokalypsen die Forderung aufdrängte, zwischen der apokalyptischen Erfahrung und den literarischen Problemen der Apokalypsen wie der Pseudonymität und ihrem literarischen Aufbau zu unterscheiden,[88] so wird diese Forderung durch unseren Text unausweichlich. Gesetzt den Fall, es gab in der Qumrangruppe die von 1QM 10, 10f beanspruchte ekstatisch-visionäre und auditionäre Erfahrung, was bedeutet dann das Fehlen von Visions- und Auditionsberichten in den Qumranschriften? Daß der Inhalt dieser Erfahrungen sogleich in Lehre umgesetzt oder als Wissen / *d't* behandelt wird wie im Katalog 1QM 10, 11—16, in 1QH 1, 5—21, in 1QS 11, 3—22? Auch dazu gibt es parallele Tendenzen in den literarischen Apokalypsen.[89] Wahrscheinlich hängt auch die Verborgenheit der urchristlichen Prophetie mit solchen Vorgängen zusammen. Es wäre daher einer eigenen Untersuchung wert, über welche Inhalte man Gewißheit in apokalyptischer Erfahrung fand.

---

[87] S. oben S. 79—81.

[88] S. oben S. 89f. 97. 119.

[89] Vgl. das Verhältnis der apokalyptischen Erkenntnis zur "Weisheit" in aethHen, 4 Esra, syrBar und das Zurücktreten des visionären Elements im ersten Teil des 4 Esra.

IV. Die Träger der apokalyptischen Erfahrung

Wenn nun 1QM 10, 10f als Zeugnis für ekstatisch-visionäre und auditionäre Erfahrungen in der Qumrangruppe zu betrachten ist, muß man schließlich noch nach den Trägern solcher Erfahrungen fragen. Der Text beansprucht diese außerordentlichen Fähigkeiten für die ganze Gruppe, für das "Volk der Heiligen des Bundes". Das bedeutet, daß diese Erfahrungen auf jeden Fall für das Selbstverständnis der Gruppe kennzeichnend gewesen sind und als Merkmale ihrer Erwählung angesehen wurden. Nichtsdestoweniger werden diese Erfahrungen in der Regel auf eine kleinere Gruppe besonders begabter Persönlichkeiten beschränkt gewesen sein. Wenn man dennoch solche Aussagen von der ganzen Gruppe machte, ist das ein Zeichen, wie bedeutsam dieser Zug für das Erwählungsbewußtsein der Gruppe war.

Eine ähnliche Struktur weisen die neutestamentlichen Aussagen über Pneumatiker und Propheten auf. Grundsätzlich sind alle Christen Pneumatiker: 1 Kor 2, 6—3, 3; 14, 1. 5. 12. 23f. 26 *(ekastos);* Apg 2, 16—18 (Sinn des Zitats aus Joel 3, 1—2: allgemeine Geistausgießung bewirkt allgemeine Prophetie); 10, 46 (Haus des Kornelius); 19, 6 (Johannesjünger in Ephesus). Andererseits begegnet in historisch auswertbaren Texten immer nur eine eng begrenzte Gruppe von Propheten: 1 Kor 12, 28f; 14, 29.[90] 37; Apg 11, 27 (Propheten ziehen von Jerusalem nach Antiochien); 13, 1 (Propheten und Lehrer in Antiochien); 15, 32 (Judas und Silas); 21, 9 (die vier Töchter des Philippus); 21, 10 (Agabus).

§ 74 Visionäres "Sehen" in den neutestamentlichen Schriften außerhalb der Paulusbriefe

I. Vorbemerkungen

1. Geschichtliche Wirklichkeit und literarische Bezeugung

Das visionäre Sehen hatte in urchristlicher Zeit eine weitere Verbreitung und eine größere Bedeutung, als es der literarische Befund in den neutestamentlichen Schriften auf den ersten Blick vermuten läßt.[91] Das Neue Testament bietet hier wie in anderen Fällen kein maßgerechtes Bild des urchristlichen Lebens. Das hängt unter anderem damit zusammen, daß die Verschriftung visionärer und prophetischer Erfahrungen in neutestamentlicher Zeit nicht die Regel, sondern die Ausnahme darstellt. Man vergleiche nur die Zurückhaltung, mit welcher Paulus in 2 Kor 12, 2 auf seine eigenen visionären Erlebnisse zu sprechen

[90] S. unten S. 284f.

[91] Michaelis, ThW V 350—355 beschränkt sich allein auf den literarischen Befund und versucht, diesen durch die von außen her eingetragene Antithese zur "Wortoffenbarung" noch weiter zu reduzieren.

kommt.[92] Die Apostelgeschichte und die Offenbarung des Johannes, die je auf ihre Weise umfangreichsten Dokumentationen des visionären Lebens und Erlebens der frühen Christen, entstammen so erst einer verhältnismäßig späten Zeit. Sie bezeugen aber nicht ein neu in das Christentum eingebrochenes visionäres Element, sondern markieren gerade durch die Verschriftung einen gewissen Abschluß der pneumatischen Frühzeit. Ähnlich wird ja auch niemand von der verhältnismäßig späten schriftlichen Fixierung der Herrenworte aus darauf schließen, daß diese vorher keine Bedeutung in den urchristlichen Gemeinden gehabt hätten.

Aus dieser religionssoziologisch bedingten Tatsache darf man also keine falschen Schlüsse hinsichtlich der urchristlichen Prophetie und Apokalyptik ziehen und einen scharfen Gegensatz zwischen Prophetie und Apokalyptik konstruieren, wie es Ph. Vielhauer[93] mit großem Scharfsinn unternimmt: "Aber die Propheten waren nicht hauptberuflich Apokalyptiker, sondern charismatische Leiter der Gemeinden, und der Seher Johannes hat die Apk. nicht in seiner Eigenschaft als Prophet verfaßt — denn die anderen von ihm erwähnten Propheten schreiben keine derartigen Bücher —, sondern auf den direkten Befehl des Erhöhten." Mit dem gleichen Recht könnte man behaupten, Paulus habe seine Briefe nicht in seiner Eigenschaft als Apostel geschrieben, da die anderen Apostel auch keine Briefe schreiben.

2. Visionäre Terminologie und visionäre Erfahrung

Terminologisch läßt sich das "Sehen" des Auferstandenen in den Ostererfahrungen nicht vom visionär-ekstatischen Sehen sondern, das uns sonst in den neutestamentlichen Schriften begegnet.[94] Da die Ostererfahrungen aber durch ihren Inhalt und durch ihre Funktion eine in den neutestamentlichen Schriften selbst erkennbare Sonderstellung einnehmen,[95] brauchen sie im folgenden Überblick nicht berücksichtigt zu werden. Dagegen können die Traumerfahrungen aus sachlichen und terminologischen Gründen mitbehandelt werden.[96]

Bei manchen Erlebnissen, vor allem bei einigen Engelerscheinungen, wird aus den Texten selber nicht deutlich, ob von visionärem oder von wirklichem Sehen gesprochen wird.[97] Diese Unschärfe ist durch die Struktur solcher Erfahrungen,

---

[92] S. dazu unten S. 220—223

[93] In: Hennecke-Schneemelcher II 426f.

[94] Vgl. Lindblom, Gesichte und Offenbarungen 84—89. 101—113; Graß, Ostergeschehen und Osterberichte 186—189. 196.

[95] Vgl. Graß, Ostergeschehen 226—232.

[96] Vgl. Lindblom, Gesichte 25—31; ebd. 32f zur Verwandtschaft von Visionen und Träumen! vgl. auch oben S. 46. 52. 173f. 189—191.

[97] Lindblom, Gesichte 69—77, unterscheidet zwischen Angelophanien (in Träumen oder Visionen) und (real vorgestellten) Engelepiphanien.

durch das damalige Weltbild[98] und durch die literarische Eigenart der betreffenden Schriften bedingt.[99] In der Apostelgeschichte und in den synoptischen Evangelien handelt es sich um durch Tradition und literarische Kunst gestaltete Fremdberichte.[100] Die Offenbarung folgt wenigstens teilweise den Gesetzmäßigkeiten der visionären Rahmengattung.

Diese Gesichtspunkte dürfen bei der Auswertung der visionären Terminologie im Neuen Testament nicht übergangen werden. Nur selten wird im Neuen Testament in einer solchen Direktheit von visionärem Sehen gesprochen wie in 1 Kor 13, 12a.

II. Die visionäre Terminologie

Die nachfolgende Übersicht ist um die Belege aus dem Hirten des Hermas erweitert. Sie belegt, daß die oben[101] ganz allgemein für das Verhältnis von *orao* und *blepo* im neutestamentlichen Griechisch getroffenen Feststellungen im verstärkten Maße für den visionären Bereich gelten. Wenn überhaupt präsentische Aussagen über visionäres Sehen gemacht werden, dann geschieht das im Neuen Testament nie mit Hilfe der Vokabel *orao,* sondern mit Hilfe von *blepo* und *theoreo.*

	theoreo	*blepo*	*orao*	*opsomai*	*eidon*	*eoraka*	*ophthen*
Mt					1		
Lk	1 (?)				1	2	2
Apg	3	1		1 (Zitat)	9	1	5
Offb		3 + 1			55		3
Pl		1					
Herm		47[102]	2	2	ca. 50	10	6

Der hohe Anteil von *blepo* im Hirten des Hermas beruht auf der lebhaften schlichten Erzählweise *(blepo* als historisches Präsens z. B. Vis I, 1; II,1; III, 1; III, 10; IV, 1) und auf den zahlreichen Dialogen mit den Offenbarungsmittlern (z. B.: Vis III, 2; III, 3; III, 8; Sim II). Der Befund in Herm zeigt, daß die schon in LXX erkennbare Tendenz des Eindringens von *blepo* in den Bereich des visionären Sehens bis zur fast völligen Verdrängung von *orao* führte. *orao* steht nur zweimal im Dialog mit

[98] Vgl. die Erwägung Apg 12, 9: "und er wußte nicht, daß Wirklichkeit *(alethes)* war, was durch den Engel geschah; er glaubte vielmehr, daß er eine Vision sehe *(orama blepein)*".

[99] Während das Auftreten der Engel am Grabe Jesu nach Mk 16, 5ff; Mt 28, 2ff; Jo 20, 12f sehr realistisch vorgestellt ist, scheint Lk 24, 23: *optasian angelon eorakenai* das Erlebnis als ein visionäres bezeichnen zu wollen, vgl. Lindblom, Gesichte 75f.

[100] Vgl. außer den Kommentaren Graß, Ostergeschehen 191—223; Lohfink, Paulus vor Damaskus 81—85.

[101] S. 198f.

[102] *blepo* wird außerdem 23mal im Sinne von "achten, einsehen" gebraucht.

dem Offenbarungsmittler: Vis III 2, 4, nachdem bereits das Stichwort *blepo* gefallen ist *(bis)*; und Vis III 8, 9 *(blepo* in gleicher Funktion Vis III 8, 2 *[bis]*; ebd. 1 *idein [bis])*.

Auf diesem Hintergrund verlieren auch die wenigen Belege für visionär gebrauchtes *blepo* aus Offb, Apg und 1 Kor 13, 12 ihren Zufallscharakter. *blepo* ist in 1 Kor 13, 12 geradezu ein durch den Sprachgebrauch der hellenistisch-jüdischen und hellenistisch-judenchristlichen Apokalyptik vorgegebener *terminus technicus* für visionäre Erfahrung.

§ 75 Visionäres *blepein* im Kontext der apokalyptischen Erfahrungen des Paulus (2 Kor 12, 1—7)

Die bisherigen Überlegungen reichen aus, den visionären Charakter des *blepomen* in 1 Kor 13, 12 zu sichern. Da diese Arbeit jedoch nicht nur die Beziehung einiger Stellen aus dem ersten Korintherbrief auf die urchristliche Prophetie erweisen, sondern im Anschluß an die Texte auch ein schärferes Bild der urchristlichen Prophetie gewinnen soll, sei der Versuch unternommen, das Phänomen der apokalyptischen Erfahrung, so wie es uns bei Paulus neben 1 Kor 13, 12 vor allem in 2 Kor 12, 1—7 begegnet, über die Konstatierung eines visionären Elements hinaus zu verfolgen.

I. "Gesichte und Offenbarungen" — der enge Zusammenhang von optasia und apokalypsis

2 Kor 12, 1: *eleusomai de eis optasias kai apokalypseis kyriou* ist die einzige Stelle in den Paulusbriefen, an welcher außer 1 Kor 13, 12 ausdrücklich von visionären Erfahrungen die Rede ist. Durch die Verbindung von *optasia* mit *apokalypsis* und durch den Kontext (Entrückung ins Paradies, "unaussprechliche Worte", "Übermaß der Offenbarungen") bietet die Stelle sich zugleich als paulinischer Einsatzpunkt für die Erhellung der apokalyptischen Erfahrung an. Zunächst sind die beiden Begriffe *optasia* und *apokalypsis* je für sich und in ihrem Verhältnis zueinander zu beschreiben.

1. *optasia*

optasia[103] steht in der griechischen Bibel für hebr. *mr'h* in den Bedeutungen "Aussehen, Erscheinung" (Esth 4, 17; Sir 43, 2; Mal 3, 2) und "Gesicht, Vision" (Dan *Th* 9, 23; 10, 1. 7. 8. 16; Ez *ThAS* 1, 1; Gen *S* 22, 2).[104] Andere in unserem Zusammenhang relevante Übersetzungen von *mr'h* in der griechischen Bibel sind *orama* (z. B. Num 12, 6) — auch außerbiblisch term. techn. für "Vision"[105] — und *orasis*.[106]

[103] Außerbiblisch kaum belegt; vgl. Michaelis, ThW V 373; Bauer 1142; Liddell-Scott 1242; Moult-Mill (454) verzeichnet das Wort überhaupt nicht.

[104] Vgl. Lindblom, Gesichte 46f.

[105] Vgl. Michaelis, ThW V 372f.

Es handelt sich praktisch um Übersetzungsvarianten.[107] In den neutestamentlichen Schriften und Herm verteilen sich die Belege für diese drei Worte wie folgt:

	optasia	*orama*	*orasis*
Mt		1	
Lk	2		
Apg	(1)	11	1
Pl	1		
Herm		5	15

Bei der Beschreibung ekstatischer Erfahrungen haben gewöhnlich die visionären Erfahrungen die Führung, ohne daß hierdurch Hörerfahrungen ausgeschlossen sind. So gibt es im Alten Testament keinen *terminus technicus* für Auditionen.[108] *mr'h, hzwn* und andere Worte decken auch diesen Bereich.[109] Die LXX gibt sogar hebräisches *maśśā'* "Ausspruch" an einigen Stellen (Jes 15, 1; 21, 1. 11; 22, 1; 23, 1) mit *orama* wieder. Wenn ekstatische prophetische Erfahrung beschrieben werden soll, bieten sich also zunächst Ausdrücke des Sehens an.[110] Das ist auch in 1 Kor 13, 12 und 2 Kor 12, 1 der Fall.

2. *apokalypsis*

apokalypsis bezeichnet erst vom neutestamentlichen Griechisch an eine "Offenbarung besonderer Art, durch Visionen usw.".[111] Der Gebrauch des Verbums *apokalypto* in Dan (2, 19. 22. 28. 29. 30. 47; 10, 1) stellt eine gewisse Vorstufe dafür dar.[112] Während die verbale Aussage in Dan angibt, was offenbart wird: Geheimnisse (2, 19. 28. 29. 30. 47), verborgene Dinge (2, 22), ein Wort (10, 1), hat sich *apokalypsis* in dieser Bedeutung im neutestamentlichen Griechisch verselbständigt (Gal 2, 2; 2 Kor 12, 7; Eph 3, 3; ebenso *apokalypto* 1 Kor 1, 30). Ein etwa beigefügter Genitiv gibt den Urheber, nicht den Inhalt der Offenbarung an (2 Kor 12, 1; Gal 1, 12; Offb 1,1).[113]

Als solche Inhalte werden in den Paulusbriefen erkennbar: die eschatologischen Heilsgüter und die Geheimnisse Gottes (1 Kor 2, 9—12)[114] und die göttliche Weisung zum zweiten Jerusalembesuch des Paulus (Gal 2, 2). In 2 Kor 12, 1 dürfte, wie der unmit-

[106] Vgl. Michaelis, ThW V 371f.

[107] Vgl. Dan 8, 26 LXX: *orama; Th: orasis;* 10, 1 LXX: *orama; Th: optasia.*

[108] Vgl. Michaelis, ThW V 330.

[109] Zum Verhältnis von Bild und Wort in der prophetischen Erfahrung vgl. Kittel, ThW IV 92f.

[110] Vgl. oben S. 203f; ferner die alten Überschriften über die Prophetenbücher Jes 1, 1; Nah 1, 1; Mich 1, 1; Abd 1, 1; Am 1, 1; auch Dan 10, 1; 1 Sam 3, 1: "Des Herren *Wort* war etwas Seltenes in jenen Tagen. *Gesichte* waren nicht verbreitet"; 3, 15: "er fürchtete sich, das Gesicht mitzuteilen"; Num 24, 4. 16: "Spruch dessen, der Gottesworte hört, des Allerhöchsten Gedanken kennt, der Gesichte des Allmächtigen schaut" (vgl. dazu oben S. 211f).

[111] Bauer 182.

[112] Oepke, ThW III 579; vgl. oben S. 46.

[113] Vgl. Bauer 182; Windisch, 2 Kor 368; Plummer, 2 Kor 338; Michaelis, ThW V 357; Jeremias, ThW V 768.

[114] Vgl. oben S. 138—140. 152.

telbare Kontext (4: die Entrückung in das Paradies und das Hören unaussprechlicher Worte; 7: die Rede vom "Übermaß der Offenbarungen") zeigt, eher an Inhalte der ersten Art gedacht sein.

3. Die Bedeutung der visionären Terminologie bei der Beschreibung apokalyptischer und prophetischer Erfahrung

Wenn in 2 Kor 12, 1 *optasiai* und *apokalypseis* in einem Atemzug nebeneinander genannt werden, dann wohl deshalb, weil Paulus das Gemeinte, die ihm gewährten ekstatischen apokalyptischen Erfahrungen, nach Form und Bedeutung möglichst allgemein charakterisieren wollte.[115] Auch sonst begegnet in apokalyptischem Kontext die Kombination von visionärer Terminologie und *apokalypto/apokalypsis:*

Dan 10, 1 *Th:* "Im dritten Jahr des Königs Cyrus... wurde dem Daniel... ein Wort geoffenbart *(apekalyphthe)* ... Und Einsicht wurde ihm durch eine Vision *(optasia)* geschenkt."

Offb 1, 1f: "Offenbarung *(apokalypsis)* Jesu Christi, die Gott ihm gab, daß er seinen Knechten zeige (*deixai*), was bald geschehen muß, und er zeigte es (*esemainen*), indem er seinen Engel zu seinem Knecht Johannes sandte, der das Wort Gottes und das Zeugnis Jesu Christi bezeugte, alles, was er gesehen hat *(eiden).*"

Herm Vis III 4, 3: "andere sind mehr und besser als du, denen müßten diese Gesichte *(oramata)* eigentlich offenbart werden *(apokalyphthenai).*"

Vis III 10,8: "Kannst du denn noch gewaltigere Offenbarungen *(apokalypseis)* sehen *(idein),* als du gesehen hast *(eorakas).*"

Vis IV 1, 3: "Als ich so einsam dahinwanderte, bat ich den Herrn, die Offenbarungen *(apokalypseis)* und Gesichte *(oramata)* zu vollenden, die er mir durch seine heilige Kirche gezeigt hatte (*edeixen*)."

Vis V Inscr.: S *apokalypsis* GAL *orasis.*[116]

Andererseits kann eine *apokalypsis* auch gehört werden, Herm Vis III 12, 2: *akousantes ten apokalypsin.* Wahrscheinlich handelt es sich hierbei um die mündliche Weitergabe von empfangenen *apokalypseis*; vgl. 1 Kor 14, 6: *laleso en apokalypsei,* 26: *apokalypsin echei,*

Auf die zusammenfassende Überschrift: *optasiai kai apokalypseis* folgt in 2 Kor 12 der Bericht von einer Entrückung in das Paradies.[117]

Von einzelnen Visionen ist nicht die Rede. In 12, 7 werden die gleichen Erfahrungen des Paulus als *yperbole apokalypseon* gekennzeichnet. Die Voran-

---

[115] Windisch, 2 Kor 368: "beinahe synonyme Wendungen"; Lindblom, Gesichte 41: "die Zusammenstellung ist als Hendiadyoin anzusehen".

[116] Vgl. Herm v 3, 1, 2 die Sequenz: *apokalypsin ... optai;* 3, 3, 2f: *apokalypseis... blepeis... ophtheisa;* ferner ebenfalls in v 3 den Wechsel im Gebrauch von *apokalypsis* (1, 2; 3, 2; 10. 6. 7. 8. 9; 12, 2; 13, 4) und *orasis* (1, 1; 10, 3. 4. 5; 11, 2. 4; 12, 1; 13, 1).

[117] Zum visionären Element bei Entrückungen vgl. aethHen 39, 3 (Entrückung). 4. 5. 6. 7; 40, 1 usw. ("Sehen", "Gesichte"); ferner 52, 1; 71, 1. 5; syrBar 2; 3 usw.; slHen 3f; 7; TLevi 2—5; AscJes 6, 11. 15. 16; 7, 1 (das Gesicht des Jesaja). 3ff (Entrückung); 8, 11: "Ich sage dir, Jesaja, daß keiner, der in seinen Leib dieser Welt zurückkehren muß, aufgestiegen ist und gesehen und wahrgenommen hat, was du wahrgenommen hast und was du (noch) sehen sollst."

stellung des Begriffs *optasia* über den ganzen Komplex beweist wieder, daß bei der Beschreibung apokalyptischer, prophetischer Erfahrung visionäre Termini die Führung haben. Das *blepomen* in 1 Kor 13, 12 erweist sich auch von dieser Seite her als sachgemäßes Kennwort für prophetische Erfahrung.

II. Der geheimnisvolle Charakter der apokalyptischen Erfahrungen

Paulus verschweigt in 2 Kor 12, 1—4 mehr, als er berichtet. Dennoch lassen sowohl die Zeitangabe "vor vierzehn Jahren" (12, 2) wie die Auswahl gerade dieses Erlebnisses und dessen Umstände — Entrückung in den dritten Himmel, in das Paradies,[118] das Hören unaussprechlicher Worte — erkennen, daß es sich um eine der höchsten ekstatischen Erfahrungen des Paulus überhaupt gehandelt haben muß. Sie wird auch über das hinausgegangen sein, was Propheten gewöhnlich erleben, da ihr Inhalt nicht für die Weitergabe bestimmt war, sondern aus "unaussprechlichen Worten"[119] bestand, "welche ein Mensch nicht aussprechen darf".

Gerade an diesem Punkt bieten sich indes Analogien aus der apokalyptischen Literatur an, welche einige Einblicke in die apokalyptische und prophetische Erfahrungsstruktur erlauben. Wer es gewohnt ist, im Propheten einzig den inspirierten Verkündiger zu sehen, wird versucht sein, eine dem Propheten allein vorbehaltene Offenbarung als nicht zur Prophetie gehörig auszuschließen.[120] Wir begegnen aber an mehreren Stellen der apokalyptischen Literatur einem "Überschuß" an nicht ausgewerteter oder nicht auswertbarer prophetischer Erfahrung.[121]

---

[118] Das Verhältnis des "dritten Himmels" zum "Paradies" ist nach 2 Kor 12 nicht genau bestimmbar; vgl. dazu Jeremias, ThW V 768. Wahrscheinlich will Paulus nur von *einer* Entrückung sprechen (nur *eine* Zeitangabe!); vgl. Windisch, 2 Kor 371; Lietzmann, 2 Kor 153.

[119] Zu *arrhetos* vgl. Bauer 217: "1. was nicht ausgesprochen werden kann, weil es sich nicht ausdrücken läßt"; 2. "was nicht ausgesprochen werden darf, weil es heilig ist". Ähnlich Krämer, Zur Wortbedeutung "Mysteria" 125; K. weist darauf hin, daß *arrheta iera* praktisch synonym mit *mysteria* ist. *arrhetos* sei negativ bestimmt und habe die ursprüngliche Funktion von *myo* etc. (den Mund schließen) übernommen. In diesem Sinne wird es von Paulus gebraucht.

[120] Vgl. z. B. das immerhin noch sehr nuancierte Urteil von Haeussermann, Wortempfang und Symbol in der alttestamentlichen Prophetie 115: "Zunächst läßt sich der Unterschied zwischen dem Prophetischen und dem mystischen Erlebnis dahin bestimmen, daß das letztere viel weniger zum gestalteten Wort ausreift als das prophetische. Schon Paulus, bei dem wir eine Fülle scharf zugespitzter Worte finden, die sich nur mit Sprüchen der alttestamentlichen Propheten vergleichen lassen, kennt auch das Gestaltlose des mystischen Erlebnisses."

[121] Lietzmann, 2 Kor 154, übersieht den Unterschied zwischen nur den Sehern vorbehaltenen Offenbarungen und solchen, welche — vielleicht nur einem kleinen Kreise — mitgeteilt werden sollen: "Die Vorstellung, daß die himmlischen Offenbarungen nicht mitgeteilt werden dürfen, findet sich häufig ... Daß es also logischerweise keine

So zum Beispiel in 4 Esr 10, 55f. Esra hat auf dem Felde Ardaf die Offenbarung der Herrlichkeit Zions erfahren. Der Deuteengel erklärt ihm den Sinn der Vision und fordert ihn auf, sich umzusehen: "Du also fürchte dich nicht, und dein Herz erschrecke nicht; sondern gehe hinein und besieh dir die Pracht und Herrlichkeit des Baus, soviel nur deine Augen fassen und schauen können. Darnach wirst du hören, soviel deine Ohren fassen und hören können." Von diesen weiteren Erfahrungen wird in 4 Esr nichts berichtet. GUNKEL[122] bemerkt dazu: "Der Prophet hat also damals noch vielerlei gehört und gesehen, was er nicht mitteilt! Das ist ein Zug, der deutlich zeigt, daß es sich hier um ein wirkliches Erlebnis handelt: zuletzt ist die Vision so herrlich, so überschwenglich geworden, daß jegliche Beschreibung aufhört; vgl. die *arrheta rhemata*, die Paulus in der Verzückung gehört hat, 2 Kor 12, 4."

Zu dieser außergewöhnlichen, die Grenze des Sagbaren überschreitenden Erfahrung des Esra tritt das Wissen, daß sie nur auf Grund besonderer Begnadigung geschenkt wird, daß sie eine Auszeichnung ist: "Denn du bist selig vor vielen und hast vor dem Höchsten einen Namen wie wenige." (10, 57)[123] Damit läßt sich der Kontext in 2 Kor 12 vergleichen. Paulus beruft sich auf die ihm gewährten Offenbarungen, weil er sich rühmen muß (12, 1); er sieht darin zugleich die Gefahr, daß man seine apokalyptische Begabung mehr schätzt als seinen Apostolat (12, 6); er nennt die Begabung "ein Übermaß der Offenbarungen" (12, 7). Auch in 1 Kor 13 wird prophetische Erkenntnis in ihrem Wert für den Propheten betrachtet[124] und zugleich relativiert.

Das Himmlische, das in den Visionen erlebt wird, ist so andersartig, daß es sich nicht in Worte fassen oder in Worten übermitteln läßt, sei es, weil der Seher es als Mensch dieser Zeit nicht behalten kann (Herm; SlHen), sei es, weil es den Auserwählten des kommenden Äons vorbehalten ist[125] (Offb). HermVis I 3, 3 (Die Greisin liest Hermas aus dem Buch in ihrer Hand [2, 2] vor): "Da bekam ich große und wunderbare Dinge zu hören *(ekousa)*, doch konnte ich sie nicht behalten. Denn es waren lauter schreckliche Worte, wie sie kein Mensch zu ertragen vermag *(panta gar ta rhemata ekphrikta, a ou dynatai anthropos bastasai)*. Nur die letzten Worte konnte ich behalten, denn sie waren nützlich für uns und lieblich." Hermas "hört schreck-

---

derartige apokalyptische Literatur geben dürfte, hat die Seher nicht gestört." Zum Phänomen vgl. auch Lindblom, Gesichte 35: "Es kommt allerdings vor, daß die Visionäre ihre Erlebnisse für sich selbst behalten, besonders wenn diese eine Auskunft, eine Botschaft bringen, die nur für ihr persönliches Leben von Bedeutung ist." Vgl. auch das selbstgenügsame Reden der Glossolalen 1 Kor 14, 2. 4. 18 (Paulus selber!) unten S. 228. 235.

[122] In: Kautzsch AP II 390; ähnlich Box, Charles AP II 607f.

[123] S. dazu oben S. 91. 95; vgl. auch aethHen 37, 4.

[124] Vgl. oben S. 149f.

[125] Zur Begrenztheit gegenwärtiger Erkenntnis der eschatologischen Geheimnisse vgl. 4 Esra 4, 11: "Du aber, ein sterblicher Mensch, der im vergänglichen Äon lebt, wie kannst du das Ewige begreifen?"; 4, 27 (über den gegenwärtigen Äon): "Er vermag ja nicht, die Verheißungen, die den Frommen für die Zukunft gemacht sind, zu ertragen; denn dieser Äon ist voller Trauer und Ungemach." Hinter solchen Feststellungen stehen visionäre und mystische Erfahrungen.

liche Worte, wie sie kein Mensch zu ertragen vermag". Paulus "hörte unaussprechliche Worte, welche ein Mensch nicht aussprechen darf". SlHenoch 17 (Rez.A) (Henoch befindet sich im vierten Himmel): "In der Mitte des Himmels sah ich bewaffnete Soldaten, die dem Herrn mit Pauken und Zymbeln fortwährend Lob sangen, mit süßen Stimmen, mit süßen Stimmen und verschiedenartigem Gesang, den man nicht beschreiben kann, und der jedermann in Erstaunen setzt. So wundervoll und staunenswert ist der Gesang dieser Engel. Und ich ergötzte mich am Zuhören."

Offb 14, 2f: "Und ich hörte eine Stimme aus dem Himmel wie die Stimme vieler Wasser und wie die Stimme gewaltigen Donners, und die Stimme, die ich hörte, war wie von Zitherspielern, die auf ihren Zithern spielen. Und sie sangen ein neues Lied vor dem Thron und vor den vier Tieren und vor den Ältesten. Und niemand konnte das Lied lernen, als nur die hundertvierundvierzigtausend, die von der Erde erkauft sind."

Von Erfahrungen oder Worten, welche man nicht wiedergeben kann, weil sie ihrer Art nach von Menschen nicht behalten oder ausgesprochen werden können, ist nur ein kleiner Schritt zu Erfahrungen oder Worten, die wegen ihrer Zugehörigkeit zum göttlichen Bereich auch nicht ausgesprochen oder wiedergegeben werden dürfen:

Offb 10, 3f: "Und (der Engel) schrie mit gewaltiger Stimme, wie ein Löwe brüllt. Und als er schrie, erhoben die sieben Donner ihre Stimmen. Und als die sieben Donner gesprochen hatten, wollte ich schreiben. Und ich hörte eine Stimme vom Himmel, die sprach: Versiegle, was die sieben Donner gesprochen haben und schreibe es nicht!" Das "Versiegeln" von Offenbarungen für die Zukunft ist aus Dan (8, 26; 12, 4. 9)[126] bekannt. Hier ist das Motiv umgeformt zur völligen Geheimhaltung bestimmter nur dem Seher gewährter eschatologischer Offenbarungen.[127]

Tertullian, De exhort cast 10, 5[128]: "Ebenso wird durch die heilige Prophetin Priska verkündigt, daß nur ein heiliger Diener das Heilige verwalten könne. 'Denn Reinheit vereint', sagt sie, 'und sie sehen Visionen, und das Antlitz niederbeugend hören sie auch deutliche Worte, sowohl heilsame als verborgene (etiam voces audiunt manifestas, tam salutares quam et occultas)." Der Text hat eine ähnliche Struktur wie Herm Vis I 3, 3, sofern er zwischen Mitteilbarem[129] und nicht Mitteilbarem unterscheidet. Die Nichtmitteilbarkeit wird aber nicht auf die Unfähigkeit des Sehers, sondern auf die Eigenart der Offenbarung (voces occultae) zurückgeführt. Damit steht er der Aussage von 2 Kor 12, 4 näher. Die nächste Parallele zu 2 Kor 12, 4 stellt Offb 10, 3f mit dem ausdrücklichen Schweigegebot dar. Den visionären Rahmen zu dieser Stelle bietet Offb 4, 1f: Entrückung des Sehers in den Himmel (vgl. 2 Kor 12, 3).

Über den Inhalt dessen, was Paulus im dritten Himmel und im Paradies erfuhr, sah und hörte, kann es nur unsichere Vermutungen geben. Da das Hören von *arrheta rhemata* aber, wie die vorausgehenden Texte zeigen, eine Komponente der apokalyptischen und prophetischen Erfahrung ist, läßt es sich wohl

---

126 Vgl. oben S. 52. 54.

127 Lohmeyer, Offb 85: "Wohl am besten faßt man den Zug als Ausdruck eines prophetischen Bewußtseins. Der Dialog enthält *arrheta rhemata*, von denen auch Paulus sagt, daß sie auszusprechen niemandem gestattet ist."

128 Dieser Text wurde zuerst von Weinel, Die Wirkungen des Geistes und der Geister 163, zu 2 Kor 12, 4 in Beziehung gebracht; zu seiner Bedeutung im Montanismus vgl. Bauer, Rechtgläubigkeit 180; Hennecke-Schneemelcher II 486.

129 Vgl. Herm v 1, 3, 3: *symphora kai emera* mit Tertullian: *voces salutares.*

zu anderen Ausdrücken in Beziehung setzen, welche in den Paulusbriefen das Geheimnisvolle der apokalyptischen Erfahrung andeuten.

Dieser geheimnisvolle Charakter ist in 2 Kor 12, 4 durch die Vokabel *arrhetos* mit ihrer Bedeutungsnuance: "das, was nicht ausgesprochen werden kann, weil es sich nicht ausdrücken läßt" gegeben. In 1 Kor 13, 12 "jetzt sehen wir durch einen Spiegel im Rätsel" wird er von der gesamten prophetischen Erfahrung — von der sagbaren, wie der nicht sagbaren — behauptet. Und zwar impliziert die prophetische Erkenntnis nach 1 Kor 13, 12a immer auch Gotteserkenntnis, wie die Erkenntnis "aller Geheimnisse und aller Erkenntnis" nach 1 Kor 13, 2 die Erkenntnis der Pläne Gottes, seiner Wege und Entscheidungen bedeuten würde.[130] Der gleiche innere Zusammenhang zwischen apokalyptischer Erkenntnis und Gotteserkenntnis wird schließlich in 1 Kor 2, 10 ausgesprochen: "Denn der Geist erforscht alles, auch die Tiefen Gottes."[131] In diesem Zusammenhang zwischen apokalyptischer Erkenntnis und Gotteserkenntnis ist das Geheimnisvolle der apokalyptischen Erkenntnis schließlich begründet.[132]

§ 76 Rückblick auf den 2. Abschnitt: Die Bedeutung von 1 Kor 13 für die Erkenntnis der urchristlichen Prophetie

Im Verlauf der einzelnen Untersuchungen zu 1 Kor 13, 2. 8—12 stellte sich heraus, daß diesem Text eine hervorragende Bedeutung für die Erkenntnis der urchristlichen Prophetie zukommt. Denn in ihm wird nicht über die Bedeutung der Prophetie für die Gemeinde oder über ihre Funktion im Gottesdienst gesprochen, sondern über ihre Bedeutung für den Propheten selber, bzw. über ihre Bedeutung als außergewöhnliche Gabe überhaupt im Vergleich mit anderen Gaben und mit dem Höchstwert, der *agape*, reflektiert. Diese Betrachtungsweise brachte es mit sich, daß Aussagen über die Prophetie als solche gemacht werden mußten.

Zu 13, 2 ergab sich, daß dort von Prophetie primär unter der Rücksicht der prophetischen Erkenntnis und des prophetischen Wissens gesprochen wird. Offenbarung wird als Wissensvermittlung aufgefaßt, wie in der zeitgenössischen jüdischen Apokalyptik und in Qumran. Wie dort läßt sich in der Orientierung der prophetischen Erkenntnis auf das alles umfassende objektive göttliche Wis-

---

[130] S. oben S. 153—156.

[131] Vgl. dazu oben S. 212f.

[132] Ein Analogon bildet die Meidung des Gottesnamens im Judentum. Jos Ant 2, 276 (Bericht über die Offenbarung des Namens Jahwe an Mose): *peri es ou moi themiton eipein;* Philo Mut Nom 14: "So sehr ist das Seiende unaussprechlich *(arrheton)*"; 15: "So untersuche auch nicht, ob das älteste unter den Existierenden unaussprechlich *(arrheton)* ist, wo auch sein Engel (der Logos) nicht mit eigenem Namen aussprechbar ist. Und wenn es unaussprechlich ist, ist es auch unanschaulich und unfaßlich."

sen, auf die "Geheimnisse", ein weisheitlicher Einschlag konstatieren. Durch den Parallelismus zwischen 1 Kor 13, 1a und 2a taucht auch das apokalyptische Motiv der Gemeinschaft mit den Engeln im Zusammenhang mit der urchristlichen Prophetie auf. Wenn dem nicht so wäre, müßte man es wohl auf Grund der weitreichenden Analogien zwischen den apokalyptischen Vorstellungen von Offenbarungswissen und 1 Kor 13, 2 postulieren. So stellt sich die Frage, wieviel die zeitgenössische jüdische Apokalyptik auch ohne direkte Berührung mit neutestamentlichen bzw. paulinischen Aussagen über die urchristlichen Propheten zum Phänomen der urchristlichen Prophetie beigetragen hat und wieweit sie heute zu seiner Rekonstruktion herangezogen werden muß. Doch soll vor einer weiteren Skizzierung dieser Probleme zunächst der Ertrag der zu 1 Kor 13, 12a/b angestellten Untersuchungen skizziert werden.

Der Anschluß von 1 Kor 13, 12a/b an die jüdische Auslegungstradition von Num 12, 6—8 bedeutet zugleich einen Anschluß an die jüdischen Vorstellungen von der prophetischen Erkenntnis in häufig dunklen Träumen und Visionen. Die jüdische Tradition macht wie 1 Kor 13, 12 deutlich, daß es sich bei der prophetischen Erkenntnis nicht um die Erkenntnis beliebiger Inhalte oder beliebiger "Geheimnisse" handelt, sondern daß diese Erkenntnis gerade deshalb so dunkel ist, weil sie in den göttlichen Bereich hineinführt oder aus diesem heraus gewährt wird. 2 Kor 12, 1—7 bestätigt auf seine Weise diese an 1 Kor 13, 12a/b abgelesene Eigenart der prophetischen Erkenntnis. Sowohl in 1 Kor 13, 2. 8—12 wie in 2 Kor 12, 1—7 bedeutet die Gabe der Prophetie eine persönliche Auszeichnung für den Propheten — mit der Gefahr, sie zum Höchstwert zu erheben (1 Kor 13), oder sich ihrer vor den weniger Begabten zu "rühmen" oder sich zu "überheben" (2 Kor 12, 1. 5. 6. 7). Ein solcher Selbstruhm, allerdings in liturgisch gemäßigter, kollektiver Form, ist in 1QM 10, 10f erhalten. Gegen eine weitverbreitete Tendenz in der neueren Theologie und Exegese, die visionäre Komponente der urchristlichen Prophetie zugunsten eines reinen Wortempfangs oder ihrer Verkündigungs- oder sogar Leitungsaufgabe abzuschwächen oder zu eliminieren, zwingen diese Texte im Zusammenhang mit 1 Kor 13, 12a/b dazu, den visionären Charakter der urchristlichen Prophetie mit Nachdruck zu betonen. Für den Palästiner gehören seherische Erfahrung und prophetische Verkündigung zusammen.

Wie bereits oben bemerkt wurde, gibt es zu all dem Parallelen und Analogien in der zeitgenössischen Apokalyptik, vor allem in den literarischen Apokalypsen. Die seherische Begabung gilt als Auszeichnung des Sehers (aethHen) oder Propheten (4 Esra). Der Lehrer der Gerechtigkeit ist "Vermittler des Wissens um wunderbare Geheimnisse" (1QH 2, 13). Während aber die Zeugnisse für aktuelle seherische oder prophetische Erfahrung äußerst spärlich sind, begegnen uns die gleichen Erfahrungen reichlich in den pseudonymen literarischen Apokalypsen. Ein ähnliches Gesetz scheint sich an der neutestamentlichen Überlieferung auszuwirken. Nur äußerst selten wird bei den neutestamentlichen Erwähnungen von Propheten diese seherische Komponente greifbar, während sie in der literarisch durchgestalteten neutestamentlichen Apokalypse, der Offenbarung Johannis, die selbstverständliche Weise prophetischer Erfahrung darstellt. Offensichtlich handelt es sich hier weniger um verschiedene Typen urchristlicher Prophetie als um eine noch ungenügend aufgearbeitete Gattungsproblematik. Prophetische Verkündigung war mündliche Verkündigung. Nur unter besonderen Umständen kommt es zur Verschriftung prophetischer Erfahrung und Verkündigung in literarischen Apokalypsen. Dieser literarische Umsetzungsprozeß ist keineswegs genügend aufgehellt.

Andererseits kann man auf keinen Fall die literarische Apokalypse als die einzig mögliche literarische Gattung ansehen, in welcher sich eine Spur der Verkündigung urchristlicher Propheten erhalten hätte. Die Ausrichtung der Prophetie auf die göttlichen Geheimnisse, die ihr von Paulus zugewiesene dominierende Stellung in der Gemeindeversammlung, das Phänomen jüdischer apokalyptisch-weisheitlicher Lehrtradition, lassen vermuten, daß sich Auswirkungen urchristlicher Prophetie außer in jenen Texten, welche explizit von offenbarten göttlichen Geheimnissen sprechen wie 1 Kor 2, 6—16; 15, 51—58; Röm 11, 25—36, auch in anderen neutestamentlichen Texten oder Passagen aus den Paulusbriefen erhalten haben. Darf man sich zu deren Aufspürung über die inneutestamentliche Evidenz hinaus auch der Topik der jüdischen Apokalyptik bedienen? Theologisch stellt sich noch die bedeutsamere Frage, wo und wie sich das urchristliche, christologische Kerygma und die urchristliche, apokalyptische Prophetie begegnet sind und wie sie in der urchristlichen Theologie verschmolzen sind.

3. Abschnitt: Die Stellung und die Funktion der Prophetie im Gottesdienst nach 1 Kor 14

9. Kapitel: Prophetie und Glossolalie in 1 Kor 14, 1—25

§ 77 Absicht und Aufbau von 1 Kor 14, 1—25

Paulus verfolgt in 1 Kor 14 das Ziel, eine Ordnung des pneumatischen Redens in den korinthischen Gemeindeversammlungen herbeizuführen (26—40). Nach dem Tenor des gesamten Kapitels darf man zwei Gründe für diese Absicht vermuten: einerseits ein vom paulinischen Standpunkt aus für die Gemeinde unnützes, wenn nicht schädliches Überwiegen der Glossolalie in den Gemeindeversammlungen, dann aber auch — dieser Umstand wird häufig übersehen — eine allgemeine Unordnung, die durch ungezügeltes Reden der sich auf ihre Eingebungen berufenden Pneumatiker eingerissen war (vgl. 31—33 von Propheten!).

Da Paulus der Prophetie eindeutig den Vorzug gibt, muß er zunächst den geringeren Wert aufweisen, den die hochgeschätzte Glossolalie für die Gemeindeversammlungen hat, und seine Bevorzugung der Prophetie begründen (1—25). Im ersten Teil des Kapitels kommt also die Prophetie nur um der Glossolalie willen zur Sprache.[1] Für das Verständnis dieses Teils, besonders hinsichtlich der Frage nach der Prophetie, hängt nun Entscheidendes davon ab, wie man die paulinische Argumentation interpretiert. Es handelt sich ja immer wieder um Vergleiche, nie um Aussagen über Prophetie oder Glossolalie an sich.

Läßt sich ohnehin vermuten, daß Prophetie und Glossolalie als zwei Ausdrucksformen der pneumatischen Begabung näher miteinander verwandt sind, als die paulinische Darstellung es auf Grund ihrer Tendenz zu differenzieren auf den ersten Blick erkennen läßt, so wird diese Vermutung durch weitere Beobachtungen am Text von 1 Kor 14 gestützt werden. Von grundlegender Bedeutung ist aber vor allem anderen das Verständnis des Textes selbst. Die Frage nach dem Aufbau und nach den Strukturprinzipien von 1—25 ist unmittelbar relevant für die Frage nach der Prophetie und der Glossolalie. In der exegetischen Literatur gibt es noch sehr verschiedene und zum Teil einander widersprechende Entwürfe zu diesem Abschnitt. Eine neue Analyse des Textes unter formalen und inhaltlichen Gesichtspunkten ist daher für unsere Frage unerläßlich.

Zunächst einige Beobachtungen zur Form. Die häufiger wiederkehrenden Strukturelemente sind ähnlich wie in der Diatribe Aufrufe (1. 12. 20. vgl. 39),

---

[1] Vgl. Greeven, Propheten 3f.

Begründungen (2—5. 14. 21—22), rhetorische Fragen in Form von konditionalen Satzgefügen (6—9. 15. 22—23). Diese Strukturelemente sind nun nicht willkürlich über den Text verteilt, sie stehen vielmehr in drei einigermaßen gleichgebauten Argumentationsgängen oder Argumenten, die jeweils von einem Aufruf eingeleitet werden (1—11. 12—19. 20— 25). Auf den Aufruf folgt eine Begründung, auf diese folgen Beispiele, gewöhnlich in Form von rhetorischen Fragen. Konstatierende Sätze schließen das Argument ab (10—11. 18—19. 25). Unregelmäßigkeiten gegenüber diesem Schema sind der lebhaften Art der Auseinandersetzung zuzuschreiben, so besonders die Form des zweiten Arguments. Paulus scheint dort tatsächlich nach der ersten und umfangreichsten Auseinandersetzung mit der Glossolalie schon die Folgerungen für die Gemeindeversammlungen ziehen zu wollen,[2] kehrt dann aber wieder zum Begründen (14) und Anführen von Beispielen zurück, so daß ein zweites und ein drittes Argument entstehen.

Der sachliche Grund für diese Verlängerung der Argumentation muß im Auftauchen neuer Gesichtspunkte liegen. Nun wird die Glossolalie in 14, 12—19 am verständlichen pneumatischen Beten gemessen, in 14, 20—25 an der positiven, bekehrenden Wirkung des prophetischen "Überführens" auf Ungläubige, also an klar abgegrenzten Bereichen der pneumatischen Rede, die nicht der in V. 29—30 mitgeteilten Regel des *diakrinein* unterliegen. Daraus dürfte sich ergeben, daß die Glossolalie im ersten Argument (V. 1—11) am mehr oder weniger gewöhnlichen Vollzug des prophetischen Redens gemessen wird, an den "Offenbarung" *(apokalypsis)* oder "Prophezeiung" *(propheteia)* genannten Redeformen (vgl. 6. 26), die im wesentlichen ein Verkünden von "Geheimnissen" (14, 2; vgl. 13, 2) gewesen sein dürften. So läßt sich hinter dem Aufbau von 14, 1—25 eine Bezugnahme des Apostels auf bestimmte Formen und Traditionen pneumatischen Betens und prophetischer Rede nachweisen, und damit ist ein fester Ausgangspunkt für die Interpretation von 1 Kor 14 wie für alle weiteren Fragen nach der Prophetie erreicht.

§ 78 Über den Vorzug der prophetischen Verkündigung gegenüber der Glossolalie (zu 14, 1—11)

I. Das Verhältnis von Prophetie und Glossolalie

Paulus gibt von Anfang an unmißverständlich der Prophetie den Vorzug (V. 1. 5a), gleichzeitig fordert er die Korinther aber auch zum eifernden Be-

[2] Vgl. 12: *outos;* 13: *dio ... proseuchesthe.* Dieser Umstand führt zu den Entwürfen von Heinrici, 1 Kor 418. 420 ("14, 12—19. Anwendung der Beispiele"); Weiß 1 Kor 321 ("Das Kapitel ist zwanglos disponiert"). 326 ("Anwendung V. 12—19"); Wendland, 1 Kor 110 ("Die Schlußfolgerung 12—19"); vgl. ferner Maly, Mündige Gemeinde 200f (13—19 "Anwendung").

mühen um pneumatische Gaben schlechthin auf (V. 1a vgl. auch 12),[3] deren Inbegriff, wenigstens für die Korinther, gerade die ekstatische Glossolalie war. Das erhellt aus der mehr oder weniger spontanen Identifizierung von Geistesgaben und Glossolalie, die ihn sogar formulieren läßt: "Ich will, daß ihr alle in Sprachen redet."[4] In diesem Wunsch darf man wohl kaum nur eine Konzession an die korinthische Gemeinde sehen. Paulus macht gegenüber dem korinthischen Verlangen nach Weisheit und gegenüber der Berufung auf Erkenntnis keine solchen Konzessionen (vgl. 14, 3. 18—20 mit 8, 1—3. 7). Vielmehr drückt sich im Wunsch, alle möchten in Sprachen reden, auch die eigene theologische Wertung der ekstatischen Glossolalie als der eschatologischen Geistesgabe aus: der Apostel dankt Gott, daß er mehr in Sprachen redet als alle Korinther (V. 18).

In diesem Zusammenhang ist auch von Bedeutung, daß die Prophetie nirgendwo in den Paulusbriefen durch ein Schriftzitat ausdrücklich als Erfüllung alter Verheißungen für die Heilszeit gewertet wird, wohl aber in V. 21 die Glossolalie.[5] Dieser Umstand mag mit dem situationsbedingten Charakter unserer Überlieferung zusammenhängen. Gleichwohl ist der Wunsch, alle möchten in Sprachen reden, um so bedeutsamer, als Paulus selbst weiß, daß in Wirklichkeit nicht alle diese Geistesgabe besitzen oder besitzen werden. Vielleicht darf man hinter diesem Wunsch ebenfalls eine indirekte Anspielung auf die alttestamentliche Verheißung erblicken, die nach dem damaligen Verständnis für die Endzeit eine allgemeine Begabung mit dem Geist der Prophetie voraussagte. Sicher darf man das "alle" nicht auf die Glossolalie beschränken, es gilt auch für den zweiten Teil des Wunsches: "noch mehr aber (will ich), daß ihr (alle) prophetisch redet."[6]

---

[3] Zur Gleichsetzung der *pneumatika* von 14, 1 mit den *pneumata* von 14, 12 s. oben S. 136; vgl. auch Conzelmann, 1 Kor 279 Anm. 46.

[4] 14, 5a ist gleich 14, 1c. Es handelt sich um eine inclusio, so daß 5a die Entsprechung zu 1b ist und die Glossolalie in 5 die *pneumatika* in 1 vertritt und umgekehrt.

[5] S. unten S. 243f.

[6] Num 11, 29: "Wollte Gott, daß alle im Volke des Herrn Propheten wären, daß der Herr seinen Geist auf sie legte". Nach dem Kontext (24b—31) handelt es sich eindeutig um ekstatisches Prophetentum; vgl. Rendtorff, ThW VI 797: —In Nu 11, 25—27 bezeichnet das *htnb'* als Wirkung der ganz dinglich verstandenen *rwḥ* eine rein ekstatische Erscheinung". Num 11, 25—27 gehört übrigens zur gleichen Traditionsschicht wie Num 12, 6—8; s. oben S. 174 Anm. 13! Der Text wird auch in der rabbinischen Literatur auf die Endzeit bezogen: Midr Ps 14 § 6 (57b) (Billerbeck II 134. 615f), und zwar in Verbindung mit Joel 3, 1: "Und nach diesem wird es geschehen, daß ich meinen Geist ausgieße über alles Fleisch; und eure Söhne und Töchter werden weissagen, eure Greise werden Träume träumen, eure Jünglinge werden Gesichter sehen". Tanch *bh'lwtk* Ende (Billerbeck II 616) = NumR 15 versteht Joel 3, 1 dahin: "In der zukünftigen Welt werden alle Israeliten Propheten sein". In gleichem Sinne Apg 2, 17 zu 2, 4; s. auch den Verdacht der Trunkenheit Apg 2, 13. 15; analog dazu 1 Kor 14, 21. 23: *mainesthe*; s. S. 245. Greeven,

Es ist denkbar, wenn nicht gar wahrscheinlich, daß in den paulinischen Gemeinden die Glossolalie als der Normalfall der endzeitlichen Geistbegabung galt und die Prophetie als Sonderform, während die scharfe Gegenüberstellung beider Phänomene unter eigenen Namen in 1 Kor 12—14 auf die sich in Korinth aus dieser Bewertung ergebenden Probleme und auf die theologische Absicht des Paulus zurückgeht. Das "noch mehr" (V. 1. 5a) bedeutet nur eine pastorale Akzentuierung, keine Rangordnung beider Charismen. Einen Versuch zu einer Rangordnung kann man in V. 5b feststellen: "der prophetisch Redende ist aber größer als der in Sprachen Redende". Allerdings schränkt Paulus diese Behauptung gleich wieder ein: "außer für den Fall, daß er auch übersetze, damit die Gemeinde Erbauung empfange". Das zeigt aber deutlich, daß für Paulus der einzige Nachteil der Glossolalie, der sie für die Gemeindeversammlungen weniger geeignet macht, in ihrer Unverständlichkeit liegt; als pneumatische Gabe schätzt er sie ebenso wie die Prophetie (vgl. 18—19).

Die im ganzen ersten Teil von 1 Kor 14 vorausgesetzte Möglichkeit, daß die Korinther, wenn sie sich entsprechend den Aufforderungen des Apostels mehr um die Gabe der prophetischen Rede als um die der Glossolalie mühen, diese Gabe erhalten und ausüben können, zeigt ebenfalls, wie nahe beide Gaben einander auch rein erfahrungsmäßig gestanden haben müssen.[7] Paulus selber ist ja ein Beispiel dafür, daß beide in einem Träger vereinigt sein können: außerhalb der Gemeindeversammlungen spricht er mehr in Sprachen als alle Korinther (18), in der Gemeinde dagegen kann er unter anderem in der Form der "Offenbarung" oder der "prophetischen Rede" sprechen (6b).[8]

Propheten 8, nimmt dagegen zur Erklärung des Textbefundes eine Entwicklung von einem ursprünglichen Bewußtsein vom allgemeinen Prophetentum aller Gläubigen zu einem fest abgegrenzten Stand von Propheten an. Vgl. auch ebd. 11f, Erwägungen über das Selbstverständnis der urchristlichen Prophetie auf dem Hintergrund der eschatologischen Erwartung des Judentums; zu dieser vgl. auch Bieder, ThW VI 368; Sjöberg, ebd. 383.

[7] Greeven, Propheten 10: "Der pneumatische Charakter der Prophetie tritt durch den Gegensatz zur Glossolalie in 1 Kor 14 bisweilen zurück, wird aber grundsätzlich festgehalten." Friedrich, ThW VI 853: "Prophetie und Zungenrede haben vieles miteinander gemeinsam, weil sie in besonderer Weise vom Geist gewirkt sind. ... Im Gegensatz zur Apostelgeschichte arbeitet Paulus stärker die Verschiedenheit von Prophetie und Glossolalie heraus." Lietzmann, 1 Kor 69: "Von diesem niederen Charisma (sc. der Glossolalie) unterscheidet Paulus scharf die Gabe des Propheten, während Celsus und Irenäus auch die Glossolalie als Tätigkeit des Propheten auffassen." Ähnlich auch Guy, NT Prophecy 91. Haeussermann, Wortempfang und Symbol 104, hält die Glossolalie für "eine in psychologischer Hinsicht mit den im AT (z. B. 1 Sm 10, 10—13; 19, 23f; 1 Kg 18, 29. 46) beschriebenen religiösen Erregungen und Erlebnisweisen des Nabitums verwandte Erscheinung".

[8] Die unterschiedliche Form von Prophetie und Glossolalie ist aber doch in einer unterschiedlichen Funktion begründet. Haeussermann, Wortempfang und Symbol 104, übersieht das nur auf Prophetie bezogene Verfahren der *diakrisis* und die selbständige Stellung der Prophetie gegenüber der Glossolalie in 1 Kor 14, wenn er die Prophetie selbst als "Deutung" der Glossolalie zuordnet.

Der Vorzug der prophetischen Rede gegenüber der Glossolalie bei Gemeindeversammlungen besteht für Paulus in ihrer Verständlichkeit, also in einer Eigenschaft, die sie mit dem normalen menschlichen Sprechen teilt, nicht in einer besonderen pneumatischen Qualität. Die gesamte Argumentation in 14, 1—25 baut auf diesem rational zu erfassenden Unterschied auf, am offensichtlichsten das erste Argument: "Der in Sprachen Redende redet nicht für Menschen, sondern für Gott, denn niemand versteht[9] ihn" (V. 2). Die Beispiele von den ungeschickt gespielten Instrumenten, von der unnütz, weil falsch geblasenen Signaltrompete (V. 7—8), die sarkastische Folgerung: "Ihr werdet ja in den Wind reden" (V. 9) und die ebenso sarkastische wie treffende Anspielung auf die des Griechischen nicht mächtigen, unverständliche Laute von sich gebenden Barbaren:[10] "Wenn ich also um die Bedeutung der Sprache nicht weiß, bin ich für den Redenden ein Barbar und der Redende ist für mich ein Barbar" (V. 11) — all das klingt ausgesprochen profan und hätte sich, wäre es noch vor wenigen Jahren in der katholischen Diskussion um die Liturgiesprache vorgebracht worden,[11] zum mindesten den Vorwurf des Rationalismus, wenn nicht gar den einer Verkennung des Wesens des "Kults" gefallen lassen müssen.

II. "Erbauung"

Die "Erbauung" nicht als Inhalt, sondern als Wirkung[12] der pneumatischen Rede ist ebenfalls nur an die Bedingung der Verständlichkeit gebunden (3), aber keine der prophetischen Rede gegenüber der Glossolalie vorbehaltene Wirkung. Der Glossolale bedarf zu dieser Wirkung allerdings der besonderen Gabe, seine Rede zu übersetzen (5. 12—13) oder eines anderen begabten Übersetzers (27—28). Man darf die "Erbauung" überhaupt nicht zu eng mit einzelnen charismatischen Phänomenen oder mit einem bestimmten Bild von der Gemeinde verknüpfen. Sie steht als Ziel über der gesamten Gemeindeversammlung (V. 26), ja über dem Gemeindeleben insgesamt, indem sie Ordnung fordert,[13] und über dem Verhalten der Christen zueinander in Wort (1 Thess 5, 11) und Tat (Röm 15, 2; 1 Kor 8, 1). Sie ist die allgemeinste pastorale Kategorie und ver-

[9] Zur Übersetzung von *akouo* vgl. Gen LXX 11, 7; 42, 23.

[10] Vgl. Windisch, ThW I 544—549.

[11] Vgl. dazu Schultz, LThK 6, 259f; Dienst, RGG II 1772f; J. C. Hampe, Die Autorität der Freiheit, I, München 1967, 505f. 557f. 1 Kor 14, 16—19 wurde am 23. 10. 1962 von Patriarch Maximos IV. Saigh bei seiner Intervention in der Konzilsaula zitiert (ebd. 510).

[12] Weiß, 1 Kor 322: "er redet ja, bewirkt mit seinen Reden 'Erbauung, Ermahnung, Tröstung'"; ähnlich Allo, 1 Kor 356. Maly, Mündige Gemeinde 199, sieht dagegen in 14, 3 eine inhaltliche Beschreibung der Prophetie: "Ihr Inhalt ist Erbauung, Mahnung und Trost. Die Verständlichkeit der prophetischen Rede wird in allen drei Termini deutlich. Dabei hat *oikodome* den Nutzen der Gemeinde im Blick, während *paraklesis* und *paramythia* dem einzelnen Glied der Gemeinde zugeordnet sind."

[13] Vgl. mit 1 Kor 14, 33a; Röm 14, 19; unten S. 283.

mag gerade deshalb als Klammer für die Ausführungen in 1 Kor 14 zu dienen. Paulus bemüht sich anders als seine modernen Interpreten erstaunlich wenig um eine theologische Darstellung und Wertung des Vorgangs der "Erbauung". So wird auch das Verhalten des Glossolalen, der sich in der Gemeindeversammlung nur selbst "erbaut", weniger getadelt als als unnütz hingestellt (vgl. V. 4 mit V. 6).[14] Die Metapher vom "Bauen" ist in 1 Kor 14 schon so blaß, daß Paulus formulieren kann: "damit die Gemeinde Erbauung empfange" (V. 6).[15] Diese Beobachtungen verbieten es auch, dem Propheten als dem "Verkünder des Gotteswortes" in besonderer Weise das "Bauen der Gemeinde" zuzuschreiben.[16] Die "Erbauung" soll ganz allgemein in der Kraft des Geistes geschehen. Sie ist der "Nutzen" — wieder eine rein pragmatische Kategorie — den die Gemeinde aus der verständlichen pneumatischen Rede zieht (vgl. V. 6). Verständliche pneumatische Rede gleich welcher Art "unterweist", und daher "erbaut" sie auch (vgl. V. 19. 31).

III. "Ermahnung und Ermunterung"

Nachdem "Erbauung" die Wirkung der Rede bezeichnet, ist es kaum möglich, daß mit "Ermahnung und Ermunterung" (V. 3) ihr Inhalt oder ihre Form angezeigt wird, obwohl gerade *parakaleo* schon vom alttestamentlichen Sprachgebrauch her viele Erinnerungen an das Wirken der alten Propheten hervorruft.[17] Für 1 Kor 14 dürfte zunächst einmal gesichert sein, daß "Ermahnung und Ermunterung" in besonderer Weise der prophetischen Rede zugeordnete Wirkungen sind (vgl. V. 31). Andererseits überschreitet Paulus diese für 1 Kor 14 geltende Zuordnung außerhalb unseres Kapitels in alle möglichen Richtungen. Er selber "mahnte und ermunterte" die Thessalonicher wie ein Vater seine

---

[14] Dagegen Michel, ThW V 144: "Erbauung ist also eine geistliche Förderung sowohl der Gemeinde als auch der Einzelnen ... Es ist also falsch, wenn nach 1 K 14, 11 der Zungenredner sich selbst erbaut."

[15] Vgl. Weiß, 1 Kor 323: "Wie abgeschliffen die Metapher *oikod.* ist, sieht man daran, daß sie als ein geistiges Gut 'empfangen werden kann'."

[16] Gegen Michel, ThW V 144. Die Charakterisierung der Propheten als "Verkünder des Gotteswortes" ist vage und irreführend.

[17] *paraklesis* wird mit *parakalontai* 14, 31 noch einmal aufgenommen; *paramythia* hat dagegen keine Entsprechung mehr. 1 Thess 2, 11 und Phil 2, 1 zeigen, daß für Paulus beide Wörter nahe zueinander gehören (vgl. auch 1 Thess 5, 14). Dabei liegt regelmäßig und in unserem Falle auf *paraklesis* das größere Gewicht; das Wort steht an erster Stelle. An sich können beide Wörter die Bedeutung "Trost" haben (2 Kor 1, 3—7; 7, 4. 7. 13), diese scheidet aber wohl schon deshalb aus, weil im Zusammenhang von 1 Kor 14 nichts von einer Bedrängnis oder Trübsal der Hörer des prophetischen Wortes angedeutet wird. Das ist auch gegen den von 1 Kor 14, 3 her gezogenen Vergleich der urchristlichen Propheten mit der exilischen und nachexilischen Auffassung der Propheten als Träger des Gottestrostes zu sagen (Schmitz-Stählin, ThW V 787; Stählin, ebd. 820—822; Friedrich, ThW VI 850). So bleibt für *paraklesis* die Bedeutung "Ermahnung", für *paramythia* die Bedeutung "Ermunterung"

Kinder (1 Thess 2, 11 vgl. Phil 2, 1), durch ihn "mahnt" Gott selber (2 Kor 5, 10 vgl. Röm 12, 1), Gott spendet seine "Ermahnung" oder seinen "Trost" auch durch die Schriften (Röm 15, 4—5). Sein Mitarbeiter Timotheus soll die Gemeinde von Thessalonike "ermahnen" zur Stärkung ihres Glaubens (1 Thess 3, 2), und das ist schließlich auch der Dienst, den die Christen einander leisten sollen (1 Thess 4, 18; 5, 11 neben *oikodomeo)*; nach Röm 12, 8 ist die "Ermahnung" sogar eines der verschiedenen Charismen. Die Stellung des Charismas der "Ermahnung" in Röm 12, 8 nach Prophetie, Diakonie und Lehre und vor dem "Verteilenden", dem "Vorstehenden" und dem "Barmherzigkeit Übenden" wird man, da keine Tendenz hinter dieser Art der Aufreihung und kein Grund für eine absichtliche Trennung von der Prophetie erkennbar ist, ebenfalls dahin verstehen müssen, daß Prophetie und "Ermahnung" als Mahnrede nicht so zusammengehören wie zwei Seiten einer Münze und daß die Mahnrede auf keinen Fall die einzige oder auch nur die wichtigste Form der prophetischen Rede ist. Dieses Ergebnis wird auch durch die Stellung von *parakalontai* nach *manthanosin* in 14, 31 bestätigt. Die prophetische Rede hat im allgemeinen ebensowenig Form und Inhalt der Lehre[18] (V. 7. 26 vgl. 12, 28f) wie Form und Inhalt der "Ermahnung". Paulus achtet vielmehr auch bei *manthanosin* nur auf die Wirkung, die eine verständliche Rede hat (vgl. V. 19).

Es bleibt noch zu fragen, weshalb "Ermahnung und Ermunterung" der prophetischen Rede in besonderer Weise zugeordnete Wirkungen sind. Solche Wirkungen müssen vom Inhalt der Rede ausgelöst werden. 1 Thess 4, 18 steht die Aufforderung: "Daher ermahnt[19] einander mit diesen Worten" nach einem prophetischen Wort über das Geschick der Christen bei den Endereignissen

---

(vgl. Bauer 1225f. 1231). Ein durch die Umstände bedingter Übergang zur Bedeutung "Trost" braucht nicht ausgeschlossen zu werden. Doch ist ein Verständnis der urchristlichen Propheten als "Tröster" sicher ein folgenschweres Mißverständnis. Es dient einer unbewußten Modernisierung der urchristlichen Prophetie. Vgl. Wendland, 1 Kor 109: "Auch auf dem Boden der christlichen Gemeinde hat das prophetische Wort den doppelten Inhalt, daß es Verkündigung des göttlichen Gebots und des göttlichen Trostes für das Volk ist, doch jetzt gebunden an die Erscheinung Christi zum Heil". Weder "Trost" noch "Gebot" sind brauchbare Kategorien zur Erfassung der urchristlichen Prophetie. Eine ähnliche Modernisierung auch bei Greeven, Propheten 11: "Zur Prophetie gehört alle Rede, die den Augenschein, den stummen oder täuschenden Vordergrund durchdringt und die dahinterstehende Gotteswirklichkeit sichtbar macht, sei es im Einzelschicksal, sei es im Weg der ganzen Gemeinde — sei es zurechtweisend, sei es tröstend". Das könnte wahrscheinlich mit mehr Recht vom Apostel gesagt werden.

[18] Zur "Lehre" s. Greeven, Propheten 23—28.

[19] Zur Übersetzung mit "ermahnen" vgl. die Übersicht bei Rigaux, 1 Thess 429—431; in 1 Thess 4, 18 handelt es sich auf keinen Fall um eine "Trostbriefformel", s. Rigaux, 1 Thess 551.

(1 Thess 4, 15—17).[20] Die Worte der Prophetie geben Einsicht in das Kommende, sie überschreiten die gegenwärtige, vom Tod einiger Gemeindeglieder gezeichnete Situation, sie sprechen den Christen neue Hoffnung zu (vgl. 4, 13): ihre entschlafenen Brüder werden am Ende wie sie und mit ihnen für immer beim Herrn sein. Diese Worte bewirken insofern "Ermahnung und Ermunterung", als in ihnen nicht nur Zukünftiges enthüllt wird, sondern diese Offenbarung einer Gemeinde gegeben wird, die in ihrer christlichen Hoffnung getroffen und so in Gefahr war, in unchristliche Trauer zurückzufallen. Das Wort der Prophetie befähigt also durch Enthüllung der Zukunft zum christlichen Bestehen der Gegenwart, es richtet neu auf die Zukunft aus und bewirkt dadurch "Ermahnung und Ermunterung". Wenn Paulus die Thessalonicher auffordert, "einander mit diesen Worten" zu ermahnen, rechnet er mit einer über den aktuellen Anlaß hinaus bleibenden Bedeutung und Kraft dieses prophetischen Wortes.[21] Die prophetische Rede wird der Gemeinde zum Hören, Auslegen[22] und Bewahren übergeben.

Diese Beschäftigung mit ihr, ihr neues Ausrichten, bewirkt "Ermahnung", indem sie vor der Überwältigung durch die weltliche Erfahrung bewahrt. So geht auch Paulus selber am Ende von 1 Kor 15 nach einer prophetischen Beschreibung und Auslegung des Endgeschicks (V. 50—57) zur auf die Situation der Korinther bezogenen mahnenden Anrede über: "Daher, meine geliebten Brüder, werdet ausdauernd, unerschütterlich, allezeit reich im Werke des Herrn, weil ihr wißt, daß eure Mühe nicht umsonst ist im Herrn" (15, 58). Wichtig ist die Beobachtung, daß sich die Ermahnung trotz ihres neuen Inhalts mit der Anknüpfung durch *oste* und noch einmal mit dem Partizip *eidotes* als Folgerung aus dem vorausgehenden prophetischen Wort ergibt. Dieses Verhältnis ist unumkehrbar[23] und entspricht dem sonst in den paulinischen Briefen feststellbaren Verhältnis von soteriologischem Indikativ und sittlichem Imperativ. Es wird noch weiterzufragen sein, wie weit die Begründung des "Imperativs" in eschatologischen Zukunftsaussagen wie in 1 Thess 4, 15—17; 1 Kor 15,

[20] Vgl. die Funktion der Offenbarung syrBar 81, 4: "Und er hat mir sein Wort geoffenbart, daß ich mich trösten solle, und hat mir Gesichte gezeigt, damit ich nicht länger traurig sein sollte, und er hat mir die Geheimnisse der Zeiten kundgetan und das Herbeiführen der Perioden hat er mir gezeigt." Conzelmann, 1 Kor 276f (zu 14, 3) schließt dagegen in unzulässiger Weise von der Wirkung auf die Ursache: "Aus der Wirkung, die der Prophetie zugeschrieben wird, ist ersichtlich, daß sie nicht Weissagung von Künftigem ist."

[21] Vgl. die Tradierung der alttestamentlichen Prophetenworte.

[22] Vgl. außer 1 Kor 14, 29 auch 2, 12f.

[23] Gegen Weiß, 1 Kor 322 (zu 14, 3): "Der Prophet wird also hier nicht sowohl als Zukunftsverkündiger, auch nicht einmal als Mitteiler einzelner Offenbarungen, sd als der *kat' exousian* redende Verkündiger des Willens oder der Gnade Gottes im allgemeinen geschildert." Durch solche Allgemeinheiten kommt das Bild der urchristlichen Prophetie in die Gefahr, seine historischen Konturen zu verlieren und in das Klischee einer christlichen Sonntagspredigt zu zerfließen.

50—57; vgl. auch 1 Thess 5, 1—11 für die urchristliche Prophetie überhaupt kennzeichnend ist. Zunächst ist die Frage nach dem Inhalt der prophetischen Rede nach 1 Kor 14, 1—11 zu stellen und zu beantworten.

IV. "Geheimnisse"

Nachdem die "Erbauung" für die Inhaltsbestimmung der Glossolalie und der Prophetie gänzlich ausscheiden mußte und die Begriffe "Ermahnung und Ermunterung" nur einen Rückschluß auf den Inhalt der prophetischen Rede erlaubten, bleibt als einzige mögliche Inhaltsangabe die Aussage von 2b: "denn niemand hört, im Geiste redet er Geheimnisse". Das ist allerdings vom Glossolalen gesagt. Eine Übertragung auf die Prophetie ist möglich, da Paulus, wie bereits festgestellt wurde, die Glossolalie in 14, 1—25 an verschiedenen durch Inhalt und Form unterscheidbaren Bereichen der verständlichen pneumatischen Rede mißt und an erster Stelle in V. 1—11 die Glossolalie am gewöhnlichen Vorgang der prophetischen Verkündigung gemessen werden dürfte. Diese Einsicht hat bereits eine Bestätigung durch den Vergleich zwischen Glossolalie und Prophetie gefunden, sie muß aber im Blick auf 2b noch weiter exegetisch begründet werden.

14, 2 soll den Vorzug der Prophetie gegenüber der Glossolalie (V. 1) negativ begründen; der Vers steht in Antithese zu den Aussagen über den prophetisch Redenden (V. 3): der eine redet nicht für Menschen, sondern für Gott, der andere redet für Menschen. Wenn der Glossolale redet, "hört", d. h. versteht, ihn niemand,[24] während der prophetisch Redende "Erbauung und Ermahnung und Ermunterung" redet. "Erbauung" zumindest kann auch Wirkung der übersetzten Glossolalie sein (vgl. 5) und hängt von der Verständlichkeit ab. So ist für V. 2b noch die Alternative "für Menschen" oder für "Gott" bestimmend, dann bricht der Parallelismus zwischen beiden Versen aber leider endgültig ab. V 2b: "im Geiste redet er Geheimnisse" präzisiert die vorhergehende Feststellung. "Im Geiste" ist hier wie V. 14—16 vom sich einzig aus dem Antrieb des von Gott gegebenen *pneuma* ohne Einbeziehung des Verstandes vollziehenden Reden[25] im Gegensatz zu dem aus der Kraft des *pneuma* geschehenden, aber auch den *nous*, den Verstand, einbeziehenden verständlichen Reden gesagt. Wie ein Vergleich mit V. 16—17 zeigt, steht auch hinter der Charakterisierung "im Geiste reden" die andere "nicht für Menschen reden" (vgl. V. 16) bzw. "nicht erbauen" (vgl. V. 17).

Die entscheidende Frage ist nun die, ob "Geheimnisse" hier als formaler Begriff im Sinne "für uns andere auf Grund der unverständlichen Ausdrucksweise

[24] Zu dieser Bedeutung von *akouo* vgl. Gen LXX 11, 7; 42, 23; Heinrici, 1 Kor 411; Weiß, 1 Kor 322; Lietzmann, 1 Kor 71.

[25] Vgl. Schweizer, ThW VI 433f; Heinrici, 1 Kor 411: vom geistgewirkten Wesen des Gläubigen; Bachmann, 1 Kor 411: von der wirkenden Ursache.

undurchdringliche Geheimnisse Darstellendes" verstanden werden muß[26] oder wie sonst bei Paulus inhaltlich gefüllter Begriff für eschatologische "Geheimnisse" ist.[27] Zunächst ist zu bemerken, daß die Unverständlichkeit schon durch *pneumati* genügend stark ausgedrückt ist.[28] Wenn *mysteria* noch einmal den unverständlichen Charakter betonen sollte, würde im ersten Argument im Gegensatz zu 12—19 *(proseuche,psalmos,eucharistia)* weder ein Inhalt der verständlichen Rede noch ein Inhalt der Glossolalie erkennbar. Man kann fragen, was denn dann bei Übersetzungen "erbauend" wirken könnte. Wenn dagegen "Geheimnisse" den Inhalt der Glossolalie bezeichnet, der nur durch die Umstände *(pneumati lalein)* unverständlich bleibt, gewinnt der Satz ein ganz anderes Profil: der Glossolale redet "im Geist", d. h. unverständlich, "Geheimnisse", die alle hören und verstehen sollten. So wird auch die Gegenüberstellung von Glossolalie und Prophetie klar. Paulus bemängelt, daß der Glossolale in den Hörern unzugänglicher Weise "Geheimnisse" redet, die ihnen doch nur nützen würden, wenn sie in verständlicher Form und d. h. gewöhnlich in prophetischer Rede dargeboten würden. Gerade weil es um hochgeschätzte "Geheimnisse" geht, wünscht er, daß alle Korinther prophetisch reden.

---

[26] Dieser Sinn ist auch rein semantisch nur am äußersten Rande, nämlich im profanen Sprachgebrauch möglich. Und sogar dort ist im Kontext noch "wiederholt das Merkmal der Übertragung" erhalten geblieben, s. Bornkamm, ThW IV 817. Bezeichnenderweise belegen ihn die Kommentare auch nicht mit anderen Texten. Vgl. Heinrici, 1 Kor 412: "Geheimnisse, nämlich für die Hörer, also Unverständliches, dessen Sinn den Zuhörern verschlossen ist. Das Mysteriöse der Glossenrede bestand nicht in den Sachen an sich ... sd in der Äußerungsweise." Weiß, 1 Kor 332, bezieht *mysteria* in 14, 2 nur auf die Glossolalie und unterscheidet davon die Mysterien als Gegenstand der prophetischen Rede! Zu 14, 2: "undurchdringliche Geheimnisse". Bachmann, 1 Kor 411: "Was er so redet, heißt daher auch *mysterion,* nicht um seines Inhalts an sich willen, da es ja verdolmetscht werden kann, sondern wegen seiner sprachlichen Form, in der es erscheint". Lietzmann, 1 Kor 70, übersetzt: "im Geiste redet er Geheimnisvolles"; ähnlich Kuß, 1 Kor 178; Maly, Mündige Gemeinde 199.

[27] 1 Kor 2, 7; 4, 1; 13, 2; 15, 51; Röm 11, 33; vgl. oben S. 152.

[28] So auch Brown, The Semitic Background of the New Testament Mysterion I 433. Er hält die Übersetzung "mysteriously" für möglich, meint aber: "However, the expression 'by the spirit' induces us to the second interpretation, whereby 'mysteries' mean hidden truths". Für ein inhaltliches Verständnis der *mysteria* in 14, 2 haben sich ferner ausgesprochen: Gunkel, Die Wirkungen des Heiligen Geistes 20: "In der Glossolalie spricht man 'Geheimnisse', die man nicht verstehen, die man selbst auch nicht aussprechen könnte, wenn sie der Geist nicht offenbarte"; Mosiman, Das Zungenreden 12; Bornkamm, ThW IV 829: "In die Geheimnisse Gottes, die in ihm verborgenen göttlichen Ratschlüsse einzudringen, ist die besondere Geistesgabe der Propheten (1 K 13, 2). Auch der Inhalt der glossolalischen Rede sind *mysteria* (1 K 14, 2), aber sie werden durch dieses Reden nicht offenbar, sondern bleiben unverständliche, göttliche Geheimnisse"; Robertson-Plummer, 1 Kor 306; Friedrich, ThW VI 853; Greeven, Propheten 9: "Wie die *mysteria* nur dem vom Geist Regierten offenbar werden (1 Kor 2, 7—11; vgl. 14, 2), so eignet auch der Prophetie Offenbarungscharakter (1 Kor 14, 30)."

Für die Prophetie ist durch 1 Kor 13, 2; 2, 6—16 die inhaltliche Beziehung auf die "Geheimnisse" gesichert, für die Glossolalie ist sie dagegen umstritten. Zur Klärung des Phänomens der Glossolalie in den paulinischen Gemeinden und des Aufbaus und der Absicht von 1 Kor 14, 1—25 und damit indirekt um einer besseren Abschätzung der Aussagekraft dieses Abschnitts für das Verständnis der urchristlichen Prophetie willen seien die entscheidenden Argumente für ein inhaltliches Verständnis der *mysteria* von 14, 2 zusammengestellt.

Bisher hat es sich ergeben, daß das spätjüdisch-apokalyptische Milieu den Hintergrund zu den paulinischen Aussagen über Prophetie, Deutung und Glossolalie bildet. In 1 Kor 13, 1 wird die Glossolalie als Reden in den Sprachen der Menschen und vor allem der Engel charakterisiert. Der Gedanke der Gemeinschaft mit den Engeln[29] gehört ebenso zum Hintergrund der urchristlichen Prophetie, wie auch der Gedanke der Teilhabe an ihrem Wissen[30] und das Wissen um deren eigene den Menschen an sich unverständliche Sprache.[31] Im Testament Hiobs, welches diesen Anschauungskreis teilt,[32] finden sich die nächsten Parallelen zur urchristlichen Glossolalie.[33] Hiob hinterläßt seinen drei Töchtern je einen der drei Gürtel, welche er einmal selbst von Gott erhalten hatte. Wenn das THiob wie "Joseph und Aseneth" als Missionsschrift konzipiert war, sind die "Gürtel" vielleicht verdeckte Anspielungen auf die Tephillin.[34] Als die Töchter diese Gürtel anlegten, begannen sie in der Sprache der Engel zu singen.

Hemera erhält ein "anderes Herz", denkt nicht mehr ans Irdische, "redet in Engelssprache *(apephthenxato te angelike dialekto)*" und schickt nach der Hymnologie der Engel einen Hymnus zu Gott empor (THiob 48, 3). Darauf folgt die eigenartige Bemerkung, daß der Geist die Lieder, welche sie sang, sich in ihrem Gewand ausprägen ließ.

Der nächsten, Kasia, ergeht es beim Anlegen des Gürtels ebenso: "Ihr Mund erhielt der Engel Sprache und sie besang des Höchsten Schöpfung" (THiob 49, 2). Ihre Lieder sind zugleich Informationsquellen: "Wer also etwas von des Himmels Schöpfung wissen *(gnonai)* will, der kann es in der Kasia *Hymnen* finden."

Amaltheas Horn, die dritte, "redete die Sprache der Cherubim, lobpries den Herrn der Kräfte und kündete von ihrer Herrlichkeit" (THiob 50, 2). Wer der Spur der Herrlichkeit des Vaters nachgehen will, "kann sie aufgezeichnet finden in Amaltheas Horns Gebeten *(euchai)*" (50, 3).

Nereus, der angebliche Verfasser des Buches, will auch gehört haben, wie die drei Schwestern einander nachher den Inhalt ihrer Lieder erklärt haben: *ekousa ego ta megaleia mias yposemeioumenes te mia* (THiob 51, 3). *yposemeioomai* ist in Analogie zu *ypokrinomai* vom Deuteausdruck *semeioomai* gebildet: "etwas als ein Zeichen oder Vorzeichen deuten, wie von einem Zeichen aus eine Folgerung ziehen, eine medizinische

---

[29] Vgl. dazu S. 120.

[30] Vgl. dazu oben S. 71f. 210f.

[31] Vgl. dazu oben S. 70.

[32] S. dazu Rahnenführer, Das Testament des Hiob und das Neue Testament; vgl. auch oben S. 110 und 161.

[33] Schon Bousset hatte in seiner Rezension von Weinel, Die Wirkungen des Geistes und der Geister, auf THiob hingewiesen: "Hier an dieser einzigen Stelle haben wir auch Angaben über den Inhalt der Zungensprache." (772f) Behm, ThW I 723, hat THiob zwar in seine Materialsammlung zur Glossolalie aufgenommen, aber nicht ausgewertet.

[34] THiob 47, 11 (Brock): *dioti phylakterion estin tou patros; phylakterion* = Schutzmittel, Amulett (Bauer 1716); über die Bedeutung der Tephillin als Amulette s. Billerbeck IV 250. 275.

Diagnose stellen".[35] Bei Anwendung einer anderen Terminologie (*dialektos yposemeio-omai)* als im 1 Kor (*glossa diermeneuo*), wird doch das gleiche Phänomen beschrieben. Wichtig ist nur, daß im THiob verschiedene Arten des Redens in Sprachen geschildert werden. Es werden nicht nur verschiedene Engels-Sprachen (Engel, Mächte, Cherubim) gesprochen, es gibt auch verschiedene Gattungen: *ymnos, euche*[36] und Inhalte, nämlich die Schöpfung des Himmels und die Herrlichkeit der Kräfte — nach jüdisch-apokalyptischer Auffassung beides himmlische Geheimnisse. Nur das Lied der ersten Sängerin scheint keinen festen Inhalt zu haben. Darum kann man es wohl auch nicht lesen. Hier liegt die Erklärung dafür, daß sich ihre Lieder an ihrem Gewand ausgeprägt haben. Man kennt also verschiedene Ausprägungen der Glossolalie — *gene glosson.* Diese haben mit Ausnahme des inhaltslosen glossolalischen Hingerissenseins und Stammelns ihr Pendant in den Gattungen der verständlichen Rede.

In 1 Kor 14, 12—19 wird als verständliches Gegenüber des Glossolalie das Gebet genannt und ausdrücklich auch vom glossolalischen Beten gesprochen (14, 14—17). In 14, 23 ist als Pendant zum prophetischen Überführen ein Einreden der Glossolalen auf den hinzugekommenen Ungläubigen denkbar.[37] Zu 1 Kor 14, 2 ist zu sagen, daß sowohl 1 Kor 2, 6—16 wie 13, 2 ein verständliches *mysteria lalein* für die Prophetie erwarten lassen. Ferner kennen wir aus der jüdischen Literatur eine Reihe von Beispielen, in denen die himmlischen Geheimnisse aufgezählt und besungen werden. 1 QM 10, 10—16 wird einleitend der Offenbarungsempfang und die Gemeinschaft der Beter mit den Engeln geschildert, darauf folgt die Aufzählung der Geheimnisse.[38] Verwandt ist der Lobpreis auf den Schöpfer und seine Werke 1 QH 1, 5—21: "Dieses erkannte ich auf Grund deiner Einsicht; denn du hast mein Ohr aufgetan für wunderbare Geheimnisse." (1QH 1, 21)[39]. Dazu kommen aus dem hellenistisch-jüdischen Milieu Weish 7, 17—21; Philo Vit Cont 26.[40]

THiob 49, 2 und 50, 3 zeigen nun, daß man damals ein ekstatisches, inhaltlich gefülltes *mysteria lalein* kannte. Dies ist ebenso für 1 Kor 14, 2 vorauszusetzen, zumal der Text selber in diese Richtung weist. So wird das Gegenüber von Prophetie und Glossolalie in 14, 1—11 konkret vorstellbar. Damit ist ebensowenig wie für 14, 23—25 eine völlige inhaltliche oder gattungsmäßige Gleichheit der (übersetzten) Glossolalie und der Prophetie behauptet, aber wohl, was ja auch den Duktus des ganzen Kapitels und der pneumatische Charakter beider Charismen nahelegen, eine sehr enge Verwandtschaft — wenigstens in der Erfahrung und Vorstellung des Paulus.

Weil "Geheimnisse" sowohl Gegenstand der Glossolalie wie der prophetischen Rede sind, braucht V. 3 den Inhalt der prophetischen Rede nicht mehr anzugeben, sondern kann sich ausschließlich mit der für den Apostel ausschlaggebenden Differenz in der Wirkung beschäftigen ("Erbauung und Ermahnung und Ermunterung"), der einzigen ins Gewicht fallenden Differenz zwischen den beiden Geistesgaben. Die Beziehung auf "Geheimnisse" ist für beide gegeben.

Formen und Inhalte der prophetischen Verkündigung von "Geheimnissen" können nur im Zusammenhang mit der Behandlung prophetisch beeinflußter

---

[35] Liddell-Scott 1594 zu *semeioomai; yposemeioomai* wird weder in Liddell-Scott, noch in Moult-Mill geführt; zur medizinischen Anwendung der Deuteterminologie s. oben S. 55. — Vgl. auch das auf eine *apokalypsis* bezogene *diermeneuo* griech Bar 11, 7 oben S. 51 Anm. 48.

[36] Vgl. Kol 3, 16 (= Eph 5, 19): *psalmoi, ymnoi, odai pneumatikai.*

[37] S. unten S. 245 und Anm. 89.

[38] Vgl. dazu oben S. 207—213.

[39] Vgl. oben S. 156; ferner: 1QH 1, 27—34.

[40] Vgl. oben S. 109. 154f.

Texte näher bestimmt werden. Als wesentliches Ergebnis können wir aber schon festhalten, daß für Paulus gerade diese den "Geheimnissen" zugewandte Seite der Prophetie im Vordergrund des Interesses steht (vgl. auch 13, 2!), ja in den praktischen Anweisungen V. 29—32 beschäftigt er sich, wie noch zu zeigen ist, nur mit ihr.

§ 79 Glossolalisches und verständliches Beten (zu 14, 12—19)

I. Die Hauptprobleme des Abschnitts

Der Abschnitt 14, 12—19 ist nicht so klar gebaut wie 14, 1—11. Das liegt wahrscheinlich daran, daß Paulus zunächst ein praktisches Resumee aus der Argumentation in 14, 1—11 ziehen möchte, dann aber doch wieder zum Argumentieren zurückkehrt.[41] So ist in den "Rahmenversen" (12—13. 18—19) nicht einmal vom pneumatischen Beten die Rede. Der Aufruf: "So sollt auch ihr, da ihr Eiferer um Geistesgaben seid, zur Erbauung der Gemeinde (um sie) streben, auf daß ihr überreich werdet" (V. 12)[42] nimmt das in V. 1—5 dominierende Stichwort "Erbauung" wieder auf und fordert, nachdem der für die Gemeinde unnütze Charakter der reinen Glossolalie deutlich wurde, dazu auf, die Geistesgaben immer im Blick auf die Erbauung der Gemeinde anzustreben; erst so erlangen die Pneumatiker die wahre Fülle des Pneumatischen.[43] Konkret muß sich dieses Streben zum Beispiel darin äußern, daß ein Glossolale um die Fähigkeit zum "Übersetzen" betet (V. 13).[44] Das damit gefallene Stichwort "Beten" veranlaßt den Vergleich zwischen glossolalischem und verständlichem Beten (V. 14—17),

[41] Zu *outos* in schlußfolgerndem Sinne s. Liddell-Scott 1277; durch die Veränderung der Absicht weist *outos* im jetzigen Text aber genauso stark auf das folgende, ebenfalls eine gut belegte Bedeutung, Liddell-Scott 1276. Eine ähnliche Funktion hat auch *ti oun estin;* (14, 15), das aber nur zu einem Zwischenergebnis führt, während es in 14, 26 den Übergang zu den Anweisungen markiert. Der Neueinsatz mit 14, 12 wird auch von Heinrici, 1 Kor 418, betont.

[42] Das Objekt zu *zeteite* ist ausgelassen, wohl deshalb, weil es in *zelotai pneumaton* enthalten ist (vgl. 14, 1). Das Hauptinteresse des Apostels liegt bei der adverbialen Bestimmung: *pros ten oikodomen tes ekklesias,* welche vor den Imperativ gestellt ist. Zur ungewöhnlichen Position des Imperativs am Satzende vgl. Bl-Debr 472. 474; Moulton III 347f. Der *ina*-Satz ist nicht von *zeteite* abhängig (gegen Bauer 670; Bl-Debr 392, 1a; Moulton III 103; Heinrici, 1 Kor 420; Bachmann, 1 Kor 416); er drückt vielmehr die Absicht des Apostels bzw. die Folge des rechten Strebens aus; vgl. Bl-Debr 391, 5; Stauffer, ThW III 330—334; Zerwick, Graecitas biblica 112: "Hinc in lingua hellenistica ultimatim ex solo contextu dirimi potest, agaturne de consecutione an de finalitate."

[43] Der Sinn des *ina perisseuete* muß ebenfalls aus dem Kontext erschlossen werden, etwa so: der Reichtum der korinthischen Gemeinde an Geistesgaben (vgl. 1, 5—7) wird durch die der Erbauung dienenden Gaben zum eschatologischen Vollmaß gebracht; vgl. dazu Hauck, ThW VI 59—61; Maly, Mündige Gemeinde 201 Anm. 64.

[44] Das Gebet um die Gabe des "Übersetzens" hat eine Entsprechung im Gebet um Offenbarung oder als Vorbereitung auf den Offenbarungsempfang (vgl. oben S. 47. 90f; Weinel, Wirkungen des Geistes 223), noch mehr im Gebet um Deutung einer Offenbarung, vgl. oben S. 53; vgl. ferner Weish 7, 7: "Deshalb betete *(euxamen)* ich, und es ward mir Einsicht gegeben, ich flehte, da kam mir der Geist der Weisheit."

während der den Vergleich abschließende Dank (V. 18) nicht einmal Gebetsform hat und brieflich und prosaisch klingt.[45] Sein Wunsch, er wolle in der Gemeinde lieber fünf verständliche Worte sprechen, um auch die anderen zu unterrichten,[46] paßt ebenfalls nicht gut zum Thema "verständliches Beten"; allerdings macht er sehr nüchtern deutlich, daß alle in der Gemeinde geäußerten Worte, auch die Gebete, Träger von Informationen für die Hörer sein müssen. Gegenüber 14, 1—11. 20—25. 39 vermißt man eine ausdrückliche Empfehlung oder auch nur Erwähnung der Prophetie neben der Glossolalie. Jedoch wird man die Frage nach der Beziehung des Abschnitts zur Prophetie erst nach einer Besprechung der Verse 14—17 stellen dürfen.

Den rahmenden Versen gegenüber verschiebt sich im mittleren Teil der Akzent von der Glossolalie im allgemeinen auf das glossolalische Beten. Außerdem kommt die Kategorie der "Erbauung" erst in 17—18 ausdrücklich zur Sprache, während V. 14 einen neuen Gesichtspunkt ausspricht: beim glossolalischen Beten betet nur das *pneuma*, der *nous* bleibt "ohne Frucht".[47] In ähnlicher Weise beschreibt Philo die Ekstase.[48] Paulus charakterisiert die Glossolalie also als Ekstase, und darin dürften ihm die Korinther zustimmen, aber wohl keinen gravierenden Nachteil der Glossolalie, sondern eher ihren Vorzug erblicken. Auch Paulus, der selbst glossolalische Erfahrungen hat, will die Ausschaltung des *nous* kaum als absoluten Mangel der Glossolalie hinstellen, sondern nur die Unbrauchbarkeit der reinen Glossolalie für Gemeindeversammlungen unterstreichen, in denen es gerade auf verständliche Äußerung ankommt. Die Glossolalie ist dafür ohne die Gabe der Übersetzung auf Grund ihrer inneren Struktur ungeeignet. Die Feststellung, daß der Verstand ohne Frucht bleibt, steht nicht im Gegensatz zu V. 4a: "der in Sprachen Redende erbaut sich selbst", sondern sie präzisiert, in welcher Weise wir uns diese Selbsterbauung vorzustellen haben, nämlich in der der Ekstase eigenen Erfahrung des Geistes. Vers 14 stellt also keine Kritik an der Glossolalie in sich, sondern wiederum ein an der Erbauung der Gemeinde gewonnenes Kriterium dar.

Die in Vers 15 folgenden Anweisungen formulieren daher keinen Wertgegensatz zwischen glossolalischem und verständlichem Beten, erst recht keinen Dualismus zwischen *pneuma* und *nous*, sondern einen praktischen, für die Gemeindeversammlung geltenden Grundsatz: "Ich werde im Geiste beten, ich werde aber auch mit dem Verstande beten. Ich werde im Geiste Psalmen singen, ich werde aber auch mit dem Verstande

[45] Vgl. 1, 14; Deichgräber, Gotteshymnus und Christushymnus in der frühen Christenheit 44. — Ist es ein Zufall, daß Paulus in 14, 18 von seinem Dank an Gott spricht, nachdem *eucharisteo* in 14, 17 aufgetreten ist, oder haben wir es mit einer durch Assoziation ausgelösten Wendung zu tun, wie sicher, 14, 13 und 14 bei *proseuchomai?* Dann wäre der ganze Abschnitt mehr assoziativ entstanden als bewußt konzipiert. Dafür spricht die Abfolge der einzelnen Ausdrücke für "Beten" bis zu *eulogeo, eucharisteo,* die wegen des Beispiels notwendig sind; ferner das Auftauchen von *psalmos* (vgl. 14, 15) und *ermeneia* (vgl. 14, 13) unter den pneumatischen Redeformen in 14, 26, während sie noch in 14, 6 fehlen.

[46] *katecheo* ist bei Paulus terminus technicus für die religiöse Unterweisung, vgl. Gal 6, 6; Röm 2, 18; Bauer 838; Beyer, ThW III 639. Obwohl Paulus an unserer Stelle nicht glossolalisches Reden und Lehre/*didache* gegenüberstellt (Gegen Wendland, 1 Kor 112), enthält der Fachausdruck "unterrichten" dennoch die Forderung, daß die in der Gemeinde geäußerten Worte, auch in Gebeten, Träger von für die Zuhörer bedeutsamen Informationen sein müssen. Ein Rückschluß auf Paulus als Lehrer (Wendland a. a. O.) oder auf den Missionszweck der Gemeindeversammlung (Weiß, 1 Kor 331) ist von dieser Stelle her nicht möglich.

[47] *akarpos* ist h. l. bei Paulus.

[48] Behm, ThW IV 952. 954; vgl. auch Kleinknecht, ThW VI 343f; Weiß, 1 Kor 327: "Hier also beschreibt P. den Zustand der Glossolalie in seiner Weise psychologisch als Ekstase."

Psalmen singen". Diesem Grundsatz wäre durch das "Übersetzen" (14, 13 vgl. 27—28. 5) Genüge getan.[49] Auf keinen Fall darf man von V. 15 her folgern, das Beten "mit dem Verstande" werde von Paulus nicht als pneumatisches Beten gewertet. Dagegen spricht nicht nur der gesamte Rahmen der Erörterungen in 1 Kor 12—14, der ja gerade von der Vielfalt der Geistesgaben handelt, sondern auch 14, 26, wo der *psalmos*[50] als eine der pneumatischen Redeformen genannt wird. Außerdem bemüht sich Paulus wohl darum, die Glossolalie an von der Gemeinde als pneumatisch anerkannten Redeformen zu messen und sie durch solche zu ersetzen. Das dürfte auch ein Grund dafür sein, daß er keinen Vergleich aus den Bereichen der *didache* (6. 26) oder der *gnosis* (8) heranzieht, obwohl er sie unter die Geistesgaben rechnet. Das Beten "mit dem Verstande" steht im Hinblick auf das verständliche Aussprechen dem Beten "im Geiste" gegenüber, nicht im Hinblick darauf, daß *pneuma* und *nous* einander ausschließen.[51] Eine exakte psychologische Terminologie und eine entsprechende Beschreibung der Vorgänge sind bei Paulus nicht zu finden und auch nicht zu suchen.[52]

Ein Beispiel aus dem Gemeindegottesdienst, in Form einer rhetorischen Frage, soll die bisherigen Feststellungen erläutern; in ihm wird *pneumati* wieder mit der Verständlichkeit für den Hörer assoziiert (vgl. V. 2):"Denn wie soll, wenn du im Geiste lobst, der, der den Platz des Nichteingeweihten[53] einnimmt, das Amen zu deiner Danksagung sprechen, da er doch nicht weiß, was du sagst?" (V. 16).[54]

---

[49] Schweizer, ThW VI 420: "vielleicht umschreibt v 15 nicht zwei verschiedene Möglichkeiten, sondern die für die Gemeindeversammlung adäquate Verbindung".

[50] Vgl. dazu Delling, ThW VIII 502. [51] Vgl. Greeven, Propheten 10.

[52] Auch die Abgrenzung von Weiß, 1 Kor 328 ("*nous* Bewußtheit im Gegensatz zur Ekstase") trifft nur zu, wenn "Ekstase" nur auf diesen Sektor der inspiratorischen Erfahrung eingeschränkt wird. Zum Zusammengehen von Bewußtsein und Ekstase vgl. 4 Esr 14, 39f: "Ein voller Kelch ward mir gereicht; der war gefüllt wie von Wasser, dessen Farbe aber dem Feuer gleich war. Den nahm ich und trank; und als ich getrunken, entströmte meinem Herzen Einsicht, meine Brust schwoll von Weisheit, meine Seele bewahrte die Erinnerung"; s. dazu oben S. 96. Vgl. ferner Lindblom, Prophecy in Ancient Israel 35: "A clear distinction cannot be drawn between inspiration and ecstasy ... Ecstasy, too, has many degrees, from absolute psychic unconsciousness and psychophysical anaesthesia to a state of mind which approaches normal mental abstraction." 173—182 (weitere Ausführungen zum "revelatory State of Mind"). Ähnlich Spoerri, Zum Begriff der Ekstase 68. Das Problem der Anwendung des Begriffs "Ekstase" zeigt sich auch, wenn Hollenweger, Funktionen der ekstatischen Frömmigkeit der Pfingstbewegung 53, bemerkt: "Der Begriff 'Ekstase' wird von den Mitgliedern der Pfingstbewegung zur Beschreibung ihrer Frömmigkeit abgelehnt, weil — von ganz seltenen, von den Pfingstlern meist als pathologisch empfundenen Ausnahmen abgesehen — die Pfingstler auch im Zustand der höchsten Ergriffenheit noch vollständig wach und 'bei sich' sind. Der Begriff 'Ekstase' wird hier beibehalten, weil fast alle außenstehenden Beobachtungen der Pfingstbewegung diesen Begriff zur Beschreibung der pfingstlichen Frömmigkeit brauchen."

[53] *idiotes* ist mit Heinrici, 1 Kor 422; Lietzmann, 1 Kor 71f; Wendland, 1 Kor 112; Kuß, 1 Kor 180; Conzelmann, 1 Kor 282; Schlier, ThW III 216f gegen Weiß, 1 Kor 329—331; Bauer 732f nach dem Kontext zu interpretieren; es bedeutet den bzw. alle, die den Glossolalen nicht verstehen (= 14, 16b). *idiotes* in diesem Sinne auch Jos Bell 6, 295: die Masse der *idiotai* deutet im Gegensatz zu den Erfahrenen die den Untergang ankündigenden Omina als Heilszeichen; s. oben S. 101. *topos* hat die Bedeutung "Stellung, Lage"; vgl. die Belege bei Conzelmann, 1 Kor 282 Anm. 66; ferner Abot 2, 4 (Hillel): "Richte deinen Nächsten nicht, bis du in seine Lage *(lmqwmw)* gekommen bist."

[54] Zeichensetzung mit Aland usw., The Greek New Testament.

Die einzelnen Ausdrücke für "beten" (*proseuchomai* 13—15 vgl. 11,4—5. 13; *psallo* 14,15 vgl. *psalmos* 26; *eulogeo* 14,16; *eucharistia* 14,16; *eucharisteo* 14, 17—18) sind wohl nicht ganz regellos gesetzt. Ihr Wechsel ergibt sich aus dem lebendigen, nicht vorgeplanten Gang der Argumentation: an *proseuchomai* wird das Problem grundsätzlich entwickelt; *psallo* wird mehr rhetorisch, zur Verstärkung der Argumentation, vielleicht auch im Hinblick auf die *psalmoi* in der Gemeinde eingeführt; *eulogeo*, *eucharistia* und *eucharisteo* hängen mit dem konkreten Beispiel zusammen, das Paulus gerade passend erscheint. An der *eucharistia* wird das *amen* der Gemeinde gehangen haben (vgl. Röm 1, 25; 9, 5; 11, 36; Gal 1, 5; Phil 4, 20).[55] Alle diese Formen sind der Gemeinde bekannt und nur beim verständlichen Gebet unterscheidbar. An ihm wird das glossolalische Beten gemessen. *proseuchomai glosse* war dagegen vielleicht der gängige Ausdruck für ekstatisches Beten (gleich welchen Inhalts) analog zu *laleo glosse*.[56]

II. Pneumatisches Beten und Prophetie

Jetzt kann und muß gefragt werden, ob Paulus in 14, 12—19 wie in 14, 1—11 die Glossolalie an der Prophetie messe, und d. h., ob nach unserem Text Gebet, Psalm und Danksagung spezifisch prophetische Redeformen sind. Die Frage ist umstritten.[57] Sie kann nur durch Rückschlüsse aus dem Kontext und durch Vergleiche beantwortet werden, denn in 14, 12—19 fehlt im Gegensatz zum vorausgehenden und zum folgenden Argument jede ausdrückliche Beziehung auf prophetisches Reden.

G. Friedrich zufolge erweist schon die Tatsache, daß 14, 12—19 im Zusammenhang von 1 Kor 14 steht, die Zugehörigkeit des Gebets zur Prophetie. Denn "in diesem Kapitel geht es von Anfang bis zum Ende um die Gegenüberstellung von Zungenrede und Prophetie (vgl. V. 1 und V. 39). Die V. 13—19 über das Gebet sind in diesem Abschnitt nicht ein Exkurs, sondern sie gehören

[55] Vgl. das *amen* am Ende der paulinischen Eulogien Röm 1, 25; 9, 5; am Ende der Doxologien Gal 1, 5; Phil 4, 20; Röm 11, 36. Zum Wechsel zwischen *eulogeo* und *eucharisteo* vgl. auch die paulinische Herrenmahlsterminologie 1 Kor 10, 16; 11, 24; Jeremias, Abendmahlsworte 106f. 167. Unsere modernen formgeschichtlichen Bezeichnungen brauchen sich nicht mit der paulinischen Terminologie zu decken; vgl. Conzelmann, 1 Kor 281. Josephus wechselt ebenfalls im Gebrauch von *eulogeo* und *eucharisteo* ab; vgl. Schlatter, Die Theologie des Judentums nach dem Bericht des Josefus 109. Zur Stellung des *amen* vgl. Deichgräber, Gotteshymnus 26f. Abwegig, aber bezeichnend für die Folgen einer Annäherung der urchristlichen Prophetie an die christliche Predigt Lerle, Diakrisis Pneumaton 94: "Das einfältige Gemeindemitglied soll zu der Predigt 'Amen' sagen (1 Kor 14, 16). Wer 'Amen sagt, muß die Rede verstehen und bekennt sich zu ihrem Inhalt. Im 'Amen' der Gemeinde liegt eine Diakrisis, ein Anerkennen, daß der Prediger aus demselben Geiste redet, der in der Gemeinde weht."

[56] Vgl. Greeven, ThW II 806: "während *proseuchesthai* immer da bevorzugt ist, wo der Tatbestand des Betens ohne nähere Inhaltsangabe dargestellt werden soll"; 807: "*proseuche* bedeutet das Gebet im umfassendsten Sinn".

[57] Greeven, Propheten 10: "Aber die Prophetie ist eben etwas anderes als Gebet, Hymnus oder Segensspruch." Dagegen Friedrich, ThW V 854: "Die Zugehörigkeit des Gebets zur Prophetie ist auch aus 1 K 14 zu entnehmen. Prophetie und Gebet sind nicht dasselbe. Sie gehören aber aufs engste zusammen." Die Kommentare stellen sich der Frage gewöhnlich nicht.

mit zum Vergleich von Prophetie und Zungenrede".[58] Dagegen läßt sich manches einwenden: 1 Kor 14, 12—19 bildet den Mittelteil einer Dreiergruppierung, der bei Paulus öfter nicht so streng zur Sache spricht wie die Eckteile (vgl. die Stellung von 1 Kor 13 zwischen 12 und 14; von 1 Kor 9 zwischen 8 und 10). Auch unsere Beobachtungen zur Entstehung von 14, 12—19 sprechen gegen diese Vermutung. Paulus hat den grundlegenden Vergleich zwischen Prophetie und Glossolalie bereits in 14, 1—11 durchgeführt; 14, 12—19 entsteht nach einem Ansatz zur abschließenden Anweisung (V. 12. 13) mehr assoziativ (13: *proseuchestho* 14: *proseuchomai*). Und zwar geht der Abschnitt im Gegensatz zu 14, 1—11 nicht von der Gegenüberstellung Prophetie/Glossolalie aus, sondern er tendiert zunächst dahin, die Glossolalie durch "Übersetzung" zu ergänzen. Das Thema "Gebet" erweist sich dabei als gut geeignet (vgl. das Beispiel 16—17), die Unbrauchbarkeit der Glossolalie in der Gemeindeversammlung zu erweisen. Gerade deshalb, weil in 14, 12—19 verständliches Beten, aber nicht die Prophetie empfohlen wird, obwohl Paulus nach V. 1.39 vor allem die Prophetie in Korinth fördern möchte, ergibt sich für ihn die Notwendigkeit, in einem dritten Argument (14, 20—25) noch einmal auf die Überlegenheit der Prophetie über die Glossolalie zurückzukommen.

Gewichtiger sind die Feststellungen, daß das Gebet in den Katalogen nicht unter den Charismen der Gemeinde aufgezählt wird und 1 Kor 11, 4—5 "Beten" und "Prophezeien" nebeneinander nennt.[59] Man wird aber wiederum urteilen müssen, daß diese Beobachtungen nicht zur Annahme einer einlinigen Verbindung zwischen Prophetie und charismatischem Gebet nötigen. Wenn der Glossolale sein Gebet übersetzt, handelt es sich zwar um verständliches Beten, aber nicht um Ausübung einer prophetischen Funktion. Wenn einzelne Gemeindeglieder nach 14, 26 unter anderem auch einen Psalm mit in die Gemeindeversammlung bringen, kann das Gebet unter pneumatischen Erfahrungen in der vorausliegenden Zeit konzipiert und formuliert worden sein, ohne daß wir die "Beter" einer bestimmten Charismatikergruppe zuordnen müßten. Damit soll gar nicht ausgeschlossen werden, daß Propheten solche Psalmen oder Gebete sprachen, nur läßt sich von unseren Texten her keine notwendige enge Verbindung zwischen Prophetie und Gebet in der Gemeindeversammlung erschließen. Das Gebet in der Gemeinde entsteht, wie uns die Erforschung der alttestamentlichen Psalmen lehrte, aus den mannigfachen Erfahrungen und Bedürfnissen des einzelnen und der Gemeinde.[60] Auch von daher ist für die Frühzeit der Ur-

---

[58] ThW VI 854.

[59] Friedrich a. a. O.; dagegen berücksichtigt sein Hinweis darauf, "daß 1 Thess 5, 17—20 die Aussagen über Gebet und Prophetie nebeneinanderstehen", nicht den Umstand, daß gerade 5, 18b eine scharfe Zäsur zwischen die Themen "Gebet" und "Prophetie" legt; vgl. Schweizer, ThW VI 420 Anm. 597; ferner Rigaux, 1 Thess 589f; Dibelius, 1 Thess 31; Oepke, 1 Thess 178.

[60] Die in Kol und Eph im Anklang an Paulus vorausgesetzte Gemeindeordnung unterscheidet ebenfalls sehr klar zwischen Lehre, Zurechtweisung und pneumatischem Gebet (Kol 3, 16f), bzw. zwischen der Funktion der Propheten (Eph 3, 5; 4, 11f) und pneumatischem Gebet (Eph 4, 18—20).

kirche eine zu enge Verknüpfung des Gebets mit einem schon andere bestimmte Funktionen besitzenden "Amt" unangebracht. Es ist weiter zu beachten, daß Gebete kaum unter die *diakrisis* der Zuhörer fallen dürften, daß vielmehr 29—32 ausschließlich an den Redeformen der *apokalypsis* und der *propheteia* interessiert ist, und sich so für die Sicht der Prophetie in 1 Kor 14 ein Bogen von 1—11 zu 29—32. 39 ergibt, der das Thema "Prophetie und Gebet" nicht berührt. Es muß also zum mindesten festgehalten werden, daß Paulus nicht an der Verbindung von Prophetie und Gebet interessiert war und daß diese Verbindung, wenn sie bestand, locker genug gedacht werden sollte.

§ 80 Über den Vorzug der Prophetie gegenüber der Glossolalie (zu 14, 20—25)

I. Die Glossolalie als Zeichen für die Ungläubigen und ihre Unbrauchbarkeit für die Mission

Das dritte Argument unterscheidet sich von den beiden vorhergehenden durch seinen theologischen Charakter, der den Verzicht auf die Kategorie der "Erbauung" ermöglicht, und durch seine besondere Schärfe. Zwar richtet sich die paulinische Ironie nicht gegen die Glossolalie in sich — das ist für Paulus auf Grund der eigenen Voraussetzungen nicht möglich —, wohl aber gegen die korinthische Bevorzugung der Glossolalie, der auf der anderen Seite eine Geringschätzung der Prophetie entsprechen dürfte.[61] So fordert schon der einleitende Aufruf (V. 20) nicht einfach zu einem Streben nach der Prophetie (vgl. V. 1. 39) oder nach der Gemeinde nützlichen Geistesgaben (vgl. V. 12) auf, sondern er bezeichnet zunächst die unangemessene Bevorzugung der Glossolalie durch die Korinther mit einem in der Diatribe gängigen Bild als kindisch,[62] und ruft sie dann zu einem reifen Urteil, d. h. zu einer gebührenden Hochschätzung der Prophetie.

Die Begründung und Erläuterung zu diesem Aufruf gibt Paulus mit einem Schriftzitat (V. 21) und einer daran angefügten Schlußfolgerung (V. 22). Das Zitat aus Jes 28, 11—12 weicht in mehr als einer Hinsicht vom masoretischen Text wie auch von der Septuaginta ab:[63] Vorausstellung der "fremden Sprachen" (MT, LXX: Singular); Änderung von "Leute mit fremder Lippe" in "Lippen von Fremden"; Umsetzung in die 1. Person Singular statt 3. Person

[61] Vgl. 1 Thess 5, 20: *propheteias me exoutheneite;* ferner das korinthische Verlangen nach Weisheitsrede, dem Paulus das prophetische Reden in Geheimnissen gegenüberstellt, 1 Kor 2, 6—16.

[62] Delling, ThW VIII 77, zur Stelle: "Mit dem unreifen Denken und Sichvorstellen des Kindes wird das Urteil der Adressaten über die Zungenrede verglichen und diesem das Urteil reifer Christen entgegengesetzt"; vgl. Weiß, 1 Kor 331; Lietzmann, 1 Kor 73; Bauer 1712: *phrenes* nur an dieser Stelle im Neuen Testament = "Verstand, Einsicht".

[63] Vgl. Maly, Mündige Gemeinde 206—208; Weiß, 1 Kor 332.

Singular (MT) bzw. 3. Person Plural (LXX); Auslassung des größten Teils von 28, 12 bis auf den Schluß; Hinzufügung von *outos;* Einführung des prophetischen Futurs (*eisakousontai;* MT: *ābû;* LXX: *ethelesan*); Hinzufügung von *mou;* Hinzufügung der Formel: "spricht der Herr";[64] ferner ist die Einführungsformel, die sich auf das Gesetz bezieht, bei einem paulinischen Prophetenzitat ungewöhnlich. Durch diese Änderungen hat das Zitat eine eindeutige Ausrichtung auf die urchristliche Glossolalie erhalten: es wertet sie als eschatologische Erfüllung der Verheißung, als wunderbare letzte Anrede Gottes an sein Volk Israel, das sich aber auch diesem Reden Gottes gegenüber verschließt.[65] Es spricht viel dafür, daß das Zitat schon vor seiner Verwendung in 1 Kor 14 eine längere urchristliche Vorgeschichte hatte und in der Auseinandersetzung der Urkirche mit den Juden geformt und tradiert wurde.[66] Dagegen dürfte es vor Paulus bzw. vor 1 Kor 14 noch keinen Platz in innergemeindlichen Auseinandersetzungen um den Stellenwert der Glossolalie in den Gemeindeversammlungen gehabt haben.

Gerade dazu wird es aber hier von Paulus angeführt. Die im Zitat angelegte Charakterisierung der Glossolalie als eines endzeitlichen zur Entscheidung rufenden Phänomens wird mit *eis semeion* (V. 22) festgehalten, gleichzeitig wird aber der Sinngehalt der Glossolalie einzig auf diesen Zeichen-Charakter einge-

---

[64] In den paulinischen Schriftzitaten mit *legei kyrios* ist die Formel immer zum Text hinzugefügt; das ist nach Ellis, Paul's Use of the OT 107, ein Anzeichen für die Nähe der Zitate zu den Testimonien. In der Septuaginta werde sowohl *'mr jhwh* wie *n'm jhwh* in der Mitte oder am Ende eines Prophetenspruchs mit *legei kyrios* wiedergegeben (vgl. Am 1 ,5. 15; 2, 3 mit Am 2, 11. 16; 3, 10). Die Formel steht bei Paulus ebenfalls in der Mitte (Röm 14, 11) oder am Ende (Röm 12, 19; 1 Kor 14, 21; 2 Kor 6, 16—18) der Zitate und qualifiziert sie so als göttliche Offenbarung. Die Formel *legei kyrios* ist nicht mit der am Anfang der Prophetensprüche stehenden Botenformel: *kh 'mr jhwh = tade legei kyrios* (Am 2, 1. 4. 6) identisch.

[65] Maly, Mündige Gemeinde 208f, möchte die Änderungen auf Paulus selbst zurückführen und sieht in *oud'outos* bereits eine Alternative zur Glossolalie angedeutet, nämlich die im jesajanischen Kontext genannte, aber im Zitat unterdrückte Prophetie. Das dürfte bei der nachweisbaren Vereinzelung des Zitats nicht mehr legitim sein. Die Erwähnung der Prophetie in 14, 22b. 24f und ihre Gegenüberstellung zur Glossolalie ist völlig durch die Absicht und durch die Anlage des gesamten Kapitels begründet. Sein Resumee zum Sinn des Zitats ist ausschließlich aus dem Vergleich mit MT und LXX ohne Berücksichtigung des nächsten paulinischen Kontextes gewonnen und daher ebenfalls irreführend: "wird das Charisma der Prophetie geringgeschätzt, dann wird auch die Ablehnung der Glossolalie nicht ausbleiben. Sind die Korinther der verständlichen Gottesrede nicht mehr zugänglich, wird die unverständliche gänzlich illusorisch" (209).

[66] Vgl. Ellis, Paul's Use of the OT 98—113; Maly, Mündige Gemeinde 234—236; Lindars, NT Apologetic 164. 175, verweist darauf, daß der ganze Textzusammenhang Jes 28f apologetisch genutzt wurde. Das Zitat erfüllt sowohl das von Lindars für den urchristlichen apologetischen Schriftgebrauch und für die Rückgewinnung von Testimonien aufgestellte Kriterium der "modification of text" (ebd. 24—28) wie im jetzigen paulinischen Kontext das Kriterium der "shift of application" (ebd. 17—24).

schränkt. An die Stelle des *laos outos,* d. h. Israels, im Zitat treten als Adressaten des Zeichens die *apistoi,* die nichtchristlichen Mitbürger der Gemeinde (vgl. 6, 6; 7, 12—15; 10, 27),[67] während die Gemeinde und alle, die zu ihr stoßen werden (vgl. V. 24—25!), mit *ou tois pisteuousin* ausgeschlossen werden. Diese Übertragung auf neue Adressaten ist folgenschwer. Das Zitat blickte auf die bereits geschehene und feststellbare Verschließung Israels gegenüber der vom Geist bewegten Gemeinde Christi zurück und erwies sie als von Jahwe vorhergesagt. Die paulinische Anwendung sucht aber nun, diese heilsgeschichtliche, aus der Rückschau gewonnene Einsicht über den Zusammenhang von Glossolalie und Verstockung Israels zu einem ganz anderen Ziel, nämlich zum Erweis der Unbrauchbarkeit der Glossolalie für die Gemeindeversammlungen, auszumünzen. Dabei ist Paulus auf Grund des Zitats auf den missionarischen Kontakt der Gemeinde mit Nichtchristen angewiesen. Infolgedessen sollen die folgenden Beispiele die Unbrauchbarkeit der Glossolalie für die Mission erweisen. Die "Ungläubigen" sind für Paulus, wie das Beispiel 14, 24—25 beweist, im Gegensatz zu "diesem Volk" im Zitat grundsätzlich bekehrbar.[68] Ihre "Verstokkung" bzw. die Abkehr des "Ungläubigen" von der Gemeinde im ersten Beispiel (V. 23) geht nicht mehr wie im Zitat auf ihre Unbekehrbarkeit, auf ihren bösen Willen zurück, sondern eigentlich auf die Gemeinde, die in unreifer Weise (vgl. V. 20!) die Glossolalie der Prophetie vorgezogen hat. Wenn sie die Glossolalie der Gemeinde als *mania,*[69] als Raserei qualifizieren — damit würde die Gemeinde unter die vielen ekstatischen Kultverbände eingereiht — so ist ihr Urteil von ihrem religiösen Standpunkt aus gerechtfertigt.[70] Paulus zitiert es sicher nicht ohne beißende Ironie.

[67] Maly, Mündige Gemeinde 209: "Bei den *apistoi* ist hier nicht an einen t. t. für die 'Heiden' zu denken. Es sind vielmehr solche, die dem Worte Gottes widerstreben", übersieht die Spannungen, die zwischen dem Zitat, seiner Anwendung und den Beispielen bestehen. "Wort Gottes" ist übrigens eine unzutreffende Charakterisierung der Glossolalie. Noch weniger kann man Maly zustimmen, wenn er ebd. über Allo hinaus den Unglauben in die Gemeinde von Korinth verlegt: "Wenn die Glossolalie in Korinth der Prophetie vorgezogen wird, ist das ein Kennzeichen, ein Erkenntnisgrund dafür, daß der Unglaube zum Durchbruch gekommen ist."

[68] Vgl. Kuß, 1 Kor 181.

[69] Vgl. Preisker, ThW IV 363—365. Die Wortgruppe *mantis, mainomai* könnte an sich zur Übertragung von *nbj'* herangezogen werden, sie wird aber in LXX wie im NT bei prophetischen Phänomenen gemieden; s. Fascher, *Prophetes* 7. 37. 68. 107f. *mantis* für Bileam Jos 13, 23; für die Wahrsager der Philister 1 Sam 6, 2; für falsche Propheten Mich 3, 7; Sach 10, 2; *Ier* 36 (29), 8; aufschlußreich für die negative Bedeutung *Ier* 36, 26 (vgl. dagegen MT!) und Weish 14, 28. Der Ausdruck *mainesthe* dürfte also mit vollem Bedacht von Paulus gewählt sein und gleichzeitig wiederum die Nähe von Glossolalie und Prophetie bestätigen.

[70] Gegen Preisker, ThW IV 365 (zu 1 Kor 14, 23): "Der Ungläubige steht vor dieser Geistesgabe ohne Verständnis und lehnt diese Art der charismatischen Verkündigung als verrücktes Reden ab. So drückt *mainesthai* im NT das Urteil des Unglaubens über gotterfülltes Zeugnis, über das unbegreifliche Heilshandeln Gottes aus." Damit ist der Text theologisch überinterpretiert. Paulus argumentiert auf der Ebene der Vernunft, des "common sense".

II. Die Prophetie als die auch Ungläubige überführende Manifestation der Gegenwart Gottes in der Gemeinde

14, 22b ist nicht mehr im Anschluß an das Zitat, sondern in Antithese zu V. 22a entwickelt: "die Prophetie dagegen nicht für die Ungläubigen, sondern für die Gläubigen". Hier fehlt *eis semeion,* es wird dem Sinn nach zu ergänzen sein.[71] Die Spitze der Verse 21—22 ist gegen die Glossolalie gerichtet, die Zuordnung der Prophetie zu den Gläubigen wird nicht begründet, sondern nur behauptet. Immerhin läßt sich durch diesen Anschluß an V. 21. 22a erkennen, daß Paulus die Prophetie wie die Glossolalie als besondere die Gemeinde auszeichnende Gabe der Endzeit wertet.[72] Mag die Vorstellung, daß alle Gemeindeglieder in Sprachen reden (V. 23) oder alle prophezeien (V. 24), auch unrealistisch sein (vgl. nur 12, 29—30) und mehr zur typischen Gestaltung der Beispiele gehören,[73] sie ist doch nur möglich unter der Voraussetzung, daß alle das endzeitliche Pneuma empfangen haben und grundsätzlich, entsprechend der Erwartung,[74] auch in Sprachen oder prophetisch reden können. In dem auf die Zurückdrängung der Glossolalie ausgerichteten Kontext von 1 Kor 14 war wenig Gelegenheit zu einer grundsätzlichen theologischen Wertung der Prophetie. Die vorhandenen Ansätze dazu lassen sich aber im Zusammenhang des 1 Kor weiterverfolgen. 1 Kor 12, 4—11 zeigt die Propheten im Zusammenhang des endzeitlichen Geistwirkens in der Gemeinde. An 1 Kor 2, 6—16 wird die überragende Bedeutung erkennbar, welche die Geistesoffenbarung für das eschatologische Erwählungsbewußtsein des Paulus und der urchristlichen Pneumatiker hatte.

---

[71] Vgl. Heinrici, 1 Kor 426f; Bachmann, 1 Kor 421; Lietzmann, 1 Kor 73; Maly, Mündige Gemeinde 209.

[72] 1QH 2, 13: "Und du hast mich gesetzt als *Panier* für die Auserwählten der Gerechtigkeit und als Verkünder des Wissens um wunderbare Geheimnisse" stellt eine interessante Parallele zu 1 Kor 14, 22 dar, sofern beide Male der Begriff des "Zeichens" mit dem Begriff charismatischer Erkenntnis verbunden wird. Im einzelnen bestehen gravierende Unterschiede: in Qumran handelt es sich um Aussagen über den Lehrer, in 1 Kor um Aussagen über Glossolalie und Prophetie; der Begriff des "Zeichens" hat in 1QH 2, 13 eine konkretere Bedeutung als in 1 Kor 14: "Dieses Zeichen des eschatologischen Heils, das Panier, das vor den Völkern aufgerichtet wird und um das sich die Gerechten sammeln, stellt der Lehrer dar." (Jeremias, Lehrer der Gerechtigkeit 199f). Vgl. zum Text auch oben S. 74f.

[73] Vgl. Greeven, Propheten 6: "Entscheidend dabei ist freilich nicht, daß der Fremde alle Gemeindeglieder ohne Ausnahme beteiligt sieht, sondern, daß er überhaupt nichts anderes zu hören bekommt. So darf denn schon das *pantes* v23 nicht gepreßt werden; noch viel weniger aber das von v24, wo die Parallelität des Gegensatzes eine ebenso ideale Szene fordert: alle prophezeien. Auch hier liegt gar kein Ton auf der Beteiligung aller, sondern darauf, daß der zu Gewinnende sich einem geschlossenen Angriff auf sein Nichtglauben ausgesetzt sieht."

[74] Vgl. oben Anm. 6.

Oben wurde bereits bemerkt, daß die Thematik der Beispiele (Wirkung der Glossolalie bzw. der Prophetie auf "Ungläubige",[75] die in eine Gemeindeversammlung geraten) durch das Zitat und seine Anwendung bedingt ist. Über die Glossolalie erfahren wir denn auch in V. 23 nichts Neues, wohl aber in V. 24—25 über die Prophetie. Das Beispiel umreißt fast formelhaft im ersten Teil (V. 24—25a) die dem Ungläubigen durch die Propheten widerfahrende Enthüllung seines geistigen Zustandes, im zweiten Teil stilgemäß die Antwort auf die Offenbarung in Bekenntnis und Anbetung (V. 25b). Zunächst beschreibt eine dreigliedrige Klimax die Auswirkungen der prophetischen Rede auf den Ungläubigen: "er wird von allen überführt, er wird von allen beurteilt, das Verborgene seines Herzens wird offenbar". Es sollte nicht bestritten werden, daß dieser Satz zur Voraussetzung hat, daß die prophetisch Redenden sich dem hinzugekommenen Ungläubigen zuwenden und auf ihn hinsprechen und nicht einfach in einer sowieso nirgends belegbaren prophetischen Mahnrede an die Gemeinde fortfahren,[76] sonst hätte das zweimalige *ypo panton* kaum einen Sinn.

---

[75] Zu *apistoi* s. oben S. 245 und Anm. 67. *idiotes* ist durch seine Stellung vor oder nach *apistos* nach dem jeweiligen Kontext zu interpretieren, entweder als jemand, der die Sprachengabe noch nicht kennt, oder als jemand, der noch nicht zur Gemeinde gehört, beide Male identisch mit *apistos*, s. Schlier, ThW III 217.

[76] Die meisten Kommentatoren bemühen sich weniger um die Auslegung als um die Verharmlosung dieser Verse. Weiß, 1 Kor 333, und Lietzmann, 1 Kor 73, erwähnen Weinels Charakterisierung dieses Vorgangs als "Gedankenlesen" (s. unten Anm. 89), ohne Konsequenzen daraus zu ziehen. Einige Beispiele für diese hier angegriffene Art der Auslegung bis in die jüngste Gegenwart sollen folgen. Heinrici, 1 Kor 429: "die bislang von keinem anderen erkannten Triebfedern, Neigungen, Anschläge seines ganzen inneren Lebenstriebes werden zutage gelegt, indem die Propheten das verborgene Dichten und Trachten des menschlichen Gemüts mit geisterleuchtetem Tiefblick so wahr und treffend darstellen, daß der Zuhörer die Geheimnisse seines eigenen Herzens vor allen Anwesenden aufgedeckt sieht". Weiß, 1 Kor 333: "aber man hat nicht den Eindruck, daß P. hier eine besondere Gabe unterscheidet; das *propheteuein* ist nichts anderes als eine *paraklesis*, aus der der Hörer den Eindruck bekommt, daß Gott selber redet". Lietzmann, 1 Kor 73: "nur muß man im Auge behalten, daß in jeder echt seelsorgerlichen Bußpredigt viel von dieser Gabe steckt". Bachmann, 1 Kor 421: "Während aber die Glossolalie, je mehr sie sich steigert, Wirkungen hervorbringt, die der christlichen Gemeinde selbst unwillkommen sein müssen, ist bei der Prophetie, je kräftiger und allgemeiner sie wird, um so mehr das Gegenteil der Fall". Allo, 1 Kor 367f: "C'est le secret de la prédication inspirée, celle qui convertit ... La 'prophétie' dévoilerait, 'occulta cordis ... non prophetis ... sed illis in quibus sunt et latent ipsis' (Estius)." Wendland, 1 Kor 113: "Genau entgegengesetzt ist aber die Wirkung der Prophetie: sie ist Erschütterung des Gewissens, denn sie ist Buß- und Gerichtswort, das zur Erkenntnis der Sünde führt und die Geheimnisse des menschlichen Herzens aufdeckt." Kuß, 1 Kor 181: "Im andern Falle aber, wenn die Christen zur 'Erbauung, Mahnung und Tröstung' prophezeien, dann wird ein etwa anwesender Nichtchrist im Herzen getroffen werden, er wird in sich spüren, daß auch von ihm die Rede ist, wo von der wahren Lage des Menschen gesprochen wird." Barrett, 1 Kor 326: "There is no need to see here a miraculous gift of thought-reading. The moral truth of Chri-

Die einzelnen von Paulus gebrauchten Worte verdeutlichen den Vorgang. *elencho* ist h. l. bei Paulus, seine Bedeutung im Neuen Testament ist relativ einheitlich:[77] "jemandem seine Sünde vorhalten und ihn zur Umkehr auffordern" = jemanden überführen. Sein Sinn in der Septuaginta ist geprägt durch *jkḥ*, es meint die "Zucht und Erziehung des Menschen durch Gott als Ausfluß seiner richterlichen Tätigkeit. Dabei umfaßt der Begriff der Zucht alle Stufen und Maßnahmen der Erziehung von der Überführung des Sünders bis zur Züchtigung und Bestrafung".[78] Daneben gibt es in der Septuaginta wie im Neuen Testament ein zwischenmenschliches *elencho*.[79] Der Vorgang an unserer Stelle vollzieht sich zwar auf dieser zwischenmenschlichen Ebene, aber zugleich auch über ihr, in ihm ereignet sich durch die Propheten das Überführen Gottes, das zeigt die Fortsetzung bis zum Bekenntnis des "Überführten" in V. 25. Damit dürfte der Gebrauch des Verbums *elencho* an unserer Stelle traditionsgeschichtlich in der Nähe seines technischen Gebrauchs in der Apokalyptik stehen, wo er die Gerichtsreden wider die Sünder beim Endgericht charakterisiert. Im Neuen Testament kommen dem folgende bezeichnende Verwendungen am nächsten: Jo 3, 20 (Licht), 16, 8 (Paraklet) und Jud 15 (nach Hen 1, 9!): "Siehe, der Herr ist gekommen mit seinen heiligen Zehntausenden, Gericht *(krisin)* zu halten über alle und alle Gottlosen zu überführen *(elenxai)* aller Werke ihrer Gottlosigkeit, die sie gefrevelt haben, und all der harten Worte, die sie, gottlose Sünder, gegen ihn ausgesprochen haben."[80]

Das zweite Glied der Klimax *anakrinetai* teilt mit *elenchetai* die eigenartige doppelbödige Bedeutung. *anakrino*[81] bedeutet "befragen, ausfragen, untersuchen, beurteilen, prüfen" und wird von Paulus nur im 1 Kor gebraucht (2, 14. 15; 4, 3 bis. 4; 9, 3; 10, 25. 27; 14, 24). Ohne nähere Beziehung zu unserer Stelle ist nur das *meden anakrinontes* "ohne nachzufragen" von 10, 25. 27.[82] Die übrigen Stellen gehören eng zusammen und müssen zur Erhellung des spezifischen Wortsinns in 14, 24 mitherangezogen werden. 9, 3 spricht von Leuten, die Paulus "beurteilen" wollen und weist zurück auf 4, 3—5a, wo er sich mit diesem Anspruch näher auseinandersetzt: "Mir liegt indes sehr wenig daran, von euch beurteilt zu werden *(anakritho)* oder von einem menschlichen Gerichtstag — ich beurteile *(anakrino)* mich ja nicht einmal selbst. Ich bin mir freilich keiner Sache bewußt, aber deswegen bin ich nicht gerechtfertigt. Der, der mich (mit Recht) beurteilt *(anakrinon)*, ist der Herr". Der Text und seine Fortsetzung (5b): "Daher richtet *(krinete)* nichts vor der Zeit, bevor der Herr kommt" machen deutlich, wie eng alle Vorgänge des "Beurteilens" mit dem "Richten" zusammenhängen; *anakrino* hat an diesen Stellen die präzise Bedeutung "ins Gericht ziehen".

---

stianity, proclaimed in inspired speech ..., the prophetic word of God ... are sufficient to convict a sinner." Maly, Mündige Gemeinde 213: "Das Passiv kennzeichnet das Erleben dessen, der seine Sünde im Wort der Prophetie erkennt ... (zu 14, 25a:) auch hier ist an die subjektive Erfahrung des Außenstehenden zu denken. Ihm werden die geheimsten Gedanken in ihrer Widergöttlichkeit bewußt."

[77] Büchsel, ThW II 471.

[78] Ebd.; vgl. nur *ps* 6, 1; 37(38), 1; 49(50), 8. 21; 93(94), 10; 104(105), 14; Spr 3, 11f; Weish 1, 3. 58; 12, 2; Sir 18, 13; ferner die Verwendung von *jkḥ* in den Qumranschriften oben S. 71. 73f.

[79] Z. B. Lev 19, 17; *ps* 140 (141), 5; Spr 9, 7f; Sir 19, 13—17; im NT: Mt 18, 15; Lk 3, 19; Eph 5, 11; 1 Tim 5, 20; 2 Tim 4, 2; Tit 1, 9. 13; 2, 15; Jud 22.

[80] Volz 302: "Eine beliebte Vorstellung ist ferner, daß Gott (bzw. der Messias) die Sünder überführt und sie wegen ihrer Sünden tadelt (vgl. Mt 25): der Richter hält eine Gerichtsrede ... Bei diesen Gerichtsreden ist der Terminus arguere, *elenchein* (überführen) der technische Ausdruck"; vgl. Hen 1, 9; syrBar 55, 8; 40. 1f; 4 Esr 12, 31—33; 13, 37; PsSal 17, 25b.

[81] Bauer 112; vgl. Liddell-Scott 109. [82] Vgl. Bauer 112.

Das Gericht aber ist eine Prärogative Gottes (vgl. Röm 2, 1—2; 14, 10—12) bzw. des Kyrios[83] bei seiner Parusie. Einzig von diesem Gericht ist entsprechend der göttlichen Kenntnis des "Herzens",[84] d. h. des Denkens und Wollens, der inneren Haltung eines Menschen, ein gerechtes Urteil zu erwarten. Das Gericht wird sich gerade durch das Aufdecken der verborgenen Haltung des Menschen vollziehen. 1 Kor 4, 5c überträgt das Motiv von der göttlichen Herzenskenntnis[85] auf das apokalyptische, enthüllende Gerichtshandeln des Kyrios:[86] "Er wird das im Dunkeln *Verborgene* ans Licht bringen und die Absichten der *Herzen offenbar* machen." Das prophetische "Überführen und Beurteilen" des Ungläubigen stellt sich als eine Vorwegnahme dieses beim Endgericht geschehenden Enthüllens dar: *ta krypta tes kardias autou phanera ginetai* (V. 25a). Und so ist es auch von Paulus gemeint; die Formulierung klingt wie eine Abkürzung von 1 Kor 4, 5c und hat überdies die gleiche Voraussetzung, nämlich das "Beurteilen" *(anakrino)*. Die mit dem Überführen einsetzende Klimax hat ihren Höhepunkt erreicht, auf dem auch nicht mehr von einem Handeln der Propheten die Rede ist. Das dürfte kein Zufall sein, wird doch so auf das sich durch sie ereignende Handeln bzw. Reden Gottes[87] verwiesen.

Bevor wir uns mit der Antwort des Ungläubigen auf dieses Handeln Gottes beschäftigen, müssen wir noch einmal zum Begriff *anakrino* zurückkehren. Er begegnet nämlich außerhalb des unmittelbaren Gerichtskontextes, aber im Zusammenhang mit pneumatischer bzw. prophetischer Rede und Erkenntnis in 1 Kor 2, 14—15: "Der seelische Mensch aber nimmt nicht an, was vom Geiste Gottes kommt, denn Torheit ist es ihm, und er kann es nicht erkennen, weil es auf eine Weise beurteilt werden muß, die dem Geist entspricht *(oti pneumatikos anakrinetai)*. Der geistliche (Mensch) beurteilt *(anakrinei)* alles, selbst wird er aber von niemandem beurteilt *(anakrinetai)*." Eine ausführlichere Exegese dieses Textes muß an anderer Stelle im Zusammenhang mit dem ganzen Abschnitt 2, 6—16 gegeben werden. Folgendes kann aber schon jetzt festgestellt

---

[83] Vgl. Kramer, Christos, Kyrios, Gottessohn 172—174; beachte aber 1 Kor 4, 5d.

[84] Schon alttestamentlich: 1 Sam 16, 7; 1 Kg 8, 39; Spr 21, 2; Ps 7, 10; 139, 1; Sir 1, 30; 42, 18; Jer 11, 20; 17, 10; 20, 12.

[85] Vgl. noch 1 Thess 2, 4; Röm 8, 27; Apg 1, 24; 15, 8; Offb 2, 23.

[86] syrBar 83, 3: "Und sicherlich wird er erforschen die *verborgenen* Gedanken und alles, was im *Innersten* aller Glieder der Menschen drinliegt; und er bringt es, öffentlich vor jedermann, mit scharfem Tadel an den Tag." aethHen 9, 5: "Denn du hast alles gemacht, und die Herrschaft über alles ist bei dir. Alles ist vor dir *aufgedeckt* und *offenbar*, du siehst alles, und nichts kann sich vor dir verbergen." Hebr 4, 13: "Und es gibt kein Geschöpf, das vor ihm verborgen ist, alles liegt ohne Hülle und offen vor den Augen dessen, vor dem wir Rechenschaft ablegen müssen." Vgl. noch die mit 1 Kor 4, 5 verwandte, aber von der Offenbarung apokalyptischer Geheimnisse handelnde Stelle Dan *Th* 2, 22; s. dazu oben S. 46f. 55. Der Zusammenhang zwischen Geistbesitz, Herzenskenntnis und Gericht auch aethHen 49, 3f (über den Menschensohn): "In ihm wohnt der Geist der Weisheit und der Geist dessen, der Einsicht gibt, und der Geist der Lehre und Kraft und der Geist derer, die in Gerechtigkeit entschlafen sind. Er wird die verborgenen Dinge richten."

[87] Vgl. 14, 21 (aus dem Zitat): *laleso to lao touto*.

werden: Paulus stellt in diesem Abschnitt die prophetische Rede und Erkenntnis von Geheimnissen als Weisheit Gottes dem korinthischen Verlangen nach einer Verkündigung in Weisheit gegenüber. Seine Argumentation folgt einem im ganzen Abschnitt nachweisbaren Offenbarungsschema, dessen Elemente auch in 1 Kor 14 begegnen. Das Offenbarungsschema ist aber einbezogen in die aktuelle Auseinandersetzung mit den Korinthern, sowohl um die Weisheit, darauf ist zum Beispiel auch 2, 14 zurückzuführen *(psychikos anthropos, moria)*, wie auch um die eigene Person (das Thema von 4, 1—5; 9, 3); ein Anzeichen dafür haben wir in 2, 15b (*autos de yp' oudenos anakrinetai*). Dem Wortsinn nach steht diese letzte Verwendung von *anakrino* = "ins Gericht ziehen" den behandelten Stellen (4, 3—5; 14, 24) am nächsten, während 2, 15a *o de pneumatikos anakrinei men panta* am ehesten mit dem theologischen Gehalt von *anakrino* in 14, 24 zu vergleichen ist, da es beide Male um ein "Beurteilen" auf Grund von Inspiration geht; allerdings bleibt der Gegenstand in 2, 15a umfassend ("alles"), das andere Mal ist es ein konkreter Mensch, demgegenüber das "Beurteilen" auch einen präzisen judizialen Sinn hat.

Trotz der großen Nähe von 1 Kor 14 zu 2, 6—16 und trotz der Verwendung von *anakrino* an beiden Stellen scheint das Wort an keiner der beiden Stellen als ein terminus technicus der urchristlichen Prophetie gebraucht zu sein, und zwar aus folgenden Gründen: In 1 Kor 14, 24 folgt es erst an zweiter Stelle auf das eindeutigere *elencho* und hat dort mehr erläuternden Charakter. In 2, 14—15 wird es dreimal verwendet, die Reihe ist assoziativ und polemisch entstanden. Das Wort macht dabei von 2, 14b bis 2, 15b einen Bedeutungswandel durch. In 2, 14b steht es parallel zu *gnonai* und drückt eine allgemeine Forderung aus: Geistesoffenbarungen müssen auf eine Weise beurteilt werden, die dem Geist entspricht. In 2, 15b hat es eine Beziehung auf die aktuelle Auseinandersetzung des Paulus mit den Korinthern. In 2, 15a steht es mehr oder weniger antithetisch zum Vorausgehenden und zum Folgenden, vielleicht sogar mit einer polemischen Spitze gegen die Korinther. Der Satz ist eine bewußte Verallgemeinerung sämtlicher prophetischen Funktionen und Fähigkeiten, während die "Überführung" des Ungläubigen in 14, 24—25 sicher einen Topos der urchristlichen und paulinischen Vorstellung von Prophetie darstellt. Gemeinsamer theologischer Hintergrund für beide Stellen ist die Überzeugung von der Teilhabe der Propheten am Geiste Gottes bzw. am "Sinn Christi" (2, 16), ferner auch der Bezug auf die semitische Kategorie des Geheimnisses, welche, für uns schwer verständlich, das gesamte Wissen Gottes umfaßt: Kosmologisches, Eschatologisches, Soteriologisches und die bösen Taten der Menschen.[88] In 14, 24—25 ist darüber hinaus das auch sonst häufig begegnende Motiv vom übernatürlichen Wissen bzw. von der "Herzenskenntnis" eines Charismatikers[89] durch die traditionsgesättigte Sprache der Apokalyptik theologisch überhöht: im Handeln der Propheten ereignet sich schon das Gericht Gottes.

---

[88] Vgl. Brown, The Pre-Christian Semitic Concept of "Mystery" 424f zum Umfang der himmlischen Geheimnisse in Sir: (a) kosmologische Phänomene 43; (b) Handlungen von Menschen, besonders böse Handlungen, welche von Gott an den Tag gebracht werden 1, 30 vgl. 16, 17ff; 17, 15ff; 23, 18ff; 39, 19; (c) durch Studium der alten Traditionen erkennbare Geheimnisse 39, 7 vgl. 47, 15—17. Ebd. 431f zu aethHen (vgl. besonders 38, 3; 49, 2. 4; 61, 9; 83, 7); 441f zu Qumran (vgl. besonders 1QS 4, 1; 1QM 14, 9; 1Q27 1, 2). Ders., The Semitic Background of the New Testament Mysterion 441, zu 1 Kor 4, 5.

[89] Das Phänomen der charismatischen Herzenskenntnis bzw. des Gedankenlesens bildet den religionspsychologischen Hintergrund des Beispiels. Vgl. Gunkel, Die Wirkungen des Heiligen Geistes 24: "Die korinthischen Propheten verfügen über eine

Der im prophetischen Wort sich ereignenden Manifestation Gottes entspricht die Reaktion des "Ungläubigen" (V. 25b); sie wird ebenfalls in fester, fast formelhafter religiöser Sprache geschildert: "und so wird er auf sein Antlitz niederfallen und Gott anbeten und verkünden: Gott ist wirklich unter euch!"

übermenschliche Kenntnis der Geheimnisse des menschlichen Herzens." Weinel, Die Wirkungen des Geistes und der Geister 183f: "Nach der starken Schilderung, die Paulus gibt, ist es unmöglich, an eine allgemeine Sündenaufzählung durch die Propheten zu denken. Dazu brauchte kein 'Gott' vom Himmel herabzukommen. Es ist vielmehr anzunehmen, daß christliche Propheten geheime Gedanken und verborgene Sünden ihrer Zuhörer erkannt und ihnen auf den Kopf zugesagt haben. Ein solches Gedankenlesen ist nicht unerhört." Ebd. 184 Anm. 1 Hinweis auf neuzeitliche Träger dieser Fähigkeit: George Fox, der Begründer der Quäker, und H. Zschokke, Eine Selbstschau I 274ff (Aarau). Weitere Beispiele für charismatische Herzenskenntnis in der Neuzeit: die finnische Ekstatikerin Helena Kottinen 1871—1916 (s. Lindblom, Prophecy in Ancient Israel 15—17); Glossolalie in einer Pfingstgemeinde 1960, die von einem anwesenden Juden verstanden, auf sich bezogen wird und zu seiner Bekehrung zum Christentum führt (Hollenweger, Enthusiastisches Christentum 3f). Vgl. ferner Wetter, Der Sohn Gottes 69ff; Windisch, Paulus und Christus 16f; Oepke, ThW III 977 Anm. 42.

Langsam scheint sich auch in den Kommentaren zu 1 Kor die Einsicht durchzusetzen, daß es sich in 14, 24 um den Vorgang charismatischer Herzenskenntnis handelt: Sickenberger, 1 Kor 89; Conzelmann, 1 Kor 286: "Wichtig ist die Stelle auch für das paulinische Verständnis der Prophetie: Sie ist nicht Vorhersage von Künftigem, sondern Enthüllung des Menschen." Diese Feststellung stellt immerhin einen Fortschritt gegenüber den in Anm. 76 aufgezählten Versuchen dar, die urchristliche Prophetie ihres pneumatischen irrationalen Charakters zu entkleiden. Die dort wirksame Tendenz wirkt aber in Conzelmanns Versuch weiter, das irrationale Moment nun auf die Konzession der Kardiognosie einzuschränken und die "Vorhersage" a priori auszuschließen, in einer rabiaten theologischen Dialektik. Dabei wird von Conzelmann übersehen, daß 1 Kor 14, 24 keinen normativen Anspruch erhebt, sondern ein geschickt gewähltes Beispiel zugunsten der Prophetie ist.

Vgl. zur Kardiognosie im Alten Testament: 2 Kg 4, 27; 5, 25—27 (Elisa). Zur Schätzung dieser Fähigkeit in neutestamentlicher Zeit und zu ihrer Verbindung mit dem Bild der Prophetie vgl. Weish 7, 17—21: Salomo erhält von Gott Kenntnis über "Anfang, Ende und Mitte der Zeiten", über "die Gewalt der Geister und die Gedanken *(dialogismoi)* der Menschen", denn die Weisheit hat ihn belehrt; 7, 22—27: die Weisheit beobachtet alles und durchdringt alle Geister; "Von Geschlecht zu Geschlecht geht sie in lautere Seelen ein und rüstet Gottesfreunde und Propheten aus". Im Neuen Testament hat die Vorstellung besonders die Zeichnung Jesu beeinflußt: Mk 2, 8; 3, 2—5; 9, 33f; 12, 15; 12, 43f; Lk 7, 39; Joh 1, 46—48; 2, 25; 4, 16—19; 6 15; Apg 5, 3—11; 13, 8—12; Lindblom, Gesichte und Offenbarungen 182 und Anm. 40 ebd. (mit Belegen aus den Apokryphen); Meyer, Der Prophet aus Galiläa 11f. 104. Rabbinische Beispiele ebd. 59; Sjöberg, ThW VI 384; vgl. auch Bieler, *THEIOS ANER* I 87—90.

Die Kardiognosie begegnet auch außerhalb des mittelmeerischen Religions- und Kulturkreises, s. Heiler, Erscheinungsformen und Wesen der Religion 555: "Eine besondere Fähigkeit der Heiligen ist die Kardiognosia, im Pali-Buddhismus "Erkenntnis anderer Herzen" oder "Wunder der Auskunft", eine höhere Form des Gedankenlesens".

Das Niederfallen zur Anbetung Gottes[90] hat seinen besonderen Sinn nicht nur als Ausdruck der Bekehrung eines Ungläubigen, es ist auch die stilgemäße Antwort auf Offenbarung.[91] Wenn sie uns sonst häufiger in der Form des Niederfallens vor dem Offenbarer begegnet,[92] zeigt sich wieder nur, wie stark Paulus von der Manifestation Gottes her und nicht vom Propheten als *theios aner* her denkt. *apaggello* "verkünden" hat in diesem Zusammenhang gleichfalls eine starke kultische Note.[93] Das Bekenntnis zu dem einen wahren Gott: "Gott ist wirklich unter euch" bringt die Erfahrung des Ungläubigen ins Wort und bildet bis in die Formulierung hinein den stilgemäßen Abschluß einer prophetischen Offenbarung vor Ungläubigen. Zu beachten ist hier gegenüber den alttestamentlichen Parallelen[94] die völlige Loslösung der Gottesaussage von Israel. Gott ist in der Gemeinde, in ihrer Prophetie wirksam und gegenwärtig.

Beide Teile des Beispiels 24—25 sprechen somit die Sprache der biblischen und der apokalyptischen Tradition, das ganze Beispiel muß auf ihrem Hintergrund verstanden werden. Diese starke Traditionsbezogenheit läßt vermuten, daß urchristliche Prophetie sich auch sonst in traditionsbestimmten Bezügen bewegte, äußerte und selbst verstand. Paulus benutzt das Beispiel, um die Prophetie als besondere Manifestation Gottes in der Gemeinde zu erweisen. Welche tatsächliche Bedeutung der "Herzenskenntnis" im Wirken der urchristlichen Propheten zukam, erfahren wir aus 1 Kor 14, 24—25 allein nicht, zumal der Text auch noch von der "Überführung" eines Ungläubigen handelt.[95] Paulus selber ist an einer anderen Funktion der Propheten, die sie in der Gemeindeversammlung ausüben, interessiert: an ihrer Erkenntnis und Verkündigung von Ge-

---

[90] Die gleiche Verbindung von *pipto* im Partizip Aorist mit *proskyneo* als Verbum finitum auch: Mt 2, 11; 4, 9; Apg 10, 25 — LXX: Ri 6, 18; 10, 23; Hiob 1, 20; Dan 3, 5f. 10f. 15; Dan *Th* 3, 6. 11. 15; vgl. Michaelis, ThW VI 163 Anm. 13. Andere Verbindungen beider Worte: Offb 4, 10; 5, 14; 7, 11; 11, 16; 19, 4. 10; 22, 8 — LXX: Ri 14, 17; 2 Sam 9, 6; 14, 4. 22. 33; 2 Kg 4, 37; 2 Chr 7, 3; 29, 30; Sir 50, 17. Der Dativ *to theo* entspricht jüdischem Empfinden, vgl. Greeven, ThW VI 762.

[91] Vgl. Ri 7, 15; dazu Ehrlich, Traum im AT 87: "Gideon anerkennt nun Traum und Traumdeutung als ein göttliches Zeichen und wirft sich zum Dank nieder." Niederfallen nach göttlicher Manifestation: Ex 33, 10; 34, 8; nach Erfahrung göttlichen Handelns: Gen 24, 26; Ex 4, 31.

[92] Dan 2, 46 Niederfallen vor Daniel, s. aber das Bekenntnis 2, 47! (vgl. Apg 14, 11—14). Niederfallen vor den Engeln, die eine Offenbarung übermitteln: Offb 19, 10; 22, 8; 4 Esr 4, 11; AscJes 7, 21; SophoniasApk 10, 2f — Num 22, 31; Gen 18, 2; 19, 1; Ri 13, 20; Niederfallen vor Israel als dem Erwählten Gottes: Jes 45, 14 (!); 49, 23.

[93] Bei Paulus nur 1 Thess 1, 9. Vom kultischen Verkünden: *ps* 39, 6; 54, 18; 70, 17f; 77, 4; 88, 2; 104, 1; 144, 4. Vgl. Schniewind, ThW I 64f.

[94] 2 Kg 5, 15 (Naëmann vor Elisa); Dan *Th* 2, 47 (nach 2, 46: Nebukadnezar wirft sich vor dem Offenbarer nieder und betet ihn an); vgl. noch Jes 45, 14; Sach 8, 23; aethHen 63, 4; Bekehrung von Juden zur Gemeinde und zu ihrer Gotteserkenntnis: Offb 3, 9!

[95] Vgl. Friedrich, ThW VI 856.

heimnissen. Die theologische Aufwertung der Prophetie in 14, 20—25 soll dieser Funktion in Korinth zum Ansehen verhelfen.

10. Kapitel: Funktion und Aufbau der Gemeinderegel 1 Kor 14, 26–40

§ 81 Die Funktion der Gemeinderegel 1 Kor 14, 26—40 im Kontext von 1 Kor 12—14

Der Abschnitt 1 Kor 14, 26—40 bildet den Abschluß der 12, 1 mit *peri ton pneumatikon* eingeleiteten Ausführungen über die Geistesgaben. Während die Kapitel 12 und 13 grundsätzlich argumentieren und das Problem Glossolalie immer nur im Zusammenhang mit anderen Charismen angehen, verfolgt Kapitel 14 die Tendenz, in den Gemeindeversammlungen ein ausgewogenes Verhältnis zwischen Glossolalie und Prophetie herzustellen. Die anderen Geistesgaben werden gar nicht mehr erwähnt. Von Anfang an ist der Nutzen für die Gemeinde[1] das hauptsächliche Kriterium (vgl. 14, 3—6). Mit Imperativen, welche zum Streben nach der prophetischen Gabe (14, 1 vgl. 14, 5a) und nach der Fähigkeit, die Glossolalie zum Nutzen der Gemeinde zu übersetzen, aufrufen, greift schon der erste Teil von Kapitel 14 direkt in das Leben der Gemeinde ein. Wie in 1 Kor 10, 27—11, 1 und 11, 33f schließt Paulus hier aber auch noch konkrete, das Leben der Gemeinde ordnende Weisungen an. Der Abschnitt 14, 26—40 stellt die umfangreichste Gemeinderegel im 1 Kor dar. Am Ende der detaillierten Ordnung und ihrer langen Vorbereitung steht die im Vergleich zu 10, 33f; 11, 16. 34 schroffe Forderung nach Anerkennung (14, 37f).

§ 82 Der Aufbau der Gemeinderegel 1 Kor 14, 26—40

Der Aufbau von 1 Kor 14, 26—40 ist verhältnismäßig einfach. Je eine Regel für die Glossolalen (14, 27f), für die Propheten (14, 29—33a) und für die Frauen (14, 33b—36) stehen in einem durch die Einleitung (14, 26) und den Schluß (14, 37—40) gebildeten Rahmen.

Die Einleitung ist aus mehreren Teilen gebildet. Am Anfang steht die überleitende oder resumierende Frage: *ti oun estin adelphoi.*[2] Der folgende Satz beschreibt die Ausgangssituation in einer Gemeindeversammlung: "Wenn ihr zusammenkommt, hat jeder einen Psalm,[3] eine Belehrung, eine Offenbarung, eine Rede in einer Sprache, eine Übersetzung." Diese Reihe von Redeformen in der Gemeindeversammlung ist mit der in 14, 6 aufgezählten Reihe zu vergleichen. Die Unterschiede zwischen beiden Aufzählungen haben keine grundsätz-

[1] Zur Bedeutung dieses traditionellen Kriteriums vgl. oben S. 230f und vor allem unten S. 276—278.
[2] Vgl. 9, 18; 14, 15; Gal 3, 19.
[3] *Hapax legomenon* in den Paulusbriefen, vgl. Kol 3, 16; Eph 5, 19.

liche Bedeutung, sie sind durch den Kontext erklärbar. Gegenüber 14, 6 fehlt in 14, 26 nur die "Erkenntnisrede" (vgl. 12, 8). Hinzugekommen sind zwei Redeformen, von denen im Vorausgehenden ausführlicher die Rede war: der "Psalm" (vgl. 14, 14—17) und die "Übersetzung" (vgl. 12, 10; 14, 5. 13). Die letzten drei Glieder der Aufzählung in 14, 26 kehren in den Regeln 14, 27f. 29—31 wieder. Daher wird die *apokalypsis* in 14, 26 auch für *propheteia* in 14, 6 eingetreten sein. Das einzige vom Kontext her nicht motivierte Element in 14, 26 ist die *didache*. Sie wird eine feste, unbestrittene Stellung in den Gemeindeversammlungen gehabt haben, so daß sie der Vollständigkeit halber zwar erwähnt werden mußte, aber dann nicht weiter behandelt zu werden brauchte.[4] Ähnliches gilt vielleicht auch für den *psalmos*.[5] An diese kurze Beschreibung der Situation schließt sich der bisher schon vorbereitete (vgl. 14, 3. 5. 12. 17) und die paulinische Intention für die Gemeinderegel formulierende Grundsatz: *panta pros oikodomen ginestho*. Er hat der Form nach seine Entsprechung im abschließenden Satz 14, 40.[6]

Die folgenden Regeln[7] haben einige gemeinsame Elemente. Die Anweisungen werden im Imperativ formuliert. Ein erster Regelsatz (14, 27. 29. 34) wird jeweils durch einen zweiten ergänzt, welcher durch eine Konjunktion mit konditionaler Bedeutung eingeleitet wird und sich auf einen durch den ersten Regelsatz nicht berücksichtigten Fall bezieht (14, 28. 30. 35). Die zweite und die dritte Regel werden durch Begründungen (14, 31—33. 34b. 35b) erweitert. Diese Erweiterungen sind notwendig, weil zwar der Inhalt von 14, 27f.29 durch das Vorhergehende vorbereitet war, der Inhalt von 14,30 und 34a jedoch nicht.

Die erste und die zweite Regel behandeln die Glossolalie und die Prophetie nach einem gleichartigen, am erwünschten Ablauf abgelesenen Schema, indem sie die Reihenfolge festlegen: je zwei bis drei Glossolalen und Propheten sollen nacheinander sprechen; dann soll man die Glossolalie "übersetzen", bzw. die Prophetie "deuten". Die Schweigegebote stehen da, wo Glossolalie ohne Übersetzung nicht zur "Erbauung" der Gemeinde beitragen oder wo ein Durcheinanderreden der Propheten auf Grund von neuer Offenbarung die "Ordnung" stören würden. Insofern steht auch 14, 30—33 in enger Beziehung vom Vorhergehenden und zum Zweck der Gemeinderegel.

---

[4] Vgl. die feste Stellung der *didaskaloi* im Katalog 1 Kor 12, 28; auch Röm 12, 7. "Lehre" als term. techn. für die Schriftauslegung im Synagogengottesdienst: Philo Omn Prob Lib 82; Vit Cont 76; Mk 1, 21f; 6, 2; Joh 6, 59; vgl. unten S. 289f.

[5] Die zeitgenössischen jüdischen Quellen übergehen bei der Darstellung des Synagogengottesdienstes den Gesang. Wahrscheinlich war er zu selbstverständlich. Zum Psalmengesang in den Randgruppen des Judentums vgl. Philo Vit Cont 80. 84 (oben S. 110. 117); die Psalmen Salomos, das umfangreiche Liedmaterial in den Qumranschriften.

[6] Vgl. 10, 31: *panta eis doxan theou poieite;* 16, 14: *panta ymon en agape ginestho.* Zur Bedeutung der beiden rahmenden Sätze 14, 26c und 14, 40 s. unten S. 276. 278.

[7] Der Stil ab 14, 27 ist typisch für Gemeinderegeln; vgl. Bartsch, Die Anfänge urchristlicher Rechtsbildungen 69; Käsemann, Sätze heiligen Rechts 71. 76.

Das Schweigegebot für die Frauen ist demgegenüber völlig unvorbereitet. Sein Auftreten läßt sich nur aus der Absicht begreifen, in diesem Abschnitt überhaupt Grundfragen des Gottesdienstes durch Anordnungen im Regelstil zu ordnen und zu entscheiden. Seinem Inhalt nach, dem totalen Schweigegebot für Frauen, geht seine Bedeutung weit über die differenzierenden Regeln für die Glossolalen und für die Propheten in der Gemeinde hinaus. Die Form dieses Schweigegebots unterscheidet sich denn auch trotz der erwähnten Gemeinsamkeiten von den vorhergehenden Regeln. Die Regel hat eine eigene Einleitung (14, 33b) und endet mit einer rhetorischen Frage (14, 36). Der formalen Selbständigkeit und Abgeschlossenheit entspricht eine inhaltliche Isolierung dieser Regel. Sie ist nicht vorbereitet und wird im Schluß des Kapitels ebenfalls nicht berücksichtigt.[8]

14, 37 wendet sich an alle, die den Anspruch erheben, als Propheten oder Pneumatiker zu gelten, und fordert von ihnen die Anerkennung der paulinischen Anordnungen. Hinter dem Vers steht die Annahme, daß diese Anordnungen Widerstand bei den Betroffenen hervorrufen könnten. Darum nennt er sie gleich beim Namen und macht sie darauf aufmerksam, daß ihr Prophetentum oder Pneumatikertum ebenfalls der Anerkennung bedarf (14, 38). Er droht ihnen für den Fall der Nichtanerkennung dieser Weisungen mit dem Entzug der Anerkennung, und das heißt doch wohl mit dem Entzug oder der Einschränkung ihrer Wirkung auf die Gemeinde.

Die Sätze 14, 37 und 38 gehören also eng zusammen. *dokeo ... einai* drückt den Besitz eines bestimmten Ansehens, einer Geltung oder den Anspruch auf diese aus, 1 Kor 3, 18: *ei tis dokei sophos einai;* 1 Kl 48, 6: *oso dokei mallon meizon einai;* häufig im Partizip, Belege s. Bauer 400 s. v. *dokeo* 2b; vgl. Gal 2, 2. 6. *epiginosko* bedeutet an dieser Stelle "anerkennen";[9] vgl. 1 Kor 16, 18: Stephanas und Fortunatus als Männer, die sich für die Gemeinde um Paulus verdient gemacht haben; 2 Kor 6, 9: während man die Apostel schmäht, sie als Betrüger verleumdet, sie nicht kennt, d. h. ihnen die Anerkennung verweigert, wird ihnen doch auch ein wohlwollendes Urteil, die Schätzung ihrer Wahrhaftigkeit, zuteil, werden sie erkannt, d. h. als Apostel anerkannt.[10] In ähnlicher Weise sind *epiginosketo* und *agnoei* auch hier aufeinander bezogen. *agnoei*

---

[8] Gegen die Thesen von Kähler, Die Frau in den paulinischen Briefen 70—73, das Schweigegebot für die Frauen sei ganz selbstverständlich das "letzte Glied einer langen Kette", einer "langen Ermahnungsreihe und Ordnungsanweisung", "die nun wirklich jedes Glied in der Gemeinde" betreffe (70).

[9] Weiß, 1 Kor 343; Barrett, 1 Kor 333. Hier wird also kein besonderer pneumatischer Erkenntnisakt gefordert, auf Gund dessen nur die Pneumatiker erkennen könnten, daß das Geschriebene "ein Gebot des Herrn" ist; gegen Lietzmann, 1 Kor 75f; Conzelmann, 1 Kor 284 (Übersetzung: "einsehen"); Käsemann, Sätze heiligen Rechts 76: "Dialektisch wird zugleich an die Einsicht der Gemeinde appelliert und über den Ungehorsam der Fluch verhängt."

[10] Lietzmann, 2 Kor 128: "8 *dia doxes* bis 9 *epiginoskomenoi* schildert die verschiedenartige Aufnahme und Beurteilung des Paulus bei den Menschen"; ähnlich Windisch, 2 Kor 207f. *epiginosko* ist später term. techn. für die gemeindliche Anerkennung und Aufnahme auswärtiger Gemeindeglieder und Delegierter: Ign Rom 10, 2; MPolyc Epil. Mosq. 3, vgl. Andresen, Die Kirchen der alten Christenheit 184 Anm. 147. Dieser Sprachgebrauch scheint sich in 1 Kor 14, 37f schon abzuzeichnen; zur Datierung der Verse vgl. unten S. 298.

[11] Weiß, 1 Kor 343.

bedeutet: "wenn einer dies nicht anerkennt";[11] das *agnoeitai*[12] weist dagegen auf den hinter *dokei prophetes einai* stehenden Anspruch zurück.[13] Es handelt sich also nicht um einen nur ungeschickt formulierten Rechtssatz mit eschatologischer *talio*,[14] sondern um eine "kirchenrechtliche" Androhung, welche den geordneten Gottesdienst in der Gemeinde für die Gegenwart schützen soll. Der Pneumatiker hat in der Gemeinde nur so viel Recht, als er bereit ist, dem Apostel und seinen Anordnungen, oder der Gemeinde und ihren Ordnungen zuzubilligen — und umgekehrt.

Worauf bezieht sich die Forderung nach Anerkennung und die Anrede an die Propheten und Pneumatiker? Auf die Regeln für die Glossolalen und für die Propheten, auf das Schweigegebot für die Frauen, oder auf beides zusammen? Das Schweigegebot für die Frauen und die Forderung nach Anerkennung sind in ihrem kategorischen Charakter miteinander verwandt. Man kann sich vielleicht doch vorstellen, daß außer der Beziehung auf den gesamtkirchlichen Brauch 14, 33b. 36, auf die Sitte und auf das Gesetz 14, 34f, die Berufung auf eine *entole kyriou* neu eingeführt wurde.[15]

Auf die Forderung nach Anerkennung folgt die ganz anders gestimmte, versöhnliche Schlußmahnung 14, 39,[16] welche noch einmal zum Streben nach der Gabe der Prophetie aufruft, aber auch der geistgewirkten Glossolalie ihr Recht gewahrt wissen will. 14, 40: *panta de euschemonos kai kata taxin ginestho* for-

---

[12] Die unter anderem von P^{46} und B vertretene Lesart *agnoeito* gibt nach der scharfen Forderung von 14, 37 keinen Sinn, Man hat bald kein Verständnis mehr für die aktuelle kirchenpolitische Spitze des Textes mehr gehabt. Zuntz, Text of the Epistles 108, gibt *agnoeito* den Vorzug vor *agnoeitai*, weil er dieses nur als Fluch verstehen kann. Neben der abschwächenden findet sich auch eine verschärfende Lesart: ignorabitur (it, vg), die tatsächlich eine Verwerfung beim Gericht androht. In diesem Sinne versteht Käsemann, Sätze 76, auch schon das *agnoeitai:* "Wer nicht anerkennt, der ist verworfen"; vgl. auch Anm. 14.

[13] Ähnlich Barrett, 1 Kor 334: "Paul means that he does not recognize the man in question as inspired in his opinion, not that he does not recognize him as a Christian. There is nothing here to suggest excommunication, nor is it necessary to suppose that the man is not recognized, known, by God"; Bachmann, 1 Kor 426.

[14] Gegen Conzelmann, 1 Kor 291; Käsemann, Sätze 71f: "Das *agnoeitai* umschreibt drohend und proklamierend die Realität des Fluches und nimmt als Anrede etwas von dieser Realität vorweg. Weil es sich so verhält, tritt hier nicht zufällig das Präsens an die Stelle des eschatologischen Futurs." K. verschärft hier die Interpretation der traditionellen Exegese, welche seit Origenes Gott als logisches Subjekt des *agnoeitai* betrachtete; vgl. Zuntz, Text 108; Lietzmann, 1 Kor 76; Heinrici, 1 Kor 438; Weiß 1 Kor 343.

[15] S. dazu unten S. 293—297. Vgl. die Überlegungen Conzelmanns, 1 Kor 290f: "Undurchsichtig ist, wie Paulus die Behauptung begründet, daß seine Ausführung ein Gebot des Herrn selbst sei: durch den Zwischengedanken, daß alles, was in der Kirche allgemein gilt, Gebot des Herrn sei? Doch paßt dieser Gedanke eher zur Interpolation als zu Paulus und wird durch sie suggeriert. Spricht Paulus selbst als Prophet mit derselben Autorität, die dem Rechtssatz V 38 zukommt?"

[16] Vgl. die ähnlich gebauten Schlußbildungen mit *oste*: 1 Kor 11, 33; 1 Thess 4, 18 (5, 11).

muliert abschließend den Grundsatz des Anständigen und der Ordnung Gemäßen,[17] unter welchem die Gemeinderegel ebenso steht wie unter dem eingangs genannten Ziel der "Erbauung" (vgl. 14, 26).

11. Kapitel: Das Problem der Einheit von 1 Kor 14, 26—40. I. (zu 14, 33 b—36)

Die Analyse des Aufbaus von 1 Kor 14, 26—40 führt zwangsläufig zur Erkenntnis der Sonderstellung des Schweigegebots für die Frauen innerhalb dieses Abschnitts. Damit stellt sich auf der literarischen Ebene das Problem der Einheit von 1 Kor 14, 26—40. Dieses Problem betrifft zugleich die Frage nach der von Paulus vertretenen oder intendierten Gemeindeordnung, nach den tatsächlichen Verhältnissen in Korinth und nach dem Modus der Prophetie in den paulinischen Gemeinden. Das bedeutet, daß das literarische Problem sich in unserem Zusammenhang betont als historisches Problem stellt.

§ 83 1 Kor 14, 33 b—36 als urchristliche Gemeinderegel

Das Recht, 1 Kor 14, 33b—36 für sich zu behandeln, ergibt sich aus der formalen und inhaltlichen Abgeschlossenheit des Abschnitts in seinem gegenwärtigen Kontext, ganz unabhängig vom Urteil über seinen paulinischen oder nichtpaulinischen Charakter. Wie bereits festgestellt wurde, lassen sich in dem Regeltext noch einmal Einleitung und Schluß 14, 33b und 36 von einem inhaltlichen Kern 14, 34f abheben. Dieser ist relativ selbständig gegenüber seiner Umgebung und muß als die eigentliche Regel angesehen werden.

I. Form und Inhalt der Regel

1. Zur Form

Der Einsatz mit *ai gynaikes* hat seine Parallelen in den Anfängen der Haustafeln (Kol 3, 18. 19. 21. 22; 4, 1; Eph 5, 22. 25; 6, 1. 4. 5. 9; 1 Petr 2, 18; 3, 7) und unterscheidet sich von dem Einsatz mit artikellosem *prophetai* 14, 29, der nur "zwei oder drei" Propheten betrifft, durch die Wortstellung das Subjekt der neuen Regel andeutet und mehr auf den Verlauf des Gottesdienstes als auf das Verhalten der Propheten ausgerichtet ist. Der Gebrauch der dritten Person bei den Imperativen: *sigatosan, ypotassesthosan, eperotatosan* ist Gesetzesstil und entspricht dem Regelcharakter,[1] ebenso die

---

[17] S. dazu unten S. 278ff.

[1] Vgl. 1 Kor 7, 9. 11—13. 17—21. 24. 36; 11, 28; 14, 13. 27—30; 1 Tim 2, 11; 3, 10. 12; 5, 3. 16f; 6, 1f; Jak 5, 13f; 1 Petr 4, 15f 19; durchweg steht das Präsens; Ausnahmen: 1 Kor 7, 9; Jak 5, 14; vgl. Bl-Debr 335.

hinzugefügten Begründungen, 34a: *ou gar epitrepetai;* 35b: *aischron gar estin;*[2] 34b: *kathos kai.*

2. Zum Inhalt

Wie die kasuistische Erweiterung in V. 35 zeigt, spricht V. 34a ein unbedingtes und allgemeines Redeverbot und Schweigegebot für Frauen in den Gemeindeversammlungen aus. V. 34a ist so allgemein formuliert, daß sich aus ihm über die Art des vorausgesetzten Gottesdienstes oder gottesdienstlichen Redens nichts entnehmen läßt.

V. 35a: "Wenn sie etwas lernen wollen, sollen sie zu Hause ihre eigenen Männer fragen" setzt eine Form des Gottesdienstes voraus, in welcher gelehrt, gefragt und gelernt wird, wie im Gottesdienst der hellenistisch-jüdischen Synagoge. Wenn V. 35a das fragende Sprechen im Gottesdienst verbietet, dürfte in V. 34 primär das lehrende Sprechen verboten sein. Das scheint auch aus der eigenartigen, in V 34b hinzugefügten Anweisung hervorzugehen: "Sondern sie sollen sich unterordnen, wie es auch das Gesetz sagt." Denn an dieser Stelle wird das Sprechen im Gottesdienst als Ausdruck einer Art "Überordnung", Herrschaft oder wenigstens "Gleichberechtigung" aufgefaßt und darum abgewehrt. Tatsächlich begründet die Fähigkeit zum Lehren oder deren Ausübung in einer auf Belehrung ausgerichteten Gemeinde immer auch eine gewisse Rangordnung oder eine Vorordnung der Lehrenden.[3]

II. Vergleich mit 1 Tim 2, 11—15

Die gleiche Tradition begegnet in 1 Tim 2, 11f bei Unterschieden im Aufbau und in der Formulierung. 1 Tim 2, 11 entspricht 1 Kor 14, 35a, ist aber um eine menschlich verbindlichere und positivere Formulierung bemüht: "Die Frau soll in Stillschweigen lernen in aller Unterordnung". *en esychia* (wiederholt am Ende von 2, 12) steht an Stelle des ausdrücklichen Schweigegebots.[4] *en pase ypotage* wäre an sich in dieser Zeile überflüssig, appelliert aber an eine Norm, die auch außerhalb des Gottesdienstes überhaupt für Frauen gilt (Kol 3, 18; Eph 5, 21—24; Tit 2, 4; 1 Petr 3, 1. 5). Sie soll sogar durch das stille Lernen im Gottesdienst bestätigt werden.[5]

---

[2] Zur Erweiterung von Regeln durch Begründungen mit *gar* vgl.: 1 Kor 11, 29; 14, 31; Kol 3, 20. 25; Eph 6, 2; 1 Tim 2, 3; 3, 13; 4, 8. 16; 5, 4. 18.

[3] Vgl. die Reihenfolge der Charismen 1 Kor 12, 28; Röm 12, 6f; ferner 1 Kor 16, 16 die Aufforderung, sich denen *unterzuordnen,* die sich für die Gemeinde abmühen; 1 Petr 5, 5: "Desgleichen, ihr Jüngeren, ordnet euch den Ältesten unter" — die Fortsetzung legt freilich allen und nicht nur einer Seite die Demut nahe.

[4] Zu *esychia* "Schweigen" s. Bauer 690. Vgl. Philo Som II 263: "Deshalb üben und und schulen sie uns für beides, für das Reden *(legein)* und für das Schweigen *(esychazein),* wenn wir den passenden Augenblick für beides beobachten. Wird zum Beispiel des Hörens Wertes gesagt, höre in Schweigen *(en esychia)* zu, ohne etwas zu entgegnen, nach der Vorschrift des Mose: 'Schweige *(siopa)* und höre' (Dt 27, 9)"; Ign Eph 19, 1: *tria mysteria krauges, atina en esychia theou eprachthe.*

[5] Zu eng auf die gottesdienstliche Situation bezogen und von ihr her interpretiert bei Dibelius-Conzelmann, Past 39: "*hypotage* ist die Unterordnung unter das, was die Männer in der Versammlung lehren, *authentein* würde das Gegenteil davon sein."

1 Tim 2, 12 entspricht 1 Kor 14, 34: "Zu lehren gestatte ich der Frau nicht, auch nicht sich über den Mann zu stellen,[6] sondern in Stillschweigen zu verharren". Die letzten Worte sind in dieser Zeile eigentlich überflüssig. Die nochmalige Forderung des Stillschweigens zeigt wohl, daß diese ebenso grundsätzlich ist wie die Forderung nach Unterordnung der Frau.

Während 1 Tim 2, 11f das Schweigegebot für die Frau nur durch die Unterordnung der Frau unter den Mann motiviert — eine Begründung, welche allenfalls für das Lehrverbot hinreichen würde — gibt 1 Kor 14, 35 mit dem Hinweis auf die Sitte eine nicht mehr hinterfragbare Begründung für das Verbot des Fragens und damit des Redens im Gottesdienst überhaupt: "Denn es ist eine Schande[7] für die Frau, in der Versammlung zu reden."

Dagegen ist die Timotheusstelle ergiebiger hinsichtlich der Begründung der Unterordnung der Frau unter den Mann. 1 Kor 14, 34b verweist dafür ganz allgemein auf das Gesetz, während 1 Tim 2, 13f darauf hinweist, daß Adam vor Eva geschaffen wurde — darum hat der Mann einen höheren Rang als die Frau[8] —, und daß nicht Adam, sondern die Frau sich betrügen ließ und das Gebot Gottes übertrat. Soll dadurch nur allgemein die Minderwertigkeit der Frau oder auch ihre mangelnde Eignung für das Reden im Gottesdienst suggeriert werden?[9]

Vergleicht man 1 Kor 14, 34f mit 1 Tim 2, 11—15, so zeichnet sich die Korintherstelle bei gleicher Grundaussage durch größere Knappheit, geschlossenere Form und durch den ausgeprägteren Regelcharakter aus. Sie unterscheidet ausdrücklich zwischen dem der Frau verwehrten Reden *en tais ekklesiais* bzw. *en ekklesia* und ihrem Fragen *en oiko*. Das Haus, nicht die Gemeindeversammlung, ist der der Frau zugewiesene Raum, der *idios aner*, nicht die Mitglieder der Gemeinde, ihr einziger Partner, dem sie sich "unterzuordnen" hat. Die Forderung des *ypotassesthai* in 14, 34b und die Erwähnung des "eigenen Mannes" in 14, 35a bilden zusammen eine aus den Haustafeln bekannte Einheit, vgl. Eph 5, 21f; Tit 2, 5; 1 Petr 3, 1. 5.[10] Während 1 Tim 2, 13—15 das Schriftargu-

---

[6] Bauer 240 zu *authentein:* "Herrschen über jemand"; Dibelius-Conzelmann, Past 38, übersetzen zu schwach: "nicht dem Manne dreinzureden".

[7] Vgl. 1 Kor 11, 6: *ei de aischron gynaiki keirasthai.*

[8] Vgl. Jeremias, Past 18; ähnlich auch 1 Kor 11, 8, vgl. Kümmel in: Lietzmann, 1 Kor 184. Der Gedankengang ist im Judentum belegt: Billerbeck III 645f.

[9] Ausführlich zu 1 Tim 2, 14 Brox, Past 135f; ebd. 136 die resignierende Feststellung: "Die Logik solcher rabbinischen Schriftargumentation war den ersten Christengenerationen geläufig. Uns ist sie nicht nur oft verwunderlich und unnachvollziehbar, sondern selbst dort, wo wir den ganzen Beweis kennen, unauffindbar."

[10] Ähnlich von Sklaven Tit 2, 9. Zur Verbindung zwischen 1 Kor 14, 34 und Eph 5, 27 vgl. Delling, Paulus Stellung zu Frau und Ehe 124. Zur Verbindung mit den Haustafeln vgl. Rengstorf, Mann und Frau im Urchristentum 22—26. R. verkennt aber den patriarchalisch-konservativen Charakter der Haustafeln, wenn er (ebd. 28) "die ihnen eigentümlichen Unterordnungs-Mahnungen als Stücke spezifisch urchristlicher Prägung" betrachtet. Kähler, Die Frau in den pl. Briefen 78—82, versucht erfolglos, ein spezifisches, auf den Gottesdienst bezogenes *hypotassesthai* von dem der Haustafeln abzuheben.

ment entfaltet, begnügt sich 1 Kor 14, 34f mit dem formalen Hinweis auf die Autorität des *nomos* und der Sitte (*aischron estin*). Das ist in Gesetzestexten wirkungsvoller als jede noch so gute Argumentation. Das gleiche gilt für den Unterschied zwischen *ou gar epitrepetai* 1 Kor 14,34a und *ouk epitrepo* 1 Tim 2, 12.[11] Die unpersönliche Formulierung in der dritten Person Passiv ist unbedingter. Sie läßt keine Autorität zu, an die man gegen diese Regelung appellieren könnte, während im 1 Tim die Gemeinderegel in brieflichen Stil umgesetzt ist und gerade deshalb gelten soll, weil der Apostel sie verfügt hat.

III. 1 Kor 14, 34 f und 1 Tim 2, 11 f als Repräsentanten einer Gottesdienstordnung synagogalen Typs

Das Verhältnis zwischen 1 Kor 14, 34f und 1 Tim 2, 11—15 läßt sich wohl in keiner Richtung als literarische Abhängigkeit deuten. Beide Texte lassen einen gemeinsamen Grundbestand erkennen. Aber sie sind unabhängig voneinander formuliert, das zeigen gerade die inhaltlichen und formalen Unterschiede. Es handelt sich an beiden Stellen um Abhängigkeit von der gleichen Regeltradition.[12] Diese greift auf den Brauch der jüdischen Synagoge zurück.[13] Es ist indes kaum ein Zufall, daß ähnliche Formulierungen aus der palästinischen und aus der rabbinischen Tradition unbekannt sind. Zur ausdrücklichen Formulierung eines solchen Brauches muß es ja erst kommen, wenn dieser angefochten wird oder wenn die Institution, zu welcher er gehört, einen Wandel durchmacht oder in ein neues Milieu übertragen wird. Die Verbindung des Schweigens der Frauen im Gottesdienst mit der Forderung ihrer Unterordnung unter die eigenen Männer, einem Element der Haustafeln, weist in das hellenistische Juden-

---

[11] *ouk epitrepetai* entspricht einem *ouk exestin* Mk 2, 24; Jos Ant 13, 252; 15, 259; s. Aalen, A Rabbinic Formula in 1 Cor 14, 34 515. 519; die unpersönliche Formulierung muß also nicht aus der persönlichen in 1 Tim abgeleitet werden (gegen Weiß, 1 Kor 342).

[12] Vgl. Bartsch, Die Anfänge urchristlicher Rechtsbildungen 69: "Weder ist 1 Kor 14, 34f eine 1 Tim 2, 10 nachgebildete Glosse, noch zitieren die Past den echten Paulus, sondern in beiden Fällen wird das gleiche Regelgut der Gemeinde verwandt." 1 Kor 14, 34f abhängig von 1 Tim 2, 11f: Weiß, 1 Kor 342; Barrett, 1 Kor 332f; vgl. auch Oepke, ThW I 788; Conzelmann, 1 Kor 290; 1 Tim 2, 11f abhängig von 1 Kor 14, 34f: H. J. Holtzmann, Past (Leipzig 1880) 110; Leenhardt, Die Stellung der Frau in der urchristlichen Gemeinde 45—49, entdeckt dennoch "einen tiefgreifenden Unterschied, der diese beiden Texte voneinander scheidet. Das unpersönliche 'Es schickt sich nicht' ist zu einem persönlichen Befehl geworden: 'Ich gestatte nicht'. 'Reden' ist zum 'Lehren' geworden" (45). Das Ergebnis solcher Auslegungskunst kann dann nicht mehr überraschen: "Unter diesen Umständen muß man, so denken wir, den Mut aufbringen, zwischen 1 Kor 11 und 14 und Eph einerseits und 1 Tim 2 andererseits zu wählen." (49)

[13] Vgl. Billerbeck III 467f.

tum[14] und Judenchristentum,[15] ebenso der Hinweis auf den *nomos* bzw. die Argumentation aus Gen 3 und die Kategorie des *aischron*.[16]

Die von der Gemeinderegel vertretene Gottesdienstordnung hat konservativen Charakter. Sie hält an der patriarchalischen Vorrangstellung des Mannes[17] und darum an der strikten Trennung der Geschlechter im Gottesdienst fest. Sie weist allein dem Mann eine aktive Beteiligung am Gottesdienst zu und hat als wesentliche Elemente den Lehrvortrag und eventuell das Lehrgespräch. Das bedeutet wohl, daß sie zum synagogalen Typ gehört.[18] Mit charismatischen Erscheinungen und mit charismatischer Rede rechnet sie nicht.[19] Da das Lehren oder Reden im Gottesdienst so unmittelbar als Ausdruck einer Überordnung verstanden wird,[20] wird in Wirklichkeit wohl kaum an die aktive Beteiligung aller Männer an der Lehre gedacht sein, sondern diese dem Mann als solchem nur grundsätzlich vorbehalten sein. Tatsächlich werden einige wenige befähigte und angesehene Männer, denen sich auch die Männer bereitwillig "unterordneten", diese Aufgabe erfüllt haben. Eine solche Gottesdienstordnung wird im Neuen Testament dem Typus nach von den Pastoralbriefen vertreten.[21] Dieser Hinweis muß hier genügen.

---

[14] Oepke, ThW I 782: "Das hellenistische Judentum ist überhaupt in der Frauenfrage keineswegs sehr aufgeklärt." Vgl. Philo Op Mund 165; Jos Ap 2, 201; Delling, Paulus Stellung zu Frau und Ehe 53—56; Leipoldt, Die Frau in der antiken Welt und im Urchristentum 53—55.

[15] Hellenistische Stellungnahmen gegen öffentliches Reden der Frauen: Plut Praec coniug 31(142c): "Nicht nur der Arm, sondern nicht einmal das Wort der züchtigen Frau soll öffentlich sein, und sie soll die Stimme wie eine Entblößung scheuen und vor den Menschen draußen behüten"; Valerius Maximus III 8, 6: "Quid feminae cum contione? Si patrius mos servetur, nihil"; vgl. Thuc II 45, 2; weitere Stellen: Fitzer, Das Weib schweige in der Gemeinde 35f Anm. 96.

[16] Vgl. Jdth 12, 12; 4 Makk 6, 20; 16, 17; 1 Kor 11, 6; Eph 5, 12; 1 Kl 47, 6.

[17] Zu diesem Problemkreis vgl. Leipoldt, Die Frau passim; Fitzer, Das Weib 17—23; Oepke, ThW I 776—778; Delling, Paulus Stellung 2—56; Greeven, Das Hauptproblem der Sozialethik in der neueren Stoa und im Urchristentum 113—124.

[18] Ähnlich Leipoldt, Die Frau 126f; zu Lehre und Lehrgespräch im jüdischen Gottesdienst s. unten S. 286—288.

[19] Diese Analyse wird indirekt auch von jenen Autoren bestätigt, welche unter der Voraussetzung des paulinischen Charakters von 1 Kor 14, 34f den Widerspruch zu 11, 5 dahin erklären, daß in 1 Kor 14, 34f nicht das Prophezeien der Frauen verboten sei, daran sei nicht gedacht, sondern das Dazwischenfragen und die Wortverkündigung sei verboten; vgl. Delling, Paulus Stellung 111f; Kähler, Die Frau 74—83; Kümmel in: Lietzmann, 1 Kor 190; Wendland, 1 Kor 116.

[20] Delling, Paulus Stellung 112, interpretiert dagegen nicht soziologisch, sondern psychologisch: "Eigenwilliges Reden aber ist, so meint Paulus wohl, das Gegenteil von Gehorsam: es ist getragen von der Absicht zu überzeugen und damit eine gewisse Macht, eine Herrschaft über andere auszuüben". Das Prophezeien der Frau sei dagegen ein Gehorchen gegenüber einer "übergeordneten Macht", "wie es in V. 34 von der Frau gefordert ist". — So geht es auch (?).

[21] Vgl. 1 Tim 2, 11f; 4, 13: die gottesdienstlichen Aufgaben des Timotheus: *anagnosis, paraklesis, didaskalia* (s. dazu Hahn, Der urchristliche Gottesdienst 74f; Schierse,

IV. *Die Intention des um die Gemeinderegel gelegten Rahmens 1 Kor 14, 33b.36*

Während die Gemeinderegel 1 Kor 14, 34f ohne ihren Rahmen existieren kann und als solche erkennbar ist, ist der einleitende Teil des Rahmens 1 Kor 14, 33b für sich ein Torso. Auch die Verbindung mit 14, 34 ergibt nur einen etwas holprigen Zusammenhang, vor allem durch die Wiederholung von *en tais ekklesiais* — nun mit der anderen Bedeutung "Versammlung".[22] Dieser ungeschickte Übergang ist wohl darauf zurückzuführen, daß der Verfasser die Stiltradition der Gemeinderegel beibehalten und nicht in diese eingreifen wollte. So blieb ihm nur die Möglichkeit von Ergänzungen am Anfang[23] und am Ende. Außerdem unterstreicht die Stellung am Satzanfang auch den Nachdruck,[24] welchen der Verfasser auf den Brauch "aller" Gemeinden legt.

In Wirklichkeit ist es natürlich nicht ein Brauch "aller" Gemeinden. Zum mindesten die angesprochene Gemeinde oder die angesprochenen Gemeinden, wenn man annimmt, daß es sich um eine nachpaulinische Interpolation handelt, richten sich nicht nach diesem Brauch. Das geht aus der polemischen Schlußfrage hervor: "Oder ist von euch das Wort Gottes ausgegangen, oder ist es nur zu euch gelangt?" (14, 36). Die Adressaten haben es bisher offenbar nicht als "Schande für eine Frau" empfunden, wenn sie in der Gemeindeversammlung sprach. Sie standen außerhalb der durch 14, 34f bezeichneten Tradition, oder sie hatten sich aus ihr herausgestellt. So tritt nun neben die in der Formulierung der Tradition selbst angerufenen Autoritäten Gesetz und Sitte die Autorität eines ökumenischen Brauches.[25] Nicht daß dieser Brauch selber als *logos tou theou* bezeichnet würde.[26] Sowohl bei Paulus (Phil 1, 14; 2 Kor 2, 17; 4, 2) wie in den Pastoral-

---

Past 64); 5, 17: "Die Presbyter, die das Vorsteheramt gut verwalten, sollen zweifachen Lohnes gewürdigt werden, besonders die, welche sich in Verkündigung und Lehre (*en logo kai didaskalia*) einsetzen"; Tit 1, 9; Brox, Past 44: "Es ist eine (im Gottesdienst) betende und hörende Gemeinde. Für die Existenz von Charismatikern finden sich keine Anzeichen."

[22] Vgl. Weiß, 1 Kor 342; der Anschluß von 33b an 33a (so Robertson-Plummer, 1 Kor 324; Barrett, 1 Kor 329f; Fitzer, Das Weib 9) ist unmöglich. Denn "Der Satz V. 33a gilt ganz unabhängig von dem Brauch der Gemeinden" (Weiß, a. a. O.); vgl. dazu unten S. 282f. Man muß auch beachten, daß 14, 36 in ähnlicher Weise die Ausrichtung auf die Gesamtheit fordert. Möglicherweise ist die Formulierung *en tais ekklesiais* 14, 34a unter dem Einfluß von 14, 33b entstanden, während die Tradition wie für 14, 35b ein *en ekklesia* vorsah.

[23] Ein Anschluß von 14, 33b an *sigatosan* 14, 34a wäre möglich gewesen, hätte aber die auch in 1 Tim 2, 11f vorhandene Form der Regel gestört.

[24] Vgl. Bl-Debr 472, 2; Moulton III 350 (§ 2b).

[25] 1 Kor 14, 36 hat die gleiche "ökumenische" Ausrichtung wie 14, 33b; die beiden Stücke bilden einen thematischen Rahmen um die Gemeinderegel 14, 34f; gegen Zuntz, The Text 17:14, 36 stehe in "evident connection" zu 14, 33a.

[26] Darin unterscheidet sich 1 Kor 14, 36 gerade vom Gebrauch, welchen pNed 6, 40a, 30 von Jes 2, 3 macht. Die Jesajastelle lautet: "Denn von Zion wird die Tora ausgehen (LXX: *exeleusetai*), und Jahwes Wort (LXX *logos kyriou*) von Jerusalem." Der Talmud spielt auf sie an, um zu zeigen, daß die Anordnung eines Schaltjahres durch Chananja gerade deshalb verboten war, weil sie im Ausland geschah: "Soll etwa von Babel die Tora ausgehen und das Wort Jahwes von Nehar-Peqod?" Die Frage in 1 Kor 14, 36 intendiert aber keine Festlegung auf einen Brauch der Jerusalemer Gemeinde; gegen Gerhardsson, Memory and Manuscript 275f; Roloff, Apostolat — Verkündigung — Kirche 98 Anm. 190.

briefen (2 Tim 2, 9; Tit 2, 5 vgl. Kol 1, 25) steht *logos tou theou* für die Christusverkündigung. Der Gedanke ist, daß die mit den anderen Gemeinden gemeinsame Teilhabe am *logos tou theou* eine Solidarität mit allen Gemeinden begründet, welche sich auch in einer gemeinsamen Ordnung des Gottesdienstes, bzw. in der Übereinstimmung in Grundfragen des Gottesdienstes äußern soll.[27]

§ 84 1 Kor 14, 33 b—36 im Kontext des 1 Kor

Nach der traditionsgeschichtlichen Analyse und Interpretation des Schweigegebots für die Frauen muß nun seine Bedeutung im gegenwärtigen Kontext, 1 Kor 12—14 und 1 Kor 11, erfragt werden. Methodisch soll dabei jeweils so vorgegangen werden, daß zunächst eine dem übrigen Kontext konforme Interpretation des Schweigegebots versucht wird, und in einem zweiten Schritt die dabei auftauchenden Schwierigkeiten reflektiert werden.

I. 1 Kor 14, 33b—36 im Kontext von 1 Kor 12—14

Das Schweigegebot für die Frauen setzt seiner Tradition nach die Situation einer Gemeinde mit charismatischen Redeformen nicht voraus und berücksichtigt diese auch nicht, sondern es schließt die Teilnahme der Frauen am Lehren und am Lehrgespräch aus. Im gegenwärtigen Kontext 1 Kor 14, 26—40 kann es aber gar nicht anders verstanden werden, als daß es grundsätzlich jedes Reden von Frauen in der Gemeindeversammlung, das charismatische und das nichtcharismatische, verbietet.[28] Für dieses Verständnis kann man sich auch darauf berufen, daß das Schweigegebot, von der Besonderheit seines eigenen ökumenischen Rahmens abgesehen, die gleiche Struktur wie der es umgebende Kontext hat.[29] Wenn man scharf interpretieren wollte, müßte man vom Kontext her sogar folgern, daß gerade das charismatische, glossolalische oder prophetische Reden der Frauen verboten werden soll, weil eben die Frauen in der Gemeinde überhaupt nicht, also auch nicht charismatisch reden dürfen. Das Gebot handelt vom *lalein* in der Gemeindeversammlung (14, 34a. 35b) wie die Regeln für die Glossolalen und die Propheten (14, 27. 28. 29). Es spricht ein Schweigegebot aus wie diese (14, 28. 30). Beide Male ist vom "Lernen" in der Gemeindeversammlung und von der Bezogenheit der Regel auf diese die Rede (vgl. 14, 35a mit

---

[27] Vgl. Weiß, 1 Kor 342: "Der Gedanke ist sehr wichtig: die Einzel-Gemeinde hat sich der allgemeinen Sitte zu beugen; insbesondere wird allenfalls der Urgemeinde eine gewisse Kompetenz zur Gesetzgebung zuerkannt." Zu den Motiven des Strebens nach liturgischer Einheit in der Kirche des zweiten Jahrhunderts vgl. Andresen, Die Kirchen der alten Christenheit 45. 79—81.

[28] So auch Robertson-Plummer, 1 Kor 322f; Lietzmann, 1 Kor 75; Bachmann, 1 Kor 425; Allo, 1 Kor 372; Maly, Mündige Gemeinde 222; Blume, Das Amt der Frau im Neuen Testament 150f; Michel in: LThK 4, 296.

[29] Vgl. oben S. 254f.

14, 31; 14, 34a. 35b mit 14, 28). Auch im Rahmen gibt es gewisse Parallelen. Die polemisch gemeinte rhetorische Frage (14, 36) dürfte in etwa der Funktion der Forderung nach Anerkennung (14, 37f) entsprechen.[30]

Weshalb sollte man dieses Schweigegebot in seinem gegenwärtigen Kontext also auf andere Redeformen beziehen, von welchen der Kontext nicht handelt, und jene, welche er nennt, vom Schweigegebot ausschließen?[31] Solange man an 1 Kor 14 als an dem ursprünglichen Kontext des Schweigegebots festhält, kann man auch nicht einwenden, diese Interpretation werde der Souveränität und Freiheit des in der Gemeinde wirkenden Geistes nicht gerecht.[32] Denn Paulus zeigt bei der Kontingentierung der Zahl redender Glossolalen und Propheten auf "zwei oder drei" und bei den bedingten Schweigegeboten und vor allem durch den Satz, daß die Geister der Propheten sich den Propheten unterordnen (14, 32), daß sich für ihn die Souveränität des Geistes (vgl. auch 1 Kor 12, 11) und eine der Gemeinde zuträgliche Ordnung durchaus vereinbaren lassen.

An diesem Punkt muß nun aber auch die Kritik einsetzen. Die Argumentation in 1 Kor 12 und 14 betont, daß die Geistesgaben der Gemeinde zum Nutzen (12, 7. 14—26; 14, 6), zur Erbauung (14, 3—5. 17) gegeben sind und sich so in ihr auswirken sollen (14, 26. 31). Unter diesem Gesichtspunkt zieht Paulus die Prophetie der Glossolalie vor. Er schickt den Anordnungen von 14, 27—33a lange und verschiedenartige Argumentationen voraus, um der Gemeinde die Notwendigkeit einer Umorientierung und Ordnung in ihren charismatisch bestimmten Versammlungen einsichtig zu machen. Dabei ist er — das zeigt gerade seine vorsichtige Behandlung der Glossolalie — bemüht, der auch von ihm selbst anerkannten Echtheit und Macht der pneumatischen Erfahrungen gerecht zu werden. Die Schweigegebote, welche er in 14, 28. 30 ausspricht, sind daher nur bedingt, nicht absolut, durch den Kontext ausführlich vorbereitet und durch das Prinzip der Erbauung der Gemeinde begründbar und begründet. Das Schweigegebot für die Frauen ist dagegen unbedingt, nicht durch den Kontext vorbereitet und nicht durch den Hinweis auf die Erbauung, sondern auf das Gesetz und auf die Sitte begründet. Das bedeutet, daß das Schweigegebot

---

[30] Weiß, 1 Kor 343, erwägt sogar, ob man 14, 36 an 14, 33a anschließen solle.

[31] Greeven, Propheten 7: das Verbot betrifft nicht die anerkannten Prophetinnen, sondern spontan aufbrechendes Prophezeien von Frauen; vgl. Delling, Paulus Stellung 111; Kähler, Die Frau 77; mit Vorbehalten auch Kümmel in: Lietzmann, 1 Kor 190; Wendland, 1 Kor 116; Oepke, ThW I 788.

[32] Delling a. a. O. 112: "Das Prophezeien konnte Paulus der Frau um so eher gestatten, als dies auch nicht auf eigener Initiative beruht, mehr ein Gehorchen der übergeordneten Macht gegenüber ist, wie es in v. 34 von der Frau gefordert wird." Diese Erklärung verdreht den Sachverhalt. Das *hypotassesthai* in 14, 34 bezieht sich auf die Unterordnung der Frauen unter die Männer, s. oben S. 258f. In 14, 32 ist gerade nicht von der Unterordnung des Propheten unter den Geist, sondern umgekehrt von der Unterordnung des Geistes unter den Willen des Propheten die Rede.

für die Frauen nicht nur im engeren Kontext 14, 26—40 literarisch isoliert ist,[33] sondern aus dem Argumentationszusammenhang und aus der theologischen Tendenz der Kapitel 12 und 14 herausfällt.

Wenn man noch das etwas anders argumentierende Kapitel 13 hinzunimmt, kann man sehen, mit welcher Sorgfalt Paulus seine Anordnungen für die Glossolalie und für die Prophetie vorbereitet. Daran kann man ermessen, wie stark die pneumatischen Erfahrungen waren und welcher Rücksicht und Umsicht es bedurfte, wenn in die der Gemeinde vertrauten Verhältnisse eine Änderung gebracht werden sollte. Nach 14, 36 müßte man annehmen, daß das Reden der Frauen im Gottesdienst ebenfalls zu den der Gemeinde vertrauten Verhältnissen gehört und daß mit einem gewissen Widerstand gerechnet wird, dem gerade die ökumenische Argumentation begegnen soll. Aber in diesem Fall wird das Problem gegen das im Kontext angewandte Vorgehen geradezu im Schnellverfahren durch ein kategorisches Verbot gelöst.[34] Dieses Verfahren ist nicht nur im Kontext 1 Kor 12—14, sondern im gesamten 1 Kor einmalig. Man vergleiche nur 6, 1—11; 7; 8—10; 11, 2—16 und 11, 17—34: überall sonst stehen die paulinischen Anordnungen im Zusammenhang mit theologischer Argumentation, mit dem Versuch, die Gemeinde zu überzeugen, und mit dem Eingehen auf ihre besondere Situation. Nur 1 Kor 14, 33b—36 gibt sich als Zitat einer unverrückbar geltenden und nicht der Begründung bedürftigen Kirchenordnung: *ou gar epitrepetai autais lalein.*

II. 1 Kor 14, 33b—36 im Kontext zu 1 Kor 11

Jede Exegese, die an der Einheit des 1 Kor festhält, steht vor der Aufgabe, das Verhältnis zwischen 1 Kor 11, 5, wo das Verhalten betender und prophezeiender Frauen angesprochen wird, zu 14, 33—36, dem Verbot des Redens und Prophezeiens von Frauen in der Gemeindeversammlung, befriedigend zu erklären. Folgende unterschiedliche Lösungen werden angeboten:[35]

---

[33] Vgl. oben S. 254f. Conzelmann, 1 Kor 289: "Dieser in sich geschlossene Abschnitt sprengt den Zusammenhang: Er unterbricht das Thema der Prophetie und stört den Duktus der Darlegung"; Weiß, 1 Kor 342: "Wie paßt diese zeremonielle Vorschrift in die Erörterung über die Charismata, wie paßt sie überhaupt in jene enthusiastische Epoche hinein?"; Fitzer, Das Weib 9—12 (nur für 14, 34f).

[34] Greeven, Propheten 7, empfindet diese Schwierigkeit und hofft, sie durch Ausklammerung der anerkannten Prophetinnen zu beheben: "In diesem Falle müßte man doch eine Auseinandersetzung mit der gemeinde-öffentlichen Anerkennung erwarten. Dagegen würde Paulus mit seinem Verbot wohl leichter durchdringen, wenn es sich bei dieser Frauen-Prophetie lediglich um eine allgemeine Erscheinung, um das hin und wieder, unregelmäßig und gelegentlich zutage tretende Charisma handelt, das keineswegs eine Art 'Stand' begründet". — Nur ist der Unterschied zwischen kasueller und standesmäßiger Prophetie aus den Paulusbriefen kaum belegbar, und Frau bleibt Frau. So läßt sich 1 Kor 14, 34f nicht verharmlosen.

[35] Der Gerechtigkeit halber muß vor dem folgenden Überblick darauf hingewiesen werden, daß viele der in den nächsten Anmerkungen genannten Exegeten den hypothetischen und unbefriedigenden Charakter der von ihnen diskutierten Lösungsversuche selber zu Bewußtsein bringen. Kuß, 1 Kor 183, verzichtet auf eine eigene

1. Die Anordnungen in 11, 2—16 betreffen das Verhalten von Frauen, die zu Hause oder in kleineren, intimeren Gebetsgemeinschaften beten oder prophezeien, während das Redeverbot in 14, 33b—36 für die Gemeindeversammlung gilt.[36]

2. Auch in 11, 2—16 ist die öffentliche Gemeindeversammlung vorausgesetzt. Paulus wolle an dieser Stelle den Mißstand, daß Frauen mit unbedecktem Haupt auftreten, rügen. Das Prophezeien der Frauen erwähne er nur, ohne es zu billigen. Mit diesem Problem befasse er sich erst in 14, 33b—36 und dort verbiete er das Reden der Frauen.[37]

3. Aus 11, 2—16 gehe die Erlaubnis zum charismatischen Reden der Frauen in der Gemeinde hervor. In 14, 33b—36 sei also nur das "andere Reden" — Dazwischenfragen etc. — verboten.[38]

4. Die Regelung in 11, 2—16 betreffe die von der Gemeinde anerkannten Prophetinnen.[39] 14, 33b—36 betreffe spontanes Reden von nicht anerkannten Prophetinnen in der Gemeinde.[40]

In der Auslegung von 1 Kor 14, 33b—36 stimmen die Lösungen 1 und 2 untereinander und mit der oben (I.) vertretenen Interpretation überein. Dort werden auch schon die 14, 33b—36 betreffenden Elemente von 3 und 4 berücksichtigt. Jetzt ist zunächst die Interpretation von 1 Kor 11, 2—16 im Hinblick auf das Prophezeien der Frauen zu klären. Fast alle zu dieser Klärung notwendigen Elemente und Überlegungen sind schon in den vier vorgeschlagenen Lösungen enthalten. Im wesentlichen geht es um zwei Fragen, ob 11, 2—16 "öffentliche" oder "private" Gebetsversammlungen voraussetze (umstritten zwischen 1 einerseits und 2, 3, 4 andererseits) und ob Paulus das öffentliche Prophezeien der Frauen in 11, 2—16 erlaube, nur registriere oder aus taktischen Gründen nur vorläufig toleriere (umstritten zwischen 3, 4 auf der einen und 2 auf der anderen Seite).

Das Problem der "Öffentlichkeit" in 1 Kor 11, 2—16 läßt sich von verschiedenen Seiten angehen. Ohne die Notwendigkeit eines Ausgleichs mit 14, 33b—36 würde es sich ohnehin nicht stellen. Man würde vielmehr annehmen, daß sich der Abschnitt auf Gemeindeversammlungen von der Art der in 1 Kor 14 geschilderten beziehe.[41] Die Kombination von *proseuchesthai* und *propheteuein* in 11, 4f enthält Elemente des Gemeindegottesdienstes nach 1 Kor 14.[42] Da handelt es sich nicht nur um das Gebet allein, wie

---

Entscheidung. Greeven, Das Hauptproblem der Sozialethik 132 Anm. 3: "So bleibt einstweilen keine andere Auskunft, als daß Paulus sich widerspreche."

[36] Bachmann, 1 Kor 346f; Wendland, 1 Kor 80f; Lindblom, Gesichte und Offenbarungen 137—140; Maly, Mündige Gemeinde 223f.

[37] Lietzmann, 1 Kor 75: "Anscheinend ist c 11 das 'Beten' und 'Prophezeien' der Frau ungern konzediert, aber der Schleier unbedingt gefordert. Hier (14, 33ff) kommt dagegen die eigentliche Meinung des Apostels zutage"; Heinrici, 1 Kor 325f; Allo, 1 Kor 257f; Robertson-Plummer, 1 Kor 230. 324f; Blume, Das Amt der Frau 149—152; Greeven in: RGG II 1069; Michel in: LThK 4, 290.

[38] Heinrici, 1 Kor 436; Delling, Paulus Stellung 111f; zum Problem vgl. oben S. 263f; Kähler, Die Frau 76—78; Kümmel in: Lietzmann, 1 Kor 190; ders., Einleitung in das NT 203; Wendland, 1 Kor 116; Oepke, ThW I 788; Leenhardt, Die Stellung der Frau 41—43; ebd. Anm. 20 Hinweise auf weitere Literatur zu dieser Auffassung.

[39] Isaksson, Marriage and Ministry in the New Temple 177—181.

[40] Greeven, Propheten 7 (oben Anm. 34).

[41] Vgl. Lietzmann, 1 Kor 75.

[42] Vgl. 14, 14—17: oben S. 240—242.

in der privaten Situation von 1 Kor 7, 5, sondern um Gebet und Prophetie. Prophetie muß an dieser Stelle wie in 1 Kor 14 als Verkündigung von Geheimnissen aufgefaßt werden. Das erfordert Adressaten, eine Versammlung.[43] Wie will man dann noch eine vermutlich "öffentliche" Versammlung von einer vermutlich "privaten" Versammlung abgrenzen und unterscheiden?[44] Denn auch die "öffentlichen" Versammlungen der kleinen Gemeinden hatten in den Augen der gesellschaftlichen "Öffentlichkeit" den Charakter von "privaten" Konventikeln. Es handelt sich bei dieser Unterscheidung zwischen "privat" und "öffentlich" um Kategorien einer späteren Zeit, für die es im Neuen Testament noch keinen Anhalt gibt.[45] Diese Unterscheidung läßt sich nicht in die erste Generation der hellenistischen Gemeinden zurücktragen. Für diese war ja gerade der enge bruderschaftliche Gemeindecharakter bezeichnend (vgl. 1 Kor 6, 1—12; 11, 17—30). In den Bereich dieser Überlegungen gehört wohl auch noch ein Hinweis auf 1 Kor 11, 16: "Wir haben eine solche Gewohnheit nicht, und auch die Gemeinden Gottes nicht". Der Satz unterstreicht, daß es sich hier nicht um persönliche Gewissensfragen, sondern um das Gemeindeleben berührendes Brauchtum handelt.[46] In 1 Kor 11, 2—16 wird das Verhalten von Frauen bei Gemeindeversammlungen geregelt, und zwar von Frauen, die vor der Gemeinde beten oder prophezeien.[47]

---

[43] Vgl. Weiß, 1 Kor 271 Anm. 3; Heinrici, 1 Kor 325f; Allo, 1 Kor 257; Barrett, 1 Kor 249.

[44] Vgl. Delling, Paulus Stellung 110f Anm. 90: "aber zwischen einem Hausgottesdienst von derartiger Ausgestaltung, wie sie 11, 3—16 vorausgesetzt ist, und einer Gemeindeversammlung wird damals kein beträchtlicher Unterschied bestanden haben".

[45] Lietzmann, 1 Kor 75: "kein unbefangener Erklärer wird bei c. 11 an etwas anderes als die normale Gemeindeversammlung denken". Man muß sich bewußt halten, daß es im 1 Kor kein Äquivalent für unseren Begriff "Gottesdienst" gibt. Das wird noch deutlicher, wenn man die von Robertson-Plummer, 1 Kor, zur Interpretation herangezogenen englischen Begriffe "public worship" (226 zu 1 Kor 11—14) und "public service" (324 zu 14, 34) mit den Verhältnissen in Korinth vergleicht.

[46] Vgl. Hahn, Der urchristliche Gottesdienst 62.

[47] Die Beziehung von 11, 2—16 auf das Verhalten der Frauen bei *Gemeindeversammlungen* wird auch durch die in 11, 10 gegebene Begründung: *dia tous angelous* unterstützt. Der Hinweis auf die Engel hat seine nächsten Analogien in den Qumranschriften. Dort werden Nichtkultfähige ausgeschlossen, weil die heiligen Engel in der Gemeinde (1QSa 2, 8f; 4QD^{b} = CD 15, 15—17; s. dazu Milik, Ten Years of Discovery 114), im Kriegslager (1QM 7, 6), im Tempel (4QFl 1, 4) anwesend sind. In allen Fällen handelt es sich gerade nicht um Gemeinschaft mit den Engeln bei privaten Anlässen. Zur Beziehung dieser Vorstellung auf 1 Kor 11, 10 vgl. Maier, Die Texte vom Toten Meer II 157f: "das also ebenfalls auf der jüdischen Vorstellung von der Anwesenheit der Engel bei kultischen Versammlungen beruhen dürfte, indem vielleicht Unverschleiertsein wie ein körperlicher Makel gewertet ist"; Fitzmyer, A Feature of Qumran Angelology and the Angels of 1 Cor 11, 10, 38—41: Überblick über die bisherige Diskussion zu den *angeloi;* 44: "Hence *dia tous angelous* could be understood in the sense of 'out of reverence for the angels'"; Milik a. a. O. 121 Anm. 1; Kuhn, Enderwartung und gegenwärtiges Heil 68. Zu den von Braun, Qumran und das Neue Testament I 194, geäußerten Bedenken s. Fitzmyer a. a. O. 46f. Zur Gemeinschaft der versammelten Gemeinde mit den Engeln vgl. im Neuen Testament Hebr 12, 22; zum Thema "Gemeinschaft mit den Engeln" im Zusammenhang der Frage nach der urchristlichen Prophetie und nach ihren Traditionen vgl. oben S. 120. 157f. 210f.

Die Frage nach der Intention des Paulus in 1 Kor 11, 5 wird ebenfalls nur durch die Spannung zu 1 Kor 14, 33b—36 aufgeworfen. Ein Taktieren, etwa nach dem Motto: zunächst einmal die Verhüllung des Hauptes durchsetzen und dann — im gleichen Brief!— das Beten und Prophezeien von Frauen in der Gemeindeversammlung ganz unterdrücken, ist mehr als unwahrscheinlich und hätte in Korinth wohl auch keinen Erfolg bringen können. Übrigens wäre die in 11, 2—16 angeordnete Verhüllung dann auch gegenstandslos gewesen. 1 Kor 11, 4f (vgl. auch 11, 13) sprechen nur von Männern und Frauen, die beten oder prophezeien, nicht einfach von Teilnehmern an einer Gebetsversammlung, welche ihr "Amen" sprechen (vgl. 1 Kor 14, 16). Die Grundsätze für die Verhüllung der Frauen scheinen zwischen Paulus und den Korinthern nicht kontrovers zu sein (vgl. 11, 6. 10. 15), nur die Verhüllung der Frauen beim Beten und Prophezeien. Daher kann Paulus mit Hilfe der allgemein anerkannten Grundsätze die Verhüllung auch in diesem besonderen Falle fordern. Wahrscheinlich haben sich die Frauen, wenn sie vor die Gemeinde traten, um zu beten oder zu prophezeien, ihrer Verhüllung entledigt. Bei einer Gemeinde, in der nach 1 Kor 14, 34f Männer und Frauen verschiedene Rollen haben und die Frauen immer schweigen, wäre eine solche Vorschrift für die Verhüllung redender Frauen überflüssig. Wenn Paulus allgemein die Verhüllung der Frauen bei der Gemeindeversammlung hätte durchsetzen wollen, hätte er sich den Zusatz: *proseuchomene e propheteuousa* sparen können — und wohl auch den Vergleich mit dem Mann 1 Kor 11, 4. Wenn er aber das Auftreten von Frauen in der Versammlung überhaupt als unschicklich ansah, dann hätte er nicht die Verhüllung der redenden Frauen, sondern ihren Rückzug und ihr Schweigen fordern müssen.

1 Kor 11, 2—16 und 1 Kor 14, 33b—36 sind Repräsentanten verschiedener Gemeindeordnungen. 1 Kor 11, 2—16 steht für eine Gemeindeordnung, welche charismatisches Reden vor der Gemeinde, Beten und Prophezeien, kennt und grundsätzlich Männer und Frauen zu Wort kommen läßt. Die Art des Auftretens der Frauen entspricht der grundsätzlich gleichen charismatischen Begabung und der wenigstens das Reden in der Gemeinde betreffenden Gleichberechtigung von Mann und Frau. Diese drückt sich auch im parallelen Aufbau von 11, 4 und 5 aus![48] Paulus versucht, nur für die Art des Auftretens der Frauen die Übernahme oder Beibehaltung des anderswo geltenden Brauchs der Verhüllung durchzusetzen. Wichtig ist, daß man auch anderswo diese Art der Gemeindeversammlung mit Betätigung charismatisch begabter Männer und Frauen kannte, nämlich in den *ekklesiai tou theou* von 1 Kor 11, 16!

Angesichts des Wenigen, was wir überhaupt über die urchristliche Prophetie wissen, sind die übrigen Hinweise auf prophetisch begabte Frauen im Neuen Testament außerordentlich wertvoll. Die Apg weiß von den prophetisch begabten Töchtern des Philippus in Cäsarea (21, 9) und zitiert ohne Bedenken (2,

[48] 11, 4 ist für den Gedankengang eigentlich überflüssig; vgl. Conzelmann, 1 Kor 217 Anm. 35.

17f) die auch Frauen betreffende Verheißung prophetischer und ekstatischer Begabung aus Joel 3, 1f. Offb 2, 20 bestreitet zwar die Echtheit des prophetischen Anspruchs der Isebel. Aber die Tatsache, daß sich ein Kreis um sie sammelt und daß die Gemeinde sie duldete, setzt doch ebenfalls eine grundsätzliche Anerkennung prophetisch wirkender Frauen voraus.[49] Der antimontanistische Anonymus bei Eus Hist Eccl V 17,3f erwähnt die Prophetin Ammia in Philadelphia.[50] Möglicherweise hatte der Montanismus nur Frauen als Propheten. 1 Kor 11, 2—16 ist also kein Einzelfall — in den echten Paulusbriefen nur insofern, als auch die Erwähnung von männlichen Propheten auf 1 Kor 11, 4 und auf den Zusammenhang 12, 28f; 14 beschränkt ist. Prophetie bedarf der Rezeption durch die Gemeinde. Noch Hermas (Mand 11, 9) kann sich keine rechte Prophetie ohne Betätigung in der Gemeinde vorstellen. Dort, wo man weibliche Propheten kannte, erkannte man sie auch an. Der Bereich ihres Wirkens war grundsätzlich die Gemeinde.[51] Das bedeutet aber doch wohl, daß wir sowohl nach 1 Kor 11, 16 wie nach den Nachrichten über weibliche Propheten mit einer weiten Verbreitung der in 1 Kor 11, 2—16 vorausgesetzten Gemeindeordnung rechnen können.

1 Kor 14, 33b—36 lehnt diese in 11, 2—16 vorausgesetzte Form der Gemeindeversammlung rundweg ab. Die Frauen sollen sich nicht nur bei ihrem Auftreten verhüllen, sondern überhaupt schweigen.

Die in 11, 2—16 vorausgesetzte faktische Gleichberechtigung von charismatischen Männern und Frauen, was das Reden in der Gemeinde angeht, wird nicht einmal direkt bekämpft. Sie liegt außerhalb des Horizonts der Gemeinderegel 1 Kor 14, 33b—36. Es geht nur um Wahrung, Wiederherstellung oder Einführung der rechten Ordnung. Keiner der oben angeführten Lösungsversuche ist geeignet, die Spannung zwischen 1 Kor 11, 2—16 und 14, 33b—36 und zwischen den hinter diesen Texten stehenden Ordnungsvorstellungen aufzulösen.

III. Ergebnis: 1 Kor 14, 33b—36 als Repräsentant einer weder mit 1 Kor 11, 2—16 noch mit 1 Kor 14, 26—40 ausgleichbaren Gemeindeordnung

Das Schweigegebot für Frauen steht zu seiner näheren Umgebung in 1 Kor 14 vor allem in einem literarischen und theologischen Gegensatz, zu den Anweisungen über die prophezeienden Frauen in 1 Kor 11 darüber hinaus in einem sachlichen oder institutionellen Gegensatz. Während die Gemeindeordnung von 1 Kor 14, 26—40 sich mit den in 1 Kor 11, 2—16 vorausgesetzten Verhältnis-

[49] Häufig wird Offb 2, 20 nur zum Beweis für die häretische Entartung des Wirkens der Frauen in der Urkirche zitiert; z. B. Oepke, ThW I 788; positiv Delling, Paulus' Stellung 123 Anm. 21; dort auch der Hinweis auf mögliche urchristliche Vorbilder für Lk 2, 36 (Hanna).

[50] Vgl. Blanke, Die Frau als Wortverkünderin in der alten Kirche 57—61 ("Kirchliche Prophetinnen").

[51] Wendland, 1 Kor 116: "Unter einem Prophezeien im Hause oder für sich selbst aber kann man sich nichts vorstellen. Propheten gibt es nur in der Gemeinde und für die Gemeinde."

sen vereinbaren läßt, ist das bei dem Schweigegebot für die Frauen nicht der Fall. Es gibt auch kein Anzeichen für einen etwa vom Verfasser des 1 Kor beabsichtigten Vermittlungs- oder Ausgleichversuch zwischen den verschiedenen durch den Kontext des 1 Kor und durch das Schweigegebot repräsentierten Gemeindeordnungen.

Auf historischer Ebene kann man sich einen abrupten Übergang von der einen zur anderen Ordnung ebensowenig vorstellen. Wie sollten die korinthische Glossolalie und Prophetie, wenn sie überhaupt schon nur mit Mühe in das Bett einer Ordnung kanalisiert werden konnten, einem großen Teil der Gemeinde plötzlich ganz untersagt und wirkungsvoll unterdrückt werden können? Wenn die Forderung auf Verhüllung der prophezeienden Frauen in 1 Kor 11 von patriarchalischen Anschauungen über die Frauen bestimmt ist, läßt sich doch nicht leugnen, daß die trotzdem erfolgte Zulassung der Frauen zum Prophezeien auf der Anerkennung des Charismas beruht. Ein Gleiches gilt für die Zulassung der Glossolalie in 1 Kor 14, 27f, für die Zulassung der plötzlichen neuen Offenbarung in 14, 30. Das Schweigegebot normiert das charismatische und nichtcharismatische Reden in der Gemeinde dagegen einzig am Gesetz, an der guten Sitte, am Unterschied der Geschlechter.[52] Es konnte nur in einer Gemeinde wirksam werden, in welcher die hinter 1 Kor 11—14 stehenden charismatischen Erfahrungen nicht so bestimmend sind, daß man Frauen zum Reden zulassen mußte. Es kann nicht von Anfang an zum Kontext von 1 Kor 11 und 14 gehört haben, sondern muß auf einer späteren Stufe zum Text hinzugefügt worden sein.[53]

§ 85 1 Kor 14, 33 b–36 als Interpolation aus der Zeit der Sammlung der Paulusbriefe

Die bisherigen Überlegungen schließen eine ursprüngliche Zugehörigkeit des Schweigegebots für die Frauen zu 1 Kor 11 und 14 aus. Aus den gleichen Gründen ist es ebensowenig vorstellbar, daß Paulus selber es bei einer Überarbeitung des Briefes hinzugefügt haben könnte;[54] denn dann würden die gleichen historischen und theologischen Probleme wie bei der Annahme einer ursprünglichen Zusammengehörigkeit mit 1 Kor 11 und 14 entstehen. Der Inhalt und die Form des Schweigegebots, seine Intention, eine andersartige Gemeindeordnung zu vertreten und durchzusetzen, stehen auf der anderen Seite gegen die Annahme,[55]

---

[52] Vgl. Wendland, 1 Kor 116: "Wenn der Apostel die Glossolalie zuließ, so konnte er eine Prophetin unmöglich am Prophezeien hindern."

[53] Lietzmann, 1 Kor 75: "Es bleibt beim Widerspruch: wer ihn dem Paulus nicht zutraut, mag v. 33b—36 als interpoliert erklären"; ähnlich Kuß, 1 Kor 183.

[54] So die Vermutung von Heinrici, 1 Kor 430 Anm.

[55] Barrett, 1 Kor 332; Fitzer, Das Weib 39; Schmiedel und Bousset nach Lietzmann, 1 Kor 75.

daß es sich nur um eine Marginalie oder Glosse handle, die vom Rande oder vom Ende des 14. Kapitels in den Text gewandert sei.

Gegen diese Annahme spricht auch die Textüberlieferung. Es gibt keine Textzeugen, die unsere Verse nicht enthalten. In einem Teil der westlichen Überlieferung D, G, 88^{x} it(ar d f g), Ambrosiaster, Sedulius Scotus[56] folgen zwar die Verse 14, 34f erst nach 14, 40. Aber der zum Schweigegebot gehörige "ökumenische" Rahmen 14, 33b. 36 steht auch dort, nun reichlich unmotiviert und kaum verständlich (besonders 14, 33b)[57] zwischen 14, 33a und 37. Die Anordnung im westlichen Text hält eher die Erinnerung an einen ungeschickten Versuch fest, das Schweigegebot für die Frauen, aus welchen Gründen immer, etwa im Zusammenhang mit der montanistischen Bewegung, wieder aus 1 Kor 14 zu eliminieren,[58] als den ursprünglichen Textbestand.

Die Anordnung des Schweigegebots am Ende der Gemeindeordnung nach den Regeln für die Glossolalen und für die Propheten und vor der Forderung nach Anerkennung geht auf einen planmäßigen Eingriff in den Text zurück, der nach Lage der Überlieferung zur Zeit der Herausgabe des 1 Kor oder im Zusammenhang mit ihr geschehen sein muß[59] und darum textkritisch nicht nachweisbar sein kann.[60] Unter redaktionellen und gattungsmäßigen Gesichtspunkten ist der Platz dafür geschickt gewählt.

Hinter der Herausgabe und Aktualisierung der echten Paulusbriefe in jener Zeit steht der Wille, sich am Wort des Apostels zu orientieren. Dabei werden verschiedene Wege der Aktualisierung eingeschlagen. Neben Briefen, an denen Spuren einer Bearbeitung kaum nachweisbar sind (1 Thess, Gal), stehen aus einer größeren Korrespondenz zusammengefügte redaktionelle Einheiten (2 Kor, Phil) und Briefe wie Röm und 1 Kor, bei denen nur kleine Eingriffe angenom-

---

[56] Textbezeugung nach dem umfangreichen Apparat in Aland usw., The Greek NT; danach ist wohl auch die Angabe in Nestle-Aland[25] zu korigieren, welche unter den Zeugen für die Stellung nach 14, 40 auch arm anführt, während The Greek NT arm ausdrücklich für die Stellung nach 14, 33 nennt. Vgl. die Diskussion des gesamten textkritischen Apparats bei Fitzer, Das Weib 6—9.

[57] Darum ist es nicht möglich, die Echtheitsfrage mit Hilfe der Textkritik zu lösen; vgl. Lietzmann, 1 Kor 75; Conzelmann, 1 Kor 290; gegen Barrett, 1 Kor 330—333; Oepke, ThW I 788; Hahn, Der urchristliche Gottesdienst 63; Fitzer, Das Weib 4f: "Unter Anwendung der von der neutestamentlichen Wissenschaft erarbeiteten Methoden läßt sich an unserer Stelle eine solche Klarheit gewinnen, daß man die Herausgeber unseres Nestletextes bitten kann zu erwägen, die vv. 34. 35 aus dem Text zu entfernen und in den Apparat zu setzen". Weiß, 1 Kor 342, tendierte ebenfalls zu einer textkritisch begründeten Ausscheidung der Verse 34f ("In der abendländischen Überlieferung muß es Expll. gegeben haben, in denen die Verse fehlten und andere, in denen sie am Rande standen; freilich auch solche, die den gewöhnlichen Text boten"), sah aber deutlich die Schwierigkeit von 14, 33b.

[58] Vgl. Lietzmann, 1 Kor 75; Zuntz, The Text 17 Anm. 2; Bartsch, Anfänge urchristlicher Rechtsbildungen 68.

[59] Vgl. Zuntz, The Text 17; Leipoldt, Die Frau 126.

[60] Vgl. Aland, Glosse, Interpolation, Redaktion und Komposition in der Sicht der neutestamentlichen Textkritik 56f.

men werden können.[61] Neben dieser mehr editorischen Aktualisierung steht die Inanspruchnahme der Autorität des Apostels bei der Abfassung neuer Paulusbriefe. Gerade die Deuteropaulinen und die Pastoralbriefe beweisen das Interesse der nachpaulinischen Generationen an durch den Apostel autorisierten Haustafeln und Gemeindeordnungen.[62] In diesen Trend würde sich die Aktualisierung der Gemeindeordnung 1 Kor 14, 26—40 durch den Einschub des Schweigegebotes für die Frauen einfügen.[63]

Diese Überlegung läßt sich durch einige kirchengeschichtliche Beobachtungen ergänzen. Zur Zeit der Ausbildung des Corpus Paulinum läßt sich im paulinischen Missionsbereich ein breites Einfließen jüdischer und hellenistisch-judenchristlicher Traditionen feststellen, besonders auf den Gebieten des Gottesdienstes, der Gemeindeordnung und der Ämter.[64] Dieser Vorgang kann zum Teil auch so interpretiert werden, daß in dieser Zeit durch die Paulusbriefe, die Deuteropaulinen und durch die Apostelgeschichte eine Paulusrezeption in ursprünglich nicht paulinisch geprägten Gemeinden bewirkt wurde.[65]

Es lag also nahe, sich für die sich nun bei der gegenseitigen Angleichung der paulinischen und nichtpaulinischen Gemeinden durchsetzende, auf der Trennung der Geschlechter bestehende patriarchalische Gottesdienstordnung, auf Paulus zu berufen (vgl. 1 Tim 2, 11f!). Hinzu kam wohl der Umstand, daß die charismatischen Erfahrungen und Redeformen, Glossolalie und Prophetie, im hellenistischen Christentum schon seit langem im Rückgang begriffen oder bereits verschwunden waren.[66] So fehlten wahrscheinlich für die Gemeindeordnung in 1 Kor 14, 26—40 weithin das Verständnis wie die Anwendungsmöglichkeiten.

Wo es noch Gemeinden mit aktiver Beteiligung der Frauen am Gottesdienst oder mit charismatischen Redeformen gab, mochte man diesen Gemeinden eine Abweichung vom Brauch "aller Gemeinden der Heiligen" vorwerfen, vielleicht auch, um die Gefahr einer Ansteckung herabzumindern, und sich um die Durchsetzung des für einzig rechtmäßig Gehaltenen bemühen. Das würde bedeuten, daß wenigstens für 1 Kor 14 das Hauptinteresse des Redaktors oder

---

[61] Vgl. Bornkamm, Paulus 246—249; ders., Die Vorgeschichte des sogenannten zweiten Korintherbriefes; ders., Der Philipperbrief als paulinische Briefsammlung; Gnilka, Phil 10f; Aland a. a. O. 46f.

[62] Vgl. dazu außer den Kommentaren Dautzenberg, Sprache und Gestalt der neutestamentlichen Schriften 33—37. 40; Brox, Amt, Kirche und Theologie in der nachapostolischen Epoche.

[63] Diesem Ansatz entspricht im allgemeinen auch die Datierung des Einschubs. Leipoldt, Die Frau 126: "schwerlich älter als die Pastoralbriefe"; Conzelmann, 1 Kor 290: "In dieser Anordnung spiegelt sich die bürgerliche Konsolidierung der Kirche, etwa auf der Stufe der Pastoralbriefe"; vgl. Barrett, 1 Kor 332; Fitzer, Das Weib 39; Oepke, ThW I 788 Anm. 55.

[64] Vgl. Goppelt, Christentum und Judentum im ersten und zweiten Jahrhundert 149f; Conzelmann, Geschichte des Urchristentums 100; Bultmann 495f.

[65] In diesem Zusammenhang ist es beachtenswert, daß der Kol an eine Gemeinde gerichtet ist, welche Paulus nicht kennt (1, 9; 2, 1; 4, 7ff), daß die Past durch Timotheus und Titus neue Gebiete in die paulinische Mission einbeziehen. Vgl. auch die Entpaulinisierung der paulinischen Theologie in der Apg.

[66] Vgl. oben S. 36—39.

Editors auf dem Schweigegebot für die Frauen lag. Dem entspricht die, wenn man einmal von der Andersartigkeit des Inhalts absieht,[67] außerordentlich geschickte Einpassung des Schweigegebots in den Kontext[68] als der dritten und wichtigsten der paulinischen Regeln für den Gottesdienst. Die ebenfalls auf den Interpolator zurückgehende Forderung nach Anerkennung 14, 37f[69] unterstreicht sein Interesse gerade an dieser Regel.

12. Kapitel: Die Stellung der Prophetie im Rahmen der Gemeinderegel 1 Kor 14, 26—40 und auf dem Hintergrund jüdischer Gemeindeordnungen

§ 86 Die Fragestellung

Absicht der Gemeinderegel in 1 Kor 14, 26—40 ist es, im korinthischen Gottesdienst ein ausgewogenes Verhältnis zwischen Glossolalie und Prophetie herbeizuführen. Aus dieser Absicht erklärt sich ihre Beschränkung auf Glossolalie und Prophetie, während andere dem Gottesdienst zugeordnete Gattungen wie Psalm und Lehre zwar noch zu Beginn erwähnt, aber dann doch nicht berücksichtigt werden — wohl weil ihre Stellung innerhalb des Gottesdienstes nicht umstritten war. Während die paulinische Absicht also feststeht, ist bisher kaum geklärt, an welchem Modell von Gemeindeordnung sich seine Regeln orientieren bzw. aus dem Horizont welcher Tradition er seinerseits das Problem der Glossolalie angeht und wertet oder in welche gottesdienstliche Tradition die urchristliche Glossolalie und Prophetie integriert waren.

---

[67] Zu den Kriterien für die Unechtheit des Schweigegebots zählen neben dem Unterschied der vorausgesetzten Gemeindeordnungen und den literarischen Argumenten auch kleinere Beobachtungen: die Verwandtschaft mit den Haustafeln, vgl. oben S. 257ff das kategorische *ou gar epitrepetai* — der Verfasser des 1 Tim setzt es mit *ouk epitrepo* geschickt in die Form eines pseudonymen Briefes um; die schlichte Berufung auf den *nomos* ist bei Paulus ganz singulär und unvorstellbar. 1 Kor 9, 8ff; 14, 21 können nicht als Beispiele dafür herhalten, daß Paulus sich auch an anderen Stellen auf das Gesetz berufe, "um konkrete Weisungen für das Gemeindeleben zu erhärten" (so Blume, Das Amt der Frau 152). Aus der Einstellung des Paulus zu den Frauen läßt sich dagegen kein Argument, weder Pro nach Contra, gewinnen. Dazu ist die Überlieferung zu zweideutig.

[68] Vgl. oben S. 254. Lindblom, Gesichte und Offenbarungen 138f, weist ebenfalls auf die geschickte Komposition hin. In Anm. 33 macht er auf die Methode der Sammler der prophetischen Revelationen aufmerksam, die einzelnen literarischen Einheiten durch "catch-words" — Stichwörter — zu verbinden. Dieser Hinweis ist wertvoll. Aber kann man aus solchen Beobachtungen wirklich "eine Stütze für die stark umstrittene Ursprünglichkeit des Textstücks vom Schweigen der Frauen. . . bekommen" oder nicht eher oder wenigstens ebensogut eine Stütze für die gegenteilige Auffassung?

[69] S. dazu unten S. 297f.

Die Antwort auf diese Frage soll durch einen Vergleich mit den uns aus Philo und Josephus bekannten jüdischen Gemeindeordnungen gesucht werden. Durch die Qumranschriften besitzen wir wenigstens für einige Details eine Kontrollmöglichkeit, welche das Urteil erlaubt, daß Philo und Josephus in ihren knappen Darstellungen jüdischer gottesdienstlicher Versammlungen einige Elemente besonders herausgearbeitet haben, die für das jüdische Empfinden damals überhaupt wichtig waren. Die Betonung des sittlichen und intellektuellen Nutzens, den ein Gottesdienst bringt, der Nachdruck auf der Einhaltung einer strengen Ordnung, eine gewisse Rollenverteilung und das Aufeinanderfolgen der einzelnen Reden und Beiträge sind solche Elemente, die ihre Nennung nicht nur der apologetischen Darstellungsabsicht eines Philo oder eines Josephus, sondern offenbar dem Bild verdanken, welches sich Juden von ihren Gottesdiensten zu machen pflegten. In diesem Sinne ist in diesem Kapitel von "jüdischen Gemeindeordnungen" im Singular oder im Plural je nach dem Textbefund die Rede. Eine genaue Rekonstruktion aller einen Gottesdienst in neutestamentlicher Zeit regulierenden Normen ist auf Grund der ausgewählten und akzentuierenden Berichterstattung in den Quellen nicht sinnvoll,[1] zumal auch in 1 Kor 14, 26—40 eine derartige Akzentuierung begegnet.

§ 87 Elemente jüdischer Gemeindeordnung in 1 Kor 14, 26—40

I. Das Zusammenkommen zur Versammlung

1 Kor 14, 26 bestimmt die Situation, für welche die folgenden Regeln gelten sollen, vom Zusammenkommen der Gemeinde her: *otan synerchesthe*. Es handelt sich um technischen und abgekürzten Sprachgebrauch (1).[2] Vgl. die vollere Formulierung 14, 23, welche das Subjekt *e ekklesia* und die Vereinigung an einem Ort (2) nennt: *ean oun synelthe e ekklesia ole epi to auto* (ähnlich 11, 20). In 11, 18 wird außer dem persönlichen Subjekt (die Angeredeten) durch *en ekklesia* auch die Qualität der entstehenden Versammlung (3) bezeichnet. Die Wendung kann auch zur Charakterisierung des Zwecks der Versammlung (4) variiert werden, 11, 33: *synerchomenoi eis to phagein* (vgl. 11, 17: *eis to kreisson)*. Der traditionelle Charakter der paulinischen Ausdrucksweise erhellt aus der Tatsache, daß sich zu allen ihren Formen Parallelen aus Philo, Josephus und aus den Qumranschriften finden.

---

[1] Die genetische Darstellungsweise geht natürlich anders vor, indem sie das Werden und die Veränderungen der Institution selber untersucht, und nicht die geschichtlich sich wandelnden Meinungen über diese; so z. B. Elbogen, Der jüdische Gottesdienst in seiner geschichtlichen Entwicklung. E. weiß aber gerade auf Grund seiner genetischen Fragestellung recht wenig mit unserer Periode anzufangen; vgl. a. a. O. 233. 245—250.

[2] Vgl. Schneider, ThW II 682.

(1) Von der Versammlung zum Synagogengottesdienst am Sabbat: Philo bei Eus Praep Ev VIII, 7, 13: *synerchontai;* von der Versammlung der Therapeuten zum Fest: Philo Vit Cont 66: *synelthosi.*

(2) Von der Versammlung zum Synagogengottesdienst am Sabbat: Philo bei Eus Praep Ev VIII, 7, 12: *autous eis tauton ... synagesthai;* von der Versammlung der Therapeuten am Sabbat: Philo Vit Cont 30: *synerchontai kathaper eis koinon syllogon.* Vgl. die Stellen, an denen der Ort der Versammlung angegeben wird: Philo Leg Gaj 156; Omn Prob Lib 81; 1QM 3, 4.

(3) 1QS 5, 7: "Und dies ist die Weisung für all ihre Wege, wenn sie versammelt sind zur Gemeinschaft *(bh'spm ljḥd)*;" vgl. 1QSa 1, 1.

(4) Von der Versammlung zum Synagogengottesdienst am Sabbat: Philo Leg Gaj 157: *synagesthai pros tas ton nomon yphegeseis;* Jos Ap 2, 175: *epi ten akroasin ... tou nomou syllegesthai.* Vgl. die Theodotos Inschrift, CI Jud II, 1404: *okodomese ten synagogen eis anagnosin nomou kai eis didachen entolon.*

Sicher darf man 1 Kor 14, 26 nicht so verstehen, daß jedes[3] Mitglied der Gemeinde tatsächlich sich in einer der genannten Formen am Gottesdienst beteiligt. Ebensowenig wird man dem *echei* entnehmen dürfen, daß sämtliche Äußerungen in der Gemeinde bereits fertig mitgebracht werden, oder daß alle Redner sich vorbereitet haben. Diese Vorstellung fällt gerade hinsichtlich der *glossa* und der *ermeneia* schwer, die kaum anders als in situationsbezogener Spontaneität denkbar sind. Hinsichtlich des *psalmos,* der *didache* und der *apokalypsis* ist irgendeine auf die jeweilige Redeform bezogene und für sie spezifische Art der Vorbereitung jedoch durchaus wahrscheinlich und möglich.[4] Die Regel in 14, 30 ist dazu bestimmt, den Konflikt zwischen verschiedenen Graden prophetischer Spontaneität sinnvoll zu lösen. Die folgenden Hinweise auf Analogien aus dem Judentum sollen keinen strengen traditionellen Zusammenhang statuieren, sie können aber wenigstens die Möglichkeiten aufzeigen, welche auch für die christlichen Gemeinden vorhanden waren.

Zwischen dem Schriftstudium der Therapeuten Vit Cont 28 und den Vorträgen bei ihren Versammlungen Vit Cont 31. 75—78, zwischen ihrer ekstatisch-visionären Frömmigkeit Vit Cont 12. 26 und ihrer enthusiastischen Nachtfeier Vit Cont 88f besteht ein solcher Zusammenhang, den man wohl mit "Vorbereitung" bezeichnen kann.[5] Die Hymnen, welche in der Versammlung am fünfzigsten Tag vorgetragen werden, sind entweder neu und vom Sänger selbst verfaßt oder alt und von den Dichtern einer früheren Zeit (Vit Cont 80 vgl. 29. 81).[6]

Hierhin gehört die Anweisung 1QS 8, 11f: "Und keine Angelegenheit *(dbr),* die verborgen war vor Israel, aber gefunden worden ist von einem Mann, der forscht, soll er vor diesen verbergen aus Furcht vor einem abtrünnigen Geist". Ein solches Ergebnis der Schriftforschung wird wohl mehr der *apokalypsis* oder der *gnosis* als der *didache* entsprochen haben.[7]

---

[3] *ekastos* wird im 1 Kor verschiedentlich ungenau gebraucht; vgl. 1, 12; 12, 7. 11; Weiß, 1 Kor 334; Conzelmann, 1 Kor 287. Vgl. auch den Gebrauch des Wortes bei Philo Vit Cont 81: *otan de ekastos diaperanetai ton ymnon.*

[4] Weiß, 1 Kor 334, konzediert unter Hinweis auf Lk 2, 27, "daß die Pneumatiker ... schon auf dem Wege zur Versammlung sich inspiriert fühlen". Das Spektrum der Möglichkeiten ist noch wesentlich breiter.

[5] Vgl. oben S. 110. 117.

[6] Vgl. oben S. 117. [7] Vgl. oben S. 76.

Die rabbinische Tradition kennt die Forderung, daß der Vorleser im Synagogengottesdienst seinen Abschnitt vorher zweimal oder dreimal lesen solle (Tanch *jtrw* 90a). Vom Darschan, dem Prediger, verlangte man eine gründliche Vorbereitung, DtR 10 (206b): Gott spricht: Wenn du dein Ohr zur Tora geneigt hast und dann kommst, um deinen Vortrag über die Worte der Tora zu eröffnen, dann werden alle vor dir schweigen und deine Worte anhören, gleichwie du deine Ohren geneigt hast, um die Worte der Tora zu hören.[8]

II. Der Wert des Gottesdienstes besteht in seinem Nutzen für die Teilnehmer

Der in dieser Überschrift genannte Grundsatz ergab sich bereits aus der Analyse des ersten Teils von 1 Kor 14.[9] Er gilt ebenso für die Gemeindeordnung in 14, 26—40. Der Begriff des "Nutzens" ist hierbei bewußt gewählt, obwohl er nur in 1 Kor 14, 6 vorkommt, weil er als Oberbegriff für die verschiedenen Kategorien dienen kann, welche nach Paulus und nach den jüdischen Texten den Wert des Gottesdienstes ausmachen. Bleiben wir zunächst bei 1 Kor 14, dann wäre an erster Stelle die Erbauung der Gemeinde zu nennen: *panta pros oikodomen ginestho* ist der eine die Gemeinderegel rahmende Leitsatz (14, 26). Wie im Vorhergehenden hat *oikodome* der Gemeinde eine erkenntnismäßige Voraussetzung: die Teilnehmer müssen verstehen können, was da gesagt wird (vgl. 14, 2. 5. 16f. 19). Deshalb beschränkt 14, 27 die Zahl der Glossolalen auf "zwei oder höchstens drei" und fordert einen Übersetzer. Wenn ein solcher fehlt, soll die Gabe in der Gemeinde gar nicht ausgeübt werden (14, 28). Die Zahl der Propheten wird zwar auch zunächst auf "zwei oder drei" beschränkt (14, 29). Aber die Ordnung ist flexibler. Wenn es eine neue Offenbarung gibt, soll man den betreffenden Propheten reden lassen (14, 30), überhaupt dürfen alle Propheten der Reihe nach prophetisch reden (14, 31).[10] Denn das Wirken des Pneumas führt bei Prophetie im Gegensatz zur Glossolalie immer zu verständlichen Äußerungen, so daß man etwas daraus lernen kann. Die Propheten sollen nur nacheinander und nicht gleichzeitig reden: "damit alle lernen und alle ermahnt werden" (14, 31).

Sowohl das Lernen wie das Empfangen der Ermahnung hängen am Verstehen dessen, was gesagt wird. Obwohl es sich um eine pneumatische Gemeinde handelt, richtet sich die Gemeindeordnung an von den pneumatischen Erfahrungen grundsätzlich unabhängigen Werten aus: Nutzen, Erbauung, Erkenntnis, Ermahnung.[11] Diese Ausrichtung teilt 1 Kor 14, 26—40 mit dem Ver-

[8] Vgl. Billerbeck IV 157f. 171f.

[9] Vgl. oben S. 230f.

[10] Vgl. Conzelmann, 1 Kor 289: "Denn *kath' ena pantes* kann nicht einfach alle meinen, sondern: alle, die für diesen Fall in Frage kommen, über die der Geist der Prophetie kommt"; ähnlich Weiß, 1 Kor 341.

[11] Auf der gleichen Linie liegt 1 Kor 11, 17: *ouk epaino oti ouk eis to kreisson alla eis to esson synerchesthe*. Es ist interessant, daß auch hier der formale Wert an der Spitze steht, bevor Paulus die konkreten Mißstände beim Namen nennt und den Schaden, welcher durch sie entsteht, aufweist.

ständnis des Synagogengottesdienstes, wie es uns bei Philo (1) und bei Josephus (2), zum Teil unter etwas anderer Terminologie, entgegentritt.[12]

(1) Philo über den Zweck des Sabbatgottesdienstes: Philo bei Eus Praep Ev VIII, 7, 12f: "die Gesetze hören, damit niemand sie nicht kenne ... und so scheiden sie von dort, unterrichtet über die heiligen Gesetze und nach großem Einsatz für die Frömmigkeit". Leg Gaj 156: die Juden versammeln sich in ihren Synagogen "besonders am heiligen Sabbat, wenn sie öffentlich in der Philosophie der Väter unterwiesen werden". Spec Leg II, 62: "Es stehen nämlich an den Sabbaten in allen Städten zahllose Lehrhäuser *(didaskaleia)* der Einsicht, der Besonnenheit, der Tapferkeit, der Gerechtigkeit und der anderen Tugenden offen; darin sitzen die einen in Ordnung und Ruhe gespitzten Ohres da, mit gespannter Aufmerksamkeit, weil sie nach dem erquickenden Wort dürsten; einer der erfahrensten Männer aber erhebt sich und erteilt ihnen Belehrung über die guten und nützlichen Dinge, durch die das ganze Leben veredelt werden kann." (Zum ersten Teil vgl. Vit Mos II, 216; ferner Omn Prob Lib 83 über den Inhalt der Unterweisung, welche die Essäer am Sabbat empfangen.)

(2) Josephus ist in der Ausdeutung der erzieherischen Wirkung des Sabbatgottesdienstes weit zurückhaltender als Philo in Leg Gaj 156 und Spec Leg II, 62. Er trifft sich mit Philo in der Wertung des Sabbatgottesdienstes als der Gelegenheit, das Gesetz zu "lernen". Ap 2, 175: "Denn auch den Entschuldigungsgrund, daß man von den Vorschriften keine Kenntnis habe, wollte er aus der Welt schaffen (vgl. oben Philo bei Eus Praep Ev!), indem er das Gesetz zugleich zum schönsten und notwendigsten Bildungsmittel machte und uns die Verpflichtung auferlegte, es nicht bloß einmal oder zweimal oder öfters zu hören, sondern auch an jedem siebenten Tage uns aller sonstigen Geschäfte zu enthalten, zur Anhörung des Gesetzes zusammenzukommen und dasselbe gründlich zu lernen *(akribos ekmanthanein)*,[13] eine Anordnung, die meines Wissens alle übrigen Gesetzgeber außer acht gelassen haben." Ant 16, 43: "Der siebente Tag ist zur Unterweisung *(mathesei)* in unseren Gebräuchen und Gesetzen bestimmt, damit

---

[12] Das hat bereits Elbogen, Der jüdische Gottesdienst 250, im wesentlichen erkannt. Er übersieht allerdings die Texte aus Josephus, die eine gemeinsame Tradition bezeugen: "In den hellenistischen Ländern standen nach Philos Schilderung, die sich allerdings auf die Sabbate beschränkt und offenbar vom Bestreben geleitet ist, dem Bilde einen möglichst philosophischen Anstrich zu geben, Vorlesung und Auslegung der Bibel im Vordergrund, sie füllten den ganzen Sabbat bis zum späten Abend aus, sie machten die Synagogen zu Lehrstätten der Aufklärung und Tugend." Tatsächlich sind aus dieser Zeit außer der Theodotos-Inschrift keine palästinischen Diskussionen bekannt, die sich überhaupt zum Synagogengottesdienst äußern. Vorläufig muß also die Voraussetzung dafür stehen, daß man auch im palästinischen Judentum den Synagogengottesdienst von der Lehre und vom Studium her begriff. Das wird durch die Theodotos-Inschrift (s. oben S. 275) bestätigt. Zu dieser vgl. Lifshitz, Donateurs et fondateurs dans les synagogues juives 70f. Lifshitz zufolge hat S. Klein, Jüdisch-palästinisches Corpus Inscriptionum (1920) 102, darauf hingewiesen, daß die Synagoge im ersten Jahrhundert vor allem dem Studium diente. Zum "Lehren" in der Synagoge vgl. Mt 4, 23; 9, 35; Mk 1, 21f; Lk 4, 15. 31; 6, 6; 13, 10; Joh 6, 59. Elbogen, a. a. O. 194: "Die beiden Ausdrücke *hbjn* und *lmd* sind die ältesten Bezeichnungen, die wir für die gottesdienstliche Schriftauslegung, die Predigt, haben"; vgl. Schrage, ThW VII 820f. 830f. 833f.

[13] Zum Deuteausdruck *akribos* vgl. Philo Vit Cont 75 vom Vortrag des Vorstehers; ebd. 31 vom vortragenden *presbytatos* am Sabbat; s. ferner die Angaben im Register.

diese Gesetze, durch deren Befolgung wir vor Sünden bewahrt bleiben, ebenso wie alle anderen Vorschriften gehörig beachtet werden."

Das "Lernen" beim Synagogengottesdienst ist mit dem "Lernen" im Gottesdienst der korinthischen Gemeinde verwandt. Die gleiche Terminologie wird dort auf das Gesetz, hier auf die Prophetie angewendet. Der Unterschied liegt im Inhalt. Es ist kein Zufall, daß wie das Gesetz auch die Prophetie zum Gegenstand des "Lernens"[14] wurde, sondern Auswirkung der gemeinsamen Tradition. Nach 1 Kor 13, 2 verstand man unter Prophetie vor allem prophetische Erkenntnis, nach 1 Kor 14, 31 ist Prophetie in der Gemeinde zunächst Mitteilung prophetischer Erkenntnis.[15]

III. Das Einhalten der schönen Ordnung beim Gottesdienst

Der zweite Grundsatz, der die Gemeinderegel 1 Kor 14, 26—40 in einer Art *inclusio* rahmt und wie 14, 26 deutlich machen soll, welchen Zielen sie dient, lautet: *panta de euschemonos kai kata taxin ginestho* (14, 40). Dieser Grundsatz hätte ebensogut über einer jüdischen Gemeindeordnung stehen können. In der Form entspricht er 1 Kor 14, 26: "Alles soll zur Erbauung geschehen." Nur wird nicht der Zweck *(pros)*, sondern die Art und Weise *euschemonos* (2) angegeben, die Norm, nach welcher sich der Gottesdienst richten soll: *kata taxin* (3).[16] Beide Begriffe werden öfter nebeneinander verwendet (1) und appellieren an allgemein anerkannte Vorstellungen von Anstand und Ordnung.[17] Der ganze Ausdruck ist formelhaft.[18] Nichtsdestoweniger ist er für die Gestaltung

---

[14] Zu *manthanosin* 1 Kor 14, 31 vgl. Vit Cont 75 das Verlangen der Therapeuten, aus dem Vortrag des Vorstehers zu lernen *(mathein)*, oben S. 116; ferner die Verwendung von *manthanein* in der Traumdeutung Jos Ant 2, 75. 78: der Pharao will von den angesehensten Ägyptern und von Joseph die Deutung *(krisis)* seiner Träume erfahren *(mathein)*; 10, 200. Der "Unterweiser" in der Qumrangruppe soll "alle Einsicht lernen *(wlmwd)*, die gefunden worden ist, entsprechend den Zeiten" (1QS 9, 13) — es handelt sich um apokalyptisches Wissen! Seine Aufgabe besteht in "unterweisen und belehren" *(lhbjn wllmd* 1QS 3, 13); die beiden Termini ebenso im Zitat aus Elbogen 194, oben Anm. 12). Die Gruppe rühmt sich als das Volk derer, "die im Gesetz belehrt sind, der einsichtigen Weisen" (1QM 10. 10, s. dazu oben S. 208).

[15] Darum ist die Prophetie der Glossolalie vorzuziehen, weil diese ihre "Geheimnisse" nicht mitteilen kann, 1 Kor 14, 2 vgl. oben S. 234—238.

[16] Vgl. Bauer 805: *kata* "häufig zur Umschreibung des Adverbs".

[17] Greeven, ThW II 769: "Mag das neue Leben des Christen sich auch nach seiner Begründung und seinen Kraftquellen von jeder außerchristlichen 'Sittlichkeit' zuinnerst unterscheiden, über das, was als *euschemon* zu gelten hat, herrscht Übereinstimmung auch mit den Heiden ... Aber von hier aus geht eine Verbindungslinie zu einer anderen Wortbedeutung vom Urteil über ein Verhalten zu einer Bezeichnung für Dinge, die mit Sittlichem nur noch schwer erkennbar oder gar nicht zusammenhängen und mehr ästhetisch bewertet werden sollen — ein Wechsel, der dem griechisch Denkenden nicht schwer fiel."

[18] Weiß, 1 Kor 343: "P. scheint hier eine feste Formel zu gebrauchen."

und für die Beurteilung des Gottesdienstes entscheidend. Denn er spricht ein hellenistisches und ebenso ein jüdisches Ideal von gottesdienstlichen Versammlungen an.[19]

(1) Nebeneinander von *euschemonos* und *taxis:* Ditt Syll³ 736, 42 Mysterien Inschrift von Andania: Die Aufseher sollen Sorge tragen, *opos EUSCHEMONOS kai EUTAKTOS*(!) *ypo ton paragegenemenon PANTA GENETAI* (vgl. 1 Kor 14, 40!); 718, 10: *pepompeukenai KATA ta PROSTETAGMENA* (!) *os toi kallista kai EUSCHEMONESTATA.* Die Verwandtschaft der Begriffe erhellt aus der Reihung bei Ael Arist Or 46 p346D: *EUSCHEMONOS tauta epratteto. ei de EUSCHEMONOS, kai TETAGMENOS kai kosmios* (zur Verbindung von *taxis* und *kosmos* s. auch unten [3]).

(2) *euschemonos* bei Opferhandlungen: Ditt Syll² 521, 14: *kai eranto tais thysiais tous bous euschemonos;* Syll³ 598, E5; 1019, 5 (der Hierophant Charetios von Eleusis beträgt sich bei seinem Dienst *euschemonos);* Inschr. v. Priene 55, 13f. Der Begriff ist hellenistisch, er fehlt in LXX. Im Neuen Testament: 1 Thess 4, 12 vom Wandel der Christen; Röm 13, 3 ebenso (Gegensatz: Gelage, Trunkenheit, Beischlaf, Lust, Streit, Eifersucht).

(3) Der Begriff der *taxis* im Sinne der "guten Ordnung" ist im Neuen Testament einmalig.[20] Wie die folgenden Beispiele zeigen, reicht der Spielraum von der Appellation an eine allgemeine Ordnungsvorstellung bis zur präsumptiv festgelegten Ordnung (parallel zu *nomos).*

Hellenistisch: Plat Leg 637e *(taxis* als Gegenbegriff zu barbarischen Sitten): "Aber die Skythen und Thrakier, Männer und Weiber, trinken den starken Wein ganz ohne Wasser, schütten ihn sogar auf die Kleider und halten ein solches Verfahren für einen ganz vortrefflichen Brauch. Auch die Perser erlaben sich an dieser und an noch vielen anderen Üppigkeiten, die ihr verwerft, tun es aber allerdings mehr in der *Ordnung (taxei)* als die anderen." Leg 780a (*taxis* als Kontrast zur individuellen Lebensführung): "im Privatleben solle jedermann seinen Tag zubringen, wie er will *kai me panta dia taxeos dein gignesthai*". Ditt Syll³ 741, 12 *(taxei* entspricht einem lateinischen ordine).

taxis parallel zu *kosmos*: Plat Gorg 504a: *taxeos kai kosmou tychousa oikia chreste an eie, ataxias de mochthera* (vgl. schon vorher: *tetagmenon te kai kekosmemenon — kosmousin . . . syntattousin*). Philo Som I, 241 (vom Schöpfer): *ten ataxian kai akosmian eis kosmon kai taxin agagon.* Vgl. Dg 8, 7: Gott habe bei der Schöpfung alles *kata taxin* geordnet. *taxis* parallel zu *nomos:* Plat Leg 875c: *epistemes gar oute nomos oute taxis oudemia kreitton* (ähnlich Resp 587a).

taxis in Beziehung auf den Gottesdienst: 1 Kl 40, 1: *panta taxei poiein opheilomen.* Jos Bell 2, 132 steht der Begriff im Kontext der Schilderung des Gemeinschaftsmahls der Essener am Sabbat: "Weder Geschrei noch Stimmengewirr befleckt jemals ihr Haus, *tas de lalias en taxei parachorousin allelois.*" Diese Erwähnung der Ordnung gehört zur Topik bei der jüdischen Schilderung religiöser Zusammenkünfte[21] und stellt die nächste Parallele zu 1 Kor 14, 40 dar.

---

[19] Conzelmann, 1 Kor 291 ("praktisch bürgerlich") greift zu kurz.

[20] Vgl. Bauer 1590; Liddell-Scott 1756; bei Delling *tasso* etc. ThW VIII 27—49, fehlt eigenartigerweise ein Artikel zu *taxis.* Dihle bemerkt ebd. 27 Anm. 1: "Bemerkenswert ist das Fehlen von *taxis, diataxis* usw., die doch der philosophischen, vulgären und literarischen Sprache des Hell überaus geläufig sind." *taxis* ist im Neuen Testament vorhanden und mit dem Wort der hellenistische Einschlag, vgl. noch Kol 2, 5; Hebr 5, 6 usw.

[21] Vgl. auch Jos Bell 2, 130 (vom Mittagsmahl der Essener): *kai kathisanton meth' esychias o men sitopoios en taxei paratithesi tous artous.*

Im allgemeinen findet sich in den jüdischen Schilderungen religiöser Zusammenkünfte eine andere Terminologie. Philo verwendet mit Vorliebe den Begriff *kosmos*. Dieser ist sowohl seinem Gehalt wie seiner Verwendung nach mit dem Begriff der *taxis* verwandt (vgl. Plat Leg 875c; Philo Som I, 241 oben [3]).[22] Das Vorhandensein der schönen Ordnung wird an einzelnen Momenten aufgewiesen: geordnetes Stehen und Sitzen (1), geziemende äußere Haltung (2), bei den Sektengruppen der Therapeuten und Qumran-Essener Einhalten der in den Gruppen geltenden Rangordnung beim Sitzen und Sprechen in der Versammlung (3), geordnetes Schweigen und Reden. Dieses letzte Moment gehört allerdings nur teilweise unter den Gesichtspunkt der "schönen Ordnung" — nämlich nur soweit sein geordnetes Einhalten betont wird, zunächst gehört es zur für den jüdischen Gottesdienst selbst fundamentalen Grundordnung der Lesung und der Auslegung, die im folgenden Abschnitt für sich behandelt werden soll. Es ist bei manchen Texten schwer zu entscheiden, welcher der beiden Gesichtspunkte in ihnen je überwiegt. Aus praktischen Gründen sollen aber auch jene Texte, welche mehr zum Problem der "schönen Ordnung" gehören, im Zusammenhang mit der Ordnung der Rede besprochen werden.

(1) Geordnetes Stehen und Sitzen im jüdischen Synagogengottesdienst. Philo Spec Leg II, 62 (der ganze Text oben unter II): *oi men en kosmo kathezontai ... anastas de tis ton empeirotaton yphegeitai.* Vgl. Apg 13, 14f: *ekathisan ... anastas de Paulos;* 16, 13. Philo bei Eus Praep Ev VIII. 7. 12: *kathezomenous met' allelon syn aidoi kai kosmo ton nomon akroasthai ... kai synedreuousi met' allelon.* Som II, 127 (der ganze Abschnitt unten IV.). Der Gedanke der schönen Ordnung ist schon in Som II, 126 ausgedrückt (s. weiter unten [2]); im ganzen tritt er in diesem Text zurück — es handelt sich um die angebliche Rede eines judenfeindlich eingestellten Beamten. Vit Cont 30 (sabbatlicher Gottesdienst der Therapeuten): *kath' elikian kathezontai meta tou prepontos schematos*[23] (Fortsetzung weiter unten [2]). Omn Prob Lib 81 (sabbatlicher Gottesdienst der Essener): *kath' elikias en taxesin ypo presbyterous neoi kathezontai meta kosmou tou prosekontos echontes akroatikos.*

Nach den rabbinischen Quellen[24] stehen der Vorleser aus der Tora (Meg 21a Bar; pMeg 4, 74d,4) und der Meturgeman (pMeg 4, 74d, 7); der Vorleser der Esterrolle darf auch sitzen (Meg 21a Bar). Der Gelehrte, welcher den Predigtvortrag hielt, saß (Stehen bei der Predigt oben Spec Leg II, 62; Apg 13, 15). Eine viel verwendete Formel lautete: "NN saß und trug vor" (LvR 16 [116c]; Midr HL 1, 10 (91b); Ber 27b; ExR 8 [73b]; AbothRN 4 [2d]; vgl. Lk 4, 20 [?][25]). Die Gemeinde nahm sitzend am Gottesdienst teil.[26]

---

[22] Vgl. auch unten Anm. 27 und 28.

[23] Zu *schema* (auch Som II 216 unten [2]) vgl. das *euschemonos* von 1 Kor 14, 40.

[24] Billerbeck IV 157. 161—163. 185f.

[25] Klostermann, Lk 63: "Daß Jesus nach der Verlesung von etwa zwei Versen das Buch zusammenrollt, dem Synagogendiener zurückgibt und sich dann für die auslegende und anwendende Ansprache niedersetzt, wäre nach Schürer II 534. 515. 535 zu belegen."

[26] Elbogen, Der jüdische Gottesdienst 475f. 498—500. Zur Einrichtung der alten Synagogen vgl. die Zusammenfassung von Schrage, ThW VIII 818f. "Es ist ein Privileg Israels, daß es die Offenbarung des Königs aller Könige gemütlich sitzend und bedeckten Hauptes vernehmen kann" (Elbogen, a. a. O. 500).

Stehen und Liegen bei der Feier am fünfzigsten Tag (Therapeuten): Vit Cont 66: *pro tes katakliseos stantes kata stoichon en kosmo;* 67: *meta de tas euchas oi presbyteroi kataklinontai tais eiskrisesin akolouthountes.* 69: die *kataklisis* für die Männer ist auf der rechten, die für die Frauen auf der linken Seite. 75: Über die Aufträger beim Mahl: *stenai de tous diakonous en kosmo pros yperesian etoimous.* Anschließend hält der Vorsteher *(proedros)* sitzend seinen Vortrag, 80: *kai epeita o men anastas ymnon adei.*

Sitzen und Aufstehen bei den Qumran-Essenern: 1QS 6, 4 vgl. CD 14, 6: Sitzen bei den Versammlungen. 1QS 6, 8f: "Das ist die Ordnung für die Sitzung der Vielen *(hzh hsrk lmwšb hrbjm):* jeder in seiner Rangstufe *('jš btkwnw),* die Priester sollen an erster Stelle sitzen und die Ältesten an zweiter und dann alles übrige Volk, sie sollen jeder in seiner Rangstufe sitzen." Sowohl *srk*[27] (vgl. Jos Bell 2, 133 oben) wie *tkwn*[28] (vgl. Philo Omn Prob Lib 81) können nach dem Sprachgebrauch des Philo und des Josephus mit *taxis* wiedergegeben werden. 1QS 6, 12f: "Und jeder Mann, der ein Wort zu den Vielen zu reden hat, ... der soll aufstehen und sagen: Ich habe ein Wort zu sagen zu den Vielen. Wenn sie es ihm erlauben, dann darf er reden."

(2) Ordentliche Haltung beim Gottesdienst und bei Versammlungen. Philo Som II, 126: "Oder werdet ihr in der gewohnten Haltung *(schematos)* auftreten, die rechte Hand nach innen gekehrt, die andere aber unter dem Gewand an die Hüfte gelegt." Ähnlich die Therapeuten Vit Cont 30: "Die Hände bergen sie im Gewand, die rechte zwischen Brust und Knien, die linke zurückgezogen an der Taille." Überall wo unter (1) von *kosmos* und *aidous* die Rede ist, ist auch an eine entsprechende Körperhaltung zu denken.

Die Strafbestimmungen der Qumran-Essener für unordentliches Verhalten können die Gefahren vergegenwärtigen, gegen welche immer wieder die schöne Ordnung beschworen wird. 1QS 7, 10—12: "Und wer sich hinlegt und schläft während der Sitzung der Vielen, dreißig Tage; ebenso für denjenigen, der sich während der Sitzung der Vielen entfernt, und zwar ohne Genehmigung, und derjenige, der einschlummert bis zu dreimal während einer Sitzung, der soll mit zehn Tagen bestraft werden" (vgl. Apg. 20, 9!). Weitere Vergehen: "Ein Mann, der mitten in die Sitzung der Vielen hineinspuckt"; "wer seine Hand aus seinem Gewand hervorstreckt, und es flattert, so daß seine Blöße sichtbar wird"; "wer töricht mit lauter Stimme lacht"; "wer seine linke Hand herausstreckt, um damit zu fuchteln" (1QS 7, 13—15).

(3) Das Einhalten der Rangordnung. Bei den Essenern Philos: Omn Prob Lib 81 (oben [1]);[29] bei den Qumran-Essenern: 1QS 6, 8f (oben [1]); bei den Therapeuten: Vit Cont 30. 66. 67 (oben [1]). 80: Nachdem der *proedros* seinen Hymnus beendigt hat, singen *kai oi alloi kata taxeis en kosmo prosekonti, panton kata pollen esychian akroomenon, plen opote ta akroteleutia kai ephymnia adein deoi.*[30]

Wie steht es mit den Auswirkungen des Grundsatzes aus 1 Kor 14, 40 und der oben zusammengestellten jüdischen Tradition auf die Gottesdienstordnung im 1 Kor? Hinsichtlich des zuletzt behandelten Gesichtspunktes der Rangordnung scheint es kaum Berührungen zu geben. Man könnte höchstens das korinthische Vorziehen der Glossolalie, das paulinische Bemühen, dagegen die Prophetie zu

---

[27] Auch in der Bedeutung "Rangordnung", vgl. 1QS 5, 23; 6, 22; 1QSa 1, 23.

[28] Auch in der Bedeutung "Ordnung", vgl. 1QS 5, 7; 9, 12; 1QH 8, 14.

[29] Zur Bedeutung der Rangordnung in Qumran vgl. 1QS 5, 23f; 7, 21; 9, 2. 12. 14—16; CD 13, 12; Maier, Die Texte vom Toten Meer II 11. 107.

[30] Grundsätzliches zur Rangordnung der Therapeuten: Vit Cont 30. 67 (oben S. 113f); Philo kann dem Thema "Rangordnung" nicht viel abgewinnen.

höherem Ansehen zu bringen, und auch die wertende Reihenfolge der Charismen in 1 Kor 12, 28 zu dem Problem der Rangordnung in Beziehung setzen. Es ist aber deutlich, daß das Wirken des Geistes und das frühe Entwicklungsstadium der korinthischen Gemeinde weder das Anciennitätsprinzip der Therapeuten noch die hierarchische, juridische und aristokratische Einstellung der Qumran-Essener zulassen. Wo Tendenzen dazu begegnen, werden sie von Paulus nicht unterstützt, sondern bekämpft.[31]

Hinsichtlich des Sitzens und Stehens beim Gottesdienst wird die korinthische Gemeinde ähnliche Gewohnheiten gehabt haben wie die jüdischen Gemeinden: man saß während des Gottesdienstes (14, 30),[32] der Redner stand wahrscheinlich auf.[33]

Da die Gemeinderegel 1 Kor 14, 26—40 bereits durch das Prinzip der schönen Ordnung bestimmt ist, kann man sie als Ganzes als einen Beleg für die Auswirkung dieses Prinzips auf Paulus ansehen. Im einzelnen wird die Wirksamkeit des Prinzips besonders an den Punkten deutlich, wo Paulus etwas ablehnt oder gegen etwas polemisiert. Das Urteil der Außenstehenden über eine ganz der Glossolalie verfallene Gemeinde: *oti mainesthe* (14, 23) bringt auch das Unbehagen des Paulus an einem ungeordneten Gottesdienst zum Ausdruck. Die Eingrenzung der Glossolalie auf zwei bis drei Redner (14, 27) ist ein Zeichen für den von Paulus gesuchten Ausgleich zwischen der Macht pneumatischer Erfahrung und dem Postulat der Ordnung.

Eine andere Folge dieses Ausgleichs ist die Anweisung 14, 30: der redende Prophet solle schweigen, wenn einem, der dasitzt, plötzlich eine Offenbarung zuteil wird. Die neue Offenbarung geht vor, weil sie — das ist anzunehmen — gerade zu diesem Moment geschenkt wird, also besonders "aktuell" sein muß. Der andere Prophet soll trotz seiner Inspiration schweigen, damit keine Unordnung — *akatastasia* — entsteht. Gegen die Berufung auf das Wirken und auf die Freiheit des göttlichen Geistes zieht Paulus eine disziplinäre Konsequenz aus dem traditionellen liturgischen Gottesprädikat *o theos tes eirenes.*[34] Die Propheten brauchen sich nicht von ihrer Inspiration überwältigen zu lassen (14, 32),[35] denn Gott ist ein Gott des Friedens, nicht der Unordnung (14, 33a). Durch

[31] Vgl. in 1 Kor 8 die Relativierung des *gnosin echon:* 8, 1—3. 7. 10—12; in 1 Kor 9 die Relativierung des Begriffs der *exousia:* 9, 4—6. 12. 18 (s. dazu Dautzenberg, Der Verzicht auf das apostolische Unterhaltsrecht 220—222); in 1 Kor 13 die Relativierung der angesehensten Charismen. Stephanas und sein Haus erfahren Anerkennung, nicht nur weil sie die Erstgeborenen Achaias sind, sondern weil sie sich für den Dienst an den Christen einsetzen, 1 Kor 16, 15f.

[32] Vgl. Apg 2, 2; 20, 9; Jak 2, 3; Schneider, ThW III 447.

[33] Vgl. Conzelmann, 1 Kor 289.

[34] Test Dan 5, 2; Röm 15, 33; 16, 20; 2 Kor 13, 11; Phil 4, 9; 1 Thess 5, 23; Hebr 13, 20; vgl. dazu Deichgräber, Gotteshymnus und Christushymnus 94f.

[35] Es geht also nicht darum, daß die Propheten sich gegenseitig zum Schweigen bringen; so Greeven, Propheten 13: "(Wirkliche) Prophetengeister (die gerade reden) ordnen sich (neu aufstehenden) Propheten unter"; zur Vorgeschichte dieser Inter-

die Gegenüberstellung zu *akatastasia* erhält der ursprünglich alttestamentlich und jüdisch geprägte Friedensbegriff eine Ausrichtung auf den Begriff der "Ordnung".[36] *eirene* und *taxis* rücken nahe zusammen, sicher nicht zum letzten Male in der Geschichte. Jedoch werden sie nicht identisch. Wie *akatastasia* in eine Reihe mit *eris, zelos, thymos* usw. gehört (2 Kor 12, 20; Jak 3, 16)[37] so steht *eirene* in einer Reihe mit Worten wie *dikaiosyne, chara* (Röm 14, 17; Gal 5, 22; vgl. Jak 3, 17f), *oikodome* (Röm 14, 19), *agape* (2 Kor 13, 11; Gal 5, 22). Es ist übrigens wichtig festzuhalten, daß auch in 14, 32f das Prinzip der Ordnung nicht gegen die Prophetie überhaupt eingesetzt oder ausgespielt wird. Im Rahmen der "schönen Ordnung" sollen ja alle der Reihe nach zu Worte kommen (14, 31).

Das Prinzip der "schönen Ordnung" steht ebenso hinter den Anweisungen für den Gottesdienst in 1 Kor 11. Der Nachdruck, mit welchem sich Paulus für das Beibehalten der üblichen Verhüllung der Frauen beim Gebet und beim Prophezeien einsetzt,[38] erklärt sich auch von der Bedeutung her, welche man dem "ordentlichen" Verhalten beimaß (s. oben [2]). Die von Paulus eingesetzten Kategorien des *aischron* (11, 6), des *prepon* (11, 13) und der *synetheia* (11, 16) entsprechen dem *kosmos prosekon* (Omn Prob Lib 81), dem *synethes* oder *prepon schema* (Som II, 126; Vit Cont 30), der *aidous* (Philo bei Eus Praep Ev VIII, 7, 12) in den Texten Philos und der Sorgfalt, mit welcher man in Qumran ein geziemendes Verhalten bei der Versammlung verlangte. Wie die Qumrantexte zeigen, kann sich mit der Sorge um die Ordnung auch die Rücksicht auf die in der Gemeinde anwesenden heiligen Engel verbinden.[39]

Die *schismata* und *aireseis* beim Herrenmahl (1 Kor 11, 18f) widersprechen elementar dem Sinn des Herrenmahls, aber auch dem Prinzip der "schönen Ordnung". Die Gemeinde bietet bei diesen Zusammenkünften nicht das Bild der Einheit und des Friedens (vgl. Philo Vit Cont 72—74. 81 über das Mahl der Therapeuten; Jos Bell 2, 129—133 über das Mahl der Essener), sondern "der eine hungert, während der andere sich betrinkt" (11, 21). So wird die Gemeinde Gottes "mißachtet" (11, 22). Dieser Mißstand hatte sich aus einem Zerfall des gemeinsamen Herrenmahles ergeben, bei dem man nicht zwischen

---

pretation s. Heinrici, 1 Kor 435. Vielmehr geht es um die Selbstkontrolle und Verantwortlichkeit des einzelnen Propheten (14, 30: *o protos sigato).* Paulus kennt nur redende Glossolalen und Propheten, aber keine redenden Prophetengeister. Vgl. zur Kritik Robertson-Plummer, 1 Kor 323; Heinrici, 1 Kor 435; ferner Weiß, 1 Kor 341; Lietzmann, 1 Kor 74; Gunkel, Die Wirkungen des Heiligen Geistes 67f. Zum Verständnis des Plurals *pneumata* s. oben S. 135—139.

[36] Vgl. Bauer 450; 1 Klem 20, 1. 9. 10. 11: der kosmische Frieden der Schöpfungsordnung.

[37] Vgl. auch 1 Klem 3, 2; 14, 1; Bauer 59; Moult-Mill 17; Liddell-Scott 48; die Bedeutung "Aufruhr" für *akatastasia* paßt trotz Greeven, Propheten 13f, nicht. Die Gefahr, gegen welche Paulus sich wendet, besteht in der Störung der Ordnung.

[38] Vgl. dazu oben S. 265—269.

[39] Zu 1 Kor 11, 10 vgl. oben S. 267 Anm. 47.

Sättigungsmahl und sakramentalem Mahl trennte, sondern allen an allem teilgab. Paulus verzichtet in seiner Stellungnahme auf die Wiederherstellung der ursprünglichen Einheit von Sättigungsmahl und sakramentalem Mahl. Er fordert zwar eine Wiederherstellung des Friedens und der Einheit (11, 33), konzediert jedoch, daß man sich schon zu Hause satt ißt (11, 34). Damit ist unter Verzicht auf eine bruderschaftliche Gemeinschaft wenigstens die Integrität — und das heißt auch die "schöne Ordnung" — der Feier gewahrt.

IV. Die Ordnung des Redens im Gottesdienst

Die beiden Regeln für die Glossolalen und für die Propheten (1 Kor 14, 27f. 29f) betreffen nur einen Teil der in der korinthischen Gemeinde geübten Formen des Redens (vgl. 14, 6. 26). Dessen muß man sich bei dem Vergleich mit den jüdischen Institutionen bewußt bleiben. Es ist daher auch angebracht, schon vor dem Vergleich die Intention der paulinischen Regeln genauer herauszuarbeiten. Ihre Aufeinanderfolge im Kontext bedeutet nicht notwendig ein Nacheinander von Glossolalie und Prophetie im Gottesdienst. Die Voranstellung der Regel über die Glossolalie erklärt sich nicht aus dem gottesdienstlichen Ablauf, sondern aus dem paulinischen Interesse, die Glossolalie in den Gemeindeversammlungen einzudämmen oder sinnvoller zu gestalten. Es handelt sich also nicht um Gottesdienstordnung im Sinne einer Agende. Eher handelt es sich um kasuistische Regeln: "Wenn[40] einer in Sprachen redet..." (14, 27). 14, 29 fehlt diese kasuistische Einleitung, aber wohl nur deshalb, weil Paulus mit dem Vorhandensein von Propheten rechnet oder rechnen will (vgl. 14, 39).

Mit dem Vorhandensein von Glossolalen ist in Korinth sicher ebenfalls zu rechnen, das einleitende *eite* drückt dann eine gewisse Reserve gegenüber der Glossolalie im Gottesdienst aus. Ebenso die Beschränkung "zu zweien oder höchstens dreien".[41] In der Regel für die Propheten fehlt diese spürbare Reserve, obwohl sie zunächst auch nur "zwei oder drei" Propheten reden läßt. Denn während die Glossolalen schweigen müssen, wenn niemand da ist, der zu "übersetzen" versteht, sollen die Propheten nur schweigen, wenn ein anderer eine neue Offenbarung empfangen hat (14, 30). Grundsätzlich können aber alle Propheten der Reihe nach reden (14, 31). Paulus liegt indes um der Erbauung, d. h. um des Verständnisses und um der Ordnung willen daran, daß man nicht durcheinander redet, weder die Glossolalen (14, 27: *ana meros* = der Reihe nach[42]) noch die Propheten (*kath'ena;*[43] Ablehnung der *akatastasia*[44]).

[40] *eite* nur in 1 Kor 14, 27 ohne ein zweites *eite*, s. Bauer 436. Sollte ursprünglich die Regel für die Prophetie mit dem zweiten *eite* eingeleitet werden? Vgl. Weiß, 1 Kor 339.

[41] Zu distributivem *kata* vgl. Jos Ant 3, 142; 5, 172; Bauer 804; *to pleiston* = "höchstens" s. Bauer 1368.

[42] Vgl. Polyb 4, 20. 10: *ana meros adein*; Aristot Polit 1287a 17; Bauer 99: "der Reihe nach"; Liddell-Scott 98: "by turns".

[43] Bauer 804: "einzeln, einer nach dem andern".

[44] Vgl. oben S. 282f.

Sowohl die Glossolalie wie die Prophetie haben pneumatischen Charakter. Es gibt abgestufte Grade der Spontaneität. Diese ist wohl am stärksten bei manchen Arten der Glossolalie und bei dem in 14, 30 vorausgesetzten Fall einer plötzlichen Offenbarung während der Gemeindeversammlung. Das Milieu der Gemeindeversammlung, das Vorhandensein pneumatischer Redeformen, die Beschäftigung mit den prophetisch erkannten und verkündeten Geheimnissen, die Gegenwart der Gemeinde als der Adressatin der Offenbarung, ihre Bereitschaft, diese zu hören, aus ihr zu lernen, all das schafft die Bedingungen für den Empfang neuer Offenbarungen.[45] Diese Bedingungen muß man sich auch vor Augen halten, wenn man die Gemeinderegel von 1 Kor 14, 27—31 historisch situieren und interpretieren will. Aus dem 1 Kor mag da in etwa das Beispiel der prophetischen Überführung des Ungläubigen (14, 24f) mithelfen, um die dichte Erlebnissphäre in einer Gemeinde mit pneumatischen Erfahrungen anzudeuten, obwohl es sich vom Inhalt her nicht um das in 14, 29f gemeinte Prophezeien handelt.[46] Für das Erleben dessen, der eine *apokalypsis* erfährt, kann man 2 Kor 12 heranziehen, obwohl es sich dort um eine besonders hohe Offenbarung handelt, deren Inhalt gerade nicht zur Weitergabe bestimmt ist.[47] Aus den jüngeren Quellen können Apg 21, 11f (Agabus); Did 11, 7. 9. 12 *(panta propheten lalounta en pneumati)* und vor allem Herm Mand 11, 8—10 (wenn die Versammlung zu beten anhebt, erfüllt der Engel des prophetischen Geistes den echten Propheten, so daß er zur Gemeinde redet, was der Herr will) die in 1 Kor 14, 30 angezielte Situation veranschaulichen.

Auf die charismatische Glossolalie soll das gleichfalls charismatische "Übersetzen" folgen, auf die charismatische Prophetie das charismatische "Deuten". Die Forderung "einer soll übersetzen" (14, 27) soll wohl kaum die Zahl der Übersetzer beschränken, auch nicht angeben, daß die Übersetzung erst geschehen soll, wenn alle Glossolalen geredet haben, sondern nur darauf bestehen, daß überhaupt jemand übersetzt.[48] Das Charisma des "Übersetzens" war in Korinth weniger verbreitet als das Charisma der Glossolalie (vgl. 14, 13. 28), und es wurde auch weniger geschätzt. Gerade darum erwähnt Paulus in 14, 26 die *ermeneia*, und nicht die *diakriseis pneumaton*. In der Gemeinde darf es nur Glossolalie geben, wenn es in ihr auch "Übersetzung" gibt.

Das "Deuten" der Prophetie soll auf jeden Fall durch einen größeren Kreis geschehen. Wer sind *oi alloi?* Grammatikalisch läßt das Wort sich analog zu *dyo e treis* an *prophetai* anschließen.[49] Aber ist das der Sinn, daß sich nur Propheten an der Deutung beteiligen dürfen?[50] 12, 10 hatte gerade von der Verteilung der Charismen gesprochen: "einem anderen Prophetie, einem anderen Deutungen der Geistesoffenbarungen". Diese

---

[45] Weinel, Wirkungen des Geistes 219, zu 1 Kor 14, 31f: "Insonderheit ist es deutlich, daß ein Prophet sich am anderen entzündet".

[46] Vgl. oben S. 246—253.

[47] Vgl. oben S. 217—223.

[48] Zu *eis* in der Bedeutung "irgendeiner" vgl. Mt 19, 16; Mk 10, 17; Bauer 459. Es hat darum wenig Sinn zu fragen, ob nach 14, 5. 15 einer von den Glossolalen, oder nach 12, 10 ein besonders Begabter die Aufgabe des Übersetzens wahrnimmt.

[49] Weiß, 1 Kor 340: "... nur die anderen Propheten ..., es sei denn, daß man mit DGL den Art. weglasse"; Robertson-Plummer, 1 Kor 322.

[50] Heinrici, 1 Kor 433: "Der Artikel ist zurückweisend, so daß er durch *prophetai* bestimmt wird. Dabei ist aber nicht zu übersehen, daß auch solche, die nicht selbst Propheten waren, doch mit der *diakrisis* begabt sein konnten (12, 10)"; ähnlich Bachmann, 1 Kor 424.

Verteilung ist, wie das Beispiel Glossolalie und Übersetzung (12, 10: *allo;* dagegen 14, 5. 13: der Glossolale selbst) zeigt, nicht exklusiv, aber immerhin möglich. Von 12, 10 her und von der offenen Formulierung *oi alloi* her, die keine zahlenmäßige Begrenzung ausspricht, wird man annehmen müssen, daß alle zur Deutung Befähigten auch tatsächlich sich am Deuten beteiligen sollen. Die Spannung zum logischen Subjekt *prophetai* löst sich, wenn man bedenkt, daß Prophetie und Deutung hinsichtlich ihres Stoffes, "der Geheimnisse und aller Erkenntnis" (1 Kor 13, 2),[51] eng miteinander verwandte Charismen sind und sich oft überschneiden. In den Aufzählungen 1 Kor 12, 28. 29f; Röm 12, 6—8 wird die Deutung auch nicht als eigenes Charisma erwähnt. Sie kann nur im Umkreis und im Zusammenhang mit der Prophetie existieren, ähnlich wie es "Übersetzung" nur im Zusammenhang mit der Glossolalie gibt. Propheten und Deuter werden daher im Gottesdienst eine Gruppe gebildet haben,[52] und Prophetie und Deutung werden häufig ineinander übergegangen sein. Vielleicht enthält 14, 37 eine Erinnerung daran, daß die Grenze zwischen dem *prophetes* und dem *pneumatikos* häufig verschwimmt. Denn nach 2, 13 sind die *pneumatikoi* Adressaten des Deutegeschehens und Teilnehmer an diesem.[53]

Die Ordnung des Redens: erst Glossolalie, dann Übersetzung, erst Prophetie, dann Deutung, ergibt sich nicht einfach aus der Sache selbst, sondern auch aus der Tradition und aus dem Zweck des Gottesdienstes (s. oben II). In Korinth kannte und schätzte man Glossolalie auch ohne "Übersetzung". Und weshalb soll die ohnehin verständliche Prophetie noch gedeutet werden? Der traditionelle Charakter des Deuteverfahrens ist in dieser Arbeit schon lang und breit dargelegt worden. Es genügt, in diesem Zusammenhang darauf hinzuweisen, daß es zum Teil unter der gleichen (Qumran: *pšr)*, zum Teil unter anderer Terminologie *(drš, zeteo, yphegeomai)* auf die im jüdischen Gottesdienst verlesenen Schriften angewendet wurde. Dort gab es also eine vergleichbare Zweistufigkeit. In der urchristlichen Gemeinde gelten Glossolalie und Prophetie als Offenbarung, Kundgabe Gottes, Orakel, wie die Schrift im jüdischen Gottesdienst. Hinsichtlich des "Übersetzens" der Glossolalie wird man die Übersetzung der hebräischen Schriften in das Aramäische, das Verfahren des Targums, vergleichen können. Wenn von den alten Übersetzern berichtet wird, daß sie beim Übersetzen auch interpretierten,[54] wird das ebenso auf die "Übersetzer" der Glossolalie zutreffen. *ermeneuo* ist sowohl ein *terminus technicus* für "Übersetzen" wie auch analog zu *diakrino* und *synkrino* für "Auslegen, Deuten".[55] Dennoch

---

[51] S. oben S. 159f.

[52] An die ganze Gemeinde ist nicht gedacht; gegen Lietzmann, 1 Kor 74; Wendland, 1 Kor 114; Kuß, 1 Kor 182; Barrett, 1 Kor 328. Andererseits ist die Alternative: "Alle Gemeindeglieder oder die übrigen Propheten?" (Conzelmann, 1 Kor 289) zu eng. Jedoch hat sich die Problemlage gegenüber den zitierten Autoren durch die in dieser Arbeit vertretene Interpretation der *diakrisis pneumaton* verschoben.

[53] Vgl. oben S. 138—140.

[54] Elbogen, Der jüdische Gottesdienst 180—190; Billerbeck IV 161—165. Eine ähnliche Freiheit hatten auch die Dolmetscher oder Sprecher (Amora), welche die Vorträge der Gelehrten in die Volkssprache übertrugen, ebd. 185—188.

[55] Bauer 613; Liddell-Scott 690; Behm, ThW II 659—662. Gegen Behm, a. a. O. 661, wäre allerdings zu fragen, ob der von Philo bevorzugte Terminus *ermeneus* dem

hat nach der paulinischen Argumentation das Hauptgewicht bei *ermeneuo* auf dem "Übersetzen" zu liegen. Dem oder den Glossolalen ist wenigstens ein "Übersetzer" zugeordnet, den Propheten dagegen eine Mehrzahl von Deutern.

Das jüdische Material, welches zum Vergleich mit der in 1 Kor 14, 26—31 geforderten Ordnung des Redens in der Gemeinde herangezogen werden kann, läßt sich nach den folgenden drei Gesichtspunkten gliedern:

(1) Lesung und Erklärung der Schrift.

(2) Die geordnete Beteiligung der Gemeinde am Gottesdienst.

(3) Die Ordnung des Redens bei den Essenern.

(1) Philo bei Eus Praep Ev VIII, 7, 13 (Vorleser und Ausleger in einer Person; der Nachdruck liegt auf der Auslegung): *ton de iereon de tis o paron e ton geronton eis anaginoskei tous ierous nomous autois kai kath' ekaston exegeitai mechri deiles opsias.* Vgl. Spec Leg II, 62: *anastas de tis ton empeirotaton yphegeitai.* Leg Gaj 157. Som II, 127 (die Auslegung klärt Dunkelheiten im Text und führt in die traditionelle Gedankenwelt/Theologie ein): "Und werdet ihr in euren Synagogen sitzen, die gewohnte Versammlung *(thiason)* abhalten und ungestört die heiligen Bücher lesen, und wenn etwas nicht klar *(tranes)* wäre, es erklären *(diaptyssontes)* und euch mit der von den Vätern ererbten Philosophie weitläufigst beschäftigen und mit Muße bei ihr verweilen?" Jos Ap 2, 175: der Sinn des Synagogengottesdienstes besteht im Hören und genauen Kennenlernen des Gesetzes.

Am Sabbat bei den Essenern: Philo Omn Prob Lib 82 (je ein Vorleser und ein Ausleger; Auslegung ist notwendig, weil der Schriftsinn nicht ohne weiteres erkennbar ist, sondern nur durch die allegorische Auslegungstradition erschlossen werden kann): "Dann nimmt einer die Bücher und liest vor, ein anderer aber, der zu den Erfahrensten gehört, tritt auf und erklärt *(anadidaskei),* was nicht verstanden wurde. Der größte Teil ihrer Philosophie nämlich hat nach althergebrachter Sitte die Form der Allegorie." 1QS 6, 7f (Regel für die nächtlichen Gottesdienste der Qumran-Essener; an Schriftlesung und Auslegung schließt sich ein hymnischer Teil an, vgl. unten Vit Cont 80: die Therapeuten; das Forschen in der Schrift dient der Erkenntnis des in ihr verborgenen Willens Gottes): "Und die Vielen sollen gemeinsam wachen den dritten Teil aller Nächte des Jahres, um im Buch zu lesen und nach Recht zu forschen *(wldrwš mšpṭ)* und gemeinsam *(bjḥd)* Lobsprüche zu sagen."

Bei den Therapeuten: Philo erwähnt im Zusammenhang ihrer Gottesdienste keine Verlesung aus der Schrift. Vom Gottesdienst am Sabbat gibt er nur eine allgemeine Beschreibung des Vortrags des "Ältesten und zugleich ihrer Lehren am meisten Kundigsten" (Vit Cont 31). Der Vortrag (Vit Cont 79: *dialexis)* des Vorstehers am Vorfest dient der Erklärung der Schrift oder der Lösung einer von einem Mitglied der Gruppe aufgeworfenen Frage (Vit Cont 75: *zetei ti ton en tois ierois grammasin e*

---

hebräischen *nbj'* nicht ebenso gerecht zu werden versucht wie der von der LXX bevorzugte und geschichtlich erfolgreichere Terminus *prophetes* — und ihm ebensowenig gerecht wird. Vgl. Meyer, ThW VI 822f; a. a. O. 823: "Doch wäre es wohl schwerlich gerechtfertigt, wollte man Philos Verständnis des prophetischen Wesens rein aus seinen hellenistischen Bildungselementen verstehen u gänzlich von der Vorstellung abrücken, die das übrige zeitgenössische Judt von der Prophetie u ihren Erscheinungen hat. Mögen seine Aussagen auch noch so platonisch oder mysterienhaft klingen u bestimmt sein, sie bleiben letztlich an die Schrift gebunden, die ihm offenbar, religionspsychologisch gesehen, die Basis für das prophetische Erleben darstellt." Vgl. auch oben S. 56. 58f. 104f.

kai yp' allou protathen epilyetai). Die Auslegung der heiligen Schriften/Gesetzbücher soll die in Allegorien verborgene Bedeutung erörtern (Vit Cont 78). Nach dem Vortrag singt der Vorsteher einen Hymnus. Nach ihm singen die anderen Mitglieder der Gemeinde, je für sich (Vit Cont 80).

(2) Von einer aktiven Beteiligung der Gemeinde am Gottesdienst erfahren wir wenig. Philo bei Eus Praep Ev VIII, 7, 13 läßt vermuten, daß außer der Vorlesung aus der Schrift und der Auslegung noch eine Art Diskussion stattgefunden hat, wahrscheinlich im Zusammenhang mit der Auslegung: *oi men* (die Gemeinde) *polle siope plen ei ti prosepeuphemesai tois anaginoskomenois nomizetai.* So könnte man auch Som II, 127 (oben [1]) verstehen. Unter dem Gesichtspunkt der Ordnung (das Schweigen wird regelmäßig betont) scheint aber eine solche Beteiligung oder wenigstens die Berichterstattung über sie zurückgedrängt worden zu sein.

Die Therapeuten hören den Vorträgen schweigend zu (Vit Cont 31), Zustimmung, Verständnis oder Unverständnis drücken sie nur durch ihre Körperhaltung aus (Vit Cont 31. 77: "sind sie über etwas im unklaren, so deuten sie es durch eine recht sanfte Bewegung des Kopfes und durch Erheben einer Fingerspitze der rechten Hand an"; vielleicht ist das doch ein Hinweis auf eine Art Diskussion). Die Thematik des Vortrags kann von der Gemeinde bestimmt werden (oben [1]). Am Ende des Vortrags spenden alle Beifall (*krotos* Vit Cont 79). Am Gesang der Hymnen beteiligen sich alle (Vit Cont 80; beachte auch 1 QS 6, 8: *lbrk bjḥd).*

(3) Eine ausgearbeitete Ordnung des Redens findet sich nur in 1QS 6, 9—13. Der Abschnitt ist eine Regel für die "Sitzung der Vielen", nicht für synagogale Zusammenkünfte. Jedes Mitglied soll "hinsichtlich des Rechtes und jedes Ratschlusses befragt werden, so daß jeder sein Wissen dem Rat der Gemeinschaft zur Verfügung stellt" (6, 9f). Dazwischenreden ist verboten, ebenso Reden außer der durch den Rang in der Gemeinschaft (6, 10: *tkwn)* bestimmten Reihenfolge: "Niemand soll mitten in die Worte seines Nächsten hineinreden, bevor sein Bruder aufgehört hat zu sprechen" (6, 10 vgl. die Strafandrohung 7, 9f); "der Mann, der befragt ist, soll sprechen, wenn er an der Reihe ist" (6, 11). Überhaupt darf man nur auf "Geheiß der Vielen" sprechen (6, 11). Wer etwas sagen möchte, soll zunächst die Erlaubnis zum Reden einholen (6, 12f).

Jos Bell 2, 132 über die Essener: *oute de krauge pote ton oikon oute thorybos miainei, tas de lalias en taxei parachorousin allelois.* 133: Grund für dieses den Außenstehenden wie ein schreckliches Geheimnis erscheinende Schweigen ist die ständige Nüchternheit der Essener und ihr Maß beim Essen und Trinken.

§ 88 Die Prophetie als neuer umgestaltender Faktor und als eigentlicher Gegenstand der Gemeindeordnung 1 Kor 14, 26—40

Es hat sich gezeigt, daß Glossolalie und Prophetie in 1 Kor 14, 26—40 auf eine Gemeindeordnung jüdischen Typs treffen oder, besser gesagt, daß die Gemeindeordnung 1 Kor 14, 26—40 das Ergebnis einer Begegnung jüdischer gottesdienstlicher Traditionen mit der urchristlichen Glossolalie und Prophetie darstellt. Alle Änderungen gegenüber der Tradition hängen mit dem Eindringen dieser beiden Charismen zusammen. Ja, wenn man die Präferenz des Paulus für die Prophetie (zuletzt 14, 39) und seinen Versuch, die Glossolalie durch Übersetzung für die Gemeinde ähnlich nützlich zu machen wie die Prophetie, in Rechnung setzt, wird man die Prophetie als entscheidenden Faktor bei der Umgestaltung bezeichnen dürfen.

Und diese Umgestaltung betrifft nicht irgendeinen Teil des Gottesdienstes, sondern sein eigentliches Zentrum. Die Gemeindeordnung 1 Kor 14, 26—40 bietet zwar nur einen Ausschnitt aus den tatsächlich im Gottesdienst geltenden Normen, aber dieser Ausschnitt ist von zentraler Bedeutung. Ein Zweifel an diesem Befund ist angesichts des paulinischen Engagements in dieser Frage von 1 Kor 12 ab nicht erlaubt. Die Prophetie und ihre Deutung nehmen die Stelle ein, welche im jüdischen Gottesdienst dem Gesetz und seiner Auslegung zukam. Neben der Prophetie (und der Glossolalie) ist in diesem Gottesdiensttyp kein Platz mehr für eine Verwendung des Gesetzes als des eigentlichen Inhalts des Gottesdienstes nach Art der Synagoge. Im Zusammenhang mit der *didache* mag die Schriftauslegung geübt worden sein, aber sie normiert nicht mehr den Verlauf des Gottesdienstes und das Interesse der Teilnehmer.

In mancher Beziehung steht der Gottesdienst nach 1 Kor 14, 26—40 wahrscheinlich den Versammlungen der Essener und der Therapeuten näher als dem allgemeinen Typ des jüdischen Synagogengottesdienstes. Das gilt hinsichtlich der aktiven Beteiligung der Teilnehmer, des nicht durch das Gesetz, sondern durch die eigene Auslegungstradition normierten Inhalts der Vorträge, des Rechnens mit neuen Erkenntnissen, vielleicht auch — bei den Therapeuten — hinsichtlich ekstatischer Erscheinungen. Dennoch ist die Prophetie auch dort nicht vorgegeben. Andererseits fehlt in 1 Kor 14, 26—40 das in den Versammlungen der Essener und Therapeuten so hervortretende Moment der starren Ordnung. Dieser Umstand mag unter anderem mit dem unterschiedlichen Alter der jeweiligen Gemeinschaften zusammenhängen, ein unmittelbarer Zusammenhang mit den pneumatischen Gaben, besonders mit der Prophetie, ist auf jeden Fall unverkennbar.

Darum hat sich im 1 Kor gegenüber dem Synagogengottesdienst und den Versammlungen der Essener und der Therapeuten auch die Zahl und die Bezeichnung der Redner verschoben. Alter, Kenntnis der Überlieferung, sozialer oder hierarchischer Rang, schließlich auch die Differenz der Geschlechter werden nicht mehr berücksichtigt. Das macht den Unterschied zwischen 1 Kor 11, 2—16; 14, 26—33a. 39f zu 1 Kor 14, 33b—36 aus. Die dort eingeschärfte Gemeindeordnung ist nicht in gleicher Weise der Prophetie begegnet. Grundsätzlich hat "jeder" (14, 26) das Recht zu reden. Und zwar bei aller Vorliebe für Ordnung nicht erst und nur dann, wenn er an der Reihe ist, sondern im Falle der aktuellen Offenbarung dann, wenn er vom Geist zum Reden angetrieben wird (14, 30).

Wenn dennoch bei allen Differenzen ein Vergleich zwischen den jüdischen Gemeindeordnungen und der Gemeindeordnung von 1 Kor 14, 26—40 möglich und sinnvoll ist, dann liegt das nicht nur an der gemeinsamen Tradition, sondern ebenso an der Eigenart der urchristlichen Prophetie. Diese ist zwar mehr oder weniger spontanes eingegebenes Reden, aber als solches Mitteilung von geoffenbarter Erkenntnis. Durch die Prophetie kann man "alle Geheimnisse und alle Erkenntnis" (1 Kor 13, 2), das Wissen und den Willen Gottes erfahren, erkennen und lernen, und zwar anscheinend in immer neuer Weise. Es handelt sich um eine nicht abgeschlossene Offenbarung, im Gegensatz zum jüdischen Gesetz, in welchem bereits alle Geheimnisse ausgesprochen sind und nur noch der Entschlüsselung und Erforschung harren. Daher ist die Spontaneität, das Eingehen auf neue Offenbarungen für die Gemeinde so wichtig. Darum sollen die Korinther "eifrig nach der Prophetie streben" (14, 39). Diese Offenbarungen haben dann freilich analog zum Gesetz eine Tiefe (Röm 11, 33; 1 Kor 2, 10 vgl. 1QM 10, 11), welche zur Deutung antreibt und verlockt, und diese Deutung wird wiederum nicht nur auf den Einsatz und auf die Ausbildung des Forschers, sondern auf Eingebung zurückgeführt (vgl. 1 Kor 2, 10—13).

13. Kapitel: Die Herkunft der Gemeindeordnung 1 Kor 14, 26–40. Das Problem von 1 Kor 14, 26–40. II. (zu 14, 37f)

§ 89 Das traditionsgeschichtliche Problem

Am Ende dieser Überlegungen läßt sich die Frage nach der Herkunft der Gemeindeordnung 1 Kor 14, 26—40 kaum mehr umgehen. Sie interessiert zunächst als traditionsgeschichtliche Frage. Bezeugt Paulus in 14, 26—40 einen verbreiteten Typus urchristlichen Gottesdienstes oder ist die von ihm vorgelegte Ordnung das Ergebnis einer an den Werten der jüdischen Tradition (Nutzen, Ordnung) orientierten Auseinandersetzung mit den Mißständen in der korinthischen Gemeinde? Wenn man die Frage so stellt, läßt sie sich nur dahin beantworten, daß Paulus einer traditionellen urchristlichen Gottesdienstordnung in Korinth zum Erfolg verhelfen will. Die einzelnen in 1 Kor 14, 26—40 angesprochenen gottesdienstlichen Elemente: Psalm, Lehre, Offenbarung, Prophetie, Deutung, Sprachengabe und Übersetzung sind den Korinthern bekannt. Ihre Versammlungen sind auch schon durch den Primat der pneumatischen Gaben gegenüber dem Vorrang des Gesetzes und seiner Auslegung in der Synagoge bestimmt.

Das bedeutet, daß der Übergang vom jüdischen Typus des Gottesdienstes zum in 1 Kor 14 vorausgesetzten urchristlichen Typus bereits in der Vergangenheit liegt, wohl noch hinter den Anfängen der korinthischen Gemeinde und wahrscheinlich auch der paulinischen Mission. Damit werden wir in das hellenistische Judenchristentum und zu seinen Zentren Antiochia und Jerusalem geführt, ohne daß sich in diesem Stadium der Untersuchung Genaueres ausmachen ließe. Immerhin kann Paulus gerade im Zusammenhang mit einem in prophetisch bestimmten Gottesdiensten auftretenden Problem auf die *synetheia* der "Gemeinden Gottes" (1 Kor 11, 16) verweisen.

In 1 Kor 14 unterbleibt ein solcher Hinweis, wohl deshalb, weil die reflexe Formulierung der den Gottesdienst bestimmenden Normen und Regeln erst in einem späteren Stadium erfolgt ist und auf Paulus selber zurückgeht. Während man im stärker jüdischen Milieu wahrscheinlich ohne große formale und soziale Probleme in die neue Form des Gottesdienstes hineinwuchs, die Prophetie gerade um ihres apokalyptischen Gehalts willen schätzte und ihr daher den zentralen Platz in den Versammlungen einräumte, waren die Voraussetzungen im stärker hellenistischen Milieu der korinthischen Gemeinde anders. Dort fehlte der traditionelle apokalyptische Hintergrund, dort fehlte auch das Wissen um die den Gottesdienst regelnden Prinzipien des Nutzens (der Erkenntnis) für alle und der Ordnung, oder es war wenigstens nicht stark genug. Dagegen schätzte man die individuelle Erfahrung und Äußerung des einzelnen Pneumatikers, auch wenn sie unverstanden blieb, sogar wenn "alle" (vgl. 14, 23) in Sprachen oder durcheinander redeten.

In dieser Situation mußte es bei Paulus als dem für die Gemeinde verantwortlichen Apostel und hellenistischen Judenchristen zur Reflexion über die eigene Tradition und zur Formulierung ihrer Prinzipien und der besonders auf die korinthische Situation Rücksicht nehmenden Normen kommen. Besonders "paulinisch" sind in diesem Sinne wohl 14, 28. 31—33a, während 14, 27. 29 und zum Teil auch 30 den allgemeinen Brauch widerspiegeln. Die Rahmung der Gemeinderegel in 14, 26c und 40 durch die beiden Prinzipien, welche ja in ähnlicher, aber nie so reflex ausgedrückter Weise, das jüdische Denken über den Gottesdienst bestimmten, ist von der erzielten Form, wie auch von der Konzeption des Abschnitts her so überzeugend, daß man fast schon wieder ein traditionelles Schema vermuten möchte. Indes sind die ganze Einleitung 14, 26 und die Schlußmahnung 14, 39f hervorragend auf die Situation des Gottesdienstes in Korinth abgestimmt.

§ 90 Das Problem der *entole kyriou* 1 Kor 14, 37

Schwierig bleibt, nachdem das Schweigegebot für die Frauen als späterer Einschub erkannt ist, die Stellung und auch die Interpretation von 14, 37f. Eine gewisse Gereiztheit, die Forderung nach Anerkennung und die Drohung mit der Verweigerung der Anerkennung, das alles läßt sich nach dem, was über das Verhältnis der korinthischen Gemeinde zu Paulus aus dem 1 Kor erkennbar ist, verstehen. Auch das Zurückdrängen der Glossolalie, der ordnende Eingriff in den korinthischen Gottesdienst könnte neue Spannungen und Widerstand fürchten lassen. Aber wie verträgt sich dann der doch versöhnliche Schluß, besonders 14, 39: "Daher, meine Brüder, eifert um das Prophezeien, und hindert das Sprachenreden nicht" mit dem drohenden Ton von 14, 37f? Man glaubt, fast unmittelbar einem Umschlag der Stimmung zu begegnen. Ist einem Apostel alles erlaubt? Die Forderung in 14, 37 und ihre Konsequenz in 14, 38 passen besser zur Interpolation 14, 33b—36 als zum ruhigen, versöhnlichen Ton, welcher die Gemeinderegel ab 14, 26 und schon vorher die ganze Erörterung über die Geistesgaben ab 12, 1 bestimmt. Das eigentliche, diese Fragestellung verschärfende und zur Entscheidung zwingende Problem liegt aber im Inhalt und im Verständnis von 14, 37b: *epiginosketo a grapho ymin, oti kyriou estin entole.*

I. Zur Form des Textes

Die oben zitierte Form des Textes wird in den Textausgaben Nestle-Aland ([25]1963) und Greek NT (Aland) als die wahrscheinlich ursprünglichste angeboten (ebenso von Soden). Sie ist für die letzten drei Worte: *kyriou estin entole* außerordentlich umstritten.[1] Sie stützt sich vor allem auf P^{46} und auf gute Zeugen des ägyptischen Textes wie *Sinaiticus*^{c}, A, B, 33, 1739. Die Fassung im Plural: *eisin entolai* (auch: *entolai eisin* oder: *entolai kyriou eisin)* wird durch die breite Masse der Handschriften und Übersetzungen belegt, ist byzantinischer Reichstext und wohl gegenüber der Fassung im Singular eine sekundäre Erleichterung im Hinblick auf den Kontext.[2] Als ernsthafte Alternative zur erstgenannten Textform kommt nur die *lectio brevior kyriou estin* in Frage, welche von einem Teil der westlichen Tradition, vor allem von C, D^{x}, G, Ambrosiaster, Pelagius, bezeugt wird. Ihr geben die meisten Kommentatoren nach dem Prinzip *lectio brevior potior* den Vorzug.[3] Die Entdeckung des P^{46} hat an dieser Tendenz nichts geändert,[4] im Gegensatz zu den wissenschaftlichen Textausgaben. Dennoch muß man wohl wegen der äußeren Bezeugung und vor allem aus inneren Gründen die erstgenannte Textform vorziehen.[5] Die westliche Lesart: *oti kyriou estin* kann als Versuch einer Erleichterung aufgefaßt werden, welche man einführte, weil man keine entsprechenden Gebote Jesu kannte,[6] wenn sie nicht sogar ihren ersten Ausgangspunkt in einem Abschreibefehler hatte und durch einfaches Auslassen des am Ende stehenden *entole* entstanden ist. Diese Wortstellung ist nämlich ungewöhnlich und hat auch in der Plural-Form zu verschiedentlichen Umstellungen geführt: *entole estin* (Sinaiticus^{x}); *entolai eisin* (81^{vid}, 436, 1962, it^{f}); *entolai kyriou eisin* (2127). Ferner ist die Ausdrucksweise *oti kyriou estin* kaum in sich verständlich.[7] Einige Kommentatoren vertreten zwar diese Lesart, aber sie besprechen den Text so, wie wenn *entole* darin stünde.[8]

[1] Das Greek NT (Aland usw) wertet sie als C-Reading; vgl. ebd. XI: "The letter C means that there is a considerable degree of doubt whether the text or the apparatus contain the superior reading."

[2] S. unten S. 293. 295. 297.

[3] Ausgesprochen bei Zuntz, Text of the Epistles 139; vgl. Heinrici, 1 Kor 430; Bachmann, 1 Kor 425; Weiß, 1 Kor 343; Lietzmann, 1 Kor 75; Conzelmann, 1 Kor 284 Anm. 10: "Lietzmann hält die Fassung von D^{x} G für den Urtext"; Wendland, 1 Kor 115; Barrett, 1 Kor 314. 333; Schrenk, ThW II 549.

[4] Vgl. nur Kümmel in: Lietzmann, 1 Kor 190, der zwar die Lietzmannsche Darstellung korrigiert, aber nicht zum Text Stellung nimmt.

[5] Mit Lindblom, Gesichte und Offenbarungen 133f Anm. 26; Allo, 1 Kor 372; Robertson-Plummer, 1 Kor 327; Kuß, 1 Kor 382; Maly, Mündige Gemeinde 225.

[6] Lindblom a. a. O.

[7] Lindblom a. a. O.: "Der Genitiv *kyriou* ohne *entole* kommt mir stilistisch unpaulinisch vor."

[8] Lietzmann, 1 Kor 76: "daß diese meine Anordnungen Gebote des Herrn sind"; Conzelmann, 1 Kor 290: "Undurchsichtig ist, wie Paulus seine Behauptung begründet, daß seine Ausführung ein Gebot des Herrn selbst sei."

II. Was ist der Inhalt des "Gebots des Herrn"?

Der Prophet oder Pneumatiker soll anerkennen, daß das, was Paulus schreibt, ein Gebot des Herrn ist. Das "Gebot des Herrn" muß also irgendwie im Kontext enthalten sein. Es gibt verschiedene Versuche, es dort auch aufzufinden. Wegen der Formulierung im Singular *entole kyriou* legt sich zunächst der Gedanke an ein einzelnes Gebot nahe — das Schweigegebot für die Frauen in 14, 34f[9] oder das Liebesgebot, welches hinter 1 Kor 13 steht.[10] Während aber die Beziehung zum Liebesgebot zu vage und nicht nachweisbar ist, ist der Bezug auf das Schweigegebot für die Frauen zwar konkret, aber nicht ohne Schwierigkeiten durchzuhalten, wenn man ihn nicht zur Interpolation schlägt. Wie kann das Schweigegebot für die Frauen ein "Gebot des Herrn" sein? Ferner scheint in den Augen mancher Exegeten die Stellung von 1 Kor 14, 37 am Schluß der Gemeindeordnung, dann auch die Anrede an die Propheten oder Pneumatiker und das allgemeine *a grapho ymin* eine Ausdehnung der *entole kyriou* zumindest auf den gesamten Komplex der Gemeindeordnung,[11] wenn nicht auf den ganzen Textzusammenhang 1 Kor 12—14[12] zu fordern. Ein solch weiter und zugleich unpräziser Gebrauch des Wortes *entole* ist freilich bei Paulus und überhaupt in den neutestamentlichen Schriften singulär und nicht ohne weiteres verständlich.[13] Doch schieben wir dieses Problem zunächst einmal auf. Eine endgültige Entscheidung über den Inhalt der *entole kyriou* ist erst sinnvoll oder möglich, wenn geklärt ist, in welchem Sinne hier von einem "Gebot des Herrn" die Rede ist.

III. Ein Gebot des irdischen oder des erhöhten Herrn?

Unter der Voraussetzung, daß *kyrios* in 14, 37 den irdischen oder den erhöhten Jesus bezeichnet, werden mehrere voneinander abweichende Interpretationen vertreten.

---

[9] Resch, Der Paulinismus und die Logia Jesu 153f; N. Johansson in: Svensk Teologisk Kvartalsskrift 39(1963) 112f (Angabe nach Lindblom, Gesichte und Offenbarungen 141).

[10] J. Jervell in: Svensk Teologisk Kvartalsskrift 39 (1963) 244, in Auseinandersetzung mit Johansson (nach Lindblom, Gesichte 142).

[11] E. Sjöberg in: Svensk Exegetisk Årsbok 22—23 (1957/58) 168—171 (nach Lindblom, Gesichte 142).

[12] Heinrici, 1 Kor 437f; Lindblom, Gesichte 137.

[13] Lindblom, Gesichte 134 Anm. 26, beruft sich dafür auf Röm 7, 8ff; 1 Tim 6, 14; 2 Petr 3, 2. Diese Beispiele sind aber anders geartet, da *entole* dort nicht für eine beliebige Summe von Einzelgeboten, sondern für deren Gesamtheit steht; vgl. Bauer 533: "der Singular faßt die Summe der Gebote zusammen als das *Gesetz*" (zu Röm 7, 8ff); "die ganze christliche Religion als *entole* gefaßt" (zu 1 Tim 6, 14; 2 Petr 2,21; 3, 2). Zur Sonderstellung von *entole kyriou* 1 Kor 14, 37 im "Paulinismus" s. auch Schrenk, ThW II 549.

Paulus gebe mit *entole kyriou* an, daß er sich auf ein Gebot oder Wort des irdischen Jesus beziehe, das uns sonst nicht überliefert sei.[14] 1 Kor 14, 37 sei zusammen mit 1 Kor 7, 10; 9, 14; 11, 23ff; 1 Thess 4, 15f; Apg 20, 35 ein Beleg dafür, daß Paulus sich auf eine Sammlung von Herrenworten beziehen konnte.[15] Wem es zu unwahrscheinlich ist, daß "Jesus während seines irdischen Lebens, und zwar angesichts des gleich bevorstehenden Weltendes, so detaillierte Vorschriften für das Leben in der christlichen Gemeinde und speziell für die Ordnung bei den kultischen Zusammenkünften gegeben hätte",[16] kann das Gebot nur noch in irgendeiner Form auf den Erhöhten zurückführen oder von diesem herleiten.

Am nächsten liegt dann eigentlich die Annahme, daß Paulus diese *entole* (welche?) durch eine Offenbarung des erhöhten Jesus im Traum oder in einer ekstatischen Vision empfangen habe. Sie wird aber nur sehr selten vertreten.[17] Allerdings finden sich mehrdeutige Formulierungen, welche diese Auffassung zulassen. Paulus sei sich in seiner "geistigen Gemeinschaft mit Christus" bewußt gewesen, "was er hier über die Geistesgaben und deren rechten Gebrauch seit Cap. 12 schreibe, sei nicht das Ergebnis seines eigenen Nachdenkens und Wollens, sondern des Einwirkens Christi auf ihn, er schreibe es als Interpret Christi".[18] Paulus schreibe "aus seinem innigen christlichen Bewußtsein heraus"; "der in ihm wohnende Christus" habe "ihm die ausgesprochenen Gedanken und Anweisungen eingegeben".[19] Während auf diese Weise mehr nach der Entstehung des Anspruchs, ein "Gebot des Herrn" zu verkünden, gefragt wurde, richten andere Exegeten ihre Aufmerksamkeit stärker auf den Anspruch selber.

Paulus spreche im "Namen des Herrn", "mit der Autorität des Geistes";[20] Paulus fordere volle Anerkennung seiner "absoluten Autorität".[21] "Im Hori-

---

[14] Johansson a. a. O. (s. oben Anm. 9); vgl. Gerhardsson, Memory and Manuscript 306: "If the reading in 14, 37 *kyriou estin entole* is original, Paul must in fact be referring to a definite saying of Jesus"; Resch, Der Paulinismus und die Logia Jesu 153f. 459f.

[15] Davies, Paul and Rabbinic Judaism 140.

[16] Lindblom, Gesichte 142.

[17] Lindblom, Gesichte 141, erwägt sie — und lehnt sie ab: "besonders in der Apostelgeschichte wird ja nicht selten ... von dergleichen Offenbarungen im Leben des Apostels erzählt. Es wäre seltsam, wenn in einem solchen Falle nicht die geringste Andeutung von einem derartigen Erlebnis gegeben wäre. Gerade auf die Korinther hätte ein solches Argument einen starken Eindruck gemacht". Roloff, Apostolat — Verkündigung — Kirche 130: "eine prophetische Weisung des Pneuma"; vgl. ebd. 98 und unten Anm. 24.

[18] Heinrici, 1 Kor 438.

[19] Lindblom, Gesichte 143.

[20] Allo, 1 Kor 374; Bachmann, 1 Kor 425: "Was er schreibt, geht auf die Autorität des Herrn zurück."

[21] Robertson-Plummer, 1 Kor 327; ebd: "The sureness of a divinely appointed Apostle is in the verse."

zont des eschatologischen Rechtes" fälle er als Apostel "seine Entscheidungen über dem Gemeindeleben".[22] Pauli Wort als Gebot Christi sei in seinem apostolischen Auftrag begründet.[23] In solcher Sicht stellt "Gebot des Herrn" nur eine Qualifikation der paulinischen Anordnungen, aber keine Auskunft über ihre Herkunft vom Herrn dar.

Noch weiter in dieser juristisch-formellen Auffassung des Ausdrucks gehen Erklärungen, welche auch noch von der Eigenschaft des Paulus als eines Apostels absehen, etwa, wenn eben die allgemeine, in den christlichen Gemeinden geltende oder herrschende Sitte schon deswegen als "Gebot des Herrn" gelten soll.[24] Eine andere Variante lautet, Paulus habe sich in Analogie zum rabbinischen Brauch, halachische Anordnungen, welche keine Schriftgrundlage hatten, als *gzrth mlk* zu erklären, da ihm ebenfalls weder eine Schriftgrundlage noch ein Herrenwort zur Verfügung standen, auf ein "Gebot des Herrn" berufen.[25]

IV. Kriterien für eine Entscheidung

Angesichts dieser breiten Palette von Lösungsversuchen stellt sich die Frage nach den für eine Entscheidung notwendigen Kriterien. Diese können nur aus den anerkannten Paulusbriefen erarbeitet werden. In der Literatur begegnet, wenn man sich dieser Frage

---

[22] Käsemann, Sätze heiligen Rechts 76; vgl. schon Windisch, Paulus und Christus 203: "Aber in seinen Briefen präsentiert sich Paulus nicht als Tradent solcher Jesusgebote, sondern mehr als Lehrer eigener Vollmacht, als (relativ) freier, selbständiger Schriftgelehrter, als Lehrer, der selbst den Geist hat und auch im Geist autoritativ zu sagen vermag, was Gottes Wille ist 1 Kor 7, 40 oder der ermächtigt ist, seine eigenen schriftgelehrten, pneumatischen Findungen als *entolai kyriou* den Gemeinden vorzulegen 1 Kor 14, 37." Der Gebrauch der pluralischen Fassung *entolai* ist hier besonders verräterisch. Kann die Stelle wirklich eine solche Last tragen?

[23] Sjöberg a. a. O. (s. Anm. 11); vgl. Lietzmann, 1 Kor 76; Wendland, 1 Kor 116; Kuß, 1 Kor 183: "Wer von denen, die geistbegabt zu sein scheinen, seine Kraft wirklich von Gott hat, wird die Berechtigung der Vorschriften des Apostels anerkennen."

[24] H. Odeberg, Pauli brev till korintierna, Stockholm 1944, 264f (zitiert nach Lindblom, Gesichte 142). Unentschieden Conzelmann, 1 Kor 290: "Undurchsichtig ist, wie Paulus seine Behauptung begründet, daß seine Ausführung ein Gebot des Herrn selbst sei: durch den Zwischengedanken, daß alles, was in der Kirche allgemein gilt, Gebot des Herrn sei? Doch paßt dieser Gedanke eher zur Interpolation als zu Paulus und wird durch sie suggeriert". Ablehnend Lindblom, Gesichte 142. Roloff, Apostolat — Verkündigung — Kirche 130f, versucht, die Kanonisierung des Bestehenden mit der Prophetie (vgl. oben Anm. 17) und mit der Christusgemeinschaft zu verbinden: "Wird diese (nämlich die *entole kyriou*) wie in 1 Kor 11, 16 aus der Übung der Gemeinde deduziert, so besteht ein noetischer Zirkel: der Apostel findet in ihr die *entole kyriou*, weil und insoweit er kraft seiner pneumatischen Christuserkenntnis über sie zu urteilen vermag"; das ist schon höhere theologische Erkenntnislehre und dürfte kaum zu den ersten christlichen Generationen passen.

[25] Maly, Mündige Gemeinde 226f; faktisch berührt sich diese Hypothese mit den Lösungen Käsemanns und Windischs, s. oben Anm. 22.

überhaupt stellt, regelmäßig ein Hinweis auf 1 Kor 7, 25. 40. Für 1 Kor 7 ist es nun gerade charakteristisch, daß Paulus zwischen der Anweisung Jesu (7, 10) und seiner eigenen Anweisung (7, 12), zwischen der *epitage kyriou* und seiner eigenen *gnome* (7, 25. 40) unterscheidet, obwohl er sich bewußt ist, den Geist Gottes zu besitzen (7, 40). Ein Verfließen der Grenzen zwischen einer irgendwie begründeten apostolischen Entscheidung und einer *entole kyriou*[26] ist gerade nach 1 Kor 7 kaum vorstellbar[27] und darf erst recht nicht unter Berufung auf 1 Kor 7 für 1 Kor 14, 37 postuliert werden.[28] Das bedeutet, daß von 1 Kor 7 her alle Lösungsversuche ausscheiden, welche die *entole kyriou* nicht direkt vom irdischen oder vom erhöhten Jesus ableiten.

Die Herleitung vom irdischen Jesus hätte zur Folge, daß man die *entole kyriou* mit einem konkreten im Kontext stehenden Gebot, am ehesten mit dem Schweigegebot für die Frauen, identifizieren müßte.[29] Doch ist weder eine Regelung von Fragen des Gottesdienstes durch den irdischen Jesus, noch eine entsprechende urkirchliche Jesustradition irgendwie wahrscheinlich. Die Rückführung der *entole kyriou* auf einen Auftrag des Erhöhten wäre da schon wahrscheinlicher. Das Verhalten des Paulus nach Gal 2, 1 (Jerusalemreise auf Grund einer *apokalypsis)* und seine visionären Erfahrungen nach 2 Kor 12, 1—4. 8f lassen den Empfang einer *entole* vom Erhöhten durchaus als möglich erscheinen. Vermutlich weist 1 Thess 4, 15: *touto gar ymin legomen en logo kyriou* auf ein Wort des Erhöhten hin, welches Paulus an die Gemeinden weitergibt. Aber wenn ähnliches für 1 Kor 14, 37 gelten soll, muß man sich ähnlich wie für 1 Thess 4, 15 um eine Abgrenzung des Auftrags des Erhöhten bemühen. Dann ist es unmöglich, den gesamten Kontext von 1 Kor 12—14 oder auch nur 14, 26—40 unter die *entole kyriou* zu stellen, dann muß es sich um ein einzelnes Gebot gehandelt haben. Ferner wäre eine Art "Botenformel" als Einleitung zu erwarten wie in 1 Thess 4, 15; vgl. 1 Kor 15, 51: *idou mysterion ymin lego;* Röm 11, 25: *ou gar thelo ymas agnoein . . . to mysterion touto.* Wie sollen die Korinther "anerkennen", daß Paulus ihnen eine *entole kyriou* mitteilt, wenn er ihnen nicht angibt, worin diese besteht und wie er sie erhalten hat?[30] 1 Kor 14, 37 wäre auch insofern in den Paulusbriefen singulär, als eine disziplinäre Entscheidung vom Erhöhten, und nicht vom Apostel (vgl. nur 1 Kor 5, 3!) gefällt würde.

Diese Behauptung läßt sich wenigstens einer negativen Kontrolle unterwerfen. Zugleich bietet sich damit die Möglichkeit, die vom traditionsgeschichtlichen Befund her

---

[26] Käsemann, Sätze heiligen Rechts 76, beruft sich sogar auf die sonst in der kritischen Schule strenger behandelte Apostelgeschichte: "Im Horizont des eschatologischen Rechts fällt der Apostel seine Entscheidungen über dem Gemeindeleben. Auch über ihnen könnte es wie in Act 15, 28 heißen: 'Es hat dem heiligen Geiste und uns gefallen'! Paulus bringt das selber in 1 Kor 14, 37 zum Ausdruck." In diesem Falle erweist sich die Apostelgeschichte als besser als ihr Ruf, indem sie apostolische oder pneumatische Entscheidungen gerade nicht als Gebote des Herrn ausgibt.

[27] Vgl. schon Heinrici, 1 Kor 438: "Doch ist der Abstand von 7, 40 in Verbindung mit 7, 10. 25 zu beachten. Dort bezieht sich Paulus direkt auf *epitagai kyriou,* die nicht einer Bestätigung ihrer Autorität bedürfen".

[28] So Windisch, Paulus und Christus 203 (s. den Text oben Anm.22) — angesichts von 1 Kor 7 kann es nicht "oder", sondern nur "nicht" heißen. Lindblom, Gesichte 143: "Meiner Meinung nach soll das Wort in 1 Kor 14, 37 in Analogie zum Wort 1 Kor 7, 40 erklärt werden"; vgl. ferner Bachmann, 1 Kor 425; Barrett, 1 Kor 333f; Robertson-Plummer, 1 Kor 327; Lietzmann, 1 Kor 76; Weiß, 1 Kor 343, sieht eine andere Beziehung: "er scheint sich plötzlich wieder dem Dünkel der Gemeinde gegenüber zu fühlen".

[29] Vgl. Johansson (s. oben Anm. 9).

[30] Vgl. Lindblom, Gesichte 141 (oben Anm. 19).

entworfene Erklärung zu überprüfen, Paulus qualifiziere eben die allgemeine Sitte als *entole kyriou*. Im Zusammenhang der traditionsgeschichtlichen Untersuchung zu 1 Kor 14, 26—40 zeigte es sich, daß Paulus in 1 Kor 11, 2—16 und 11, 17—33 von Prinzipien augeht, welche den 14, 26—40 zugrunde liegenden zumindest sehr eng verwandt sind. In beiden Fällen sucht Paulus eine gewisse schöne Ordnung im korinthischen Gottesdienst zu erreichen, wie auch in 14, 26—40. Hier wie dort setzt er zunächst die Mittel der theologischen Argumentation ein, schließlich folgt die disziplinäre Anweisung. In 11, 16 besteht sie nur im Verweis auf die "Gewohnheit der Gemeinden Gottes". 11, 33f besteht aus der im Imperativ ausgesprochenen Aufforderung (Einleitung: *oste adelphoi mou* wie 14, 39!),[31] aufeinander zu warten, und aus einer angeschlossenen kasuistischen Regelung für den Fall, daß einer hungert (Einleitung mit *ei tis* vgl. 14, 27. 28. 30). Das übrige will Paulus anordnen, wenn er in Korinth ist. Beide Schlüsse sind, verglichen mit 1 Kor 14, 37f, zurückhaltend und nüchtern und insofern nicht eigentlich mit 1 Kor 14, 37f vergleichbar. Aber sie sind vergleichbar mit dem Abschluß 14, 39f. Die weiter nicht begründete Forderung einer Anerkennung des Geschriebenen als *entole kyriou* schießt über. Sie widerspricht durch ihre Härte und Exklusivität dem sonst in 1 Kor, auch in 12—14 zum Ausdruck kommenden Verhältnis zwischen dem Apostel und seiner Gemeinde. Hier ersetzt die *entole kyriou* die ansonsten immer für ausreichend gehaltene Autorität des Apostels. Auch ist die Gleichung *entole kyriou* = *a grapho ymin* eigenartig. *entole* ist entweder ein Einzelgebot oder die Summe aller Gebote. Die Anweisungen in 14, 26—33a haben aber nur teilweise Gebotscharakter. Wenn man sie dennoch als "Gebot" bezeichnen will, müßte man es im Plural tun, wie es im Reichstext geschehen ist.[32]

§ 91 1 Kor 14, 37f als zu 14, 33 b—36 gehörige Interpolation in die Gemeinderegel 14, 26—40

Alle Überlegungen, welche den Inhalt und die theologische Begründung der *entole kyriou* im Zusammenhang mit 1 Kor 14, 26—40 erhellen wollten, haben zu einem negativen Ergebnis geführt. 1 Kor 14, 37f läßt sich weder aus seinem heutigen Kontext noch aus dem Gesamtkontext der Paulusbriefe befriedigend interpretieren. So bleibt als letzte Möglichkeit der Versuch, 1 Kor 14, 37f im Zusammenhang mit der Interpolation 14, 33b—36 zu verstehen.[33]

Dann ergibt sich ein konkreter gesetzlicher Inhalt: das Schweigegebot für die Frauen. Die Qualifikation als *entole kyriou* läßt sich verständlich machen, da das Schweigegebot sich selbst als absolut versteht, vgl. 14, 34: *ou gar epitrepetai ... kathos kai o nomos legei;* 35: *aischron estin.* Man kann auch ernsthaft erwägen, ob *kyrios* in 14, 37 nicht als Bezeichnung des Erhöhten, sondern als Bezeichnung Gottes gebraucht sei. Für diese Auffassung gibt es Vorläufer in der älteren Exegese.[34] Die Erwähnung des Schreibens paßt mindestens ebensogut

---

[31] Zum Partizip *synerchomenoi* vgl. 14, 26: *otan synerchesthe.*

[32] S. oben S. 292.

[33] Eine geistige Verwandtschaft zwischen 14, 33b—36 und 14, 37 wurde schon von Conzelmann, 1 Kor 290, empfunden (vgl. oben Anm. 24).

[34] Heinrici, 1 Kor 438, erwähnt Grotius, Billroth, Olshausen. Vergleichbare Wendungen, in denen *kyrios* für Gott steht: *entole, dikaioma kyriou* Lk 1, 6; *nomos kyriou* Lk 2, 23. 39; *rhema kyriou* 1 Petr 1, 25.

in einen durch die Interpolation 14, 33b—36 erzeugten pseudepigraphischen Kontext, wie in ein Schreiben des Apostels an die Korinthische Gemeinde.[35] Daß das Geschriebene als solches zur *entole kyriou* erklärt wird, paßt besser in die nachapostolische Zeit, in welcher Autorität und Weisung gerade im Geschriebenen, im von Paulus Geschriebenen gesucht wurden. Der in 14, 37f erwartete Widerstand kann sich ebenso wie der in 14, 36 erwartete gegen das Schweigegebot für die Frauen richten. Die Forderung nach Anerkennung und die Drohung mit dem Entzug der Anerkennung[36] ist vielleicht auch besser in einer Situation verständlich, in welcher sich Paulus nicht mehr persönlich mit den Gemeinden auseinandersetzen kann und in welcher die Gemeinden und die einzelnen Christen durch gegenseitiges "Anerkennen" und "Nichtanerkennen" sich vor Irrlehren zu sichern und abzuschirmen begannen.

§ 92 Der Ertrag des dritten Abschnitts: Die Bedeutung von 1 Kor 14 für die Erkenntnis der urchristlichen Prophetie

Die Bedeutung von 1 Kor 14 für die Erkenntnis der urchristlichen Prophetie liegt weniger darin, daß zum Phänomen der urchristlichen Prophetie neue über die bereits aus 1 Kor 12 und 13 gewonnenen Einsichten hinausgehende Züge hinzugefügt werden müßten, als darin, daß sich an 1 Kor 14 die Bedeutung der bereits gewonnenen Einsichten für die Funktion der Prophetie im urchristlichen Gottesdienst bzw. in der urchristlichen Gemeinde zeigt. Dadurch erhalten die zu 1 Kor 12 und 13 erzielten Ergebnisse einen festen Platz zugewiesen. Denn 1 Kor 14 belegt einmal mehr das Gewicht, welches der prophetischen Erkenntnis im Gesamtphänomen der urchristlichen Prophetie zukommt. Sowohl nach dem Vergleich zwischen Glossolalie und Prophetie 14, 1—11 wie nach der Gemeinderegel 14, 26—40 ist Prophetie immer eine Funktion der prophetischen Erkenntnis. Dieses Verhältnis ist unumkehrbar. 1 Kor 14 zwingt im Zusammenhang mit 12 und 13 dazu, Erbauung und Ermahnung als Folgen und nicht als eigentlichen Gegenstand der prophetischen Verkündigung zu betrachten. Die nicht ganz unmögliche Verbindung von Prophetie und Gebet oder die Verbindung von Prophetie und Gemeindeleitung hat jedenfalls für Paulus und für die von ihm vertretene gottesdienstliche Tradition keine besondere Bedeutung gehabt. Man wird also diese Momente bei einer Rekonstruktion der Prophetie für den Bereich der paulinischen Mission nicht in Anschlag bringen dürfen.

Wenn diese Reduktion der Prophetie auf prophetische Erkenntnis und auf deren Vermittlung auf den ersten Blick als eine Verengung erscheinen mag, so wird man diesem Eindruck doch entgegenhalten dürfen, daß die Prophetie

[35] Erwähnungen des Schreibens in pseudonymen Briefen: Kol 4, 18; 2 Thess 3, 17; 1 Tim 3, 14; 1 Petr 5, 12; 2 Petr 3, 1; Jud 3.

[36] S. dazu oben S. 255f.

durch eine solche klarere Erfassung ihrer Grundstruktur überhaupt erst historisch interpretierbar und historisch situierbar geworden ist. Wie sich nämlich Erbauung und Ermahnung in der Folge prophetischer Erkenntnis verstehen lassen, so auch das in 14, 24f beschriebene Überführen eines Ungläubigen. Es beruht nämlich nicht auf einer besonderen Mächtigkeit des prophetischen Wortes, sondern auf der prophetischen Herzenskenntnis, welche wie prophetische Erkenntnis überhaupt eine partielle Teilhabe an der göttlichen Erkenntnis und daher auch an der göttlichen Herzenskenntnis darstellt. Jedoch kann dieser in der Auseinandersetzung mit der Glossolalie erwähnte Sonderfall prophetischer Erkenntnis und Wirksamkeit auf keinen Fall als repräsentativ für die Aufgaben der Propheten im Gemeindegottesdienst angesehen werden.

Die zentrale Rolle der Prophetie im Gottesdienst — sie nimmt die Stelle ein, welche im Gottesdienst der Synagoge dem Gesetz zukam — geht vielmehr darauf zurück, daß sie göttliche Erkenntnis, "Geheimnisse", vermittelt, also Offenbarungsqualität hat wie das Gesetz. Wenn die Prophetie an die Stelle des Gesetzes getreten ist, so ist sie zugleich der entscheidende, den hergebrachten jüdischen Gottesdienst und seine Ordnung umgestaltende Faktor. Die Zulassung der Frauen zum Reden im Gottesdienst, das Fehlen einer Rangordnung hierarchischer oder aristokratischer Art, die bei allem Interesse an Ordnung doch nicht starre, sondern flexible Gestaltung des Gottesdienstes, welche jedem die Beteiligung und die Mitteilung seiner Erkenntnis offenläßt, sind Auswirkungen der in den Gottesdienst übernommenen Prophetie. Durch die von den Propheten mitgeteilten neuen Offenbarungen, welche in der Gemeinde weiter gedeutet werden, erhielt die Gemeinde eine Ausrichtung auf die noch nicht abgeschlossene und noch nicht voll erschlossene göttliche Offenbarung. Man konnte immer neue Erkenntnisse, die Erkenntnis neuer göttlicher Geheimnisse, erwarten.

So implizierte die zentrale Stellung der Prophetie im Gottesdienst ein eigenes theologisches Programm, welches nur auf dem Hintergrund der jüdischen Apokalyptik und der eschatologischen Naherwartung voll verständlich wird. Es hat sich immer wieder gezeigt, daß die paulinischen Aussagen über die Prophetie auf der apokalyptischen Tradition aufbauen und diese voraussetzen. Eine traditionsgeschichtliche Betrachtung der Gemeinderegel 14, 26—40 führte zu der Einsicht, daß der in ihr vertretene Typus des Gottesdienstes schon traditionell ist und bis zu den Zentren des hellenistischen Judenchristentums, Antiochia und Jerusalem, zurückverfolgt werden kann. Die Überlegungen zur Beteiligung der Frauen an der urchristlichen Prophetie im Zusammenhang mit 1 Kor 11, 5—16 ergänzten diese Einsicht, indem sie eine weite Verbreitung dieses prophetischen Gottesdienstes wahrscheinlich machen konnten.

Der stark judenchristliche Charakter der Prophetie, ihre nachweisbare traditionsgeschichtliche Verankerung in der Apokalyptik, bedeutete zugleich aber auch eine Begrenzung ihres Wirkungskreises auf Gemeinden mit judenchristlicher Tradition. So gelangte die urchristliche Prophetie mit der Ausbreitung des

Christentums in der Bevölkerung des Mittelmeerraumes bald an ihre Grenzen. Möglicherweise ist schon das Überwiegen der Glossolalie und die bis dahin schwache Wirkung der Prophetie in Korinth ein Zeichen für eine milieu- und traditionsgeschichtlich bedingte Sperre. Die unterschiedliche Ausgangslage und das unterschiedliche Interesse des Paulus und der korinthischen Gemeinde wird auch deutlich an der Länge der mit 1 Kor 12 einsetzenden paulinischen Argumentation zugunsten der Prophetie. Ob diesen paulinischen Bemühungen ein unmittelbarer Erfolg beschieden war, muß wohl offenbleiben.

Durch die Interpolation 1 Kor 14, 33b—38 ist der 1 Kor zugleich ein Zeugnis für das Erlöschen der urchristlichen Prophetie und für die Durchsetzung einer von der Prophetie und von den von ihr ausgehenden Anstößen unbeeinflußten patriarchalischen Gottesdienstordnung im paulinischen Einflußbereich geworden. Im Hinblick auf die urchristliche Prophetie wäre zu fragen, ob diese Gottesdienstordnung eine ebenso alte urchristliche gottesdienstliche Tradition spiegelt wie 1 Kor 14, 26—33a. 39f, ob es also von Anfang an urchristliche Gemeinden ohne Prophetie gab, oder ob die in der Interpolation 1 Kor 14, 33b—38 vorausgesetzte Gottesdienstordnung ihre Einführung in die urchristlichen Gemeinden erst dem Erlöschen der urchristlichen Prophetie bzw. der bereits hinter 1 Kor 12—14 sichtbar werdenden traditionsgeschichtlichen Problematik verdankt.

Die Zulassung oder Nichtzulassung von Frauen zum Reden im Gottesdienst steht auf jeden Fall in einem engen Zusammenhang mit der urchristlichen Prophetie. Insofern wird auch an dieser, für den Gottesdienst und seinen Gehalt keinesfalls nebensächlichen Frage deutlich, welche bestimmende Kraft der Prophetie für den urchristlichen Gottesdienst eigen war und was ihr Ausfall für die weitere Geschichte des urchristlichen Gottesdienstes bedeutete. Der Ausfall der Prophetie brachte eine qualitative Veränderung des urchristlichen Gottesdienstes mit sich, nicht nur hinsichtlich der Möglichkeiten für die ganze Gemeinde, sich an ihm aktiv und schöpferisch zu beteiligen, sondern ebenso hinsichtlich seines Inhalts und hinsichtlich seiner Ausrichtung. Wenn das Vorhandensein von Prophetie die grundsätzliche Offenheit der Gemeinde für neue Offenbarung bedeutete, ihre Ausrichtung auf die noch nicht erkannten oder nun zur Erkenntnis angebotenen göttlichen und eschatologischen Geheimnisse, so konnte diese Ausrichtung bei einem Ausfall der Prophetie nicht erhalten bleiben. Der Gottesdienst mußte eine neue Ausrichtung, ein neues Zentrum erhalten. Damit zeichnen sich im Zusammenhang mit 1 Kor 14 die Konturen eines durch die urchristliche Prophetie gestellten Problems ab, welches nur durch eine weitere Beschäftigung mit der urchristlichen Prophetie und mit ihrer Geschichte entfaltet werden könnte.

Schluß: 1 Kor 12–14 und die Hauptfragen der Prophetenforschung

Nachdem in der Einleitung eine kritische Bestandsaufnahme der neueren Prophetenforschung unternommen wurde, bleibt noch die Aufgabe, die zu 1 Kor 12—14 gewonnenen Ergebnisse in deren Koordinaten einzutragen, bzw. da, wo es nötig scheint, eine Änderung der weithin geltenden Koordinaten zu verlangen. In der Einleitung stellten sich als Grundprobleme der urchristlichen Prophetie das Verhältnis der Prophetie nach 1 Kor 12—14 zur Prophetie nach Offb und das Verhältnis zur Apokalyptik heraus. Man wird behaupten dürfen, daß, wenn auch beide Probleme als Forschungsprobleme bestehenbleiben, ihre Lösung nicht im Aufweis eines Gegensatzes zwischen der Prophetie nach 1 Kor 12—14 und der Prophetie nach Offb, bzw. zwischen der urchristlichen Prophetie und der Apokalyptik liegen wird, sondern in einer differenzierenden historischen Sicht der urchristlichen Prophetie als einer mit der gleichzeitigen jüdischen Apokalyptik traditions- und geistesgeschichtlich vielfach verflochtenen Größe, die ihrerseits eine über mehrere Generationen reichende Geschichte hat.

Der "Gegensatz" zwischen der von 1 Kor 12—14 und der von Offb bezeugten Form der Prophetie beruht mehr auf einem Unterschied in den Veröffentlichungsformen als auf unterschiedlichen oder einander ausschließenden Ausgangspositionen. 1 Kor 12—14 ist zwar ein Plädoyer zugunsten der verständlichen prophetischen Verkündigung in der Gemeinde, aber der Text macht ebenso deutlich, daß diese prophetische Verkündigung einzig wegen der in ihr der Gemeinde mitgeteilten prophetischen Erkenntnis von so hohem Wert ist, also die prophetische Erkenntnis und Ausrichtung auf die göttlichen Geheimnisse zur unabdingbaren Voraussetzung hat. Von daher ist ein Ausspielen des "Wortes", der "Verkündigung" gegen die prophetische Erfahrung historisch und theologisch illegitim. Die Wesensbestimmung der urchristlichen Prophetie muß beim Phänomen der prophetischen Erkenntnis ansetzen und nicht beim Titel eines "Propheten". Allein so wird es auch verständlich, daß sich aus 1 Kor 12—14 wie wohl auch aus den übrigen für die urchristliche Prophetie relevanten Texten genügend interessante Aufschlüsse über die prophetische Erkenntnis gewinnen lassen, aber keine Reflexionen über die Qualität eines davon abgehobenen Propriums der Prophetie.

Die Struktur der prophetischen Erkenntnis ist nach 1 Kor 12—14 sehr eng mit dem aus den Qumranschriften, aus Philo, Josephus und aus den Apokalypsen erhebbaren Feld apokalyptischer Erkenntnis verwandt. Unterschiede zum apokalyptischen Erkenntnisbegriff liegen allenfalls in der auf urchristlicher Seite bezeugten Intensität der Erkenntnis, in der konsequenteren Zurückführung der Erkenntnis auf den Geist (vgl. auch 1 Kor 2, 10) und in einem durch das Christusereignis bzw. durch das christologische Kerygma veränderten Inhalt. Der Unterschied zwischen den Visionsinhalten im aethHen und im 4 Esra zeigt, daß auch auf seiten der apokalyptischen Erkenntnis unterschiedliche Akzentuierungen und geschichtlich und persönlich bedingte Verlagerungen der Interessen möglich waren. Neben dem weiteren Nachweis des traditionsgeschichtlichen Verflochtenseins des Erkenntnisbegriffs der urchristlichen Prophetie mit dem der jüdischen Apokalyptik dürfte gerade die Frage nach den Inhalten dieser Erkenntnis und nach der jeweiligen Beeinflussung dieser Inhalte durch die Christologie neue Einsichten über die urchristliche Prophetie ermöglichen. Eine ursprüngliche Einheit oder inhaltliche Identität zwischen dem christologischen Kerygma und dem Inhalt der urchristlichen Prophetie ist aber schon durch 1 Kor 12, 10; 13, 2. 12; 14, 29f ausgeschlossen.

Hinsichtlich der Formen der prophetischen Verkündigung ist deren Bestimmung und Rekonstruktion wesentlich schwieriger, sowohl bei der urchristlichen Prophetie wie auch sehr wahrscheinlich bei analogen Phänomenen in der jüdischen Apokalyptik. Wenigstens für die urchristliche Prophetie muß man feststellen, daß die mündliche Verkündigung das Normale und die Verschriftung der Sonderfall war. Wahrscheinlich war es im Judentum ebenso. Erhalten haben sich allerdings mit wenigen Ausnahmen nur die literarischen Apokalypsen. Diese haben ihre eigenen Gattungsprobleme, welche wiederum auf urchristlicher und apokalyptischer Seite sehr eng miteinander verwandt sind und noch einer Klärung harren. Die tatsächliche in 1 Kor 12—14 vorausgesetzte prophetische Verkündigung wird sich im besten Falle nur annäherungsweise bestimmen lassen — wie übrigens auch die anderen urchristlichen Verkündigungsformen: Missionspredigt, Gemeindepredigt, Lehre usw. Das zur Prophetie hinzutretende Deuteverfahren und die Beteiligung anderer Begabter an diesem läßt eher annehmen, daß die geschichtlich dauernde Form häufig nicht am Anfang, sondern am Ende einer prozeßhaft verlaufenden prophetischen Verkündigung steht, daß gerade der Inhalt der prophetischen Erkenntnis und ihre Mitteilung an die Gemeinde das der prophetischen Verkündigung Eigentümliche war, und nicht die Produktion bestimmter formaler Gattungen. Die verschiedenen Erfahrungs- und Erkenntnisformen in der Apokalyptik und im Neuen Testament (Gemeinschaft mit den Engeln, Visionen, Träume, Auditionen, Entrückungen) lassen durchaus einen entsprechenden Pluralismus prophetischer Verkündigungsformen vermuten.

Die Beziehungen zwischen der urchristlichen Prophetie und den alttestamentlichen Propheten sind weithin ungeklärt. Einen gewissen Fingerzeig für die Richtung, in welcher eine Lösung dieses Problems gefunden werden kann, gibt die in 1 Kor 13, 12 vorhandene Anspielung auf Num 12, 6—8, einen geschichtlich besonders wirksam gewordenen Versuch, das Eigentümliche der Prophetie zu bestimmen. Es ist bezeichnend, daß 1 Kor 13, 12 diesen Text in einer Weise verwendet, welche der rabbinischen Exegese und Philo näher steht als dem Masoretentext. Die Beziehung auf die alttestamentliche Prophetie ist also durch die zeitgenössische Auffassung von Prophetie vermittelt. Das in Num 12,

6—8, erst recht in der zeitgenössischen Interpretation des Textes, zutage tretende Interesse an der Prophetie trifft sich in der Konzentration auf die prophetischen Erkenntnisformen: Traum, Vision, Rätsel, "Spiegel", mit dem in der Apokalyptik wie in 1 Kor 12—14 üblichen und belegbaren Begreifen der Prophetie von der prophetischen Erkenntnis her. Auf der Seite der Apokalyptik wird diese Tendenz durch die Anknüpfung an die Bileamsprüche Num 21; 23; 24 in aethHen 1 und 1QM 10, 10f weiter unterstrichen. Auf der gleichen Linie liegt die Wiederaufnahme von Joel 3, 1f in Apg 2, 17f. Es wäre zu fragen, ob hier nicht bei allen nicht zu leugnenden zeitbedingten Akzentuierungen ein Traditionsstrang alttestamentlicher Prophetie sichtbar wird, der in der modernen Erforschung der alttestamentlichen Prophetie durch die nahezu ausschließliche Beschäftigung mit den Werken oder mit der Botschaft der Schriftpropheten zu wenig beachtet worden ist. Die Aufnahme des Titels *prophetes* muß wohl in einen Zusammenhang mit dieser Tradition oder dieser Sicht der Prophetie gebracht werden. Damit stellt sich zugleich die Frage, ob der griechische Titel *prophetes* durch seine Übernahme in den biblisch-jüdischen Bereich in Wirklichkeit eine Veränderung in Richtung auf die prophetische Erfahrung und Erkenntnis hin erfahren hat, während es die Tendenz der neuzeitlichen Theologie war, ihn vom prophetischen Wort her, im Grunde also griechisch, zu begreifen.

Die in 1 Kor 12—14 teils beschriebene, teils vorausgesetzte Prophetie erwies sich als eine bereits traditionelle Größe. Ebenso traditionell ist ihre dominierende Stellung im Gemeindegottesdienst, das mit ihr zusammenhängende Deuteverfahren, die aktive Teilnahme prophetisch begabter Frauen. Die Verbreitung dieser Prophetie zur Zeit des ersten Korintherbriefes läßt sich schwerlich genauer bestimmen, aber ihr Weg läßt sich zum mindesten bis in die Zentren des hellenistischen Judenchristentums, bis nach Antiochien und nach Jerusalem, zurückverfolgen. Ihre traditionsgeschichtliche Verflochtenheit mit der Apokalyptik endet indes nicht an einer fiktiven Grenze zwischen hellenistischem und palästinischem Judentum, im Gegenteil, gerade die genuin palästinische Qumranüberlieferung steht manchen Voraussetzungen der urchristlichen Prophetie und des von der Prophetie bestimmten Gottesdienstes besonders nahe. So wird man für die erste Phase der urchristlichen Prophetie auch kaum zwischen palästinisch-judenchristlicher und hellenistisch-judenchristlicher Tradition oder Prophetie scheiden dürfen. Die kritische Linie verläuft vielmehr wie 1 Kor 2, 6—16; 12—14 und 1 Thess 5, 20 zeigen, zwischen den Gemeinden mit stark judenchristlicher Tradition und solchen, denen mit dieser Tradition auch die traditionellen Voraussetzungen und Bedingungen für eine selbstverständliche und krisenfreie Entfaltung der Prophetie fehlen.

Diese traditionsgeschichtliche Komponente muß bei einem Nachzeichnen der Geschichte der urchristlichen Prophetie ständig mitbedacht werden; nicht als sollte mit ihrer Hilfe eine Art monokausaler Erklärung für das Erlöschen der

Prophetie im ersten und zweiten Jahrhundert gegeben werden. Aber der Wandel der Prophetie etwa von 1 Kor 12—14 zur Betrachtungsweise des Epheserbriefes, die eigenartige Verbindung von Hellenistischem und Apokalyptischem im Hirten des Hermas, die heftige Reaktion der Großkirche auf die montanistische Prophetie, das alles steht wohl in einem inneren Zusammenhang mit diesem Traditionsproblem. Der Wandel der Gemeinden, ihrer Anschauungen, etwa besonders der Naherwartung, und ihrer Institutionen mußte überhaupt einen Wandel der Prophetie nach sich ziehen. Vielleicht kann man das Einrücken der Propheten in die Funktion von Gemeindeleitern, wie es sich an der Offenbarung und an der Didache teils ablesen, teils vermuten läßt, im Zusammenhang mit dieser geschichtlichen Entwicklung sehen als eine der vielen urkirchlichen Verfassungsformen in der nachapostolischen Zeit, welche sich besonders im nordsyrisch-kleinasiatischen Raum ausbildete, dann aber mit dem weiteren Rückgang der Prophetie selbst durch andere stärker mit der großkirchlichen Entwicklung auf den Episkopat hin harmonierende Formen ersetzt oder verdrängt wurde.

Jedoch, gerade wenn man, wie es in dieser Arbeit geschehen ist, den Nachweis zu führen versucht, daß die urchristliche Prophetie von der prophetischen Erkenntnis her verstanden werden muß, darf die inhaltliche Seite der prophetischen Erkenntnis und Verkündigung bei einer Betrachtung des geschichtlichen Weges der urchristlichen Prophetie nicht unbeachtet bleiben. In der inhaltlichen Ausrichtung der urchristlichen Prophetie auf die göttlichen Geheimnisse müssen sowohl die Bedingungen für ihren Aufstieg, für ihre Blüte, für ihren geschichtlichen Wandel und für ihr schließliches Erlöschen gesucht werden. Das Traditions- und Vermittlungsproblem ist bei dieser Fragestellung natürlich eingeschlossen oder vorausgesetzt. Von 1 Kor 12—14 her läßt sich das in der Ausrichtung der Prophetie auf die göttlichen Geheimnisse enthaltene theologische Problem nur umrißhaft und sehr vorläufig skizzieren. Oben wurde bereits die Frage nach dem Verhältnis der prophetischen Verkündigung zum christologischen Kerygma gestellt. Ferner gehört die Vorstellung von einer noch nicht abgeschlossenen Offenbarung, das Gewinnen neuer Offenbarungserkenntnis und die Ausrichtung des Propheten und der Gemeinde auf diese neue Erkenntnis hierhin. Während der Ansatzpunkt des christologischen Kerygmas in der Vergangenheit liegt, ist die Prophetie wesentlich stärker auf die Zukunft bezogen. Der Ausfall der Prophetie bedeutet für die urchristlichen Gemeinden auch eine veränderte Einstellung zur Zukunft. Hier dürfte sich angesichts des neuen theologischen Interesses an der Zukunft eine der interessantesten und theologisch aktuellsten Fragestellungen für die weitere Prophetenforschung abzeichnen. Voraussetzung für eine theologische Beschäftigung mit der Prophetie ist jedoch — das zeigt gerade die bisherige Prophetenforschung mit ihren Erkenntnissen und zum Teil auch mit ihren theologie- oder traditionsgeschichtlich bedingten Irrtümern — auch weiterhin ihre historische Erforschung und geschichtliche Betrachtung.

Allgemeine Hinweise zum Literaturverzeichnis und zu den Registern

Das Literaturverzeichnis soll den Anmerkungsteil bibliographisch ergänzen und entlasten.

Die in den Anmerkungen verwendeten Abkürzungen für Quellen, Zeitschriften und wissenschaftliche Standardwerke stammen aus dem Abkürzungsverzeichnis in: Höfer, J.-Rahner, K., Lexikon für Theologie und Kirche 1, Freiburg [2]1957 (= LThK), 17*—48*. Wo dieses nicht ausreichte, wurde das Abkürzungsverzeichnis aus: Kittel, G., Theologisches Wörterbuch zum Neuen Testament (= ThW) I, Stuttgart 1933, 1*—24*, herangezogen. In diesen beiden Verzeichnissen bereits bibliographierte Titel werden nur in den Anmerkungen, aber nicht im Literaturverzeichnis erwähnt.

Kommentare zu den biblischen Büchern werden ebenfalls nur in den Anmerkungen erwähnt, und zwar mit folgender Zitationsweise: Weiß (Name des Verfassers), 1 Kor (Name der biblischen Schrift) 309 (Seitenzahl des Kommentars). Weitere bibliographische Angaben zu den Kommentaren finden sich in den Einleitungswerken: Eißfeldt, O., Einleitung in das Alte Testament, Tübingen [3]1964; Sellin, E.-Fohrer, G., Einleitung in das Alte Testament, Heidelberg [10]1965; Feine, P.-Behm, J.-Kümmel, W. G., Einleitung in das Neue Testament, Heidelberg [15]1967.

Für die Register wurden jene Stellen und Begriffe ausgewählt, welche zum Umkreis der urchristlichen Prophetie gehören oder auf welche im Zusammenhang der Frage nach der urchristlichen Prophetie neues Licht fällt.

Transkriptionen wurden in der Arbeit ursprünglich nur für häufig wiederkehrende Termini benutzt. Aus Kostengründen mußten die Transkriptionen für den Druck bis zum gegenwärtigen Umfang ausgedehnt werden. Dies erklärt manche Mißlichkeiten, für welche ich den Leser um Nachsicht bitte. Die hebräische Quadratschrift wurde nach der "Umschrifttabelle" des ThWAT I [560] transkribiert.

Literaturverzeichnis

Aalen, S., A Rabbinic Formula in 1 Cor 14, 34, in: Cross, F. L. (Hrsg.), Studia Evangelica II, Berlin 1964, 513—525.

Achelis, H., Katoptromantie bei Paulus, in: Theologische Festschrift für G. N. Bonwetsch, Leipzig 1918, 56—63.

Aland, K., Bemerkungen zum Montanismus und zur frühchristlichen Eschatologie, in: ders., Kirchengeschichtliche Entwürfe, Gütersloh 1960, 105—148.

Ders., Das Problem der Anonymität und Pseudonymität in der christlichen Literatur der ersten beiden Jahrhunderte, in: ders., Studien zur Überlieferung des Neuen Testaments und seines Textes, Berlin 1967, 24—34.

Ders., Glosse, Interpolation, Redaktion und Komposition in der neutestamentlichen Textkritik, a. a. O. 35—57.

Aland, K.-Black, M.-Metzger, B. M.-Wikgren, A., The Greek New Testament, 1966.

Alizon, J., Étude sur le prophétisme chrétien depuis les origines jusqu'à l'an 150, Paris 1911 (80 Seiten; thèse de baccalaureat).

Almquist, H., Plutarch und das Neue Testament, Uppsala 1946.

Andresen, C., Die Kirchen der alten Christenheit, Stuttgart-Berlin-Köln-Mainz 1971.

Bacher, W., Die exegetische Terminologie der jüdischen Traditionsliteratur, Darmstadt [2]1965.

Ders., Die Agada der Tannaiten II, Straßburg 1890.

Bacht, H., Wahres und falsches Prophetentum: Bibl 32 (1951) 237—262.

Bartsch, H. W., Die Anfänge urchristlicher Rechtsbildungen. Studien zu den Pastoralbriefen, Hamburg Bergstedt 1965.
vBaudissin, W. W. Graf, Gott schauen in der alttestamentlichen Religion, in: Nötscher, "Das Angesicht Gottes schauen", Darmstadt 1969, 193—261 (aus: ARW 18 (1915) 173—239).
Bauer, W., Rechtgläubigkeit und Ketzerei im ältesten Christentum, Tübingen ²1964.
Behm, J., Das Bildwort vom Spiegel, in: Koepp, W. (Hrsg.), Zur Theorie des Christentums — Festschrift R. Seeberg I, Leipzig 1929, 315—342.
Bénazech, J., Le prophétisme chrétien depuis les origines jusq'au Pasteur d'Hermas, Cahors 1901 (64 Seiten; thèse de baccalauréat).
Benz, E., Paulus als Visionär. Eine vergleichende Untersuchung der Visionsberichte des Paulus in der Apostelgeschichte und in den paulinischen Briefen, in: Akademie der Wissenschaften und der Literatur. Abhandlungen der geistes- und sozialwissenschaftlichen Klasse, Wiesbaden 1952, 81—121.
Berger, K., Zu den sogenannten Sätzen heiligen Rechts: NTS 17 (1970/71) 10—40.
Betz, O., Offenbarung und Schriftforschung in der Qumransekte, Tübingen 1960.
Bieler, L., *THEIOS ANER*. Das Bild des "göttlichen Menschen" in Spätantike und Frühchristentum, Darmstadt 1967.
Björck, G., *ONAR IDEIN*. De la perception de rêve chez les anciens: Eranos. Acta philologica Suecana 44 (1946) 304—314.
Black, M., Apocalypsis Henochi Graece, Leiden 1970.
Blanke, F., Die Frau als Wortverkünderin in der alten Kirche, in: Leenhardt-Blanke, Die Stellung der Frau im Neuen Testament und in der alten Kirche 57—68.
Blume, G. G., Das Amt der Frau im Neuen Testament: NovT 7 (1964/65) 142—161.
Bonner, C., The Last Chapters of Enoch in Greek, Darmstadt 1968.
Bonwetsch, N., Die Prophetie im apostolischen und nachapostolischen Zeitalter: Zeitschrift für kirchliche Wissenschaft und kirchliches Leben 5 (Leipzig 1884) 408—424. 460—477.
Bornkamm, G., Paulus, Stuttgart 1969.
Ders., Der köstlichere Weg, in: ders., Das Ende des Gesetzes, München ²1958, 93—112.
Ders., Die Vorgeschichte des sogenannten zweiten Korintherbriefes, in: ders., Geschichte und Glaube 2, München 1971, 162—194.
Ders., Der Philipperbrief als paulinische Briefsammlung, a. a. O. 195—205.
Bousset, W., Rezension zu Weinel, Die Wirkungen des Geistes und der Geister: GGA 163(1901) 753—776.
Braun, H., Zur nachpaulinischen Herkunft des zweiten Thessalonicherbriefes: ZNW 44 (1952/53) 152—156.
Ders., Qumran und das Neue Testament, Tübingen 1966.
Bréhier, E., Les idées philosophiques et religieuses de Philon d' Alexandrie, Paris ²1950.
Broek-Utne, A., Eine schwierige Stelle in einer alten Gemeindeordnung (Did 11, 11): ZKG 54(1935) 576—581.
Brown, R. E., The Semitic Background of the New Testament Mysterion I: Bibl 39 (1958) 426—448.
Ders., The Pre-Christian Semitic Concept of "Mystery": CBQ 20 (1958) 417—443.
Brox, N., *ANATHEMA IESOUS* (1 Kor 12, 3): BZ NF 12 (1968) 103—111.
Ders., Amt, Kirche und Theologie in der nachapostolischen Epoche, in: Schreiner, J.-Dautzenberg, G., Gestalt und Anspruch des Neuen Testaments, Würzburg 1969, 120—133.
Büchsel, F., Der Geist Gottes im Neuen Testament, Gütersloh 1926.
Büchsenschütz, A. B., Traum und Traumdeutung im Alterthume, Wiesbaden 1967 (= Berlin 1868).
Bultmann, R., Die Geschichte der synoptischen Tradition, Göttingen ²1931.

Ders., Die Erforschung der synoptischen Evangelien, in: ders., Glauben und Verstehen IV, Tübingen 1965, 1—41.

vCampenhausen, H., Kirchliches Amt und geistliche Vollmacht in den ersten drei Jahrhunderten, Tübingen [2]1963.

Cohn, L.-Wendland, P., Philonis Alexandrini opera quae supersunt I—VII, Berlin 1930.

Cohn, L.-Heinemann, I.-Adler, M.-Theiler, W., Philo von Alexandria. Die Werke in deutscher Übersetzung I—VII, Berlin [2]1962—1964.

Conybeare, F. C., Philo about the contemplative Life, Oxford 1895.

Conzelmann, H., Geschichte des Urchristentums, Göttingen 1969.

Ders., Paulus und die Weisheit: NTS 12 (1965/66) 231—244.

Cross, F. M., Die antike Bibliothek von Qumran, Neukirchen-Vluyn 1967.

Daumas, F.-Miquel, P., De vita contemplativa (= Les Oeuvres de Philon d' Alexandrie 19), Paris 1963.

Dautzenberg, G., Zum religionsgeschichtlichen Hintergrund der *diakrisis pneumaton:* BZ NF 15(1971) 93—104.

Ders., Sprache und Gestalt der neutestamentlichen Schriften, in: Schreiner, J.-Dautzenberg, G., Gestalt und Anspruch des Neuen Testaments, Würzburg 1969, 20—40.

Ders., Theologie und Seelsorge aus paulinischer Tradition, a. a. O. 96—119.

Ders., Der Verzicht auf das apostolische Unterhaltsrecht: Bibl 50(1969) 212—232.

Davies, W. D., Paul and Rabbinic Judaism. Some Rabbinic Elements in Pauline Theology, London 1962.

Deichgräber, R., Gotteshymnus und Christushymnus in der frühen Christenheit. Untersuchungen zu Form, Sprache und Stil der frühchristlichen Hymnen, Göttingen 1967.

Delling, G., Paulus' Stellung zu Frau und Ehe, Stuttgart 1931.

Dibelius, M., Die Geisterwelt im Glauben des Paulus, Göttingen 1909.

Ders., Zur Formgeschichte des Neuen Testaments: ThR NF 3 (1931) 207—242.

Dombrowski, B. W., Wertepriameln in hellenistisch-jüdischer und urchristlicher Literatur: ThZ 22(1966) 396—402.

Dodds, E. R., Die Griechen und das Irrationale, Darmstadt 1970.

Dupont, J., Gnosis. La connaissance religieuse dans les Épîtres de Saint Paul, Louvain-Paris 1949.

Ehrlich, E. L., Der Traum im Alten Testament, Berlin 1953.

Ders., Der Traum im Talmud: ZNW 47(1956) 133—145.

Eißfeldt, O., Der Maschal im Alten Testament, Gießen 1913.

Ders., Die Menetekel-Inschrift und ihre Deutung: ZAW 63(1951) 105—114.

Elbogen, I., Der jüdische Gottesdienst in seiner geschichtlichen Entwicklung, Hildesheim [4]1962 (= Frankfurt [3]1932).

Elliger, K., Studien zum Habakuk-Kommentar vom Toten Meer, Tübingen 1953.

Ellis, E. E., The Role of the Christian Prophet in Acts, in: Gasque, W. W.-Martin, R.-R. (Hrsgg.), Apostolic History and the Gospel. Biblical and Historical Essays presented to F. F. Bruce, Exeter Devon 1970, 55—67.

Ders., Paul's Use of the Old Testament, Edinburgh-London 1957.

Fascher, E., *PROPHETES.* Eine sprach- und religionsgeschichtliche Untersuchung, Gießen 1927.

Festugière, A. J., La révélation d' Hermes trismégiste I, Paris 1944.

Fitzer, G., Das Weib schweige in der Gemeinde. Über den unpaulinischen Charakter der mulier-taceat-Verse in 1 Kor 14, München 1963.

Fitzmyer, J. A., A Feature of Qumran Angelology and the Angels of 1 Cor 11, 10, in: Murphy O'Connor, J. (Hrsg.), Paul and Qumran, London-Dublin-Melbourne 1968, 31—47.

Flemming, J.-Radermacher, J., Das Buch Henoch, Leipzig 1901.

Fridrichsen, A., Le problème du miracle dans le christianisme primitif, Straßburg-Paris 1925.
Fries, H. (Hrsg).), Handbuch theologischer Grundbegriffe I—IV, München 1970.
Gerhardsson, B., Memory and Manuscript. Oral Tradition and Written Transmission in Rabbinic Judaism and Early Christianity, Lund-Copenhagen 1961.
Goppelt, L., Christentum und Judentum im ersten und zweiten Jahrhundert, Gütersloh 1954.
Ders., Die apostolische und nachapostolische Zeit, Göttingen ²1966.
Graß, H., Ostergeschehen und Osterberichte, Göttingen ³1964.
Greeven, H., Propheten, Lehrer und Vorsteher bei Paulus. Zur Frage der Ämter im Urchristentum: ZNW 44(1952/53) 1—43.
Ders., Das Hauptproblem der Sozialethik in der neueren Stoa und im Urchristentum, Gütersloh 1935.
Gry, L., Les dires prophétiques d' Esdras I et II, Paris 1938.
Gunkel, H., Die Oden Salomos, in: ders., Reden und Aufsätze, Göttingen 1913, 163—192.
Ders., Die Wirkungen des Heiligen Geistes nach der populären Anschauung der apostolischen Zeit und der Lehre des Apostels Paulus, Göttingen ³1909.
Guy, H. A., The New Testament Prophecy. Its Origin and Significance, London 1947.
Haag, H., Bibellexikon, Einsiedeln ²1968.
Haeussermann, F., Wortempfang und Symbol in der alttestamentlichen Prophetie, Gießen 1936.
Hahn, F., Der urchristliche Gottesdienst, Stuttgart 1970.
Ders., Die Sendschreiben der Johannesapokalypse. Ein Beitrag zur Bestimmung prophetischer Redeformen, in: Jeremias, G.-Kuhn, H. W.-Stegemann, H., Tradition und Glaube. Festschrift für K. G. Kuhn, Göttingen 1972, 372—394.
Harnack, A., Die Lehre der zwölf Apostel nebst (II.) Untersuchungen zur ältesten Geschichte der Kirchenverfassung und des Kirchenrechts, Leipzig 1884.
Ders., Mission und Ausbreitung des Christentums in den ersten drei Jahrhunderten, Leipzig ⁴1924.
Ders., Das hohe Lied des Apostels Paulus von der Liebe (1 Kor 13) und seine religionsgeschichtliche Bedeutung: Sitzungsberichte der preußischen Akademie der Wissenschaften, Berlin 1911, 132—163.
Heiler, F., Erscheinungsformen und Wesen der Religion, Stuttgart 1961.
Heinemann, I., Therapeuten: RE, Zweite Reihe, V 2321—2346.
Ders., Die Sektenfrömmigkeit der Therapeuten: MGWJ 78 (1934) 104—117.
Ders., Philons Lehre vom Heiligen Geist und der intuitiven Erkenntnis: MGWJ NF 28(1920) 8—29. 101—121.
Hengel, M., Judentum und Hellenismus. Studien zu ihrer Begegnung unter besonderer Berücksichtigung Palästinas bis zur Mitte des 2. Jh. v. Chr., Tübingen 1969.
Ders., Die Zeloten. Untersuchungen zur jüdischen Freiheitsbewegung in der Zeit von Herodes I. bis 70 n. Chr., Leiden-Köln 1961.
Ders., Die Synagogeninschrift von Stobi: ZNW 57(1966) 145—183.
Hermaniuk, M., La parabole évangélique, Bruges-Paris 1947.
Hermann, I. Kyrios und Pneuma, München 1961.
Herrmann, S., Die prophetischen Heilserwartungen im Alten Testament. Ursprung und Gestaltwandel, Stuttgart 1965.
Hinze R., Xenokrates. Darstellung der Lehre und Sammlung der Fragmente, Hildesheim 1965 (= Leipzig 1892).
Hoffmann, E., Pauli Hymnus auf die Liebe: Deutsche Vierteljahresschrift für Literaturwissenschaft und Geistesgeschichte 4(1926) 58—73.

Hollenweger, W. J., Funktionen der ekstatischen Frömmigkeit der Pfingstbewegung, in: Spoerri, Beiträge zur Ekstase 53—72.
Ders., Enthusiastisches Christentum. Die Pfingstbewegung in Geschichte und Gegenwart, Wuppertal-Zürich 1969.
Hugedé, N., La métaphore du miroir dans les épîtres de saint Paul aux Corinthiens, Neuchatel 1957.
Hurd, J. C., The Origin of I Corinthians, New York 1965.
Isaksson, Marriage and Ministry in the New Temple. A study with special reference to Mt 19, 13—20 and 1 Cor 11, 3—16, Lund-Copenhagen 1965.
Jastrow, M., A Dictionary of the Targumim, the Talmud Babli and Yerushalmi, and the Midrashic Literature, New York 1950.
Jeremias, G., Der Lehrer der Gerechtigkeit, Göttingen 1963.
Jeremias, J., Die Abendmahlsworte Jesu, Göttingen [3]1960.
Ders., Die Gleichnisse Jesu, Göttingen [5]1958.
Kähler, E., Die Frau in den paulinischen Briefen, Zürich 1960.
Käsemann, E., Sätze heiligen Rechts im Neuen Testament in: ders., Exegetische Versuche und Besinnungen I, Göttingen [2]1965, 69—82.
Ders. Die Anfänge christlicher Theologie, a. a. O. 82—104.
Kenner, H., Oneiros: RE 36, 448—459.
Koch, K., Ratlos vor der Apokalyptik?, Gütersloh 1970.
Krämer, H., Zur Wortbedeutung "Mysteria": Wort und Dienst NF 6(1959) 121—125.
Kraft, H., Die altkirchliche Prophetie und die Entstehung des Montanismus: ThZ 11 (1955) 249—271.
Kramer, W., Christos, Kyrios, Gottessohn. Untersuchungen zu Gebrauch und Bedeutung der christologischen Bezeichnungen bei Paulus und den vorpaulinischen Gemeinden, Zürich-Stuttgart 1963.
Krauss, S., Talmudische Archäologie I, Hildesheim 1966 (= Leipzig 1910).
Ders., Griechische und lateinische Lehnwörter in Talmud, Midrasch und Targum I, Hildesheim 1964 (= Berlin 1898).
Kristianpoller, A., Traum und Traumdeutung (Monumenta Talmudica IV/II/1), Wien-Berlin 1923.
Kuhn, H. W., Enderwartung und gegenwärtiges Heil, Göttingen 1966.
Kuhn, K. G., Konkordanz zu den Qumrantexten, Göttingen 1960.
Ders., Nachträge zur Konkordanz zu den Qumrantexten: Revue de Qumran 4(1963) 163—234.
Labuschagne, C. J., Teraphim — a New Proposal for its Etymology: VT 16(1966) 115—117.
Leenhardt, F. J., Die Stellung der Frau in der urchristlichen Gemeinde, in: Leenhardt-Blanke, Die Stellung der Frau im Neuen Testament und in der alten Kirche, Zürich 1949, 3—56.
Lehmann, E.-Fridrichsen. A., 1 Kor 13. Eine christlich-stoische Diatribe: ThStK 94 (1922) 55—95.
Leipoldt, J., Die Frau in der antiken Welt und im Urchristentum, Gütersloh 1962.
Leisegang, H., Der heilige Geist. Das Wesen und Werden der mystisch-intuitiven Erkenntnis in der Philosophie und Religion der Griechen I, 1, Leipzig-Berlin 1919.
Lerle, E., Diakrisis Pneumaton bei Paulus, Heidelberg 1947 (Dissertation in Maschinenschrift).
Lewy, H., Sobria Ebrietas. Untersuchungen zur Geschichte der antiken Mystik, Gießen 1929.
Lifshitz, B., Donateurs et fondateurs dans les synagogues juives. Répertoire des dédicaces grecques relatives à la construction et à la réfection des synagogues, Paris 1967.

Lindars, B., New Testament Apologetic. The Doctrinal Significance of the Old Testament Quotations, London 1961.
Lindblom, J., Prophecy in Ancient Israel, Oxford 1962.
Ders., Die Vorstellung vom Sprechen Jahwes zu den Menschen im Alten Testament: ZAW 75(1963) 263—281.
Ders., Gesichte und Offenbarungen. Vorstellungen von göttlichen Weisungen und übernatürlichen Erscheinungen im ältesten Christentum, Lund 1968.
Löwinger, A., Der Traum in der jüdischen Literatur: Mitteilungen zur jüdischen Volkskunde 11 (Leipzig 1908) 25—34. 56—78.
Lohfink, G., Paulus vor Damaskus, Stuttgart 1966.
Lohse, E., Die Texte aus Qumran. Hebräisch und deutsch, Darmstadt 1964.
Lührmann, D., Das Offenbarungsverständnis bei Paulus und in den paulinischen Gemeinden, Neukirchen-Vluyn 1965.
Maier, J., Die Texte vom Toten Meer. I. Übersetzung, II. Anmerkungen, München 1960.
Maly, K., 1 Kor 12, 1—3, eine Regel zur Unterscheidung der Geister?: BZ NF 10(1966) 82—95.
Ders., Mündige Gemeinde. Untersuchungen zur pastoralen Führung des Apostels Paulus im 1. Korintherbrief, Stuttgart 1967.
Marxsen, W., Einleitung in das Neue Testament, Gütersloh 1963.
Meyer, R., Der Prophet aus Galiläa. Studie zum Jesusbild der drei ersten Evangelien, Darmstadt 1970 (Neudruck mit einer "Vorbemerkung").
Michel, O., Spätjüdisches Prophetentum, in: Neutestamentliche Studien für R. Bultmann, Berlin 1954, 60—66.
Milik, J. T., Ten Years of Discovery in the Wilderness of Judaea, London 1959.
Mosiman, E., Das Zungenreden geschichtlich und psychologisch untersucht, Tübingen 1911.
Moulton, J. H., A Grammar of New Testament Greek. II Accidence and Word-Formation, Edinburgh 1920 und öfter (= Moulton II); III Syntax by N. Turner, Edinburgh 1963 (= Moulton III).
Mowinckel, S., Die Vorstellung des Spätjudentums vom heiligen Geist und der johanneische Paraklet: ZNW 32(1933) 97—130.
Neugebauer, F., Geistsprüche und Jesuslogien. Erwägungen zu der von der formgeschichtlichen Betrachtungsweise R. Bultmanns angenommenen grundsätzlichen Möglichkeit einer Identität von prophetischen Geistsprüchen mit Logien des irdischen Jesus: ZNW 53(1962) 218—228.
Niederwimmer, K., Erkennen und Lieben. Gedanken zum Verhältnis von Gnosis und Agape im ersten Korintherbrief: KuD 11(1965) 75—102.
Nötscher, F., "Das Angesicht Gottes schauen" nach biblischer und babylonischer Auffassung, Darmstadt 1969 (= Würzburg 1924).
Oppenheim, A. L., The Interpretation of Dreams in the Ancient Near East, Philadelphia 1956.
Osswald, E., Zur Hermeneutik des Habakuk-Kommentars: ZAW 68(1956) 243—256.
Philonenko, M., Le Testament de Hiob et les Thérapeutes: Semitica 8(1958) 41—53.
van der Ploeg, J., Le rouleau de la guerre, Leiden 1959.
v. Rad, G., Theologie des Alten Testaments. I. Die Theologie der geschichtlichen Überlieferungen Israels, München [4]1962; II. Die Theologie der prophetischen Überlieferungen Israels, München [3]1962.
Ders., Die Vorgeschichte der Gattung von 1 Kor 13, 4—7, in: ders., Gesammelte Studien zum Alten Testament, München 1958, 281—296.
Rahnenführer, D., Das Testament des Hiob und das Neue Testament: ZNW 62(1971) 68—93.

Reicke, B.-Rost, L., Biblisch-Historisches Handwörterbuch I—III, Göttingen 1962 bis 1966.
Reinhold, H., De Graecitate Patrum Apostolicorum librorumque apocryphorum Novi Testamenti quaestiones grammaticae, Halle 1901.
Reitzenstein, R., Historia Monachorum und Historia Lausiaca. Eine Studie zur Geschichte des Mönchtums und der frühchristlichen Begriffe Gnostiker und Pneumatiker, Göttingen 1916.
Ders., Die Formel "Glaube, Liebe, Hoffnung" bei Paulus: Nachrichten der Gesellschaft der Wissenschaften zu Göttingen, phil.-hist. Klasse 1916, 413.
Ders., Himmelswanderung und Drachenkampf, in: Festschrift F. C. Andreas, Leipzig 1916, 48ff.
Rengstorf, K. H., Mann und Frau im Urchristentum, in: Arbeitsgemeinschaft für Forschung des Landes Nordrhein-Westfalen. Geisteswissenschaften. Heft 12, Köln-Opladen 1954, 7—52.
Resch, A., Der Paulinismus und die Logia Jesu in ihrem gegenseitigen Verhältnis untersucht, Leipzig 1904.
Richter, Traum und Traumdeutung im AT: BZ NF 7(1963) 202—220.
Riesenfeld, H., Étude bibliographique sur la notion biblique d' *AGAPE*, surtout dans 1 Cor 13: Coniectanea Neotestamentica 5 (Leipzig-Uppsala 1941) 1—27.
Ders., Note sur 1 Cor 13: Coniectanea Neotestamentica 10(1946) 1—3.
Roloff, J., Apostolat — Verkündigung — Kirche. Ursprung, Inhalt und Funktion des kirchlichen Apostelamtes nach Paulus, Lukas und den Pastoralbriefen, Gütersloh 1965.
Rost, L., Einleitung in die alttestamentlichen Apokryphen und Pseudepigraphen einschließlich der großen Qumran-Handschriften, Heidelberg 1971.
Roth, C., The Subject Matter of Qumran Exegesis: VT 10(1960) 51—68.
Sanders, J. A., The Psalms Scroll of Qumran Cave 11(11Qps^{a}), Oxford 1965.
Satake, A., Die Gemeindeordnung in der Johannesapokalypse, Neukirchen-Vluyn 1966.
Schlatter, A., Die Theologie des Judentums nach dem Bericht des Josefus, Gütersloh 1910.
Schmauch, W., Das prophetische Amt in der Gemeinde: Zeichen der Zeit 17(1963) 168—173.
Schmid, U., Die Priamel der Werte im Griechischen von Homer bis Paulus, Wiesbaden 1964.
Schweitzer, A., Die Mystik des Apostels Paulus, Tübingen 1930.
Schweizer, E., Gemeinde und Gemeindeordnung im Neuen Testament, Zürich 1959.
Selwyn, E. G., The Christian Prophets, London 1900.
Smend, R., Die Weisheit des Jesus Sirach hebräisch und deutsch, Berlin 1906.
Ders., Die Weisheit des Jesus Sirach erklärt, Berlin 1906.
Ders., Griechisch-syrisch-hebräischer Index zur Weisheit des Jesus Sirach, Berlin 1907.
vSoden, Hans, Die Entstehung der christlichen Kirche, Leipzig-Berlin 1919.
vSoden, Hermann, Das Interesse des apostolischen Zeitalters an der evangelischen Geschichte, in: Theologische Abhandlungen. Festschrift C. v.Weizsäcker, Freiburg 1892, 111—169.
Soucek, J. B., La prophétie dans le Nouveau Testament: Communio Viatorum 4(1961) 221—231.
Spicq, C., Agape in the New Testament II, St. Louis-London 1965.
Spoerri, Th., Zum Begriff der Ekstase, in: ders., Beiträge zur Ekstase, Basel-New York 1968, 1—10.
Taylor, A. E., A Commentary on Plato's Timaeus, Oxford 1928.
Vermès, G., A propos des commentaires bibliques découverts à Qumran: RHPhR 35 (1955) 95—102.
Violet, B. Die Apokalypsen des Esra und Baruch in deutscher Gestalt, Leipzig 1924.

Vogt, E., "Mysteria" in textibus Qumran: Bibl 37(1956) 247—257.
Waszink, J., Die sogenannte Fünfteilung der Träume bei Chalcidius und ihre Quellen: Mnemosyne. Bibliotheca classica Batava III, 9 (Leiden 1941) 65—85.
Weinel, H., Die Wirkungen des Geistes und der Geister im nachapostolischen Zeitalter bis auf Irenäus, Freiburg 1899.
Westermann, C., Grundformen prophetischer Rede, München [3]1968.
Wetter, G. P., "Der Sohn Gottes". Eine Untersuchung über den Charakter und die Tendenz des Johannesevangeliums, Göttingen 1916.
Windisch, H., Paulus und Christus. Ein biblisch-religionsgeschichtlicher Vergleich, Leipzig 1934.
Yadin, Y., The Scroll of the War of the Sons of Light, Oxford 1962.
Zerwick, M., Graecitas biblica exemplis illustratur, Rom [4]1960.
Zuntz, G., The Text of the Epistles. A Disquisition upon the Corpus Paulinum, London 1953.

Stellenregister

I. Altes Testament

II. Alttestamentliche Apokryphen

III. Qumranschriften

IV. Neues Testament

V. Apostolische Väter und alte Kirchenschriftsteller

VI. Jüdisch-hellenistische Schriftsteller

Sachregister

I. Stichwörter

II. Griechische Begriffe

III. Hebräische Begriffe